HET ROZENLABYRINT

Het rozenlabyrint

Titania Hardie

H&W

VAN HOLKEMA & WARENDORF
Unieboek BV, Houten/Antwerpen

Oorspronkelijke titel: The Rose Labyrinth
Vertaling: Richard Kruis
Omslagontwerp: Mijke Wondergem
Omslagbeeld: Quadrille Publishing Ltd
Opmaak: ZetSpiegel, Best

www.unieboek.nl
www.theroselabyrinth.com

ISBN 978 90 475 0352 1 / NUR 340

Voor mijn echtgenoot Gavrik Losey,
die voor rust zorgde zodra het tumult zich verhief.

Bij grote twistgesprekken verkondigt elke partij te handelen in overeenstemming met de wil van God. Beide partijen kùnnen, maar een móét het bij het verkeerde eind hebben. God kan niet tegelijkertijd voor en tegen iets zijn.

– Abraham Lincoln

+	ELOHIM		+	ELOHI		+

<table>
<tr><td rowspan="4">ADONAI</td><td>4</td><td>14</td><td>15</td><td>1</td><td rowspan="4">ZEBAOTH</td></tr>
<tr><td>9</td><td>7</td><td>6</td><td>12</td></tr>
<tr><td>5</td><td>11</td><td>10</td><td>8</td></tr>
<tr><td>16</td><td>2</td><td>3</td><td>13</td></tr>
</table>

+   ROGYEL   +   IOSPHIEL   +

'Vexilla Regis prodeunt inferni
verso di noi; pero dinanza mira,'
disse 'l maestro mio, 'se tu 'l discerni.'

Proloog

Sint-Joris, april 1600,
in een herberg aan de weg naar Londen

Voorovergebogen, aan het hoofd van een tafel in de eetzaal, zit dicht bij het vuur een man met een baard die sneeuwwit is. De dunne vingers van zijn linkerhand omklemmen een donker, glanzend voorwerp. Het tafelkleed vóór hem is versierd met de bloemen van de heesterroos – witte blaadjes met rozerode strepen. Iedereen aan de tafel weet dat er een geheim zal worden geopenbaard, en de aankondiging van de geboorte van iets uitzonderlijks waarop zij hebben gewacht: het kind van de wijze. In tegenstelling tot het rumoer van de andere herbergbezoekers, achter de gesloten deuren van de aangrenzende vertrekken, houden zij zich stil in afwachting van zijn woorden. Er gaat zacht een deur open en dicht en de stilte wordt door geschuifel onderbroken. De bijna ongemerkt binnengekomen bediende stopt de man een briefje in zijn fijne handen. Hij leest het langzaam en aandachtig. Op zijn hoge voorhoofd – verrassend glad voor een man van zijn leeftijd – verschijnt een diepe frons. Dan kijkt hij de om de lange tafel geschaarde aanwezigen een voor een aan. Haast prevelend begint hij te spreken.

'Niet lang geleden, in de maanden van het licht, is *signor* Bruno op het Campo de' Fiori op de brandstapel geëindigd. Hij kreeg veertig dagen de tijd om zijn ketterijen te herroepen: dat de aarde niet het middelpunt van deze wereld zou zijn, dat er behalve onze zon en planeten nog vele zonnen en planeten zouden zijn, en dat de goddelijkheid van de Verlosser niet letterlijk moest worden genomen. Monniken wilden hem een kruisbeeld laten kussen en hem daarmee gelegenheid geven berouw voor zijn dwalingen te tonen, maar hij wendde zijn hoofd af. Als blijk van genade drapeerden de kerkelijke autoriteiten een ring van kruit rond zijn hoofd alvorens de stapel te

9

ontsteken – teneinde zijn einde te bespoedigen. Ook priemden ze zijn tong vast aan zijn kaak om hem het spreken te beletten.' De oude man kijkt zijn disgenoten een voor een aan en neemt even de tijd voor hij verder spreekt.

'Voor sommigen onder ons begint de dreiging zich bijgevolg aan te dienen en betekent dit het begin van een andere reis.' Hij laat zijn ogen rusten op een man die links, aan het andere einde van de tafel, over zijn drinkbeker gebogen zit. Deze wordt door zijn buurman aangestoten en er fluisterend op attent gemaakt dat de blik van de spreker op hem is gevestigd. Dan kijken de twee mannen elkaar indringend aan, tot de gelaatstrekken van de jongere zich door zijn glimlach verzachten, waarmee hij de oudere de ruimte geeft zijn zachte betoog te vervolgen.

'Is er een mogelijkheid,' vraagt deze nu op krachtiger toon, 'al onze intense geestelijke inspanningen aan te wenden om zijn gedachten van liefde en universele harmonie zo fris als ochtenddauw te houden? Zal het ooit zo zijn dat de vergeefse inspanningen van de Liefde niet langer vergeefs zullen zijn?'

1

Hoewel de luiken voor de ramen nog altijd stevig gesloten waren, werd hij door het gezang van een merel uit zijn naargeestige dromen gewekt.

Will was laat aangekomen, lang na de fletse septemberschemering, maar de maan was helder genoeg geweest om de tussen de geraniums verstopte huissleutel te kunnen vinden. Gedesoriënteerd schrok hij wakker in de duisternis, hoewel een klein streepje licht zich door een kier naar binnen perste. Zonder dat hij het had gemerkt was het ochtend geworden.

Hij stond onmiddellijk op en raakte bezorgd toen hij een van de ramen wilde openen. Het hout was door het regenachtige weer uitgezet – de luiken klemden even voor ze gehoor gaven aan de druk van zijn hand. Ineens werd hij door het intense licht overspoeld. Het was een volmaakte vroege najaarsochtend, de lage mist werd al door de eerste zonnestralen doorboord. De geur van de rozen vulde samen met het licht en de vochtige lucht het vertrek en vermengde zich met de onmiskenbare geur van Franse lavendel, afkomstig van een haag ergens beneden. Die geuren riepen bitterzoete herinneringen wakker, maar schonken hem ook weer enige kalmte en verdreven de spookachtige gezichten die zijn dromen hadden bevolkt.

Hij was gisteravond vergeten de boiler in te schakelen, maar hij kon niet wachten het stof van de lange rit die hij van Lucca naar hier had gemaakt van zich af te spoelen. Hij vond het koude water verfrissend, al zou de warme variant een gunstiger uitwerking hebben gehad op de stramheid van zijn lijf. Zijn Ducati 998 was beslist geen toermotor, eerder een weerspannig supermodel: adembenemend snel, belachelijk veeleisend maar onwaarschijnlijk enerverend om onder je te voelen. De motorfiets paste in menig opzicht perfect bij hem, maar hij moest toegeven dat de machine tijdens lange, onafgebroken ritten allesbehalve comfortabel was. Zijn in leer gestoken knieën waren gisteravond behoorlijk verkrampt geraakt, maar daar besteedde hij verder weinig aandacht aan. Een dergelijke motor was niet voor watjes.

Zijn gezicht in de spiegel bevestigde zijn moeders beeld van hem als 'een enigszins gevallen engel'. Hij had iets van een figurant die was weggelopen uit een film van Zeffirelli, vond hij, zijn met donkere stoppels bezaaide kaaklijn inspecterend. Hij schoot in de lach toen hij besefte dat zelfs zij geschokt zou zijn als ze hem zo zou zien. Er lag een zekere bezetenheid over het gelaat dat naar hem lachte, en hij wist dat hij de demonen van zijn reis iets te dicht in de buurt van zijn ziel had laten komen.

Meer snijdend dan scherend verwijderde hij de stoppels van meerdere dagen, en nadat hij de zeep van het mes had geveegd, merkte hij pas de verbleekte roos op die, volmaakt gedroogd, in een oud inktpotje op het aanrecht stond. Was zijn broer Alex hier in de afgelopen weken misschien met iemand geweest? Hij was de laatste tijd zo in zijn eigen gedachten verzonken geweest dat hij het doen en laten van anderen nauwelijks had opgemerkt. Geïntrigeerd door dat denkbeeld glimlachte hij.

'Ik zal hem vroeg in de avond bellen,' zei hij hardop, verwonderd door het onvertrouwde geluid van zijn eigen stem, 'als ik eenmaal in Caen ben.' De veerboot zou pas tegen middernacht vertrekken en op dit moment waren er andere dingen die hij nog wilde doen.

In het serene ochtendlicht van de keuken begon hij zich voor het eerst in weken te ontspannen. Hier kon hij het opgejaagde gevoel van de voortvluchtige dat hem sinds kort belaagde van zich afschudden. De geur van appels in de boomgaard drong door de openstaande deur naar binnen en voerde de behaaglijkheid met zich mee van de eenendertig najaren die hij hiervoor had genoten. Hij was alles en iedereen ontvlucht, maar het voelde goed dat hij thuis begon te komen. Hij spoelde het bloedrode laagje wijn van gisteravond uit het glas en zette het restje stokbrood in de oven om het een paar minuten te verwarmen. Hij besloot even naar de motor te kijken. Hij herinnerde zich nauwelijks hoe hij hem had neergezet: het enige wat hem die laatste moeizame, op hoge snelheid afgelegde kilometers vanaf Lyon overeind had gehouden, waren de gedachten aan dit toevluchtsoord geweest, aan de pikante Meauxbrie en het stokbrood in zijn rugzak, aan een glas van zijn vaders St-Emilion en aan het vooruitzicht zich op een bed te kunnen uitstrekken.

Buiten was alles ontwapenend vredig. Er was de late weelderigheid van de blauweregen tegen de voorzijde van het huis. Afgezien van de vluchtige tekenen van verwaarlozing die waren af te lezen aan het ongemaaide gazon en het ongeveegde pad, onthulde het huis niets van de familiebeproevingen die het in een maandenlange verlatenheid hadden gedompeld. Na de plotselinge en vreselijke dood van Wills moeder aan kanker had kennelijk niemand enige behoefte gevoeld het huis te bezoeken. Het kon vanuit hun huis in Hampshire makkelijk voor een lang weekend worden aangedaan en het was haar wijkplaats geweest, haar toevlucht om er te schilderen en te tuinieren. Haar geest waarde dan ook in elk hoekje rond, zelfs nu, in het heldere morgenlicht. Zijn vader rouwde in stilte. Hij sprak weinig, werkte hard als altijd om er maar niet te veel aan te denken. En ook Alex leek alle gebeurtenissen het hoofd te kunnen bieden zonder anderen deelgenoot te maken van de heftigheid van zijn gevoelens. Maar Will was op en top zijn moeders zoon, was emotioneel in zijn respons op het leven en hartstochtelijk in zijn relaties. En hier, in haar betoverende domein, miste hij haar.

Zijn ogen gleden over het korte grindpad van de weg naar de deur, maar er was niets uitzonderlijks dat zijn aandacht trok. De leegte was bijna een anticlimax, maar dan wel een die hem welkom was. Op dit moment was het of niemand wist of zich ervoor interesseerde waar hij was. Gedachteloos speelden zijn vingers met het kleine zilveren object aan de korte ketting om zijn nek, om het plotseling en doelgericht vast te grijpen. Toen liep hij naar zijn moeders rozentuin. Ze had meer dan twintig jaar besteed aan het verzamelen van oude soorten, bij wijze van eerbetoon aan de grote rozentelers, die het thuis in Malmaison prachtig zouden hebben gedaan. Ze had ze geschilderd, geborduurd en in hun bijzijn haar potje gekookt; maar als ze bemerkten dat ze weg was, vertelden ze dat aan niemand door. De fontein tussen de bloembedden had ze toen hij nog klein was met een helder mozaïek van porselein versierd. Het was een spiraal met in het centrum een motief van Venus, de patroonheilige van de rozen, en het oefende een magische aantrekkingskracht op hem uit.

Vaagjes zag hij dat de zonnig gele motor, vuil van de rit, veilig in de schaduw van het huis stond. Hij draaide zich om. De geur van verse koffie bracht hem terug naar het heden toen hij de keuken binnenstapte. Hij liet zijn handen door zijn warrige krullen gaan. Zijn haar was schoon en al door de warme lucht gedroogd, maar het diende wel nodig te worden geknipt. Dat kon hij maar beter laten doen voor Alex' verjaardagslunch van aanstaande zondag: de verhouding tussen hem en zijn vader verliep al stroef genoeg, ook zonder dat hij er als een zwerver uitzag. Het steilere haar van zijn broer was altijd keurig geknipt en gekamd, maar na meer dan een maand in Rome was Will op de plaatselijke bewoners gaan lijken. En dat kwam hem goed uit, want hij gaf er altijd de voorkeur aan in zijn omgeving op te gaan.

Boter was er niet, maar hij besmeerde het warme brood rijkelijk met de laatste door zijn moeder gemaakte jam die hij in de voorraadkast vond. Hij likte zijn duim af toen zijn oog viel op een ansichtkaart op de buffetkast: onmiskenbaar haar handschrift. 'Voor Will en Siân,' luidde de aanhef. Hij strekte zijn arm uit om de kaart te pakken. Wanneer kon ze dit hebben geschreven?

Voor Will en Siân. Probeer een paar dagen tot rust te komen. Er ligt een mooi stuk hertenvlees in de diepvrieskist - kunnen jullie daar iets mee? Kijk in elk geval even voor mij hoe het met de kruidentuin staat. We zien elkaar met Kerstmis thuis - D x

Het moest afgelopen november zijn geweest. Hij en Siân hadden dat jaar erg veel onenigheid gehad en aan het einde van de lente waren ze uit elkaar gegaan. Het geruzie had hen al minstens vanaf zijn verjaardag in augustus van het afgelopen jaar in zijn greep gehad. Ze had er onophoudelijk op gestaan dat hij zich meer betrokken zou tonen, wat hem tot de overtuiging had gebracht dat het beter was af te zien van het idee om samen een week door te brengen in het huis in Normandië. Siân had in die tijd geen andere vrienden en doordat ze de Franse taal nauwelijks beheerste, zou ze volledig op hem aangewezen zijn geweest. Hij betwijfelde of hun verhouding daar op dat moment sterk genoeg voor was. Ze waren dus niet gekomen, hadden het briefje niet gelezen, hadden niet in de heilzame tuin gewandeld en hadden in de Pays d'Auge geen laatste avondmaal gebruikt.

Hij glimlachte nu hij aan haar dacht. De drie maanden waarin hij onderweg was geweest, hadden zijn woede bekoeld. Ze was excentriek, sloot niet aan bij de smaak van eenieder, maar op een of andere manier wel dubbel en dwars bij die van hem. Hij werd plotseling overvallen door een lichamelijk verlangen naar haar, alsof hij zich voor het eerst bewust werd van de lege plek naast hem en in zijn hart. Maar afgezien van de passie, de passie die de kern van hun verhouding was geweest, wist hij dat hij er goed aan had gedaan er een punt achter te zetten. Hun liefde was lente geweest, maar de lucht was veranderd. Hij was minder vergevensgezind en pragmatisch dan Alex, niet altijd een voltooier van waar hij aan begon, en hij zou nooit de echtgenoot kunnen zijn die zij zich wenste: een presteerder, een man om op zondagen mee te gaan winkelen bij de Conran Shop, een geliefde die zijn Ducati zou verruilen voor een Volvo. Nadat ze een zwak voor zijn wildheid had laten blijken, had ze vanaf het begin geprobeerd hem te temmen. Hij kookte met liefde voor haar, maakte haar graag aan het lachen, zong voor haar en beminde haar als geen ander. Maar hij wist dat hij zijn persoonlijkheid nooit zou opgeven en nooit de sterke politieke opvattingen die hij erop nahield voor zich zou kunnen houden, opvattingen die altijd tot felle woordenwisselingen hadden geleid met haar geestloze vriendinnen en hun gedweeë partners. Hij zou nooit kunnen aarden in haar veilige en in zijn ogen oersaaie wereldje. Hij moest het leven ten volle ervaren, tegen elke prijs.

Hij draaide de ansichtkaart om. Het was het grote roosvenster van de kathedraal van Chartres. Zijn moeder had het vaak geschilderd, zowel het buiten- als het binnenaanzicht. Ze hield ervan hoe het licht door het glas naar binnen viel, hoe de felheid ervan je bijna verblindde als het het halfduister binnendrong.

Hij speelde even met zijn gsm. Die was nu opgeladen en zonder zijn blik af te wenden van de foto op de kaart, sms'te hij zijn broer.

Ben Normandië eindelijk binnengevallen! Was jij pas
hier? Vertrek vanavond 23.15 uit Caen. Bel je eerst nog.
Heb je veel te vragen. W

Met een vloeiende beweging gleed hij in zijn leren jack, stak zijn mobieltje bij zich en borg de ansichtkaart in zijn binnenzak, direct bij het gekoesterde document dat hem die zomer tot een verwoede zoektocht in Italië had aangespoord. Hij had een begin gemaakt met het verzamelen van enkele van de antwoorden waarnaar hij op zoek was, maar er leek zich zelfs op dit ogenblik een onafzienbare ruimte vol vragen om hem heen te openen en een gevoel van mysterie te verdiepen. Hij stapte in zijn stoffige laarzen, sloot snel het huis af en legde de sleutel terug op zijn bergplaats. Hij boende zelfs zijn motor niet schoon maar zette zijn helm op, trok zijn handschoenen uit de tanktas en reed weg. Hij had benzine nodig voor de ongeveer zeventig kilometer naar Chartres.

2

19 september 2003, Chelsea, Londen

Lucy keek knipperend naar het sterke licht van de zon, loodrecht boven de evenaar, dat zich een weg door het dikke lover zocht. Ze zat in de botanische tuin van Chelsea onder een moerbeiboom van onberispelijke origine en genoot er eenvoudig van daar te zijn. De boom droeg vruchten en vervulde de lucht van een intense geur. Ze voelde zich deze ochtend wat beter en haar artsen hadden er aarzelend mee ingestemd dat ze 'een rustig ommetje' zou maken om de tijd wat te doden, die, begrepen zij, voor haar zo eigenaardig tussen haakjes moest staan. Wel lieten ze haar beloven geregeld even te rusten. Eerlijk gezegd had ze iets te ver gewandeld, maar dat zou ze niet vertellen. Het was trouwens heerlijk buiten de muren van het gebouw te zijn – waar je gevoelens gemeenschappelijk bezit waren – en gewoon even alleen met haar gedachten te zijn. Deze dagen waren schitterend en miraculeus, en ze nam zich voor er zo vaak mogelijk van te genieten.

Geduldig wachtend op een hartoperatie die te ingrijpend en te gevaarlijk was om er lang en diep over na te denken, en klaar om naar Harefield te gaan bij het eerste teken dat er een mogelijkheid was, voelde ze zich vandaag als herboren en liet ze zich overstelpen door de schoonheid van de herfst. Keats had gelijk: de herfst was het seizoen dat Engeland liet schitteren. Ze begon door het gezoem van bijen en verre grasmaaiers, maar toch vooral door de afwezigheid van verkeerslawaai, te knikkebollen.

En ze was contemplatief en verrassend hoopvol op deze heldere septemberochtend, mede door de beduimelde dichtbundel van John Donne: 'A Valediction: Forbidden Mourning':

As virtuous men pass mildly away
And whisper to their souls, to goe,
While some of their sad friends doe say,
The breath goes now, and some say, no:

So let us melt, and make no noise… *

28 maart 1609, bij een bocht van de rivier, nabij Londen

Een oude man ligt te sterven in een gammel huis dat op de Theems dobbert. Hem was precies hetzelfde lot beschoren als signor Bruno. Hij is een vriend en eveneens filosoof en geleerde, een man van kennis en wijsheid. Hij is misschien de enige andere nog levende ziel die is ingewijd in dezelfde uitzonderlijke geheimen als Bruno. Elizabeth, de machtige koningin, was als zijn peetdochter geweest en had hem sedert vele jaren in vertrouwen genomen, had hem haar 'ogen' genoemd, maar ook zij was nog niet erg lang geleden aan de aarde toevertrouwd. Haar opvolger is de strenge Schotse koning die zich fanatiek met geesten en demonen inlaat, bang als hij is voor iedereen die zijn autoriteit op enigerlei wijze waagt te betwisten. De oude man had zich al verscheidene jaren niet meer met dit vroegere huis van zijn moeder bemoeid.

Het is een ongebruikelijk nevelige nacht, kort na de maartse equinox. Het licht van de lantaarns wordt weerkaatst door de mist terwijl een boot gestaag stroom opwaarts van Chelsea naar Mortlake vaart. Een vage figuur struikelt in het halfdonker de pier op en loopt naar de deur. Binnengelaten door een kaarsrechte kleine vrouw van onbestemde leeftijd spoedt de jongeman zich naar de kamer van zijn oude meester. De kaarsen flikkeren en doven bijna door de haast waarmee hij binnenkomt.

'Ah, meester Saunders,' zegt hij op zachte toon. 'Ik wist dat u zou

---

* *Als rechtschapen mannen mild verscheiden / Hun zielen fluisterend aansporen te gaan / Terwijl enkelen van hun wenende vrienden zeggen, / Zijn laatste ademtocht, en anderen zeggen: Nee, / Laten we dan geluidloos samensmelten…*

komen, al schrok ik ervoor terug u met mijn verzoek te belasten. Helaas kan ik niemand anders vertrouwen.

Het spijt me u zo te zien, eerwaarde. Wilt u dat ik u help bij het treffen van de voorbereidingen voor die laatste lange reis waarover de engelen met u hebben gesproken?'

Het lukt de oude man een ironisch lachje te laten horen. 'Een reis? Ach, ik heb lang genoeg geleefd: ik had eigenlijk al onderweg moeten zijn. Luister goed naar me, Patrick. Mijn dood is inderdaad aanstaande, mijn uren zijn geteld. Ik weet dat ik de vragen die je me wilt stellen niet kan beantwoorden, maar ik vraag je naar mij te luisteren.'

Zijn woorden worden in toenemende mate door zijn hijgende ademhaling onderbroken, waarmee de inspanningen die het spreken de man kost slechts voor een deel aan de dag treden.

Langzaam gaat hij verder: 'Naast de drie kistjes hier naast mij ligt een brief die ik zelf heb geschreven en die alles verduidelijkt wat je nu nog niet begrijpt. Er kunnen nu elk moment drie bezoekers arriveren die op mijn verzoek een handeling zullen uitvoeren. Wees alsjeblieft niet bezorgd om mij, maar wacht af als ze hier zijn. Als alles voorbij is zullen ze je deze drie kistjes geven. Volg mijn instructies nauwgezet op. Ik smeek je niet af te dwalen. Het is mijn laatste wens en dergelijke zaken liggen buiten het bevattingsvermogen van mijn lieve dochter Kate. Jij weet dat er een heel leven van denken met mijn wens verbonden is.'

Er komen drie in mantels gehulde zwijgende gestalten de kamer binnen die om de oude man heen gaan staan. Een opgerolde leren hoes wordt geopend waarin medische instrumenten blijken opgeborgen. Een fijnzinnige in handschoenen gestoken hand strekt zich uit en voelt de pols van de oude man. Ze wachten. Uiteindelijk knikt zij.

Geen tranenstromen, noch zuchtend tumult roert zich...

De gehandschoende hand, nu bebloed, legt het nog warme hart van John Dee in het kistje met het loden deksel. De andere twee, het ene van goud, het andere van zilver, worden opgepakt en aan de verbijsterde Patrick Saunders gegeven, die ze samen met de brief en enkele waardevolle boeken die hem zijn toegestopt in zijn armen houdt en geschokt vertrekt.

19 september 2003, Chelsea, Londen

Lucy hoorde het geluid van een vliegtuig, keek glimlachend omhoog en keerde terug uit haar dagdroom. De hemel was plotseling veranderd, en wat aanvankelijk een licht buitje was, werd snel heviger. Onder de niet toereikende bescherming van de dichtbundel liep ze onder de boom vandaan. Hopelijk zouden de muzen haar beschermen. In de vochtige lucht leken de vloeiende bewegingen van haar lichaam in de oesterkleurige zijden rok en crèmekleurige kanten bloes op te gaan in een impressionistisch schilderij, alsof het op het punt stond op te lossen.

Haar pieper ging af: het was het Brompton Hospital. Ze diende met spoed terug te keren.

3

Ik heb een wil om te zijn wat ik ben, en wat ik zijn
zal is alleen wat ik ben.

Het geheimzinnige geschrift bereikte de jongere broer, samen met de kleine zilveren sleutel, in een aparte envelop die bij zijn moeders testament was gevoegd. De familietraditie schreef voor dat die zaken van moeder op dochter dienden over te gaan, maar omdat zij uitsluitend zoons had, had ze zich in haar laatste weken gekweld afgevraagd wat ze aan moest met die merkwaardige, ogenschijnlijk waardeloze objecten die van generatie op generatie waren overgegaan. Als oudste zoon zou Alex misschien, bij ontstentenis van een dochter, de terechte ontvanger zijn, maar toch stond Will haar nader. Hoewel ze van haar beide zoons oprecht en evenveel hield, kon ze zich niet aan het gevoel onttrekken dat Will de rechtmatige ontvanger moest zijn. Ook het document leek in die richting te wijzen.

Nadat Alex getrouwd was, had ze uitgezien naar de komst van een kleindochter: dan was alles opgelost. Maar de onmogelijke eisen van zijn drukke baan hadden tot gevolg dat hij maar zelden thuis was, waardoor er een triest einde aan zijn huwelijk was gekomen zonder dat er een dochter aan ontsproten was. En Will? Nou ja, zijn moeder wist wel dat ze er niet op hoefde te rekenen dat hij een gezin zou stichten. Hij was getalenteerd, teder, hartelijk en wispelturig. Vrouwen voelden zich sterk tot haar jongste zoon aangetrokken, tot zijn knappe zij het ongestileerde uiterlijke verschijning, tot zijn ronduit goddelijke lichaam. Haar beide zoons waren uitstekende sporters; beiden speelden cricket in het dorp. Maar Will had veel verder kunnen komen als hij daarvoor had gekozen. Een gevaarlijke slagman en een werper die de tegenstander tot wanhoop kon brengen door zijn met veel effect geworpen ballen. Hij werd een paar keer door scouts opgemerkt, maar zag niets in de extra trainingsuren, noch in het opofferen van zijn zomervakanties. Hij speelde voor de lol als hij vrij was, maar nooit omwille van het geld en nooit in omstandigheden waarin er iemand van hem afhankelijk zou zijn – zo was Will.

Ze had gedacht dat Siân misschien toch haar zin kreeg en hem voor het altaar zou kunnen krijgen. Siân was temperamentvol, aantrekkelijk en vastbesloten een gezin te stichten. Ze was net dertig geworden, de tijd begon enigszins te dringen. Misschien zou Will op een dag een dochtertje hebben – en met de gevoeligheid die onder zijn stoere buitenkant sluimerde, zou hij een liefhebbende en zorgzame vader voor haar zijn, dacht zijn moeder. Wat de sleutel ook zou ontsluiten, het was ongetwijfeld bedoeld voor Wills dochter. En hij zou haar de sleutel overhandigen. Ja, ze zou vertrouwen op de tijd en op Siâns vastberadenheid en de sleutel nalaten aan Will. Ze schreef een briefje en stopte dat met de sleutel en het ene vel perkament in een grote envelop.

Voor Will, wanneer hij iets of iemand is die hij nu niet is.

En ze roerde het onderwerp niet meer aan, zelfs niet toen ze elkaar in haar laatste ogenblikken vaarwel kusten.

Will had zijn talisman geïnspecteerd alsof die een edelsteen was, had hem rondgedraaid in het licht, er in een hele reeks gemoedsgesteldheden naar gekeken: bij een glas port, laat op de avond, in de demonische schemering van zijn kamer, in de ijzige januariwind, direct na zijn moeders begrafenis, in de vallei van de tempels in Agrigento, in de kleine hem toegewezen ruimte in de leeszaal van het Vaticaan, waar hij dagen had doorgebracht met het speuren in de archieven naar de duistere geschiedenis van het Campo de' Fiori. Zo'n symbolisch object, een sleutel. Welk slot kon ermee worden geopend? Het slot waarin het had gepast leek in de loop van de tijd te zijn opgelost, verloren gegaan in een spiraal van jaren. Hij wist niet eens, besefte hij, wie de eerste was geweest die hem had nagelaten. Hij wist eigenlijk niets van zijn moeders familie en zijn doorgaans welwillende vader weigerde botweg erover te praten.

Ik ben wat ik ben, en wat ik ben is wat je zult zien.

Zijn brein herhaalde die laatste woorden keer op keer terwijl hij de laatste kilometers aflegde over de B-weg naar Chartres. Hij kende de hele tekst uit zijn hoofd en met verbluffend gemak lukte het hem zich te concentreren op de stuurkunst die de weg van hem vergde en tegelijkertijd de tekst op het oude perkament te overdenken, waarvan hij een fotokopie had gemaakt, die hij de hele zomer in de binnenzak van zijn leren jack bij zich had gedragen. Zelfs in de hitte van Sicilië had hij het jack om zijn schouders gehouden om maar niet gescheiden te raken van de kostbare nalatenschap, en het sleuteltje droeg hij aan een kettinkje om zijn nek. Daar zou het, zo had hij besloten, desnoods tot zijn dood blijven. Hij had geprobeerd een verklaring te vinden voor zijn behoefte om zoveel meer aan de weet te komen over zijn erfenis dan de anderen, maar hij wist dat zelfs Alex van mening was dat de hele zaak een zorgelijke obsessie begon te worden. Zijn oudere broer zou het hele raadsel uiteraard heel anders hebben benaderd, al het giswerk tussen zijn reguliere werkzaamheden, zijn wetenschappelijke onderzoekingen en de hechte band met zijn jongste zoon door hebben gedaan. Ook had Alex vanwege andere verplichtingen geen hele zomer in Europa kunnen doorbrengen. Maar Will zat heel anders in elkaar en werd verteerd door het verlangen te weten wat het allemaal betekende. Hij was niet bij machte zijn volle aandacht aan iets anders te geven tot hij het raadsel van de sfinx zou hebben opgelost en het slot had gevonden waarop de mysterieuze sleutel zou passen. Zijn eigen persoonlijkheid leek met het raadsel vervlochten te zijn, en het waren niet de geruchten dat achter de sleutel 'de kostbaarste schatten van onze familie' schuil zouden gaan die de drijfveer voor zijn zoektocht vormden. Hij was niet geïnteresseerd in goud of juwelen, maar vroeg zich af wat er voor zijn geheimzinnige familie zo belangrijk was geweest om dit object gedurende eeuwen en eeuwen te bewaren en te koesteren.

Will werkte als freelancefotojournalist en beschikte over een uitgebreid netwerk. Een collega die hij al jaren kende en die intussen zijn beste vriend was, was onder het genot van een glas bier eveneens geboeid geraakt en had zijn hulp aangeboden. Hij had een fragment van het perkament aan een neef in Oxford gegeven, die er de techniek van de koolstofdatering op kon loslaten. Zo zouden ze in elk geval bij benadering de ouderdom van het perkament aan de weet komen. Will was op een verzengende dag in juni bezig geweest met het nemen van foto's van het Griekse amfitheater in Taormina, toen de volgende intrigerende tekst op zijn mobieltje was verschenen:

Monsters 2x getest. Beide wijzen op eind 16e.
Geïnteresseerd? Zie je sept. Simon

Geïnteresseerd? Dat kun je wel zeggen! Wat was er aan het eind van de zestiende eeuw op het Campo de' Fiori, het zogeheten Bloemenveld, gebeurd? Dit was nog maar de allereerste verwijzing naar het document en al was hij snel met kruiswoordraadsels en anagrammen; hij had geen idee wat de betrekking was tussen de sleutel en het perkament. Na weken rondtrekken en onderzoeken was hij begonnen met het samenvoegen van een aantal overwegingen, maar zijn brein wervelde nog altijd rond de overdaad aan feiten die mogelijk, maar voor hetzelfde geld totaal niet relevant waren. De laatste dag bracht hij in Rome door met het verzenden van e-mails naar zijn computer thuis, met als bijlagen foto's van allerlei plaatsen die van belang konden zijn, en van pagina's vol gegevens over het politieke klimaat in Rome in de zestiende eeuw. Hij bestelde via Amazon een fikse hoeveelheid boeken, die hij naar het adres van Alex liet sturen. Hij peinsde over de Cenci's, over Giordano Bruno en Galileo Galilei. Hij zou alles in alle rust moeten bestuderen, maar hij werd al, als betrof het een hoofse dans, door enkele eigenaardige stegen geleid, langs stuurse personages met kappen. Hij kreeg er meer dan eens het beeld bij van een 'vrolijke dans', maar als de stegen doodliepen, bleef hij vaak achter met een akelig, ijselijk gevoel. Rome kon je ertoe brengen zo nu en dan over je schouder te kijken, zelfs wanneer er achter je niets dan je eigen paranoia wachtte.

De zonneklep van zijn helm beperkte zijn zicht op zaken die zich op grote afstand bevonden, maar desondanks zag hij de indrukwekkende luchtspiegeling van de kathedraal van Chartres die in de verte boven de vlakte zweefde. Als je met hoge snelheid naderde, werd je plotseling overdonderd door de reusachtige omvang ervan. Hij kon zich voorstellen hoe nietig een middeleeuwse pelgrim zich moest hebben gevoeld en hij besefte dat de verbijsterende aanblik van de grote kerk die het landschap domineert – de talloze persoonlijke associaties die erdoor werden opgeroepen – voor hem altijd magisch zou blijven.

Will nam een bocht en bracht zijn snelheid terug tot die van de stad. Het sturen werd onmiddellijk zwaarder en hij concentreerde zich om rustig en soepel door het doolhof van middeleeuwse straten te toeren. De motor sloeg twee keer af terwijl hij probeerde haar eigenzinnigheden onder de knie te krijgen, en ze werd nukkig als je haar onvoldoende aandacht schonk. Door begrensde zones glippend alsof hij er thuishoorde, negeerde hij de uitnodigingen op een aangewezen plek te parkeren en rolde hij verder in de richting van de torenspitsen. Het geluid van het Testastretta-blok doorbrak de kloosterachtige stilte toen hij over Place Billard en door Rue des Changes reed. Hij stopte aan de stoeprand bij een parkeerautomaat aan de zuidzijde van de kathedraal en klapte de standaard uit. Het moest al tegen het middaguur lopen. De geur van *moules marinières* en Franse uiensoep, afkomstig van de bistro iets verderop, herinnerde hem eraan dat hij na zijn bezoek nodig iets moest eten. Er lag een lange tijd tussen zijn laatste goede maaltijd en dit moment.

Hij keek omhoog naar de vertrouwde aanblik van de twee ongelijke torens. Met een gebaar van ridderlijke hoffelijkheid nam hij zijn helm af toen hij de schaduw bereikte die door het glorieuze westelijke portaal werd geboden. Terwijl zijn ogen wenden aan de baarmoederachtige duisternis, pikten zijn oren het gefluister op van diverse groepen toeristen die zich lieten rondleiden en met opengezakte monden naar de schoonheid gaapten van het gebrandschilderde glas boven zijn hoofd, als domme kuddes. En hoewel het juist dat gebrandschilderde venster was waar Will meende voor gekomen te zijn, werd zijn blik onmiddellijk afgeleid door iets waarvan hij zich niet kon herinneren het ooit eerder te hebben gezien tijdens de zeker tien eerdere bezoeken die hij in de loop van de jaren aan de kathedraal had gebracht. Een groot deel van de stoelen was verwijderd en Wills ogen dronken de enorme zwart-witte cirkel van marmeren stenen in, ingelegd in de vloer van het grote gotische middenschip, tussen de pilaren. De zonderlinge, als edelstenen glanzende kleuren van het glas spatten op de vloer neer, het labyrint vulde de volledige breedte van de gigantische kerk. In het midden stond een meisje met gesloten ogen, maar hij kon de bloemvorm duidelijk herkennen die de kern van het patroon markeerde. Hij moest er op weg naar het altaar vaak doorheen zijn gelopen, maar had nooit naar beneden gekeken om het te zien. Dicht bij hem in de buurt bracht een jonge Française haar toeristengroep op de hoogte van het fenomeen, in goed Engels en op een gepast volume. Hij glimlachte: een studente met een vakantiebaantje.

'Dit is dus het vermaarde labyrint van Chartres, en zoals u misschien weet zijn labyrinten erg oud. Ze zijn in heel veel landen te vinden, maar er hier een te zien, nota bene in een middeleeuwse kathedraal, duidt erop dat dit heidense symbool kennelijk krachtig door de kerk is gekerstend. Het is bekend dat er ook een labyrint was in de kathedraal van Auxerre, en in Amiens en Reims en Sens, en in Arras. Die werden allemaal verwijderd aangezien ze niet werden begrepen door de mensen in de zeventiende en de achttiende eeuw. De clerus schijnt zich te hebben gestoord aan de mensen die door die labyrinten wandelden! Maar dit labyrint is het beste bewaard gebleven…'

Will raakte in de ban van haar woorden en sloop iets dichter naar de groep. Halverwege een zin verscheen er een lach op haar gezicht. Ze was zich er terdege van bewust dat hij geen deel uitmaakte van haar groep, maar misschien kon ze zijn oprechte waardering voor haar kennis aflezen aan zijn glimlach naar haar, en zonder te haperen vervolgde ze haar uitleg.

'… en stamt uit ongeveer 1200. Kijkt u nog eens naar het westelijke roosvenster van het laatste oordeel hierachter, waar we zojuist naar hebben gekeken. Dat dateert uit circa 1215, weet u nog? Zoals u ziet is de omvang van het labyrint nagenoeg gelijk aan die van het venster, en de afstand van het labyrint tot de deur is gelijk aan de afstand tussen het venster en de deur. Dat drukt de gedachte uit dat het volgen van het pad van het labyrint op de grond één trede is op de trap naar de hogere wereld. Het labyrint beslaat op het breedste punt tussen de pilaren 16,4 meter, en u herinnert zich dat dit het breedste gotische middenschip in Frankrijk is. Als je het hele pad bewandelt, zoals de middeleeuwse pelgrim, is de totale afstand meer dan 260 meter. Het werd wel "de reis naar Jeruzalem" genoemd, en mogelijk legden pelgrims die afstand bij wijze van boetedoening op hun knieën af. Op kaarten uit die tijd vormde Jeruzalem namelijk het centrum van de wereld, en ook tegenwoordig is het laatste oordeel voor veel gelovigen sterk verbonden met de profetieën omtrent Jeruzalem en de grote Tempel. Goed, als u mij nu wilt volgen, dan gaan we naar het venster van Adam en Eva.'

Toen ze haar hand opstak ten teken dat de groep haar moest volgen, raakte Will zacht haar arm aan. *Mademoiselle, s'il vous plaît; je n'ai jamais vu le labyrinth comme ça – je ne l'ai aperçu jusque ce jour… Comment est-ce que c'est possible?'*

Ze raakte niet ontstemd door zijn inmenging. *'Les vendredis, seule! Chaque vendredi entre avril et octobre. Vous avez de la chance aujourd'hui, n'est-ce pas?'* Ze lachte vriendelijk en liep verder met haar kudde.

Het meisje dat hij binnen had zien komen, voltooide juist haar volledige ronde door het labyrint en stapte toen uit het centrum met haar ogen wijd open. Ze leek een tikje te blozen.

'Neem me niet kwalijk, maar zei ze nou dat het hier alleen op vrijdagen toegankelijk is? Goh, dan heb ik geluk gehad. Ik ben hier vandaag naartoe gekomen omdat het de herfstnachtevening is. Vanaf vandaag domineert de vrouwelijke energie weer, tot de lente.' Ze was een Amerikaanse met een open en eerlijk gezicht en ook zij glimlachte naar Will. 'Je zou het moeten doen, het labyrint doorlopen, het is wonderbaarlijk. Dit is een goed moment en het licht is perfect. Ik heb tijden moeten wachten tot al die groepen zich eindelijk uit de voeten maakten. Je moet de gelegenheid te baat nemen.'

Will knikte. 'Oké, bedankt. Erg bedankt.'

Hij voelde zich op een vreemde manier verlegen. Hij was geen godsdienstig mens – nou ja, niet op een conventionele manier in elk geval. Hij hield er bepaalde spirituele ideeën op na, vermoedde dat we niet alles begrijpen wat er te begrijpen valt, maar met dat hele gedoe van die maagdelijke geboorte had hij niks, en hij was zeker niet iemand die te koop liep met de eventuele ideeën die hij over de ziel had. Maar hij merkte dat hij zonder dat bewust te willen naar het beginpunt liep.

Ja, oké, dacht hij. Ik zal de gelegenheid aangrijpen. Alleen op vrijdagen… hij glimlachte… en het is het equinoctium. Dat laatste was een ironische bijgedachte. Hij vond het amusant – maar zonder enige geringschatting – dat het zo'n speciale dag was voor dat leuke meisje.

Er was slechts één toegang en hij begon te lopen, drie stappen in de richting van het altaar, en vervolgens naar links een prachtig krommend pad op dat in zichzelf terugcirkelde. Aanvankelijk moest hij naar zijn voeten kijken om het pad nauwgezet te volgen, want het was niet al te breed. Hij merkte dat hij het lichtgekleurde pad volgde dat door de donkere rand werd gemarkeerd. Hij wandelde symbolisch in het licht en vermeed de donkerte.

Hij drukte de helm dichter tegen zich aan, sloot zijn ogen een beetje en begon te lopen zonder zich al te zeer op zijn voeten te concentreren. De tweede kromming bracht hem bijna naar het centrum. Hij meende dat die opeens in de bloemvorm zou culmineren, maar het zonderlinge pad draaide via een korte reeks kronkelingen naar zichzelf terug, als een fraaie slang, tot er weer een grote kromming volgde, die hem tot vlak bij het centrum voerde maar er vervolgens in een rechte lijn weer vandaan, een ander kwadrant binnen. Hij gaf zichzelf over aan het gevoel: zijn ogen gingen op in de intense kleuren die door het raam aan de zuidzijde over zijn gezicht werden geworpen. Hij bleef even staan en nam de voorstelling in zich op: een man die uit de poort kwam van een ommuurde stad, tegen een achtergrond van kobaltblauw glas. In de middelste cirkel trok een man achter hem zijn zwaard uit de schede, tegen een fabelachtige robijnrode achtergrond. Die magnifiek uitgewerkte man was gehuld in een groene mantel, terwijl de man vóór hem een blauw gewaad en een gele mantel droeg. De rode, blauwe en gele schakeringen vielen allemaal op Wills gezicht door het equinoctiale zonlicht dat rond het middaguur door het glas drong. Will voelde zich licht in zijn hoofd. De ervaring was onverwacht intens en aangrijpend. Enigszins in verlegenheid gebracht glimlachte hij en waarschuwde hij zichzelf voor de wegen naar Damascus.

Er was verder niemand die het labyrint bewandelde. Hem was ruimhartig enige ruimte gegeven, hoewel hij zich vagelijk bewust was van enkele andere bezoekers die zijn gangen verwonderd volgden.

Dat kon hem echter niet schelen; in plaats daarvan genoot hij van de kleurensensaties op zijn van het licht naar het donker en vice versa bewegende gezicht, en zijn voeten volgden kortere paden en gingen toen over op langere en voerden hem heen en weer alsof hij een geavanceerde variant van blindemannetje speelde. De mantra van het document begon weer in zijn hoofd rond te cirkelen...

ONZE TWEE ZIELEN DERHALVE

Alles wat straalde in het Bloemenveld! Pluk een bloem en denk aan wat geweest is – aan eeuwen van verraad, en pijn, en onbegrip...

Will wandelde voort zonder goed te zien. Alleen die ene pagina vulde zijn hoofd, en hij drukte een hand tegen zijn jack terwijl hij ritmisch door het labyrint stapte...

Ik ben wat ik ben, en wat ik ben is wat ik ben. Ik heb een wil om te zijn wat ik ben, en wat ik zijn zal is slechts wat ik ben. Als ik een wil heb om te zijn, zal ik niet meer zijn dan wat ik was. Als ik was wat ik gewild word te zijn, zullen zij zich toch altijd afvragen wat ik ben of wat ik ooit was. Ik wil de muur veranderen en mijn laatste wil maken.

Dat ik diezelfde muur ben, is de waarheid.
En dit de scheur is, recht en duister,
Door welke de bevreesde geliefden zullen fluisteren.

Elk paar voegt zich tot elk verbonden deel; linksonder is een vierkant; rechtsonder is een vierkant; linksboven is een vierkant; rechtsboven is een vierkant.
Ook het hart is een vierkant.

DIE EEN ZIJN

En ik ben halverwege de omloop. En als je de helft neemt van het geheel en paren vormt om aan mij gelijk te worden, zul je alle paren weldra hebben verbruikt.

Nu dan, kijk niet verder dan de dag. Mijn alfa en mijn omega. Maak van deze twee helften een geheel. Neem het lied van gelijk getal in het boek van de oude koning. Gelijk getal van stappen voorwaarts vanaf het begin. Gelijk getal van passen achterwaarts van het einde – alleen het ene uitgangswoord overslaand. Amen daarop.

Ik ben wat ik ben, en wat ik ben is wat je zult zien.

Reken heel secuur op mij.

Onderga nog geen breuk, maar een expansie

Wills hoofd had aanvankelijk zwaar aangevoeld maar werd nu steeds lichter. Hij was zich niet bewust van de aandacht die hij trok – van een jongetje aan de hand van zijn moeder, van een oudere dame die haar bril had afgezet om naar zijn stappen te kijken zonder een spoor van afkeuring of schrik, en van een vrolijk roodharig meisje dat met haar vriendin had lopen kwebbelen maar dat nu gefixeerd naar die duivels mooie man keek. Een priester observeerde hem, knikte instemmend, en een man achter de pilaar aan de noordzijde leek door Wills hele ervaring gebiologeerd. Hij maakte met zijn digitale camera een foto van de man in het labyrint.

En Wills voeten dansten lichtjes, zijn woorden als een rozenkrans: 'Ik heb een wil te zijn wat ik ben… Als ik zijn zou wat ik gewild word te zijn…'

Hij had het centrum van het labyrint bereikt, en zijn gezicht was vol op het westen gericht, op het grote roosvenster. Acht heldere engelen sloegen hem gade vanuit de grotere bladen van de binnenste roos, twee aan twee gezeten tussen een adelaar, een gevleugelde man, een os en een leeuw. Will was verrukt. Hij onderging niet plotseling een religieuze bekering, maar hij verwonderde zich over het effect van de treden, het licht, de geluiden in de grote kerk en over zijn eigen psyche, die in extase leek. En, nog wonderlijker, hij begreep iets van de boodschap op het vel papier op zijn hart, wat hij voordien niet had begrepen. Hij was Will. Zijn bestemming was het ontdekken van de thuisplaats van de sleutel, en een ingewijde te zijn van de betekenis en de schat. Dat zou gebeuren, zonder dat hij dat nog zou forceren, op een passieve manier misschien.

Hij nam zes krachtige stappen vanuit het centrum, naar de plek waar ooit een plaque van Theseus en het monster dat hij doodde bevestigd was geweest en waarvan de bevestigingspunten nog zichtbaar waren. Hij draaide naar links en snoof de onmiskenbare geur op van rozen – als een exotische essence. Zijn voeten schreden verder en toen hij de wending van 180 graden bereikte, dacht hij te zien wie of wat die geur had voortgebracht, maar er was niets, niemand. Hij draaide zich opnieuw naar het oosten, en de geur was er weer, met een sensatie van de vloeibare beweging van weefsel, maar het was een speling van het licht en van zijn lichthoofdigheid, en hij was bij machte het labyrint te voltooien zonder dat hem door iemand een strobreed in de weg werd gelegd.

Bijna hijgend liep hij in een rechte lijn van het centrum van het labyrint in het middenschip naar de achterkant van het altaar, naar de Mariakapel. Daar stak hij een grote kaars aan, die de tweeënhalve euro meer dan waard was, vond hij. Hij voelde zijn moeder hier bij hem, kijkend naar hem, en hij sprak zacht: 'Ik ben nu wat ik toen niet was.'

Hij liet de kathedraal achter zich via het noordelijke portaal en hij voelde niets van het contact dat zijn voeten maakten met de vloer; evenmin was hij zich bewust van een bewegende schaduw in het vale licht achter de pilaar.

4

De regen werd minder en na de botanische tuin achter zich te hebben gelaten, hield Lucy nu voor het eerst haar pas in. Haar pieper ging weer af, maar het ziekenhuis was deze week nog eenzamer geweest dan anders en ze had er nog niet echt oren naar haar vrijheid op te geven. Bovendien was het haar al vaker gebeurd dat ze zich uit een of ander deel van Chelsea naar haar artsen had teruggehaast, om vervolgens tot de ontdekking te komen dat het vals alarm was geweest. De afgelopen twee weken om precies te zijn twee keer. Misschien zou het deze keer anders zijn, al hoopte ze er voor een deel bijna op dat ze nog zou moeten wachten. Tot hij terug zou zijn.

Ze slenterde Flood Street op voor een ommetje en koos vervolgens links een pad langs St Loo Avenue. Ze wist dat ze iets te ver uit de buurt zou raken, maar na een zomer die boven verwachting was geweest, begonnen de bomen al goud te kleuren. Ze hield van de lommerrijke lanen in dit stadsdeel, waar het oude Tudor-huis had gestaan en een tuin die in de jaren veertig van de zestiende eeuw door prinses Elizabeth persoonlijk van moerbeibomen was voorzien. Die gedijden enkele straten verderop, in de buurt van Cheyne Row, nog altijd. En hier genoot ze van de serene schoonheid van Chelsea Manor Street. Ze sloeg links af Phene Street in en wandelde langs de pub, die al vol begon te lopen met de vaste klanten die er op vrijdagen hun lunch gebruikten: ze herinnerde zich gehoord te hebben van dr. Phenes 'goede idee'. Hij werd algemeen erkend als de man die met het idee was gekomen bomen in de straat te planten. Dat voorstel sprak tot de verbeelding van koningin Victoria en verspreidde zich vervolgens over heel Europa. Zo luidde het verhaal althans. Het kon zijn dat het uit de lucht was gegrepen, maar er stonden nog altijd enkele schitterende bomen in de tuin van de pub die getuigenis van zijn visie aflegden.

Ze kreeg een schelmse knipoog van een knappe man van in de dertig die de pub binnenging, en ze glimlachte om het compliment. Ze moest er dus best aardig uitzien. Ze voelde zich ontheemd, maar ze maakte ondanks haar lichamelijke broosheid nog altijd indruk en ze had waar ze ook wandelde nog menigeen tot omkijken bewogen, zelfs als haar dat zelf was ontgaan. Ze was te ziek en te zeer in beslag genomen geweest om erop te letten.

Terwijl ze het enorme ziekenhuiscomplex naderde ging er een golf van opwinding door haar heen: ze had zin ongehoorzaam te zijn en niet naar binnen te gaan – als een spijbelend kind. Al haar dagen regen zich aaneen: de tijd stond voor haar in een afzonderlijke ruimte buiten de werkelijkheid, waardoor ze zich voortdurend voelde als Alice, die ondersteboven door het hol van het witte konijn viel. Niets leek echt en ze moest zichzelf nadrukkelijk inprenten welke dag het was van welke maand. Het ene uur vloeide over in het andere. Gaandeweg las ze zich een weg door de werken van Wordsworth, J. M. Barrie en een deel van Schopenhauer – en meer boeken over meer onderwerpen dan ooit tevoren – om haar te helpen dieper na te denken. De sprei waaraan ze werkte groeide gestaag, maar al het andere leek zich op halve snelheid te voltrekken. Buiten was er de herinnering aan een ander leven, en juist nu wilde ze zich in die energie wentelen en niet naar haar klooster terugkeren. Maar dat zou zo oneerlijk zijn tegenover het uitzonderlijke team van mensen dat zich om haar bekommerde. Ze had verwacht dat ze gedurende haar behandeling in een van de beste ziekenhuizen op het vlak van de hartchirurgie – een ziekenhuis dat een pioniersrol vervulde waar het ging om het toepassen van de modernste technologie – getuige zou zijn van de ambitieuze aanpak van botsende ego's die zich nauwelijks betrokken voelden bij het wel en wee van ernstig zieke patiënten, maar het tegendeel bleek waar. Meneer Azziz was een van de meest uitzonderlijke mensen die ze ooit had ontmoet, en hoe druk hij ook was met operaties en afspraken, hij kwam desondanks geregeld bij haar langs voor een praatje, stelde haar tientallen persoonlijke vragen en gaf er blijk van echt geïnteresseerd te zijn in wie zij was. Zuster Cook leek aanvankelijk louter zakelijk te zijn, maar als je haar wat beter kende was ze ronduit sympathiek. En dokter Stafford lichtte na zijn dienst nooit zijn hielen zonder eerst nog even bij haar langs te gaan. Met veel humor liet hij zijn licht schijnen op de gebeurtenissen die zich die dag in het ziekenhuis hadden voorgedaan. Omdat ze nauwelijks familie had, en slechts enkele verwanten in het verre Sydney, hadden zij zich over haar ontfermd. Ze leken vastbesloten het haar zoveel mogelijk naar de zin te maken. Ze waren er echt op gebrand dat ze zou herstellen en haar door deze moeilijke fase heen te helpen. Ze stonden haar niet toe te twijfelen aan een goede afloop, ze prezen haar moed en ze kon het vertrouwen dat zij in haar stelden onmogelijk beschamen.

Voor de ingang stond een ambulance waarvan de achterdeuren openstonden: niets ongewoons, maar toch huiverde ze in de zon. 'Overbrenging naar Harefield Hospital, liefje. Ik wed dat jij degene bent op wie we staan te wachten.' Hij lachte haar vriendelijk toe, alsof hij de teugels in handen had van Pegasus, die haar naar de maan zou vliegen. Ze probeerde zijn enthousiasme te beantwoorden, maar voelde zich opeens heel klein en alleen, en allesbehalve romantisch over het avontuur dat voor haar lag. Haar mond versmalde tot een dun streepje. De grote toegangsdeuren slokten haar op.

In The Phene Arms gonsde het van de mensen die hun vrije weekend een paar uurtjes vroeger lieten ingaan en wilden eten, dus ging Simon kijken of de tuin uitkomst bood. Het weer had de meeste gasten ervan weerhouden buiten te gaan zitten. Hij legde zijn hand op een bank om te voelen hoe nat die was en koos toen voor een nog vrijwel droge tafel onder een boom. Hij dronk van zijn bier en beschreef een prentbriefkaart met de Britse vlag: 'Welkom terug. De regels uit *Een midzomernachtsdroom* moeten je zijn opgevallen. Maar wat heeft het te betekenen? Is er een geheime tuin met een sleutel in een muur?' Hij had geen tijd te voltooien wat hij wilde schrijven, want een lange, slanke verschijning in een witte regenjas en een op maat gemaakte spijkerbroek naderde. Snel borg hij de briefkaart in zijn binnenzak.

'Wat ben jij toch spartaans, Simon.' Siân legde haar jas op de stoel voor het geval die vochtig zou zijn en ging er op zitten.

'Leuk je te zien, schoonheid.' Min of meer opzettelijk gebruikte hij het woord waarmee hij haar altijd aansprak, om vriendelijk te zijn zonder de indruk te wekken ergens opuit te zijn, om de zenuwachtigheid te maskeren die hij voelde nu hij met de aantrekkelijke ex-vriendin van zijn vriend zou gaan lunchen. De geur die ze meevoerde deed denken aan een kamer vol exotische lelies en jasmijn, en ze straalde onverbloemde sensualiteit uit. Hij voelde zich een beetje schuldig.

'Je ziet eruit alsof je bent betrapt bij het stelen van de collectebus. Wat is er aan de hand?' vroeg hij.

'Och,' zei ze, 'ik heb nogal hard gewerkt de laatste tijd. Maar als je ergens zo intensief in ondergedompeld bent geweest, is het goed eens iets anders te doen. Ik heb er tot over mijn oren in gezeten, maar mijn banksaldo ziet er in elk geval weer gezond uit. Iedereen voor wie ik ooit werkte lijkt me te hebben gebeld, en dat is natuurlijk geweldig. Vorige week ben ik nog een paar dagen naar de Seychellen geweest voor een commercial – daar kon ik mijn zinnen al een beetje verzetten.'

Simon was een onverschrokken verslaggever van het harde nieuws en hoewel hij voor zijn werk dikwijls op reis moest, kwam hij nooit in fraaie, exotische contreien als de Seychellen. 'Ik ben er zeker van dat ze je wel ergens hebben geduld,' zei hij.

Ze lachte en het deed hem goed haar zo levenslustig te zien. Ze was zeker niet somber zoals hij had gevreesd nadat ze hem gebeld had met het verzoek ergens af te spreken. Hij wist heel goed dat Will waarschijnlijk morgen terug zou komen en zijn brein was met een hele lijst mogelijke gunsten aangekomen die ze hem zou kunnen vragen. Maar ze leek alles onder controle te hebben.

'Toch vreemd, vind je niet? Ik deed er totaal geen moeite voor toen ik met Will was… Alles leek automatisch te gaan. Ik had altijd het gevoel dat mijn werk hem tegenstond en dus liet ik mijn carrière een buiklanding maken. Maar weet je, ik sta als styliste goed aangeschreven. Ik heb er geen hekel aan om hard te werken en als het werk interessant is, gaat de tijd snel. Ik zie het niet eens als werk.' Ze giechelde en controleerde de volmaakt opgebrachte gloss op haar lippen. 'Zelfs niet als het betekent dat ik urenlang aan het decolleté van een model moet prutsen – waar ik me dus vorige week in het paradijs mee bezig heb gehouden. Trouwens, het betaalt prima. En god weet dat ik het geld nodig heb nu ik alleen ben.'

'Mm. Maar het is duidelijk dat er iets broeit, Siân. Er moet behalve je werk nog iets zijn wat lekker loopt, is het dat?' Hij voelde zich aangemoedigd een vinger achter de stand van zaken te krijgen. Hij was Wills vriend en hij was loyaal, al kon hij het niet helpen een zwak te hebben voor Siân; hij zou graag zien dat ze de ellende van een verbroken verhouding te boven kwam. Will was geen makkelijke man om als partner te hebben. En ook was hij er zeker van dat zijn vriend wilde dat Siân haar weg zou vervolgen en weer gelukkig zou zijn.

Siân keek naar haar chablis en gaf antwoord aan het glas. Ze wist niet hoe Simon het zou opnemen, maar ze wilde er wel met hem over praten – wilde dat een goede vriend van Will zijn stilzwijgende goedkeuring zou geven. 'Er is een ander... iemand die...'

Simon knikte bemoedigend. Ze hield haar hoofd tegen de binnenkant van haar arm; haar lichaamstaal was verleidelijk. Koket. Ze ging verder zonder hem aan te kijken. 'Ik weet niet hoe het verder zal gaan, maar hij is heel bijzonder en erg lief. Normaal gesproken niet mijn type misschien, maar wel fascinerend. Ik kan hem nog steeds niet helemaal peilen. Hij is net teruggekeerd uit Amerika, de oostkust, meen ik, maar hij heeft ergens in het Midwesten wetenschappelijk onderzoek gedaan, in Kansas als ik het wel heb. Hij is echt slim. En hij ziet er goed uit – elegant, zou ik bijna zeggen. Blond. Niet iemand die zich voortdurend op de voorgrond plaatst. Heel anders dan Will, ondanks hun verwantschap.'

Dat overviel Simon. Ze schetste – razendsnel en met een quasi-ernstige blik – een beeld dat van veel meer details was voorzien dan waarop hij bedacht was. Hij stelde verrast vast zich beledigd te voelen. Will was veeleisend, ja. Hij kon zelfs ronduit moeilijk zijn, maar hij was ook volstrekt integer. Geheel en al zichzelf en echt. Hij had altijd gedacht dat Siân dat ook wist, maar nu zat ze hier tegenover hem de sterke punten van haar nieuwe liefje op te sommen. Een beetje laag, vond hij, maar vanuit een langdurige gewoonte voorkomend te blijven, zei hij wat hij niet echt meende. 'Als je maar gelukkig bent, Siân. Ik vind dat je daar recht op hebt. Je hebt je door jullie breuk geslagen zonder je waardigheid of zelfbeheersing te verliezen. Maar strooi Will geen zout in de wonden, hoor. Tenzij je per se wilt weten of hij jaloers is.'

'Simon…' Ze aarzelde op een manier die iemand die Siân goed kende niet van haar zou hebben verwacht. 'Hij is… Wat ik nog wilde zeggen… Hij is familie van Will…' Ze nam een slok van haar wijn terwijl Simon grip probeerde te krijgen op de inval die hem plotseling overviel dat zij hem zou gaan vertellen een verhouding te zijn begonnen met de blonde, tamelijk intrigerende Alexander. Wat ongelooflijk smakeloos. Maar Alex zou dat toch zeker niet laten gebeuren? Zou Siân zijn type zijn? Nee, absurde gedachte. Bovendien had ze gezegd dat het om een Amerikaan ging, toch? Wat een belachelijk idee, dacht hij, en hij huiverde onwillekeurig. Wie was het dan?

'Calvin is een neef van Will. Ze hebben elkaar weliswaar nooit ontmoet, maar zijn moeder en de moeder van Will zijn nichtjes van elkaar.' Terwijl Siân zich inspande om de takken van de familieboom van Wills moeder te ontwarren, ontspande Simon zich en kon hij weer gewoon horen. Zijn hart bonkte niet meer tegen de binnenkant van zijn schedel. Dit kon hem verder weinig schelen, en voor Will zou dat niet anders zijn. Vreemd, misschien zelfs een tikje pervers? Ja, daar neigde het wel naar – maar het was zonder enige twijfel beter dan Mahlers Vijfde opzetten en een ader opensnijden. Haar woorden begonnen weer tot hem door te dringen.

'… en toen hij deze zomer naar Londen kwam om te studeren, wilde hij iedereen bezoeken. Wellicht stuurden ze elkaar met de kerst een kaartje en zo nu en dan een brief, maar daar bleef het bij. Toen Diana eerder dit jaar overleed en het Calvins moeder niet lukte om bij de begrafenis aanwezig te zijn, dacht Calvin dat hij er goed aan deed hun een bezoek te brengen en persoonlijk zijn medeleven te betuigen. Het is die wellevendheid die hem gewoon eigen is. En het grappige is dat hij bij mij aanklopte, toen Will al naar Italië vertrokken was en Alex ergens in het buitenland lesgaf…'

Simon knikte opnieuw, zijn bloed stroomde weer. Met dit nieuws zou Will wel overweg kunnen.

'En hij vroeg me heel veel over Will, heel veel, Simon. En ik begon te praten. Tegen iemand die helemaal nieuw voor me was. Ik vertelde van alles over hem, urenlang. Dagenlang zelfs. En dat was een soort catharsis. Ik huilde en hij troostte mij, en de menselijke natuur deed de rest. "Eigentijdse ridder met goed cv en ouderwetse waarden, zoekt jongedame om haar gebutste ego te redden." Niet bijster origineel, maar wel welkom in levenden lijve.'

Simon schoot in de lach, maar omdat hij verder niets zei, wist ze niet waarom. Ze keek hem onderzoekend aan.

'Denk je dat Will er bezwaar tegen zal hebben?'

Simon stelde haar op de proef. 'Zou je dat willen?'

Daar gaf ze niet rechtstreeks antwoord op. 'Ik geloof dat hij niet de ideale persoon is om iets mee te beginnen, maar daar trekt het hart zich maar zelden iets van aan, weet je.' Ze keek hem smekend aan. 'En het mijne was gebroken, Simon. Ik doolde al vanaf Kerstmis als een zombie rond en moest bijna elke avond huilen. Tot Calvin eind juni voor mijn neus stond. Ik heb geprobeerd het een beetje stil te houden. Er zal nooit een andere Will komen, dat besef ik heel goed. Maar heb ik een andere keus? Geen enkele dan het te overwinnen. Er is het afgelopen jaar tussen Will en mij het nodige voorgevallen wat pijn heeft gedaan en waar verder alleen Alex van weet. Will zal me nooit vergeven. Ik wil gewoon niet dat er aan mijn motieven wordt getwijfeld. Ik heb zijn neef niet gekozen om iemand te kwellen. Ik denk dat we gewoon door het lot zijn gekozen en samengebracht. Calvin zegt dat hij zijn hart nog nooit aan iemand heeft geschonken, en misschien schenkt hij het mij ook niet. Maar het voelt...' Ze stokte. Ze was niet bij machte uit te leggen hoe ze zich voelde.

Simon was onder de indruk van haar openhartigheid. En haar marineblauwe ogen en koperkleurige lokken maakten haar tot een onweerstaanbare prerafaëlitische femme fatale. 'Siân, ik denk dat het wel goed komt. Will is een grote jongen, en al moet ik toegeven dat we het waarschijnlijk allemaal prettig vinden als er een tijdje om ons wordt getreurd, geldt hij als een genereus mens. Misschien zal blijken dat hij die jongen zelfs wel mag.'

Ze lachte dankbaar naar hem. Ze kon zich niet voorstellen dat Will Calvin zelfs maar vijf minuten van zijn tijd geven. Hij was te zorgvuldig met zijn kleren en zijn imago, te gesloten voor anderen op een manier die Will tot waanzin zou drijven, maar ze waardeerde Simons woorden en ze was blij dat ze het niet meer allemaal als een geheim hoefde te dragen.

'Laten we iets te eten bestellen.' Toen Simon de glazen opnam om ze nog eens te laten vullen, pakte Siân hem even bij zijn arm.

'Ik betaal, Simon: ik heb weer wat te besteden, weet je nog?'

Ze was blij. Ze had zoals gewoonlijk gekregen waar ze opuit was geweest.

5

Het geratel van de gigantische kettingen klonk op en de zware deuren zwenkten open. Het enorme witte binnenste van de Mont St-Michel was nog altijd afgeladen met allerhande voertuigen, hoewel het toch al eind september was en de meeste gezinnen hun vakantie achter de rug hadden; ze waren teruggekeerd naar school en het geregelde leven van huis en haard. De gangbare reeks vrachtwagens, het gebruikelijke aantal antiekverkopers en belastingsjoemelaars, enkele Franse echtparen en hier en daar wat universiteitsstudenten voor wie het nieuwe academische jaar nog moesten beginnen en die voor *le weekend* overstaken naar Portsmouth. Ook stond er een aantal dure auto's, met en zonder honden. De smetteloze, donkerblauwe Lancia Fulvia met Romeinse kentekenplaten trok Wills aandacht. Hij had er in Europa een paar van gezien, een gestileerde versie van het model uit de jaren zestig. Wat een klassieke schoonheid, met die lichtelijk getinte ramen en die fraaie lijnen. Snel, echt snel – een auto die Will dolgraag zou bezitten, misschien als hij wat ouder was. Voorlopig zou zijn Ducati hem vlotjes door de laatste fase van zijn lange reis naar huis helpen, waar hij reikhalzend naar uitzag.

De scherpe ochtendgeur maakte Will erop attent dat de herfst zich in Engeland eerder aankondigde dan in Normandië. Er brak een waterig zonnetje door de nevel op zee, maar de temperatuur was nog laag. Hij haalde zijn handschoenen uit de tanktas, controleerde of zijn paspoort in zijn leren jack zat, duwde de motor van de standaard en startte hem. Hij trapte hem in de eerste versnelling en liet de koppeling langzaam opkomen. Hij was nog tamelijk moe: het gebeurde zelden dat hij goed sliep tijdens een nachtelijke overstek, ook niet als hij zoals nu hij een luxe kooi nam. Zijn brein had de hele nacht doorgemaald, al vanaf Chartres eigenlijk, maar hij had geen greep kunnen krijgen op de overdaad aan gedachten, ontdekkingen en ideeën die in hem woelden. Hij kon nu niet nog eens alles overdenken: hij zou wachten tot hij er met Alex over kon spreken en dan, hoopte hij, proberen enige zin in het complexe geheel te vinden.

Rustig aan, Claudia, dacht hij bijna hardop terwijl hij de nerveuze schoonheid over de glibberige hobbels van de metalen aanlegbrug manoeuvreerde en naar beneden naar de douanepost. De dienstdoende beambte gebaarde hem te stoppen. Will ritste zijn jack open, haalde zijn paspoort voor de dag en terwijl hij het de man overhandigde, nam hij met zijn andere hand zijn helm af. De douanebeambte controleerde vluchtig of hij gelijkenis vertoonde met de foto en knikte hem vervolgens toe. Will liet zich in het zadel zakken en overwoog de route die hij zou nemen. Snelweg rond Southampton naar Winchester, de A34 naar het noorden. Hij zou de snelweg in de buurt van Kings Worthy achter zich laten, over landwegen naar Barton Stacey rijden, de heuvel af, de brug over de Test bij de forellenkwekerij, dan verder naar Longparish. Hij overpeinsde of hij de A34 helemaal tot Tufton zou aanhouden en vervolgens richting Whitchurch zou rijden. Maar dat was een gevaarlijke weg, waar op zaterdagen veel plaatselijk verkeer was. Nee, de landwegen zouden hem – na de zonnebloemen en papavers van de Toscane, de lavendelvelden van de Provence en de boerderijen en gepleisterde gebouwen van de Pays d'Auge – doen beseffen dat ook Engeland op oogstrelende streken kon bogen. In deze tijd van het jaar zou er, tot de zon er in de komende uren korte metten mee maakte, vrijwel zeker mist boven het water en in de valleien hangen.

Tot zijn verbazing had hij heimwee. Hij verlangde ernaar zijn vader en neef te omhelzen en over een uurtje wat tijd door te brengen met Alex. Daarna zouden ze in het café iets kunnen eten en drinken. Ik ga het doen ook, besloot hij. De fraaie route nemen betekende dat hij stevig door zou kunnen rijden zonder een bekeuring op te lopen. De weg was tijdelijk geblokkeerd omdat er een kudde koeien van het ene weiland naar het andere werd overgebracht, maar Will had geen haast. God wist wanneer Alex zou arriveren. Misschien pas later die dag. Will slaakte een zucht. Hij wist dat het bij de vonkende dynamiek tussen hem en zijn vader geen kwaad zou kunnen als er nog een derde persoon aanwezig zou zijn.

Hij stopte nogal onverhoeds langs de kant van de weg en koos nog maar eens het mobiele nummer van zijn broer. 'Sandy, waar hang je toch uit? Het is verdomme zaterdag. Ben je vannacht voor een noodgeval uit je bed gebeld? Je hebt nog steeds dienst, neem ik aan – je telefoon staat nog altijd uit. Ik heb al overal berichten achtergelaten.' Er trok een golf van teleurstelling door Will heen. Toen hij aan al die onbeantwoorde voicemails en sms'jes dacht, besefte hij dat Alex waarschijnlijk in het ziekenhuis werd opgehouden, en dat hij niet kon wachten hem te spreken te krijgen. Hij probeerde zijn stem niet te dwingend te laten klinken. 'Ik ga nu naar The Old Chantry. Pa heeft ook niet geantwoord, maar misschien slaapt hij nog of is hij een krantje gaan halen. Kunnen we elkaar straks in de pub treffen? Je hebt geen idee wat ik je te vertellen heb, maar niet waar pa bij is. Kom vandaag alsjeblieft langs, ik móét je gewoon spreken. En als het vandaag niet kan…' Hij viel stil. Die optie wilde hij niet eens overwegen. 'Bel me alsjeblieft, wil je, zodra je dit bericht hoort?' Toen, als een soort naschrift: 'Weet jij trouwens waar mama's bijbel is? Die hele oude? Oké, tot later.'

De gedachte aan de stroom die door de bossen glijdt en de stralen van de zon die als lange vingers door de ijswitte mist breken, sprak sterk tot Wills romantische verbeelding. Zijn geest verkeerde al vanaf het middaguur van de vorige dag in een vrije val en de kalmte van de rivier zou hem welkom zijn. Toen hij de A30 kruiste, merkte hij dat er vlak achter hem een auto reed, die hij met speels gemak het nakijken gaf. Hij ging onder de A303 door, waarna de weg weer omhoogliep alvorens met een flauwe bocht de daling in te zetten naar de bodem van de vallei, en naar huis.

Meer dan ooit was dit op dit moment zijn thuis. Hij had nog geen eigen nieuwe flat in Londen. Zijn oude flat had hij Siân laten houden en om haar, toen ze enkele maanden voordien uit elkaar waren gegaan, op weg te helpen had hij voor drie maanden de huur voor haar betaald. Veel van zijn spullen bevonden zich nog in de flat; hij zou het een en ander goed uit moeten zoeken en weer een onderkomen in Londen moeten vinden. Hij kon niet bij Alex blijven aankloppen.

Maar hoewel zijn thuis in Hampshire was, altijd hier was geweest, samen met zijn donkere kamer, zijn boeken en het grootste deel van zijn muziek, waren er wonden tussen hem en Henry, zijn vader, die sinds het heengaan van zijn moeder nooit waren geheeld. Hij was er in juni vandoor gegaan, weg van Henry en van Siân, en nu zou hij alles het hoofd moeten bieden en zijn relaties op orde moeten brengen.

Boven zijn rechterschouder maakte de herfstzon schoorvoetend zijn opwachting, maar op de heuvel zag hij dat de vallei in een dikke deken van mist was gehuld die nog niet door de zon werd geraakt. 'Nevelseizoen' was mild uitgedrukt, 'deken van mist' was adequater, vond hij – zij het prozaïscher. Vanaf het gezichtspunt dat hij op de motor had, liep de weg met een lichte bocht steil omlaag, oplossend in een wervelend wit dak dat op de plaatsen waar het door de zon werd geraakt met gele toefjes was bezet. Will schakelde snel terug en minderde snelheid. Terwijl hij dat deed, werd hij door een lichtgevende mantel omgeven, die zijn zicht binnen de kortste keren tot enkele meters terugbracht. Het was alsof hij zich wederom in het labyrint van Chartres bevond. Met een glimlach op zijn gezicht tuurde hij in de mist. Hij kende de route als zijn broekzak: aan het einde van de helling volgde een brug en daarna voerde de weg hem langs de visvijver naar een tweede brug, verderop langs enkele landhuizen en vervolgens naar de T-kruising in het dorp. Een makkelijke bocht naar rechts en dan nog vijf kilometer om het huis te bereiken dat al eeuwen in handen was geweest van de familie van zijn moeder. Hij wilde meteen in haar boeken en haar tuin duiken.

De sfeer bracht haar dicht bij hem. Zij had die nevels altijd 'rivierelfen' genoemd. Hij herinnerde zich het snel neerdalende wit dat alles opslokte. Dat proces kon zich aan het begin en het einde van het cricketseizoen soms in enkele minuten voltrekken. De mist pakte zich dan zo snel samen dat de slagman de bal er als bij toverslag uit tevoorschijn zag schieten. Die dagen eindigden vroeg, met een langduriger verblijf dan gewoonlijk in het café, dat heel toepasselijk The Cricketers heette, omdat het nagenoeg onmogelijk was huiswaarts te rijden vóór de mist was opgetrokken. Zijn vrienden bleven dan meestal eten, en zijn moeder spreidde slaapzakken uit op de zolder.

Hij werd ruw naar het hier en nu teruggevoerd door het geluid en de lampen van een auto die met hoge snelheid achter hem de brug op reed. Het was alsof het stuur uit zijn handen werd gerukt. De motor draaide scherp naar links en beukte met het voorwiel tegen de ijzeren reling van de brug. Met een misselijkmakende dreun brak de kuip rond Wills knieën af en hij werd over het stuur gelanceerd, waarbij zijn been de reling hard raakte voordat hij aan zijn duikvlucht van zo'n vijf meter naar de Test begon. Ondanks de brandende pijn in zijn been voelde hij zich kalm gedurende zijn val. Hij maakte zich meer zorgen om de Ducati dan om zijn eigen verwondingen. De zon schoot verbluffende stralen prismatisch licht door zijn hoofd en zijn val leek eindeloos te duren. Een of andere idioot had hem op de brug ingehaald. Had hem waarschijnlijk niet eens gezien. Zelf had hij in elk geval tot het laatste moment niks gezien of gehoord. Na instinctmatig voorover te zijn gerold toen het tot hem was doorgedrongen dat hij de motor niet meer zou kunnen houden, was hij op zijn achterhoofd en schouders in het water beland. Nog steeds bij bewustzijn en uitzonderlijk kalm had hij zelfs nog oog voor de schoonheid van de met kiezels bezaaide bedding van de ijskoude, onverstoorbaar voortsnellende rivier. De stroming was verrassend sterk en de betrekkelijk kleine rivier was dieper dan je zou denken. Ondanks zijn boosheid stelde hij opgelucht vast dat hij al zijn ledematen nog voelde: hij was, afgezien van de hevige steken in zijn dijbeen die door het koude water enigszins werden verdoofd, zeker niet ernstig gewond. Hij had zijn helm nog op en begreep dat die hem voor erger had behoed, maar hij begreep ook dat hij zich snel naar de oever zou moeten werken omdat hij anders in het diepe water zou verdrinken. De felle vastberadenheid van de rivier had altijd indruk op hem gemaakt en ook nu voelde hij zich erdoor aangespoord zijn laatste krachten aan te spreken. Hij worstelde zich naar de kant en sleepte zijn lichaam voor een deel op de oever. Hij had voldoende tegenwoordigheid van geest om te weten dat hij niet meer dan een goede kilometer van het huis verwijderd was, maar toen voelde hij zich plotseling misselijk en draaierig. Hij zakte voorover en verloor het bewustzijn. In een ijselijke droom hoorde hij de stem van een Amerikaans meisje dat zei dat hij 'ervoor moest gaan', en de stem van Alex: 'Sorry, spreek een bericht in na de piep…' daarna het gillende geluid van zijn motor, als het demonische janken van een sirene.

Even voorbij het einde van de brug wachtte de blauwe Lancia. De deur werd geopend en een klein robijnrood waarschuwingslampje lichtte op. Op het wegdek verscheen een fraai paar handgemaakte schoenen met daarboven een grijze flanellen broek en de gestalte van een man in een lichtbruine overjas. De gestalte bewoog zich naar de jammerende motor toe en een gehandschoende hand trok de gashendel los van de reling van de brug en rommelde met de contactsleutel. In de diepe stilte die volgde leek het opentrekken van de ritssluiting van de tanktas oorverdovend. Jachtig doorzocht de man de inhoud. Een hond van een boerderij verderop begon fel te blaffen.

De man negeerde dat geluid en liep naar het einde van de brug en vervolgens naar de plek waar Will half in het ijskoude water lag. Er hing een nevelig laagje boven het water, waar de temperatuur van de lucht op die van het water botste. Het zicht was zeer beperkt. Met zijn voet rolde de man Wills bewegingloze lichaam op de rug en hij boog zich over hem heen. Wetend dat hij door de mist door niemand kon worden gezien, negeerde de man het gerucht dat afkomstig was van iemand die zich op ongeveer tweehonderd meter van hen bevond. Maar opeens klonken er, boven het geblaf van een hond uit, stemmen die iets minder ver verwijderd waren. De man kwam nu snel overeind en hij haastte zich naar de Lancia. Die zoemde zacht, de remlichten flitsten een ogenblik aan en de auto verdween in de zware mist.

6

Will lachte hoorbaar. Het klonk hol in zijn hoofd, maar hij voelde zich als Dante die overging van het vagevuur naar het paradijs. Het hemelse wezen dat op de oever van de rivier naast hem neerhurkte, had een even klinkende en doordringende stem als Dantes engel. *L'angel cantava in voce assai piu che la nostra viva*, dacht hij, 'doordringender en klinkender dan die van ons...'

'Will?' herhaalde ze. Ze probeerde haar kalmte te bewaren, maar Melissa dacht aanvankelijk dat hij dood was. Ze stond voor een dilemma: moest ze het risico nemen hem te verplaatsen, waarmee ze zijn wervelkolom mogelijk beschadigde, of moest ze hem in het ijzige water laten liggen? Ze riep uitzinnig in de richting van haar huis. Zijn ogen staarden maar zagen niets, en hij produceerde een stotend gelach. Het signaal van haar mobieltje viel telkens weg: die verrekte mist. Nu had ze verbinding met het alarmnummer en vroeg ze om een ambulance, luisterde ze naar het advies aangaande de positie van het slachtoffer, gaf ze antwoord op de vragen over zijn nek, beschreef ze zijn bloedverlies en de ernst van de wond aan zijn been. Ze kon haar stem niet onder controle houden, wist ze. Ze was bang dat ze iets verkeerd zou doen maar deed wat ze kon. Ze legde haar jas over hem heen en probeerde kalmer over te komen dan ze zich voelde.

Waarom is ze zo bezorgd, vroeg hij zich af. Ingespannen bekeek hij haar gezicht: eerder een van Rafaëls cherubijntjes dan een volwassen engel. Haar zachte aanrakingen en de warmte die zich van haar jas over zijn lichaam uitspreidde. Hij hoorde termen als 'pees', 'knelverband', 'onderkoeling' en, heel merkwaardig, 'hoofdletsel'. Maar dat alles was een eeuwigheid verwijderd van zijn eigen ervaring. Hij dobberde – was zich vagelijk bewust van de rode wolk die zich door de kleine plas water dicht in zijn buurt verspreidde, als gemorste wijn – maar hij voelde geen pijn, geen bezorgdheid. Hij voelde zich sereen en tevreden. Kleurrijke schachten maakten een wonderbaarlijke, caleidoscopische reis door zijn geest, zoals de smaragden en robijnen van zijn oma's halsketting die hadden gemaakt toen hij nog een kind was.

Om hem heen huilden sirenes. Hij huiverde en kreeg terstond het gevoel dat dit geen plek was waar hij wilde zijn. Hij overwoog nog een bericht achter te laten na de piep.

De in een olijfkleurig jasje en bleke spijkerbroek gestoken man zag er bijna ontspannen uit. Hij zette zijn koffertje en een plastic tas van FAO Schwarz op de grond, legde zijn overjas op het lage tafeltje en liet zich in de stoel zakken. Het was verbazingwekkend druk in de lounge, maar Alex had een plekje gevonden waar hij een paar telefoontjes kon plegen zonder de zakenmensen te storen die over hun laptops gebogen zaten.

Hij keek op zijn horloge en meende dat het nu iets te laat was om Anna in Engeland te bellen om te bevestigen dat hij hun zoon de volgende ochtend zou oppikken, maar ondanks het tijdstip wilde hij in elk geval nog eens proberen zijn vader aan de lijn te krijgen. Hij hoorde de telefoon overgaan, wachtte en was lichtelijk geërgerd toen hij opnieuw het antwoordapparaat kreeg. Het was zaterdagavond en Alex had gedacht dat zijn vader nog op zou zijn om met Will te praten.

Hij fronste zijn voorhoofd en liet met zachte stem een tweede bericht achter. 'Pa, ik weet niet of je mijn eerdere bericht hebt ontvangen – mijn mobieltje werkt hier niet naar behoren en ik kan ook niet bij mijn voicemailtjes. Als je hem wel ontvangen hebt weet je dat de conferentie gisteren is uitgelopen, waardoor we onze vlucht hebben gemist. Een paar van ons hebben de nacht doorgebracht bij een van mijn collega's in zijn huis in New Jersey, maar ik sta nu op Kennedy en mijn vlucht ligt op schema. Het spijt me dat het allemaal anders is gelopen, maar ik zal er morgen zijn. Mijn secretaresse heeft me gebeld... Ik zal nog een kleine omweg moeten maken naar Harefield, maar mijn auto staat op Heathrow en op de terugweg pik ik Max op bij Anna. We zullen er tegen het middaguur zijn.' Alex liet even een stilte vallen, hij betreurde het dat hij tegen een apparaat in plaats van een persoon moest praten. Hij glimlachte en op iets andere toon zei hij: 'Hé, Will. Je zult vandaag of gisteren wel terug zijn gekomen en jullie zijn waarschijnlijk samen ergens gaan eten? Zie je morgen. Max en ik hebben je gemist. Bewaar een glas goede wijn voor mij! Slaap lekker.'

In de hoop nog even met zijn broer te kunnen praten, was Alex klaarwakker gebleven, maar nu dreigde de vermoeidheid hem te overmannen. Hij was al vier volle dagen in touw, dagen die met late avondjes waren bekroond. En hij zag op tegen de nachtelijke vlucht. Door het diepgewortelde aanwensel licht te slapen op zijn werk, kon hij in vliegtuigen de slaap niet vatten. De vele nachtdienstjaren en dagen van achttien uur als huisman hadden hem permanent ongeschikt gemaakt voor diepe dromen. Hij kwam niet verder dan soezen, gespitst als hij was op het geringste geluid. Maar hij was dankbaar voor het comfort van de businessclass: de stoel, het eten en de films zouden hem iets van een substituut voor een goede nachtrust bieden.

Ook vandaag was het hem niet gelukt zich te ontspannen. Zijn geest was opgeëist door een goedbedoelende biochemicus die Alex en de andere doctoren in en rond Ridgewood van het najaar had laten genieten. De herfst was nog niet op zijn mooist maar toch al schitterend en de hele groep had er – na drie dagen in een conferentiezaal zonder buitenlucht en daglicht, maar met notitieblokken, flesjes water en filmbeelden – erg van genoten. De bomen en het gezelschap waren aangenaam geweest en hij had nog net kans gezien een taxi te nemen naar Fifth Avenue om bij de legendarische speelgoedwinkel Schwarz een cadeau voor Max te kopen. Morgen zou hij het rustig aan kunnen doen, een wandeling door het rustige stadje maken, langs het cricketveld met het van een rieten dak voorziene clubhuis, naar de oudervriendelijke pub waaraan zijn moeder de voorkeur had gegeven om er zijn vierendertigste verjaardag te vieren.

Voor het eerst in jaren zou de hele groep uitsluitend uit mannen bestaan. Hij vroeg zich af of Siân zich bij hen zou voegen, gewoon om te zien of er nog hoop restte dat zij en Will samen verder zouden gaan. Maar zijn vader had, nogal zonderling, gezegd dat zij niet had gereageerd op zijn uitnodiging. Niets voor haar zo ongemanierd te zijn. Misschien wachtte ze tot Will zou bellen om haar te vragen, maar dat zou niet gebeuren. Ook had hij gedacht dat Anna misschien zou komen. Zij en Alex waren twee jaar geleden gescheiden, maar ze onderhielden nog altijd tamelijk nauwe banden en ze zou, vooral om Max een plezier te doen, gekomen zijn. Maar om persoonlijke redenen kon ook dat geen doorgang vinden.

Het moeilijkste was nog altijd de afwezigheid van zijn moeder. Zij was een niet-oordelende rots die door haar onvermoeibare inzet iedereen bijeenhield zonder partij te kiezen. Zijn vader wist zich te redden en zijn kalmte te bewaren. Hij werkte hard als altijd – een plattelandsjurist die door iedereen werd gewaardeerd en die het hart op de juiste plek had. Maar hij vermeed het te spreken over het leven als alleenstaande waarin hij zijn weg moest vinden. Aanvankelijk hadden Alex en Will geprobeerd er vaker voor hem te zijn, maar als dat enig verschil had gemaakt voor hun vader, had hij hun dat nooit laten merken. Iemand uit het dorp hield het huis schoon, zijn vader onderhield in de weekends de tuin, maar het vuur in de haard was gedoofd. Bij de achterblijvers was een deel van het vuur geweken, dacht Alex.

Morgen zou er vrolijkheid zijn. Will zou er weer zijn en dan was het nooit saai. Maar alsjeblieft geen drama's, Will, dacht Alex, en hij lachte zacht in zichzelf toen hij zijn bagage en jas oppakte en naar de beveiliging wandelde. Max en hij waren eraan gewend geraakt dat Will enkele maanden bij hen in de flat doorbracht, en het zou gewoon geweldig zijn er samen een gezellige dag van te maken.

Hij moest in slaap gevallen zijn. Toen Will wakker werd bewogen er gestalten om hem heen die een naargeestige dans uitvoerden, zoals de uitvoeringen van tragedies in het Globe Theatre die werden besloten met een macabere bergomask. Hij dacht aan de jas van de engel – zoals het gebrandschilderde glas in Chartres, de figuur die wordt aangevallen en vervolgens een mantel krijgt. Hij wilde dat hij zich kon herinneren wat het betekende, maar hij was zoveel Bijbelverhalen vergeten, wat ook jammer was vanwege hun betekenis in de kunstgeschiedenis, waar hij een zwak voor had. Hij kende de klassieken beter dan het oneindige aantal Bijbelverhalen waar al die kleine kerken mee waren getooid. Hij herinnerde zich Santa Fina in San Gimignano, en

Santa Lucia op Sicilië, maar hij verwarde nachtegalen en korenvelden met Samaritanen en verloren zoons. Om een of andere reden betekenden al die niet bij elkaar horende beelden nu iets voor hem.

Door de deur die werd geopend stroomde licht binnen en hij hoorde wederom de stem van de engel. Ze praatte met iemand die zacht sprak, mannelijk, stokkend – misschien met een accent? De deur werd gesloten en alles was weer stil. Een hoop heisa, dacht Will. Iedereen loopt op z'n tenen om me heen. Hij wilde de sleutel aanraken aan de ketting om zijn nek, gewoon om er zeker van te zijn dat hij veilig was, maar merkwaardig genoeg reageerde zijn arm niet op zijn commando. Ze hebben me verdoofd, besefte hij – die verdomde Alex-kliek. Hij weigerde zich verder zorgen te maken. Hij probeerde zich te richten tot de gestalte die zich langzaam om hem heen bewoog, wilde vragen waar hij was en wat er aan de hand was, maar de woorden losten op en hij kreeg geen geluid uit zijn keel. De frustratie had hem boos kunnen maken, maar hij voelde zich zo onbekommerd en rustig dat hij zijn lichaam eenvoudig terug liet zinken in de wolk van wit beddengoed om zijn geest de vrije teugel te laten.

Hij hoorde zacht de stem van zijn vader naast zich – wanneer was dat gebeurd? Will lachte, innerlijk althans. Zijn vader sprak met het andere wezen in de kamer en was zich er kennelijk niet van bewust dat Will aandachtig meeluisterde, al kon hij geen enkele betekenis in zijn woorden ontdekken. Hij dacht nog steeds in het Italiaans (of was het Frans?) en kon zich niet concentreren op wat zijn vader vroeg. In plaats daarvan was hij ondergedompeld in de impressie van Siciliaanse zonneschijn, de geur van citroenen, de smaak van overheerlijke wijn afkomstig van de hellingen van de Etna; en het heerlijkste, de boottocht die hij naar Fonte Ciane had gemaakt, de weelderige papyrusplanten die uit het water oprezen. Een mooi Siciliaans meisje was met hem meegegaan – nee, ze kwam uit Toscane – aangezien zij de enigen waren geweest die op de boot hadden gewacht, hoewel het toch hoogseizoen was. Het was een verzengende dag geweest en ze hadden hun watervoorraad en hun brood en fruit met elkaar en de schipper gedeeld. Haar volle zwarte lokken die tot op haar billen vielen en geurden als citrusbloesem, zweefden op de warme bries en dreven op het water. Hij vertelde haar in bedroevend slecht Italiaans zich voor te kunnen stellen hoe dolfijnen door haar golvende haar zwommen. En zij legde hem in een mengeling van Engels en Italiaans het verhaal uit van de nimf die door de riviergod Alpheüs werd nagezeten, waaraan ze slechts met hulp van Artemis had kunnen ontsnappen, die haar in een bron veranderde. Maar de riviergod zag niettemin kans zijn water met het hare te vermengen, waarna het door het zout van de vereniging brak werd. Dat was precies op die plek gebeurd, had ze gezegd. Hij had niet geweten of ze hem daarmee voor een gezouten vereniging uitnodigde of juist op het hart drukte niet de toorn van de godin wekken, maar het was in alle opzichten een volmaakte dag geweest. Hij zou tot zijn stervensuur iets meedragen van de geur van die dag, van de verrassende en onschuldige sensualiteit die erin besloten had gelegen.

De lange vingers van Henry Stafford kwamen onwillekeurig omhoog en zochten hun toevlucht in zijn grijze maar nog altijd volle haar, alsof hij zichzelf wilde verstoppen. 'We hadden ruzie. Om niks, eigenlijk.'

'Meneer Stafford,' zei de vrouw in wit uniform naast hem, 'rakel die negatieve dingen niet opnieuw op. Dat leidt voor jullie allebei toch tot niets. Praat gewoon met hem: we kunnen nooit zeggen wat ze meekrijgen als ze in coma zijn, maar wij zijn tot het inzicht gekomen dat het gehoor het laatste is wat verdwijnt. Hij is zich van zaken bewust die wij ons niet kunnen indenken – in contreien die buiten ons bereik liggen. Daar ben ik heilig van overtuigd.'

'Hij wilde meer over zijn moeders familie aan de weet komen, over dat dwaze sleuteltje.' Hij keek naar zijn handpalm. 'Ik hield er niet van daarover te praten. Ik ben een rationalist – zonder me daarvoor te excuseren, ben ik bang. Hij bracht de zomer elders door. Allesbehalve gelukkig met mij, maakte hij zich boos uit de voeten. Vandaag zou hij thuiskomen. Ik wilde vanavond met hem praten en het met hem over zijn moeder hebben. Zij was zo'n buitengewone vrouw, wijzer dan wie van ons ook. En natuurlijk mist hij haar gewoon. Dat geldt voor ons allemaal. Waarom kon ik hem niet gewoon zeggen wat hij wilde weten?'

Ruth Martin was zelf wijzer dan bijna iedereen. De vele jaren die ze op de intensive care had gewerkt, hadden haar geleerd te luisteren naar de familieleden. Zij hadden, veel meer dan de patiënten, behoefte aan wat zij hun maar kon verzekeren. De laatste CT-scan had er niet goed uitgezien, maar ze wilde de vader iets geven om hem door de komende donkere, onzekere uren te helpen. Ze moest het hem zeggen, wat het ook was. Hij hing aan haar lippen en het was haar stem die hij het liefste wilde horen.

Maar Will hoorde alleen zijn eigen stem zo luid in zijn oren dat hij er zeker van was tegen zijn broer te schreeuwen. '*Sandy, quel âge auras tu demain?* Jij bent Maagd, is het niet? Net als Astraea. Van het goddelijke ras de laatste die de aarde verliet...' Will kon de informatie niet verifiëren, maar hij zette door en beklom de berg. Er hing een rookpluim boven de krater. Het was een afmattende bezigheid, maar hij wilde het uitzicht zien dat de top bood, wilde de kracht van de vulkaan voelen. Hij dacht aan Demeter die zoekend naar haar dochter de Etna afzocht: hij moest haar zeggen dat hij haar had gevonden. Waar had hij gelezen; 'Als je ziel in India wil zijn, de oceaan wil oversteken, kan ze dat in een ogenblik?' Hij kon er de bron niet van vinden. Zijn geest doorzocht de omvangrijke harde schijf die zijn geheugen was. Het was Bruno: hij zag het gezicht. Hij naderde de top van de berg, en de lucht was niet zwavelachtig zoals hij had verwacht, maar helder en geurend naar limoenen en wingerds. En een roos.

Sst! Zijn vader sprak tegen hem, maar de woorden leken heel even vorm aan te nemen, om vervolgens uiteen te vallen. Ze werden door de woorden van iemand anders overstemd. *Levende wezens zullen niet sterven, maar net als samengestelde lichamen lossen ze slechts op, zoals een mengsel veeleer desintegreert dan sterft. Als ze zijn opgelost, worden ze niet vernietigd maar vernieuwd. Wat is immers de levensenergie?*

Henry Stafford had de indruk dat zijn zoon hem niet hoorde, maar hij sprak verder. 'En hij was een groot mens, dat weet ik wel. Zijn belangstelling voor metafysica was niet het enige wat het vermelden waard is. Een groot wiskundige, een wetenschapper, een vertaler. Een spion die mogelijk voor Walsingham werkte – naar verluidt de eerste die zich 007 noemde. Hij bezat de beste bibliotheek van Engeland, maar wordt herinnerd als de astroloog van koningin Elizabeth, iemand die met geesten sprak – of dat probeerde. En ik heb daar niet veel geduld mee. Maar je moeder was flexibeler. We spraken er gewoon niet over. Dat was mijn wens en daar heeft zij zich bij neergelegd. Wat er ook in jouw genetische mengsel zit, Will, John Dee draagt zeker bij aan de rijkdom en genialiteit ervan, en wellicht voor een deel aan je mysticisme. Ik geloof dat de sleutel iets opent wat van hem was.' De apparatuur negerend die maakte dat zijn zoon ver weg leek en buiten bereik, had Henry Wills hand vastgepakt. Zijn haar was netjes en geknipt, zijn gezicht gebruind en knap – maar toch zag hij er angstwekkend kleurloos uit.

Will had hem misschien gehoord. Hij wist het niet zeker. Hij stond onverhoeds, in een parallel moment, in het centrum van het labyrint. De geur van rozen, die hem verrukte en overweldigde, stroomde zacht over hem heen: en, tegelijkertijd, op de top van de Etna, de lucht zwanger van citrusgeuren, strelend licht, hevige hitte. *Kennst du das Land, wo die Zitronen blühn,* dacht hij: Ken je het land waar de citroenbomen bloeien? Wat een fout had hij gemaakt. Hoeveel tijd had hij verspild, geen enkele taal ooit helemaal geleerd, slechts stukjes en beetjes – nooit genoeg voor een diepgaand gesprek met iemand uit een andere tijd en culturele omgeving. Hoe kon je anders de wereld door de ogen van een ander zien als je een belangrijke zin niet kon voltooien? Het woord was alles, begreep hij.

'Dodona, Delphi, Delos.'

Hij zag een driehoek voor zijn geestesoog. En toen keek hij aandachtig naar het patroon op het bovenste gedeelte van de kleine sleutel. Er was een parel in verwerkt, in het midden van een spiraal. Waarom had hij er nooit eerder goed naar gekeken? Hij keek naar zijn handen, die iets warms grepen dat van leer was. Een donker, oud boek. Hij draaide het om. Zijn ogen hadden moeite zich te focussen op de uit gouden letters opgebouwde titel. 'Ach. Het boek van de oude koning.' Op de binnenzijde stond: 'Diana Stafford', boven een tekening van haar hand van een hertenbok en een driehoek.

Er rolde een traan over zijn vaders wang, en hij verontschuldigde zich er niet voor.

Will dobberde op een geurige zee van licht. Zijn gevoel voor humor was niet van hem geweken. Het leek op het paradijs, maar dan ontworpen door Muji: helemaal wit en strak en prachtig. Hij stelde zich een grote zware hand voor op zijn vaders schouder, en wist zich op een of andere manier geestelijk te verbinden met de aanraking. Hij sprak, al waren zijn lippen van steen: 'Ach! maar die tranen zijn parels die uw liefde uitstorten, En ze zijn kostbaar, vereffenen alle slechte daden.'

Henry Stafford pakte de grote envelop bij het bed, omvatte de sleutel met zijn hand en verliet de kamer met zijn zacht puffende machinerie.

'Melissa, laat me je alsjeblieft naar huis brengen. De avond is lang geweest en je bent zo goed geweest te blijven...' Zijn stem stierf weg en het jonge meisje legde een stevige hand op zijn schouder.

'Dank u.' Meer zei ze niet. Het was bijna middernacht en ze waren allebei in alle opzichten uitgeput. Ze kende meneer Stafford een beetje. Haar moeder deed nu en dan wat typewerk voor hem. Deze avond hadden ze echter lang samen gereisd. Ze waren nieuwe vrienden, uit oude gesmeed.

De rit naar huis vanaf het Winchester Hospital, waar Henry's zoons waren geboren en zijn vrouw was gestorven, zou ongeveer twintig minuten kosten. Ze waren allebei aan slapen toe. En Henry zou blij zijn met Melissa's stille aanwezigheid.

Zijn grijze BMW was de op een na laatste auto op de bezoekersparkeerplaats, maar uitgerekend door die tweede auto kon hij niet weg. Vlak achter zijn auto, half op de in- en uitrit, stond een blauwe Lancia geparkeerd, wellicht vanwege een noodgeval. Henry gaf er de voorkeur aan de paar centimeter tussenruimte te gebruiken om zijn auto vrij te manoeuvreren in plaats van iemand te gaan zoeken die zelf met tegenslag kampte, dus kostte het hun nog minuten voor ze het ziekenhuis achter zich konden laten.

7

De beambte die in vol ornaat bij de paspoortcontrole stond, herinnerde Alex aan de lange schaduw die 11 september had geworpen. Voorzien van een vuurwapen, een pet en een gezicht van steen, inspecteerde de douanier hem alsof hij de volledige terroristische dreiging van Amerika vertegenwoordigde. Lichten knipperden en een computer liet een signaal horen. De beambte maakte smalle reepjes van zijn ogen en keek hem achterdochtig aan. Toen keerde zijn minzaamheid terug, kreeg Alex zijn paspoort in zijn handen gedrukt, vergezeld van het plichtmatige: 'Nog een prettige dag.'

Alex was met zijn hoofd al bij het college dat hij zijn studenten zou geven over de jongste denkbeelden over intercellulaire communicatie. Afwezig bewoog hij zich naar het gedeelte waar de handbagage werd gecontroleerd, plaatste zijn aktetas op de band, liep naar de scanner en volgde het ritueel van de man vóór hem: hij was zich zijn handelingen nauwelijks bewust. Er begon iets te piepen. Een onberispelijk geklede man die zich drie of vier plaatsen achter hem bevond, had Alex voortdurend in het oog gehouden. Nu keken ook anderen naar hem.

Voor Alex was de hele opeenvolging onwezenlijk en surrealistisch, zijn brein en zijn lichaam waren deels door vermoeidheid verdoofd. Plotseling klonk de barse stem van het gezag: 'Zakken leegmaken, meneer.' Toen pas merkte Alex dat de beambte hem bedoelde. 'Doe uw wisselgeld in een bakje en probeer het nog eens.'

Alex wist zeker dat de beambte de ironie van de New Yorker slechts veinsde. Zonder verontrust te zijn graaide hij diep in de zakken van zijn overjas. Met een handjevol muntgeld in de ene en een kleine plastic tas met een boek in de andere hand, keek hij de beambte vragend aan. De man nam de plastic tas over, bekeek de inhoud, liet die aan een collega zien, waarna de twee tegelijkertijd gebaarden dat hij de munten in een bakje naast het boek moest stoppen. Alex legde er uit eigen beweging zijn mobiele telefoon bij.

'*Extraordinario, este libro,*' leek de tweede beambte te hebben gemompeld, maar zo onhoorbaar dat Alex er vrijwel zeker van was dat hij helemaal niet had gesproken. Hij keek de man aan en heel even was het of ze een geheim deelden. Opnieuw klonk er een snijdend gepiep en de eerste beambte, wiens gezicht nu helemaal verstrakte, maande Alex het hele proces nog eens uit te voeren. Alex keerde terug door de scanner. Kalm glimlachend keek hij de tweede beambte nog steeds aan. Opeens drong het tot hem door dat hij zijn vulpen nog in zijn binnenzak had. Ook die legde hij in het bakje.

'Jawel, meneer, dat zal de boosdoener zijn.' De eerste beambte had de blik van de tevreden FBI-agent die zojuist een belangrijke, levensbedreigende zaak had opgelost. 'Ik vrees dat we die in beslag moeten nemen, meneer.'

Het oponthoud zorgde voor enig gemor bij de overige reizigers. Alex was zich er vagelijk van bewust dat hij niet bepaald verontschuldigend zijn schouders ophaalde. Zijn moeder had hem de vulpen jaren geleden gegeven toen hij een positie in Cambridge had gekregen en hij was niet van plan zonder die pen huiswaarts te keren.

Hij maakte oogcontact met zijn ondervrager en wist de oplopende spanning op een of andere manier te temperen. 'Ik ben er erg aan gehecht. Is het mogelijk iemand van het vliegtuigpersoneel te vragen de pen voor me mee te nemen om hem in Heathrow weer aan me terug te geven?'

De beambte aarzelde en bekeek Alex' naam, die in de pen was gegraveerd. 'Dat is hoogst ongebruikelijk, meneer. Maar ik vind het een redelijk voorstel. Ik zal zien wat ik kan doen.' Hij gaf de vulpen aan zijn collega, die onaangedaan had staan glimlachen en Alex nu met een subtiel knikje liet weten dat alles in orde zou komen. De man controleerde de details van zijn vlucht om het een en ander te regelen, gaf hem opeens zijn andere spullen terug en maakte echt contact toen hij het boek aan Alex teruggaf.

'*E muy metafísico, sí?*' Alex wenste dat hij het Spaans beter beheerste, maar de beambte vond het al prachtig dat Alex iets in zijn taal wist te zeggen en knikte vriendelijk. 'Het is een lange vlucht en de films heb ik al gezien. Dit zal beter gezelschap zijn.'

De beambte overhandigde hem een reçu voor de pen en maakte met een knikje duidelijk dat Alex kon doorlopen. De zonderlinge menselijkheid van het hele voorval had Alex geraakt en het drong tot hem door dat hij nog nauwelijks aan het boek had gedacht dat voor de vluchtige verstandhouding had gezorgd – om nog maar te zwijgen over de vraag wat het te betekenen had. Inderdaad wat je *extraordinario* noemt.

Zijn gedachten waren nog steeds bij de pen en het boek toen zijn aandacht werd getrokken door de heldere stem van de stewardess. Alex pakte een deken om de koude rillingen te bestrijden die hun oorsprong in zijn vermoeidheid vonden en hij keek naar het kleine boek in de doorzichtige plastic tas. Het was hem na de conferentie, toen hij juist weg wilde rijden naar Jersey, in de handen gedrukt door een erg sympathieke Zuid-Amerikaanse doctor. Haar stem had geklonken als een klok: 'Dit zal u inzicht geven in de dwaasheid van de poging een verschil te vinden tussen spiritualiteit en werkelijkheid. Een aangename thuisreis gewenst en *buena suerte*.' Ze had hem even zacht in zijn arm geknepen en was verdwenen.

Achteloos had hij het boek in de plastic tas in de zak van zijn overjas laten glijden en het autoportier voorlopig voor dat deel van de wereld dichtgetrokken. Hij liet zich in de comfortabele stoel zakken en richtte zijn aandacht op *Honderd jaar eenzaamheid*.

De openingsregels namen zijn verbeelding onmiddellijk in beslag. Het vuurpeloton. Kolonel Aureliano Buendía, de herinnering aan het ijs: knars! De zinnen betoverden hem. In zijn oor hoorde hij de stem van de auteur – dat was de kracht van Gabriel García Márquez.

Het zou nooit in hem zijn opgekomen dat boek te kopen. Wat een gelukkig toeval. Daar zat hij, een gegrepen lezer met een zee van tijd.

Nadat ze waren opgestegen bracht de vriendelijk glimlachende stewardess hem het menu. 'Ik heb uw vulpen, dr. Stafford. Wat leuk dat u die nog gebruikt. Bijna niemand schrijft tegenwoordig nog echt!' Haar mooie gebit werd zichtbaar toen ze lachte. 'Zodra iedereen het vliegtuig op Heathrow heeft verlaten, krijgt u de pen van me terug.'

Ze vroeg of hij misschien een glas champagne wenste. 'Het verbaast me eerlijk gezegd dat ze op uw voorstel zijn ingegaan. Zal wel iets te maken hebben met de Britse rust die u uitstraalt.'

Grijnzend als een schooljongen sloeg hij het champagneaanbod af. Het bekeek de menukaart en koos voor forel met amandelen. Hij keerde terug naar de piraat Francis Drake, die in de zestiende eeuw Riohacha vernietigde en daarmee de levens van de mensen die Alex gaandeweg zou leren kennen ingrijpend veranderde. Het diner werd geserveerd. Hij at en las verder. Achter zich hoorde hij het zachte gesnurk van een collega.

De schrijfstijl had iets meeslepends. De vermoeidheid omgaf hem als een grote beschermende deken. Zoals gewoonlijk soesde hij wat. Na een tijdje sloeg hij zijn ogen op en ging verder met lezen, zo nu en dan stoppend om de details en de complexiteiten van het boek te overdenken en vergelijkingen te maken met zijn eigen familie. Een volstrekt andere wereld die er niettemin mee was verbonden. Het galjoen in het hart van het regenwoud: Will als een Don Quichot op zijn eindeloze zoektocht. De vrouw die te mooi was om in een graf in de aarde te worden gelegd en die, gewikkeld in het beddengoed dat ze bezig was op te hangen, op magische wijze in de hemel werd opgenomen. Ongrijpbaar als zijn moeder. De fabelachtige kwaliteit van het onderwerp werd door de verhalende stijl realiteit verleend. Alex was er zeker van dat Will het boek had gelezen en in zijn hart had gesloten. Hij had het gezien tussen de stapels boeken die verantwoordelijk waren voor de wanorde in zijn eigen flat in Londen. Zijn broer had geen enkele belegging op zijn naam maar beschikte wel over talloze schappen vol intellectuele eigendommen, muziek – cd's en bladmuziek – boeken tot aan het plafond, eerste drukken Penguins waar Siân zo vaak over had geklaagd, misschien één keer te vaak. Het was geen goed idee geweest hem de keuze te geven tussen 'mij of die afgrijselijk bedumelde boeken'. Ze had ze eerst nog met glimmende linten tot stapels samengebonden in de hoop er hun onooglijkheid mee te compenseren, maar daar was ze mee gestopt. Beter dan zij had Alex geweten voor welke optie hij zou kiezen, al kon hij intussen, nu de boeken zijn flat verstopten, wel meer begrip voor haar standpunt opbrengen. Hij keek uit naar het moment waarop hij met Will over het boek zou kunnen praten, wilde dat ze dat nu zouden kunnen doen: hij wist dat de ruwe emotie en fantasie Will moesten hebben aangesproken. Maar er drong een nieuw besef tot Alex door. Hoewel hij en zijn broer allebei één zijde van dezelfde medaille vertegenwoordigden – vaders oudste zoon en moeders benjamin – wist Alex dat er een diepere laag in hem verborgen lag die hij nooit had aangeboord, zoals Will een serieuze kant had die hij niet graag liet zien. Hij betreurde de neiging van goedbedoelende ouders om hun kinderen een te eenduidig karakter toe te dichten.

'Alex is zo oppassend en ijverig, echt heel verstandig. Hij zal een voortreffelijk wetenschapper worden. Dat zal zijn broer hem niet nadoen. Will? Gewoon een dromer die maar wat aanrommelt, altijd met zijn neus in een boek. Hij speelt piano als Chopin, maar god mag weten wat er van hem terecht moet komen.' Will had van oudsher om zulke inschattingen gelachen en gezegd dat hij 'liever George Sand was geweest'. Maar innerlijk moest het hem pijn hebben gedaan, zoals het ook Alex had gestoken dat hij – in lijn met die roestige kijk – altijd als de betrouwbare en dus een tikje saaie werd gezien. Hun moeder had beter geweten en die gangbare opvatting bestreden. 'Ze zijn allebei intelligent en inspirerend. We zullen zien hoe zij hun uren op deze aarde gebruiken.'

Alex had slaap nodig, merkte dat zijn geest begon af te dwalen. Ook kreeg hij een enigszins onbestemd gevoel: zal het iedereen goed gaan? Dat laatste dreigde zijn gemoedsrust te verstoren, maar hij deed het af als een gevolg van zijn uitputting. Zijn vader en broer zouden waarschijnlijk hebben geruzied tijdens het eten, en zoals gewoonlijk zou Alex de rol van vredestichter zijn toebedeeld. De zon gloorde boven de paarse wolkenlijn alvorens wit te kleuren. De maan verbleekte even plotseling en loste op boven de oceaan. Is dat slechts het gevolg van de snelheid van het vliegtuig tegen de tijdrichting in? Alex dacht na. Hij was even ingedommeld en had daarna weer gelezen. Uiteindelijk had hij het boek gesloten na de verontrustende gedachte van de auteur dat mensen die verstrikt zitten in honderd jaar eenzaamheid op deze aarde geen tweede kans krijgen. Waarmee het nog maar de vraag is of er in de hemel wel verlossing zijn zal, dacht Alex.

Will en hij hadden, als ze er niet over hadden gebekvecht of Gary

Sobers of Ian Botham de meest complete cricketspeler kon worden genoemd, zo nu en dan over dergelijke filosofische vraagstukken gediscussieerd. Hij was dat deel van hun relatie vergeten. Toch interessant dat ze als jongens zulke diepzinnige gesprekken hadden gehad, maar Alex realiseerde zich dat hij, toen hun moeder stierf, niet veel te melden had gehad over het onderwerp van de onsterfelijkheid. Hij zag Will voor zich na haar de begrafenis. Woest en met donderend geweld had hij zich een weg gebaand door Chopins aangrijpende 'Fantaisie Impromptu', met een sigaret tussen zijn lippen. Een verderfelijke gewoonte waaraan hij zich tijdens het ziekbed van zijn moeder opnieuw had overgeleverd. Gelukkig was hij naderhand weer gestopt. Net als met zijn muziek, leek het.

Wat was er veranderd? Alleen de tijd eigenlijk – met name Alex' absurde gebrek eraan. Will had hem overgehaald open te zijn tegen Anna over de pijn van zijn mislukte huwelijk; had zélf geprobeerd zich uit te spreken over het verdriet dat zich aandiende na zijn breuk met Siân. Maar Alex wilde en kon geen tijd meer vrijmaken voor dergelijke confidenties. Ze gingen allebei bepaalde zaken uit de weg, al bood het intuïtieve aanvoelen van elkaar doorgaans voldoende steun. O, Will, wat heb ik je gemist – al ben je ook vaak een irritante kwast, dacht Alex, en hij probeerde zijn overdenkingen met een dosis realiteitszin te voeden. Hij wist zeker dat dit nostalgische smachten naar zijn broers gezelschap snel zou verbleken zodra hij lawaaierig door Alex' rustige flat in Chelsea zou stommelen. Binnen een week zou Will zijn keuken hebben overgenomen en erop staan het koken voor zijn rekening te nemen, om dan gaandeweg alle potten en pannen uit de kast te trekken en vuil te maken. Hij lachte zacht en keek naar de achterkant van het boek.

'Cabinepersoneel: tien minuten tot de landing.' De stewardess raakte zijn schouder aan toen ze hem hielp zijn stoel naar voren te zetten. Ze verwijderde de laatste glazen van de tafeltjes in het vliegtuig. Even later volgde de bekende dreun toen het landingsgestel werd uitgeklapt. Alex voelde het enorme toestel nerveus naar één zijde hellen, als een paard dat een hindernis nadert. Het kwam weer horizontaal, maakte een zachte landing en joeg over de landingsbaan tot het geluid van het afremmende vliegtuig de betovering verbrak. Hij was weer thuis.

Gelet op de drommen mensen die op dit ochtenduur door de vele intercontinentale toestellen werden uitgebraakt, was de paspoortcontrole opmerkelijk beschaafd en opgewekt. 'Goedemorgen. Dank u, meneer. Welkom thuis, doctor Stafford.'

De stewardess vond Alex bij de bagageband. 'U wilt deze vast terug. Machtiger dan het zwaard enzovoort!'

Ze vloog langs hem heen terwijl de vulpen die zoveel van zijn geschiedenis had geschreven in zijn handpalm verscheen. Hij kreeg de tijd niet haar te bedanken. Alex zette zijn mobiele telefoon aan en wachtte op zijn bagage. Hij had zeven berichten. Door de vlotte afwikkeling, een geweldig voorrecht dat met de duurste klasse was verbonden, kon hij binnen de kortste keren met zijn bagage naar de uitgang, maar toen verstijfde hij: 'Alex, het is heel ernstig met Will, vrees ik. Erger dan ik bij mijn vorige bericht wist. Bel me alsjeblieft zodra je dit ontvangt. Ik heb je advies hard nodig.' Zijn vaders stem klonk hees.

Hij luisterde nog twee berichten af, die hem verder terugvoerden in de tijd omdat de eerdere berichten na de laatste kwamen. Zijn gezicht was ingevallen toen hij het vliegveld verliet.

16.43: WILT U AFSLUITEN?

'Nou en of!' bitste Jane Cook. Ze klikte op 'Ja' en sloot haar laptop. Ze zat aan haar bureau, nam langzaam de hoorn van het toestel en legde toen weer op. Ze zag er voor het moment maar van af haar kleine meid te bellen. Ze was zo laat – later dan laat – dat ze het niet meer over haar hart kon verkrijgen zich nog eens te verontschuldigen. Nou ja, er zou in elk geval iemand profiteren van de extra uren die ze erin had gestopt.

Het grootste deel van deze onderneming was gebaseerd op de aanname dat de donor niet zou herstellen. Soms was al het werk voor niets, maar het reduceerde de tijd tussen overlijden en transplanteren en dat was van levensbelang. De tweede fase van het werk kon nu slagen als alles volgens plan verliep. Die arme Lucy had de afgelopen achtenveertig uur al een teleurstelling moeten incasseren: iedereen had klaargestaan, om vervolgens tot de ontdekking te komen dat het hart niet geschikt was – een bij nader inzien matig orgaan dat goed had geklonken maar uiteindelijk toch niet voldeed. Ze wilde niet dat dat nu nog eens zou gebeuren.

Er zouden maar liefst zo'n veertig mensen bij betrokken zijn vóór de operatie voltooid zou zijn en in dit stadium waren er nog altijd tal van onzekerheden. De stroom telefoontjes en e-mails die ze zojuist achter de rug had, hadden hoofdverpleegster Cook de informatie opgeleverd dat de ETA-helikopter er over ongeveer tien minuten zou zijn. Het indrukken van een andere knop van haar telefoon had de bevestiging gebracht dat het hart hier na nog eens vijftien à twintig minuten na de landing zou zijn. De coördinatrice Harttransplantatie keek op haar horloge. Er zouden iets meer dan een uur en twintig minuten verstrijken vanaf het tijdstip waarop de eerste chirurg de donor van het hart zou ontdoen en het in een speciale transportcontainer naar Harefield zou zijn overgebracht. Al met al niet slecht. Strikt genomen was dit niet de beste manier om met orgaanoverbrenging om te gaan, maar er was geen enkel mobiel levensinstandhoudingssysteem beschikbaar dat de hele donor kon vervoeren, dus moest het hart ter plaatse van de donor worden geïsoleerd en naar Londen worden overgebracht. Zoals altijd had het team ook deze keer uiterst consciëntieus gewerkt. Mensen hadden kritiek op de nationale gezondheidsdienst, dacht Jane, maar waar ter wereld werd er met meer inzet en toewijding gewerkt?

Omdat het zondag was slonk het rond Heathrow verwachte oponthoud van twintig tot minder dan vijftien minuten. 'Nagenoeg perfect,' luidde het commentaar van teamleider Amel Azziz van Hartchirurgie terwijl hij het orgaan en de testresultaten inspecteerde. 'Helemaal niet slecht,' voegde hij er met een tevreden blik aan toe. 'God', zoals de andere medewerkers hem heimelijk noemden, had op de hem eigen laconieke wijze verkondigd in de hemel te zijn, en eraan toegevoegd dat met de wereld alles goed was. Jane wist dat Lucy King in zijn handen veilig zou zijn.

'Weefsel stemt overeen, bloedgroepen zien er aanzienlijk gunstiger uit dan we hadden mogen hopen. Ik neem aan dat alles in gereedheid is en ik me dus kan klaarmaken voor de operatie.' Hij keek Jane over de rand van zijn halve bril aan en zij was blij hem te hebben behaagd. 'Tenzij u een probleem hebt waar ik van op de hoogte dien te zijn?'

'Geen sprake van. Alles is in orde, meneer.' Die benaming was slechts ten dele als plaagstoot bedoeld. Ze had al lang geleden het recht verworven hem bij zijn voornaam te noemen, maar ze hield ervan 'meneer' te zeggen of 'meneer Azziz zelf' als ze met anderen vol genegenheid over hem sprak.

'Natuurlijk is het dat, Jane. Ik heb er alle vertrouwen in.' Hij gaf haar een knipoogje. En uiteraard was alles in orde. Zij was immers de beste coördinatrice in de wijde omgeving. Daarom werkte ze voor God. Ze bewonderde hem hogelijk, beroepsmatig gesproken, maar dat zou ze hem nooit ronduit zeggen. En op zijn beurt was hij er heilig van overtuigd dat zij hem nooit teleur zou stellen. Voor elk detail was gezorgd, vanaf het moment waarop de donor na een zware hersenbloeding dood was verklaard. De scan had geen activiteit meer vastgesteld en de levensinstandhouding was in stille harmonie met de geest, wat dat ook betekende. Dat was uren geleden. Aangezien de donor een codicil had ondertekend, was er geen enkele belemmering geweest. Maar ook de naaste familieleden, die op het tijdstip van overlijden in het ziekenhuis aanwezig waren, hadden hun toestemming verleend. De kopieën van alle betreffende formulieren waren al gearchiveerd en in het computersysteem opgeslagen.

Opnieuw ging de telefoon en ze keerde snel terug naar haar post. Het verraste haar dat het toestel overging. Iedereen en alles was gebeld, gecontroleerd en nog eens gecontroleerd. Dit kon alleen maar betekenen dat er een probleem was. Azziz wierp haar een vragende blik toe. Haar werkelijke reactie hield ze voor hem verborgen door geruststellend naar hem te knikken. 'Verdomme,' flapte ze eruit. Maar meteen onderwierp ze haar grove taalgebruik ten overstaan van de dokter aan zelfcensuur toen ze merkte dat dat ene woord haar was ontglipt.

Haar gezin zou haar vanavond bij het eten niet te zien krijgen. 'Moet je dit weekend alweer werken, mamma?' had de kleine Sarah gevraagd. 'Wanneer heb je weer eens tijd voor mij, ik bedoel echt tijd?' Ze had haar armen om haar moeders nek geslagen en niet meer los willen laten toen haar moeder haar had gezegd dat ze die ochtend vroeg weg moest. Mensen met een gezin zouden niet voor zo'n baan moeten kiezen. Jane drukte die gedachte de kop in en wijdde zich vervolgens met onvoorwaardelijke professionaliteit en inzet aan haar taken.

Ze beëindigde het telefoontje zonder de hoorn op de haak te leggen, kreeg de kiestoon en toetste een nummer in. 'Hallo, James? Zie je kans onmiddellijk hiernaartoe te komen?' Ze knikte een paar keer en een keer naar meneer Azziz, zei: 'O, dat is fantastisch,' en legde de hoorn op de haak. Ze rolde met haar ogen. 'Dit is iets waar we niet op zaten te wachten,' legde ze God uit; haar Ierse stembuiging droeg bij aan het optimisme dat erin doorklonk. 'Volgens mijn gegevens zou hij dienst hebben, maar het lukte ons niet contact te krijgen met de immunoloog waar uw voorkeur naar uitgaat. Hij had een conferentie en blijkbaar heeft zijn terugkeer een dag vertraging opgelopen. Zijn secretaresse kan hem niet te pakken krijgen. En ze beweert bij hoog en bij laag dat hij vandaag sowieso niet ingeroosterd stond in verband met zijn verjaardag. Hoe dan ook, dokter Lovell heeft toegezegd in te vallen. Hij is nog in het gebouw en zal met vijf minuten hier zijn. Naar verwachting zullen we niet lang een beroep op hem hoeven doen.'

Jane Cook was de verpersoonlijking van efficiëntie en gaf de chirurg de indruk alles onder controle te hebben. Heimelijk was ze echter geïrriteerd. Ze zou langer moeten werken en niet in de gelegenheid zijn gezellig met haar gezin te lunchen. Een volle dag langer wegblijven, maak het een beetje! Niemand had het recht zich te drukken. Jarig of niet, als je dienst hebt heb je dienst. Jane zag het beeld voor zich van een mooi glas wijn waarvan ze, in een leuke pub en omgeven door haar gezin, genietend nipte, na gedachteloos haar mobieltje te hebben uitgeschakeld. Toch was ze verre van somber en prees ze zich gelukkig dat alle leden van haar team echte toppers waren.

Azziz las de gedachte die, als een wolk die de maan ontsiert, op haar voorhoofd lag. 'Als er van bijzondere omstandigheden sprake is, moeten we mijns inziens in staat zijn doctor Stafford te vergeven, denk je niet? Dergelijke beproevingen slaan alleen gewone stervelingen uit het veld, Jane – niet jou. Jij bent nooit uit je baan te brengen.'

Ze was volkomen gerustgesteld door de charme van Azziz en het vertrouwen dat hij in haar stelde. Het gaf verder niets: James Lovell was een uitstekend medicus, die nu elk moment zou arriveren. Het enige wat haar te doen stond was de patiënte op de hoogte stellen van de verandering. Ze verwachtte niet dat dat een probleem zou zijn. Meneer Azziz was er misschien niet zo gelukkig mee, meende ze, maar dat kwam wel goed. Hij had graag mensen om zich heen die hij kende en vertrouwde, en hij vond het plezierig enigszins afhankelijk te zijn van Alexander Stafford. De sfinx, noemde hij hem. 'Praat misschien niet altijd honderduit maar ziet volstrekt alles en weet meer dan hij je zal vertellen,' had hij Jane eens in vertrouwen gezegd, al had hij geweten dat zij zich meer op haar gemak zou voelen als dokter Stafford minder gesloten was geweest – en eenvoudiger te begrijpen. Zij was geneigd zijn gereserveerdheid op te vatten als verholen kritiek op anderen, wat niet zo was, wist Amel. 'Hij is een kalme en rationele jongeman die zich nooit een oordeel aanmatigt over de ideeën en zwakheden van anderen. Ik mag hem erg graag.'

Hoe dan ook, dacht Jane, ze zouden het nu zonder hun alwetende 'sfinx' moeten stellen, die zich of ergens in het luchtruim bevond of zich vanwege zijn verjaardag voor de buitenwereld verborgen hield. De volgende twaalf uren zou ze niets meer kunnen doen, dus zou ze iets gaan eten en wat rusten. Ze moest beschikbaar zijn, 'voor het geval dat', en kon nog niet gaan.

'Maak je geen zorgen, Jane. Ik licht de patiënte zelf wel in.' Ze zou echter zeker teleurgesteld zijn – hij alleen wist misschien hoe teleurgesteld. Op weg naar de operatiekamer maakte hij een kleine omweg. 'Lucy, je ziet er vandaag wel heel geweldig uit. De komende uren zul je in mijn handen en in die van Allah zijn.'

Haar glimlach brak door de nevel van de premedicatie en haar haar leek haar bleke, dromerige gezicht als een stralenkrans te omgeven. Er was geen licht, geen schaduw, en haar gelaatstrekken leken bijna uitgewist – en meneer Azziz overwoog dat haar verschijning veel te surrealistisch was voor iemand die tegen een verraderlijke ziekte had gestreden en nu op het punt stond een operatie te ondergaan die haar leven zou veranderen.

'Het zal me wel lukken,' sprak ze onverwacht krachtig, 'voor enkele uren uw en Allahs gast te zijn.'

Maar de chirurg ving toch een glimp op van de angst die achter haar ogenschijnlijke zelfvertrouwen schuilging. 'Wij gaan gezamenlijk naar een magische plek.' Hij keek naar Lucy als was ze een hoog-begaafd kind. 'Het spijt me je te moeten zeggen dat dokter Stafford momenteel niet bij ons kan zijn. Het schijnt zijn vrije dag te zijn en niemand kan hem bereiken. Mogelijk is hij nog niet teruggekeerd van zijn buitenlandse reis. Ik weet dat het zijn wens en bedoeling was hier aanwezig te zijn om je bij te staan. Ik heb de overeenkomsten van het weefsel nu zelf gecontroleerd en we kunnen vandaag een beroep doen op dokter Lovell. Maar dokter Stafford zal uiterlijk overmorgen weer hier zijn, en voor die tijd zul je toch niet bijster veel van deze wereld meekrijgen.'

Lucy raakte erg bedrukt door dat nieuws. Ze had zo enorm veel achting voor dokter Stafford en ze was deze week gaan beseffen dat het haar vertrouwen sterkte als ze wist dat hij in haar buurt was. Hij was de vriendelijkste persoon die ze ooit had ontmoet en ze zou lie-ver afzien van zo'n reis in het duistere onbekende zonder zijn bijzon-dere lichtschenkende aanwezigheid. Haar dunne sluier van energie werd door iedereen aangezien voor een effect van de premedicatie, maar niet door meneer Azziz, die, net als Alex Stafford, zelfs de klein-ste kleinigheid niet ontging. Hij glimlachte en tikte haar bemoedi-gend op haar dunne hand.

Jane Cook vond het fenomenaal hoe hij bijna onmerkbaar de even-tuele twijfels omtrent de operatie waar Lucy mogelijk door werd be-laagd, wist weg te nemen. Zijn ogenschijnlijk serene houding had een geruststellende uitwerking op zowel personeel als patiënten. Hij gaf iedereen het gevoel dat er onder zijn supervisie niets mis kon gaan, ondanks de ernstige boodschap die iedere patiënt moest worden over-gebracht dat er nooit garanties voor een goede afloop konden worden gegeven. Amel was, meer dan iedere andere chirurg met wie Jane had gewerkt, ongelooflijk bijzonder.

Na de thee belde ze Sarah. Haar vader was die middag met haar naar het park geweest. Het zag er in de namiddag heerlijk uit buiten en alle regen van de afgelopen week was verdwenen. Ze nam een sta-pel dossiers van haar bureau en liep naar de afdeling.

Toen haar haar onder een kapje was gestopt en ze op een brancard was getild, keek Lucy – zonder zich echt in te spannen – naar de vage kleuren van haar handwerk. Dit was het leven dat ze de afgelopen maanden bijeen had gestikt sinds ze de ziekte van Chagas mee terug had gebracht uit Colombia. Ze was achtentwintig en zag er door haar ziekte uit als negentien, maar als een wijze oude vrouw nam ze elke dag zoals die kwam. Met heldere kleuren of pasteltinten, al naargelang haar stemming dat dicteerde, had ze zich weken achtereen beziggehouden met het borduren van een verhaal. Ze liet haar zware ogen even rusten op het laatste deel dat ze had gedaan: een gevleugeld hart dat opstijgt naar een kleine maansikkel tegen een nachtelijke hemel. Ze had het bedoeld als een herinnering aan haar moeder die wegvloog toen Lucy nog klein was – een vlucht waarvan haar moeder nooit was teruggekeerd en die het kind nooit te boven was gekomen. Het was een ommekeer in haar leven geweest. Maar nu, in de nevelige ruimte die ze vulde terwijl de anesthesie bezit van haar nam, wierp het gevleugelde hart een nieuw licht op haar, een nieuw licht dat ze nooit eerder had aanschouwd. Haar oogleden gaven zich gewonnen en lokten haar mee in een goddelijke slaap.

8

Lucy voelde zijn aanwezigheid, zelfs voor ze haar ogen opende. Zijn geur week af van al het andere in het ziekenhuis. Vetiverolie of bergamot, dacht ze. Ze glimlachte terwijl ze haar ogen nog even stevig dichtkneep. Toen sloeg ze ze op en begon te spreken.

'Ik weet zeker dat ik er beter uitzie dan eerder vandaag.' Haar keel voelde dik aan en haar stem klonk heel anders dan gewoonlijk. Ze bevond zich op de intensive care en ze had pijn op plaatsen waar ze nooit eerder pijn had gevoeld, maar ze zag in Alex' geamuseerde blik dat ze voldoende energie had om haar woorden enige ironie mee te geven. En ondanks de pijnlijke plekken, de draden en slangen en de meedogenloze incisies, voelde ze zich aangenaam doezelig.

'Je ziet er best goed uit voor iemand die acht of negen uur onder het mes is geweest.'

Zijn stem klonk helder en vriendelijk zoals altijd, maar ook vermoeid, vond ze. En ze wist dat wat hij gezegd had waar was: ze wist zonder het te vragen dat ze er even gehavend uitzag als ze zich voelde. Maar Alex keek met een geruststellende blik naar haar. Hij droeg een mondkapje en het viel haar op dat zijn ogen hun gebruikelijke helderheid misten, al deden ze hun best er helemaal voor haar te zijn.

Hij boog zich naar haar toe. 'Je hoeft trouwens van mij geen medelijden te verwachten. Ik had gedacht dat je vandaag al uit bed en aan de wandel zou zijn. Mijn secretaresse berichtte me dat je operatie voor afgelopen vrijdag stond gepland. Ik kan er niet over uit dat je de hele boel wilde uitstellen. Of kreeg je bedenkingen? Wat is er gebeurd?'

Ze wilde hem zeggen dat de moed haar niet opeens in de schoenen was gezonken en uitleggen wat de reden van het plotselinge uitstel was geweest. Maar hij lachte en weerhield haar door een wijsvinger tegen zijn lippen te drukken. 'Maak je geen zorgen – je keel is nog pijnlijk door de slang. Ik heb het hele verhaal van meneer Azziz gehoord. Zeg me alleen of het goed met je gaat.'

Langzaam hervond Lucy haar stem en ze wilde met hem praten. 'Ik wou dat ik dat wist.' Ze nam de tijd, probeerde zich te ontworstelen aan de effecten van de zware pijnstillers die haar zo suf maakten. 'Ik probeer je een steekhoudend antwoord te geven. Te onderscheiden wat zich in mijn brein afspeelt.' Ze was als een kat die zich uitrekt na te lang voor de haard te hebben geslapen. 'O, en mijn hart. Was ik helemaal vergeten… Ik ben vandaag jarig, de eerste dag van een nieuw leven.'

'Nou, misschien was dat gisteren in de kleine uurtjes, toen de operatie voorbij was. Nog vele jaren. Ik was gisteren trouwens ook jarig. We kunnen elkaar dus de hand geven.'

Lucy glimlachte een tikje verward. 'Een verpleegster zei me dat je zondag jarig was – dat je ergens in de provincie zou gaan lunchen.'

'Mijn eigenlijke verjaardag was gisteren, 22 september.' Alex was nog niet in staat over de 'zondag in de provincie' te spreken. 'Ben je nog vermoeid door de narcose?'

'Ik heb lang geslapen, hè? Ben je al een tijdje hier?' Ze sprak zacht maar toch vrij duidelijk. Ze bewoog haar nek een beetje, meende dat er een slang doorheen liep. Toen zag ze dat hij een boek in zijn hand hield en naast haar bed had zitten lezen. Dat was ongebruikelijk omdat hij meestal de bedrijvigheid zelf was. Ze zag iemand anders met een maskertje voor binnenkomen en iets noteren op haar status die Alex van haar overnam. Ze was zich, toen de deur was opengegaan, bewust geworden van de geur van narcissen. Waar stonden die en waar kwamen ze in september vandaan? Waren ze door Grace gebracht?

'Ik wilde hier zijn als je wakker werd.' Alex had zich even beziggehouden met haar status en wachtte tot de verpleegster weer vertrokken was. 'Meneer Azziz vroeg me de voorbereidingen voor je operatie te treffen, maar het lukte me niet hier tijdig te zijn. Ik had het gevoel je in de steek te hebben gelaten, al zie ik wel dat je jezelf schrijnend goed zonder mij hebt gered.' Het ging hem makkelijk af haar een beetje voor de gek te houden, met het gewenste effect: ze glimlachte innemend naar hem. 'Gisteravond laat heb ik mijn hoofd hier naar binnen gestoken, maar je was niet voor me opgebleven.'

'Zelfs dokters hebben er recht op hun verjaardag te vieren. En de maandag is toch ongemerkt aan me voorbijgegaan. Jij was in Amerika?'

'Het lag in mijn bedoeling direct na de lunch hiernaartoe te komen, Lucy. Er kwam... er kwam gewoon iets tussen. Mijn familie had me nodig.'

Alex' stem verraadde iets van onzekerheid, en dat verwarde haar. Wat hij had gezegd, hield een compliment en een raadsel in. Maar de afstand tussen hen werd snel overbrugd toen hij de status aan haar bed had gehangen en weer met een open gezicht naar haar keek.

'Ik heb even naar je medicatie gekeken en het weefselrapport ingezien. De aantekeningen van de chirurg heb ik nog niet onder ogen gehad, maar daar informeer ik vandaag nog wel naar bij meneer Azziz of meneer Denham. Alles wijst op een gelukkig toeval. Het is niet het hart geworden waar je eigenlijk voor zou komen, begrijp ik. Het hart dat je hebt gekregen is waarschijnlijk nog beter. Twee geschikte mogelijkheden in evenzoveel dagen? Het geluk staat aan jouw kant.'

Lucy had echter het gevoel dat ze een afschuwelijk auto-ongeluk had gehad; haar pijn werd niet geheel en al door de medicijnen onderdrukt. Maar ondanks het feit dat ze het gevoel had zichzelf nog voor een deel kwijt te zijn, spande ze zich in iets op het gezicht van Alex Stafford te lezen wat er gewoonlijk niet was. Ze kon het niet ontdekken. Ze kon de vreemdeling die de gebruikelijke rust en energie van Alex had verdreven niet helemaal herkennen. Ze raakte snel vermoeid en het lukte haar niet echt doortastend te zijn. Maar ze deed haar best.

'Laat de rest van de wereld vandaag voor wat hij is. Ik ga nergens heen. Wat jij nodig hebt is zoiets,' zei ze, wijzend op haar infuus, 'en een flinke dosis slaap. Ik heb je nog nooit zo afgemat gezien. Je hebt klaarblijkelijk een vermoeiende reis achter de rug.' Zelfs door haar door medicijnen veroorzaakte dromerigheid heen, en ondanks het mondkapje dat het grootste deel van zijn gezicht verborg, zag ze duidelijk dat hij minstens enkele dagen en nachten niet had geslapen. Alex was een knappe man met fijne gelaatstrekken en altijd even hartelijk. De verpleegsters spraken vaak en graag over hem. Maar vandaag zag hij erg bleek – zijn groene ogen waren rood omrand. Geen man om aan je ouders voor te stellen.

'Oké, oké.' Hij lachte en was dankbaar voor haar opmerkzaamheid. 'Misschien kom ik vanavond nog even kijken, en morgen hoor je van deze afdeling af te zijn. Ik neem dan contact op met meneer Denham om vervolgens samen met jou de antibiotica door te nemen, wat per se moet gebeuren om te voorkomen dat er infecties ontstaan.' Hij trok haar laken recht. 'Kan ik nog iets voor je doen?' Hij had de zaken weer in de hand. Het masker tussen de man en de medicus was slechts even weggegleden. 'Op de normale manier zul je nog een paar dagen niets mogen eten, dus nog even geen draadjesvlees met aardappelpuree voor jou.'

Lucy was vegetariër, wat hij heel goed wist, maar zijn grapje deed haar denken aan de lekkernijen die ze als kind door haar tantes kreeg voorgezet. 'Op dit moment niet, dank je. Zou ik morgen een mok citroenthee kunnen krijgen? Daar kijk ik hunkerend naar uit.'

'Mm. Goede keuze. Een voorkeur voor dranken zonder cafeïne zal je goed van pas komen. Afzien van zuivelproducten is raadzaam. Morgen zal de diëtist nog wel het een en ander met je doornemen. Het gebruik van magere producten is je niet onbekend, weet ik. Matig zijn met zout. En de prednison verhoogt je suikerspiegel, dus zullen we je bloedsuiker zorgvuldig in de gaten houden.'

'En grapefruit mag ik vanwege een of ander medicijn ook niet hebben.' Ze plaagde hem. Hij had haar dat allemaal al eerder verteld en ze had goed opgelet.

'Sorry! Niet iedereen houdt zich aan die adviezen. Het zijn er ook nogal wat.' Alex schoot spontaan in de lach, en hij genoot van het geluid. 'Ja, grapefruit is verboden vanwege de cyclosporine. Maar jij hebt jarenlang aan ballet gedaan, toch? Ik denk niet dat je ons met je eetgewoonten veel problemen zult bereiden. En je mag wel weer een beetje aankomen.' Lucy was nog altijd erg mager.

'Een goedemorgen gewenst, Lucy King. O, het is al middag, zie ik.' Een gemaskerde meneer Azziz was stilletjes in de deuropening verschenen in een steriele witte jas in plaats van een blauwe zoals hij gewoonlijk droeg. 'Heb je het gevoel naar Smaragdstad te zijn gereisd en te zijn teruggekeerd met een nieuw hart en de moed van een leeuwin?' Hij sprak elk woord zo duidelijk uit dat er een permanente stroom van heilzaamheid in besloten leek te liggen.

'Goedemiddag, lieve dokter Genie. Ik voel me... op een vreemde manier onder invloed.' Lucy was blij met de aandacht van haar twee favoriete mensen in het gebouw. De lichamelijke leemte die ze voelde werd er minder nadrukkelijk door. Er kwam gefilterd licht door het kleine raam van de intensive care dat in de kleuren van haar geborduurde sprei uiteenviel. Misschien een boodschap van de godin van de regenboog om Lucy te laten weten dat ze weer onderweg was naar het leven. Met een verbazingwekkende beheersing zei ze: 'Ik heb een droom gehad die niet door het menselijk verstand valt te duiden.' De woorden presenteerden zichzelf.

Alex en Amel Azziz keken haar ernstig aan. Toen lachte de oudere chirurg en hij richtte zich tot zijn immunoloog.

'Dokter Stafford.'

Alex was zich onmiddellijk bewust van de oprechte sympathie. Uit Azziz' blik kon hij alles opmaken.

Maar hij zei eenvoudig: 'Goed je te zien. Kom even mee, als je een ogenblikje hebt.'

Alex knikte en de chirurg wendde zich weer tot Lucy. 'Goed. Ik laat je nu alleen om nog wat te rusten. Ik denk dat je deze afdeling morgenochtend wel kunt verlaten – je ziet er veel te goed uit om hier nog langer te blijven! Maar doe het rustig aan. Je hebt een lange reis achter de rug, zogezegd. Ik ben op mijn kamer, dokter Stafford.' Hoewel hij zoals gewoonlijk zonder haast had gesproken, verdween hij als bij toverslag. Door het openen en sluiten van de deur was er opnieuw iets van de bloemengeur de ruimte binnengevoerd.

'Die bloemen op de gang, de geur. Zo onmiskenbaar. Narcissen.' Lucy's aandacht werd er weer door gegrepen. 'Weet jij of iemand die voor mij heeft achtergelaten? Ik snap er niks van. Narcissen in de herfst? Al weet ik dat ze in Sydney midden in de winter onder mijn slaapkamerraam hun kop opstaken.'

'Je hebt een goede neus! Ze komen van bloemisterij Liberty. Daar hebben ze altijd bloemen van buiten het seizoen. Ze zijn bedoeld als een kleine verontschuldiging voor het feit dat ik niet tijdig hier kon zijn. Ze mogen helaas niet de afdeling op, maar ik ben blij dat je ze kunt waarderen. Ze symboliseren een nieuwe lente, Lucy. Over een dag of twee kunnen ze op je kamer worden gezet. Nu moet ik zorgen dat je niet meer praat en gaat rusten. Ik probeer nog terug te komen, al kan het zijn dat ik door het andere ziekenhuis word opgeroepen.'

En toen was ook hij vertrokken. Lucy dacht na over wat het te betekenen had dat hij bloemen voor haar had gekocht, en ondanks haar versuftheid door de medicijnen probeerde ze te begrijpen waarom dat zoveel voor haar betekende. Was dat niet een tikje ongewoon? Maar ze trok zich omzichtig terug uit die gevaarlijke zone. Ze was zijn patiënte. Hij was slechts een van haar geneesheren. Hij was tegen iedere patiënt even charmant en vriendelijk, dat wist ze heel goed. Voor haar kamergenote mevrouw Morris had hij vorige week nog een boek meegebracht, en de week daarvoor een orchidee voor een jarige hoofdverpleegster. En trouwens: Lucy zette haar gevoelens maar zelden op het spel, voor wie dan ook. Als ze zichzelf niet in de hand had, liep ze een andere kant op. Maar nu ze liet haar gevoelens vrijuit zweven in de geurige atmosfeer, in een droomachtig web van halfslaap, aan het einde van een regenboog.

De flat ademde een sombere en geladen sfeer, maar een lichte bries bracht het gordijn voor het geopende raam in beweging. Het was een onbestaanbaar mooie septemberdag met een uitbundig schijnende zon. De geur van enkele witte pioenrozen die op de piano stonden drong door tot Siân, die bewegingloos op de bank lag. Ze bedekte haar oren toen de telefoon opnieuw ging en Calvin, met een mok koffie in zijn hand, uit de keuken kwam aangesneld.

'Hallo? Ja, het spijt me. Dank voor uw medeleven. Ik zal haar zeggen dat u hebt gebeld. Ze is gewoon nog niet in staat zelf aan de telefoon te komen.' Hij luisterde nog even en onderbrak toen de beller. 'Als u meer wilt weten over hoe het vrijdag gaat, moet u zijn broer bellen.' Calvin noemde een telefoonnummer en maakte snel een einde aan het gesprek.

Siâns vlekkerige gezicht keek hem dankbaar aan. 'Erg lief van je dat je me al die dingen uit handen neemt. Het spijt me. Ik kan niet geloven dat het me allemaal zo enorm raakt. Hoe kan het dat iedereen er zo snel van op de hoogte is?'

'Natuurlijk raakt je dat keihard. Hoe lang waren jullie wel niet samen?' Hij gaf haar de mok en pakte zijn jas en sleutels. 'Luister, ik ga even naar de winkel om iets te eten voor je te halen. Een halve gegrilde kip met wat sla?' Hij wachtte op haar reactie, maar ze hoorde hem nauwelijks. Hij pakte het kaartje dat bij de pioenrozen had gezeten en drukte het in haar hand: 'Vergeet niet dat Wills broer gevraagd heeft of je hem wilt bellen.'

Hij was al bijna de deur uit toen hij de beltoon van zijn mobieltje hoorde.

'Godallemachtig, kunnen ze ons niet een paar dagen met rust laten?' Siâns geduld was op. Ze wilde zich concentreren op haar eigen emoties en niet worden overladen door de eindeloze blijken van medeleven van haar vrienden. Het werd haar allemaal te veel. Je meldt je voor een dag af op je werk en plotseling weet de hele wereld wat er aan de hand is. Ze had haar eigen mobieltje uitgeschakeld, maar allerlei goed bedoelende collega's hadden het nummer van Calvin achterhaald om te vragen hoe het met haar ging. Maar toen hij het telefoontje aannam schudde hij zijn hoofd om haar te laten weten dat het voor hem was. Hij zwaaide naar haar en sloot de zware deur achter zich.

'Dat is een merkwaardige zaak.' Hij sprak zachter en versnelde zijn pas om weg te komen bij het victoriaanse gebouw zonder te worden gehoord. Deze van het plein verwijderde straten waren te stil. 'Eerst sterft mijn neef. Dan wordt er ingebroken in het huis van zijn vader. Hadden jullie daar iets mee te maken? Met die inbraak? Ik snap dat we allemaal meer informatie willen, maar de timing kon niet beroerder.'

'Ik weet het, Calvin.' De persoon aan de andere kant weigerde toe te geven aan zijn emoties. 'Ik heb er geen enkel idee over. Ik heb al mijn hoop op jou gevestigd, en dat geldt ook voor professor Walters.'

'Maak je geen zorgen, Guy. Ik krijg de sleutel wel in handen. Die zal nu terug zijn bij zijn vader. Ik hou hier mijn ogen en oren open en zal zien wat ik aan de weet kan komen. Maar laten we in elk geval respectvol te werk gaan.'

'Laat ons niet zakken, Calvin. De papieren waar de sleutel ons volgens ons naartoe zal leiden, zullen uiterst gevoelige informatie bevatten. Dit is onze kans een volledig beeld te krijgen. En ik word van hogerhand onder druk gezet. Je weet dat FW niet altijd een geduldig man is, hoe krachtig hij dat ook tegenspreekt.'

Calvin had de indruk dat hij erg nerveus klonk. 'Geloof me, Guy, ik heb hier niet zoveel tijd in gestoken om…' hij zocht even naar de juiste woorden, '… om met lege handen te blijven staan. Als lid van de familie zal ik vrijdag op de begrafenis zijn. Ik bel je na het weekend, maar maak het me niet moeilijker dan het al is. Dit is een delicate zaak en ik heb hun vertrouwen nodig om jou te kunnen helpen.'

'Help ons, Calvin. Vergeet niet wat er voor jou op het spel staat.' De verbinding werd verbroken.

Alex trof Courtney Denham aan in Amels kamer bij het analyseren van enkele testresultaten. 'Ik kom straks wel terug.' Hij maakte rechtsomkeert.

'Geen probleem, Alex, ik ben al klaar. Het zal je genoegen doen te horen dat de operatie van Lucy King heel goed is verlopen. Het weefsel stemde misschien minder overeen dan bij het eerste orgaan het geval was, maar het hart zelf is vele malen sterker. Echt een vechtertje, die meid.'

Alex had oprecht een zwak voor Courtney. Hij kwam uit Trinidad en zijn accent – waarvan hij zich nooit helemaal had kunnen verlossen – was zoetvloeiend en altijd vol humor en die was hem vooral vandaag welkom. Courtney was bovendien een uitmuntend cardioloog.

Hij beende naar Alex toe en pakte hem bij zijn hand. 'Ik heb het treurige nieuws gehoord, Alex. Will was een bijzonder mens. Met een krankzinnig gevoel voor humor waar ik erg van kon genieten.'

Alex kon geen 'dank je' over zijn lippen krijgen, maar het kneepje dat hij gaf in de hand van zijn collega zei genoeg. Courtney verliet de kamer.

'Je had hier helemaal niet moeten zijn vandaag, Alex. Ik heb je secretaresse gevraagd je dat te zeggen. We redden het wel even zonder je.'

'Ik geef er zelf de voorkeur aan, Amel. Ik ben liever hier om me nuttig te maken. Bovendien heeft Lucy helemaal geen familie in Engeland, en ik denk dat ze afhankelijker van ons is dan andere patiënten. De ondersteuning door verwanten vormt een wezenlijk onderdeel van de postoperatieve zorg, zoals je weet, maar zij moet het helemaal zonder stellen. Ik heb begrepen dat haar kamergenootje als een zus voor haar is, maar dat is niet hetzelfde. Ik lever graag een bijdrage.'

Anderen zouden, na gemerkt te hebben hoe gevoelig alles lag, het onderwerp hebben vermeden, maar Amel maakte een andere inschatting van de noden van Alex. 'Het was dus een ongeluk, begrijp ik. Heb jij enig idee hoe het gebeurd is?'

Alex voelde zich vreemd genoeg opgelucht door die vraag. Hij leek er niet over te kunnen praten met zijn vader, die volkomen overrompeld was door het verlies van zijn vrouw en zoon in minder dan een jaar. Hij had geen antwoord willen geven op Alex' vragen over de politieverslagen en over andere mogelijke betrokkenen.

'Naar verluidt is Will in dichte mist tegen een brug over een diepe rivier geknald. Ze vermoeden dat hij erg moe was en niet goed heeft opgelet.' Hij sprak zonder emotie en keek Amel in de ogen. 'Maar dat wil er bij mij niet in. Will was gewoon een te ervaren motorrijder. Als hij te moe zou zijn geweest – te moe om te doen wat hij moest doen – was hij zeker gestopt. Hij leefde gevaarlijk, dat geef ik toe, maar hij kende het onderscheid tussen lef en dwaasheid.'

'Heeft die mist dat onderscheid misschien vervaagd?'

'Hij kende de rivier, hij kende de wegen daarginds als geen ander. Het wil er bij mij gewoon niet in dat hij een inschattingsfout zou maken met zulke ernstige gevolgen. Hoe kun je ongedeerd door Italië, Frankrijk en Griekenland rijden en op anderhalve kilometer van je huis een tragische vergissing begaan?'

Amel keek zijn vriend en collega ernstig aan. 'Alex, denk je echt dat er meer achter steekt?' Hij zou zich aan de zijde van de jonge dokter scharen als die ervan zou worden beticht zaken uit zijn duim te zuigen. Aan Alex' brein zou nooit een complottheorie ontspruiten.

'Ik vraag me af of een andere chauffeur hem van de weg kan hebben gedrukt. Iemand die daar in de buurt woont was als eerste ter plaatse, verleende eerste hulp en heeft de hulpdiensten ingeschakeld. Ze heeft mijn vader en de politie verteld dat ze meende nog een voertuig te hebben gehoord, maar ze kon dat niet met zekerheid zeggen.

Ik wil mijn familie niet nog meer van streek maken, maar ik laat de mogelijkheid open dat iemand hem heeft aangereden, in paniek is geraakt en is doorgereden.'

Amel zag dat zijn vriend en jonge collega zo op het oog op bewonderenswaardige manier het hoofd bood aan de hele zaak, zoals hij dat ook had gedaan toen zijn moeder eerder dat jaar was overleden, maar hij merkte ook een ongewone spanning op in Alex' stem. Hij wist echter dat hij niet hoefde te verwachten dat hij dat zou toegeven. 'Laat het aan de politie over, Alex.' Amel liep naar hem toe en legde een hand op zijn schouder. 'Sta jezelf toe te rouwen om het verlies van je broer. Het spijt me dat ik hem niet heb gekend – iedereen hier die hem kende geeft hoog van hem op en is verbijsterd. Maar ik zal voor jou naar de begrafenis komen als je me dat toestaat.' Alex, die wist hoe Amel moest woekeren met zijn tijd om de taken te klaren die op zijn schouders lagen, was ontroerd. Het kostte hem even om zijn erkentelijkheid te formuleren. 'Dat is erg vriendelijk, Amel. Ik zou het zeer op prijs stellen als je er vrijdag bij zou kunnen zijn.' Alex keek naar zijn handen. 'Ik lijk er nauwelijks tijd voor te kunnen vinden om te overdenken wat Wills wensen zouden zijn geweest.'

'Begrafenissen zijn voor de levenden, Alex, niet voor de doden. Het gaat erom wat jij en je vader erbij van belang achten. Probeer daaraan te voldoen – aan de behoefte formeel afscheid van hem te nemen.' Amel begreep dat Alex niet gelovig kon worden genoemd, veeleer een ongelovige. Daar hadden ze al eens in alle openheid over gesproken. 'Deelde Will jouw godsdienstige opvattingen? Of het ontbreken daarvan, kan ik misschien beter vragen?'

'Ik denk dat Will meer waarde zou hechten aan een testament dat in Shakespeare te vinden is dan iets uit de Bijbel. Maar zijn spiritualiteit ging met enkele zonderlinge wendingen gepaard. Het laatste bericht dat hij me stuurde ging nota bene over de bijbel van onze moeder; en in de binnenzak van zijn jack zat een ansicht uit Chartres en een exemplaar van het Hooglied van Salomo, in het Frans. Ik heb dus eerlijk gezegd geen idee.'

'Shakespeare lijkt mij een goede keuze. Laat anderen hun eigen bijdragen geven. Wat ik mooi vind zijn de woorden die Hamlet aan Horatio richt, dat er misschien "meer is tussen hemel en aarde".'

Alex glimlachte. Hij wist dat Amel een groot wetenschapper was en niettemin een gelovige. Lange gesprekken hadden hem duidelijk gemaakt dat Amel allesbehalve oppervlakkig was en Alex respecteerde zijn opvattingen, al deelde hij ze niet. Hij had gesuggereerd dat Allah geamuseerd toekeek hoe zij allemaal iets aan de weet probeerden te komen van de immense geheimen van het universum – dat hij hun voortgang volgde als een welwillende vader – Darwin, de hele boel. Voor Amel vormden God en de wetenschappen geen tegendelen. De wetenschappen reikten slechts de middelen aan om de eigen goddelijke vermogens te vinden. En ze hadden een lange weg te gaan, meende Amel.

Alex keek naar zijn vriendelijke, wijze gezicht. Hij zou het prettig vinden als hij vrijdag bij de begrafenis aanwezig zou zijn. Dat zou hem op een of andere manier steun geven.

9

Crabtree Lane strekte zich tot de rivier uit en in de weekends heerste er een vredige rust, waardoor het kilometers verwijderd leek van de betrekkelijk centrale ligging in de hoofdstad. Op deze kille oktober-avond hing er slechts aan de rand van het water een zweempje mist. Alex parkeerde zijn auto bij een historisch landhuis dat nog getuige was geweest van de amoureuze escapades van Karel II van Engeland, die er drie eeuwen geleden via de Theems met deze of gene minnares naartoe kwam om zich te vermeien. Met enige hulp van hun ouders, die zich garant hadden gesteld, hadden Anna en hij acht jaar geleden het huis gekocht dat er recht tegenover lag. Anna was destijds zwan-ger geweest van Max. Het huis lag gunstig ten opzichte van het werk en dicht aan het water, wat hij heerlijk vond, maar het had ook het landelijke waarop zijn vrouw zo gesteld was. Moeder en zoon waren daar gebleven en af en toe wenste Alex dat die drie – Anna, Max en het huis met de twee fraaie bomen – nog altijd zijn thuishaven vorm-den. Niet dat hij het gezinsleven voorheen niet op waarde had ge-schat, maar zijn leven als arts en onderzoeker hadden zoveel van zijn toewijding en tijd gevergd dat het niet tot hem was doorgedrongen dat hij te weinig aandacht schonk aan zijn jonge vrouw en kind. Zij was niet rancuneus geweest en ze had hem niet persoonlijk verant-woordelijk gehouden voor iets waarvan ze wist dat hij er geen veran-dering in kon brengen, maar op een dag hadden ze beiden ingezien dat er van hun huwelijksband niets restte. Er was niet al te veel ani-mositeit geweest en evenmin geruzie rond voogdij en alimentatie, maar slechts de trieste vaststelling dat twee intelligente mensen geen kans hadden gezien de gevaren van een carrière in combinatie met een gezinsleven te omzeilen.

Max was groot voor zijn leeftijd en had de groenbruine ogen van zijn vader. Hij bonkte aan de binnenkant op de deur toen Alex aanbelde om hem mee te nemen voor het weekend.

'Ik moet je iets grappigs laten zien, pap!' Hij trok zijn vader, nog voor die zijn jas had kunnen uittrekken, mee de trap op. 'Ik heb met de nieuwe Sims gespeeld die ik van je heb gekregen. Je zult je ogen niet geloven als je ziet wat ik er al mee kan, pap.'

Anna verscheen vóór haar zoon de bezoeker helemaal voor zichzelf zou houden. Ze had haar blonde haar in een klip en zag er elegant uit in haar lange beige shirt en bijpassende broek. Misschien ging ze uit, maar Alex was blij dat ze niet gejaagd klonk.

'Ben je klaar voor vandaag, Al? Zal ik even een wijntje voor je inschenken?' Ze keek bezorgd naar haar ex-man, die ze als mens en als een goede vader voor Max respecteerde. Hij zag er geradbraakt uit, zoals iemand die de afgelopen maand niet één volledige nachtrust had gehad, wat waarschijnlijk ook zo was. Maar welke demonen Alex ook najoeg, hij deed dat alleen en vertelde niemand wat er in zijn hoofd en hart omging. Hij sprak zich niet uit en het was die geslotenheid die Anna als zijn grootste tekortkoming beschouwde.

'Dat klinkt goed, Anna, heel graag. Ik ben al een eeuwigheid in de running.' Ze ging hem voor naar de keuken. 'Mijn vader heeft me gebeld en verteld dat hij met de lijkschouwer heeft gesproken, al zal het eindrapport nog enkele maanden op zich laten wachten. Ik ben al vanaf vanochtend zes uur in de weer en moet vanavond de laatste spullen uitzoeken die Will in mijn flat heeft ondergebracht. Ik blijf er maar over struikelen. Een deel ervan moet naar een liefdadigheidsinstelling. En we hebben de motor vandaag teruggekregen van de verzekering. Mankeert bijna niets aan, maar ik kan nog niet besluiten wat ik ermee aan moet. Ik denk dat ik hem een keer meeneem en hem dan maar verkoop. Echt iets voor Will, vind je niet, ergens zijn intrek nemen en nooit meer echt vertrekken. Ik voel me, met hem zo half in en half uit mijn leven, al vanaf mei meer een soort kampeerder in mijn eigen huis.'

Ze vond dat zijn stem ondanks alles redelijk evenwichtig klonk en reikte hem een glas aan. 'Heb je er misschien hulp bij nodig? Het zal niet eenvoudig voor je zijn.' Ze verwachtte niet dat hij dat aanbod zou aanvaarden, maar leek met haar woorden veeleer te peilen of Alex misschien wilde praten. Max trok nog altijd aan zijn vaders arm en leek niet van plan hem los te laten, en Anna begreep dat heel goed. Maar ze voelde ook dat er een mogelijkheid was die binnen de kortste keren verdwenen zou zijn als ze geen kans zag hun zoon zover te krijgen hun even wat ruimte te geven.

'Max, laat mij even tien minuten met pappa praten, dan komen we daarna allebei naar boven om naar je spel te kijken.' Hij leek niet te vermurwen, tot zijn moeder zei dat het huis van de Sims misschien in brand zou vliegen, of dat de vader de bus naar zijn werk zou missen, als het spel niet goed op pauze was gezet.

Max rende weg en stormde de trap op. Alex volgde Anna naar de woonkamer, die ze onlangs opnieuw had ingericht: de plattelandsstijl waaraan ze ooit verslingerd was geweest, had plaatsgemaakt voor een licht en eigentijds interieur. Witte lelies in een doorzichtige vaas, een kandelaar met een geurkaars die de kamer iets gewijds gaf, een op Ingres geïnspireerde compositie tegen de muur. De haard brandde en hij liet zich bij het vuur in een stoel zakken. Hij vroeg of Max veel met haar over zijn oom had gesproken en hoe hij de gebeurtenissen het hoofd bood.

'Eigenlijk precies zoals jij.' In Anna's antwoord klonk zowel ironie als droefheid door. 'Hij zegt erg weinig als je er niet rechtstreeks naar vraagt.'

Alex hoorde de kritiek en glimlachte schuldbewust. 'Ik zal met hem praten.'

'Het klinkt alsof er nog veel is wat geregeld moet worden en je aandacht opeist.'

'Het is allemaal een grote nachtmerrie.' Het betekende iets als Alex een dergelijke kwalificatie gebruikte. 'Heb je van die inbraak gehoord toen mijn vader in het ziekenhuis was? Zonderlinge timing.' Anna knikte. 'De politie denkt dat het tieners zijn geweest, aangezien er alleen wat kleingeld en een paar cd's zijn verdwenen en niets van echte waarde, zoals mijn moeders sieraden.'

Anna was verbijsterd geweest toen ze dat verhaal op de begrafenis hoorde en ze had zich niet kunnen voorstellen dat iemand zo harteloos kon zijn. Maar ze zag snel in dat wie er ook verantwoordelijk voor was gewoon de gelegenheid van een verlaten huis had aangegrepen en geen moment had stilgestaan bij de situatie en het verdriet van de bewoners. Hoe konden ze? *'It never rains...'* begon ze te zeggen.

'Maar er zijn twee of drie dingen waarvan we nu weten dat ze verdwenen zijn. Een paar van moeders oude boeken die zich in het huis hadden bevonden, waaronder haar familiebijbel, die ze van haar oma kreeg en die al vele generaties in de familie was. Waardevol, vermoed ik, en absoluut onvervangbaar. Bezaaid met kanttekeningen en geboorten en sterfgevallen die er gedurende generaties in waren opgetekend.' Anna schudde vol ongeloof haar hoofd. 'En een heel klein portret dat we altijd nog eens wilden laten taxeren. Nauwelijks meer dan een miniatuur eigenlijk. Een dame in laatzestiende-eeuwse kledij en gemaakt in de stijl van Nicholas Hilliard, al is hij volgens ons niet de maker. Ook heeft niemand ooit aangegeven wie ze zou kunnen zijn. Maar die zaken zijn nu dus verdwenen. En ik weet dat mijn moeder er echt aan was gehecht.'

'Ja, ik geloof dat ik me het portret van die dame tegen die donkerblauwe, nachtelijke achtergrond nog herinner. Het stond op Diana's bureau. Ze wisten dus wel wat ze meenamen en wisten dus wel wat serieus van waarde was?'

'Daar lijkt het op. Zelfs de politie herziet de aanvankelijke lezing. Bovendien gelooft niemand hier dat het plaatselijke tieners zijn geweest. Iedereen is van mening dat zulke dingen niet voorkomen in Longparish.' Alex glimlachte wrang.

'Wat denk jij dat het eindoordeel van de lijkschouwer zal zijn, Al?' Ze had moeite haar stem onder controle te houden. Ook zij had Wills dood dus nog niet verwerkt. Er waren vier weken voorbijgegaan en ze verwachtte nog steeds dat hij elk moment kon bellen. Hoe kon iemand die zo in het volle leven stond er niet meer zijn? Hem te verliezen was een van de ingrijpendste consequenties van haar mislukte huwelijk met Alex – de broer die ze zelf nooit had gehad. Altijd vriendelijk en grapjes makend met haar, toeschietelijk ten opzichte van Max en altijd bereid om alles te doen als de nood aan de man kwam. Ze miste hem vreselijk. Kon iemand behalve God ook maar bij benadering vatten wat Alex en Henry moesten doormaken?

'Het zal waarschijnlijk dood door ongeval worden: hersenletsel.

Tenzij ze tot de conclusie komen dat de bloeding het gevolg was van een eerder opgelopen verwonding aan het hoofd waar Will van geweten moet hebben. Dan wordt het tegenspoed met ernstige gevolgen. Maar naar minder voor de hand liggende oorzaken zoeken ze niet. De beschadigingen van de helm bevestigen dat hij niet hard kan hebben gereden. Een ongelukkige samenloop van omstandigheden: mist en vermoeidheid. En als je dat gelooft, zul je ook geloven dat de wereld nog altijd plat is.'

Anna kon er niets tegen inbrengen. Ze kon zich voorstellen dat Will zijn rug bezeerde, een been brak, zichzelf een jaap toebracht met zijn gereedschap, een brandwond opliep doordat hij altijd praatte als hij kookte. Maar ze kon zich niet voorstellen dat hij een bocht zou missen of tegen een brug kon botsen met die motor van hem. Hij was gek van zijn machine en kon er uitstekend mee overweg. Ze had gegiecheld als een tiener toen hij hem voor het eerst aan haar en Max had geshowd. 'Ik heb nog nooit een motor gehad waar je zo gemakkelijk wheelies mee kan maken. Het is net alsof het voorwiel met een kabel omhoog wordt getrokken, en je kunt het als een jojo laten dansen door even met de gashendel te spelen. Let maar op!' Hij scheurde ermee door Crabtree Lane, voerde het toerental op en lanceerde zich, tot groot plezier van Max en tot ontsteltenis van de buren, op één wiel hun kant op. Nee, dacht ze, Will had die motor niet in de prak gereden, daarvoor was hij er te zeer op gesteld.

'Pappa, kom alsjeblieft naar de Sims kijken.' Max, vol ongeduld boven aan de trap, had het woord 'alsjeblieft' nadrukkelijk en uitgerekt uitgesproken. 'Ik heb de hele familie er als ons laten uitzien. Jouw Sim heeft zich zelfs vergeten te scheren, net als jij vandaag. Echt vetgaaf.'

Het was waar en Anna schoot in de lach. Alex had zoveel vroege telefoontjes gehad en was zo druk geweest, dat hij geen kans had gezien zich te scheren. Dat was heel ongebruikelijk voor hem, maar het viel Anna op dat hij er met die stoppels even sexy en relaxed uitzag als de Alex van vroeger. Will had hem altijd geplaagd met zijn tot in de puntjes verzorgde uiterlijk en zou genoten hebben van Max' grap.

'Hij heeft met dat computerprogramma dat je hem hebt gegeven onze hele familie weer samengebracht en in haar oude luister hersteld.

Je kunt alle personages er net zo uit laten zien als je wilt. Het is een manier om ermee om te gaan – met alles.' Anna keek bedroefd naar Alex, zich welbewust dat de kleine jongen in zijn jonge leventje door hun scheiding en de dood van zijn oma al te veel schokken had moeten incasseren om het nieuws over zijn oom goed te kunnen verwerken. 'Hij schijnt een beroep te hebben gedaan op iemand die Magere Hein wordt genoemd om Will weer tot leven te wekken – iets wat gewoonlijk geen succes heeft, zegt hij, maar op een of andere manier is het onze Max gelukt hem te overtuigen.'

Alex schudde zijn hoofd met een mengeling van vermaak en ongeloof. Hij vond het ontaard klinken, maar de wens begreep hij maar al te goed. 'Ga je gang, Max. Laat maar eens zien hoe het werkt. Neem je het spel vanavond mee naar Chelsea?'

Toen Alex opstond om zijn glas op de schoorsteenmantel te zetten, slaakte hij opeens een kreet en bijna liet hij het glas vallen. Hij had een ansichtkaart in het oog gekregen. 'Het labyrint van Chartres?' Hij keek Anna vragend aan.

'Van Will. Hij heeft hem aan Max gestuurd. Het was zo raar, Alex. De kaart werd de zaterdagochtend na de begrafenis bezorgd. Het leek net een stem uit een andere wereld. Volgens de stempel is hij op vrijdag 19 september gepost. Een dag voor het ongeluk.' Ze nam de kaart van de schoorsteenmantel en gaf hem Alex aan. Op de achterkant stonden vijf vierkanten die elkaar kruisten, als een puzzel. 'We weten nooit waarheen ons pad ons zal leiden. Ik neem je hier in de lente of de zomer mee naartoe en dan lopen we dit samen. Het is de beste hinkelbaan ter wereld. Zie je gauw, lieve groeten aan je moeder – Will x'

'Hij heeft mij er ook een gestuurd met precies zo'n patroon erop, maar die kwam uit Lucca in Toscane.' Hij keek naar Anna en dacht na. 'Zou ik deze kaart een paar dagen mogen lenen? Ik wil er graag een kopie van maken.'

Anna zette grote ogen op van verbazing. Werd Alex sentimenteel? Of probeerde hij de laatste dagen van zijn broer te reconstrueren? Beide mogelijkheden leken onwaarschijnlijk. Blij dat ze iets voor hem kon doen, stemde ze in. 'Wel doen hoor, Max wil hem niet kwijtraken.' Alex stopte de kaart in zijn binnenzak en liep de trap op naar zijn zoon.

Ze worstelden zich net moeizaam met de weekendtas en het computerprogramma een weg naar buiten toen Alex' telefoon ging. Anna legde een hand op Max' hoofd en onderdrukte de neiging een zucht te slaken. Ze wachtte tot hij zou zeggen dat het weekend niet door kon gaan, dat dokter Stafford onmiddellijk naar het ziekenhuis moest komen. De vrijdagen en zaterdagen waren de drukste dagen voor orgaantransplantaties en hun leuke plannetjes waren er al tientallen keren door verijdeld.

'Alex Stafford.'

'Alex, met Siân.' Haar stem klonk gespannen.

'Is alles in o…?'

Ze onderbrak hem. 'Alex, ik ben vandaag jarig.' Ze zweeg even en Alex begon zich te verontschuldigen dat hij er niet aan had gedacht en wenste haar op vriendelijke toon een fijne dag toe. Ze ging snel verder: 'Nee, Alex, luister. Er is net een prachtige bos rozen bezorgd.' Ze stokte opnieuw, niet wetend wat te zeggen. Alex wachtte en zocht naar woorden, tot zij vervolgde: 'Op het kaartje staat… Ze zijn van Will, Alex. Die bloemen komen verdomme van Will.'

10

Het druilerige weer van eind september had in de eerste twee weken van oktober plaatsgemaakt voor een krachtige herfstzon die de nieuwe helderheid in Lucy's wereld volmaakt weerspiegelde. Ze was gewaarschuwd voor de kans op een depressie na haar operatie, maar die was uitgebleven. Ze had begrepen dat ze, afgezien van een algeheel onbehagen, te kampen kon krijgen met een lusteloosheid die haar lichaamsenergie zou aftappen, maar aan die sombere vooruitzichten was ze ontsnapt. Zelfs de overmatige haargroei die vaak optrad als bijeffect van de medicatie was nog geen probleem geworden. Ze had al na drie dagen wat rond kunnen lopen en was al na tien dagen terug in de flat in Battersea die ze deelde met haar beste vriendin, de lenige, langbenige Grace.

Beiden waren jonge televisieproducenten die lange uren maakten op merkwaardige locaties. Grace werkte in de sector van het lichte amusement, wat goed aansloot bij haar opgeruimde karakter. Maar haar talenten reikten verder: ze voltooide summa cum laude haar geschiedenisstudie aan Durham University. Ze vormde een wezenlijk deel van Lucy's leven en ze kenden elkaar vrijwel sinds Lucy's aankomst in Londen. De eenentwintigjarige Lucy had, net van de universiteit, haar beschermde bestaan in een buitenwijk van Sydney vaarwel gezegd en was de wijde wereld in getrokken. Lucy had sociologie gestudeerd, maar haar werk als producent en regisseur van documentaires had haar naar het domein van de antropologie en zelfs van de natuur gevoerd. Toen ze voor een project eerst naar de binnenwateren van Peru en vervolgens naar Colombia was gereisd, bleek ze bij thuiskomst een vreemde ziekte te hebben opgelopen, en het was de behoedzame Grace geweest die er serieus aandacht aan besteedde en haar vriendin had aangespoord een arts te raadplegen. Aanvankelijk had ze zich alleen wat moe gevoeld. Niet bijzonders. Het werk was lichamelijk zwaar geweest en ze had last gehad van de extreme hoogte. Bovendien had ze een slaaptekort door de lange vluchten en doordat ze weken achtereen vroeg had moeten opstaan. Ze was bij het aangaan van het contract al niet fit geweest aangezien ze herstellende was van een hardnekkige bronchitis – een zwakte die ze van haar moeder had geërfd en die haar leven gedurende natte winters ontwrichtte. Toen ze in januari vertrok, was ze nog altijd enigszins verzwakt geweest, maar niet genoeg om het aanbod af te slaan dat echt tot haar verbeelding had gesproken. Enkele dagen na haar terugkeer in maart merkte Lucy een ernstige zwelling op boven haar oog. En toen volgde de koorts. Grace, die er niet de persoon naar was om snel in paniek te raken, had haar in een taxi geduwd en onmiddellijk naar het ziekenhuis voor tropische ziekten gebracht. Het leek haar waarschijnlijk dat er een verband bestond met Lucy's recente opdracht en ze stond erop dat ze snel zou worden onderzocht. Een uitvoerig bloedonderzoek bevestigde weldra wat haar diarree, braakneigingen, verlies van eetlust en ingrijpende gewichtsverlies al hadden doen vermoeden: ze had de ziekte van Chagas opgelopen. De gevreesde parasiet, overgebracht door een klein insect, was eenvoudig te detecteren.

Ze had enorm veel geluk gehad, zeiden ze, hoewel ze daar zelf iets anders over dacht. Slechts in een gering aantal gevallen volgden er zo snel zulke duidelijke reacties; soms waren de symptomen zo gering dat de diagnose pas na jaren kon worden gesteld – en dat betekende dat je nooit meer helemaal verlost raakte van de ziekte, die dan gaandeweg steeds ernstiger werd. Maar zij had het geluk dat ze onmiddellijk kon worden behandeld, wat doorgaans een grote kans op een succesvolle bestrijding van de ziekte inhield.

Lucy bleek echter door haar geluk heen. Hoewel ze redelijk snel op de medicijnen reageerde, had de gewraakte ziekte haar tol al geëist en haar hart aangetast. Dat was voor iedereen die haar kende duidelijk. Haar jeugdige schoonheid was van haar geweken en ze was nog slechts een schaduw van haar vroegere zelf. Ze werd begin mei overgebracht naar het Brompton, dat een uitstekende reputatie genoot op het gebied van de cardiologie, maar het leven zoals ze dat kende leek in het niets weg te zinken toen ze te horen kreeg dat ze bijna zeker een nieuw hart nodig had.

Wat duidelijk leek was dat ze mogelijk niet in staat zouden zijn een hart voor haar te vinden. Ze was er niet uitzonderlijk pessimistisch over, maar een levenslange gewoonte haar hoopvolle verwachtingen te beteugelen, hadden haar, vond ze zelf, tot een realiste gemaakt. Ze was nooit bij de pakken neer gaan zitten, daarvoor was ze te pragmatisch, en ze was al vanaf haar geboorte een doorzetter geweest. In haar jeugdjaren had ze geen ruimte gekregen zich emotioneel te ontwikkelen. Ze was opgevoed door haar goedbedoelende vader, die onderhevig was aan een strikte, van elke vergevensgezindheid verstoken gedragscode die hem door zijn op Sicilië geboren moeder was opgelegd. Hij liep een ernstig trauma op toen zijn vrouw hem zonder nadere verklaring had verlaten. Er was een andere man geweest, wist Lucy, en haar moeder was op haar zoektocht naar het geluk naar Europa vertrokken. Haar echtgenoot en dochtertje waren de slachtoffers van dat drama, en de diep gekwetste man was niet bij machte geweest zijn emoties te uiten of ooit nog iemand anders te vertrouwen en lief te hebben. Dat zijn dochter overduidelijk leek op haar knappe moeder had de pijn ondraaglijk gemaakt. Hij was een plichtsgetrouwe ouder geworden, maar zonder enige genegenheid. De wereld had bij monde van Lucy's meedogenloze oma de voormalige mevrouw King hardvochtig veroordeeld. Maar Lucy wist in haar hart een klein plekje te bewaren waarin ze begrip kon hebben voor de stap die haar moeder op een dag had genomen.

Haar komst naar Londen was een poging geweest iets dichter in de buurt van haar moeder te komen, al had ze geen idee gehad waar ze haar moest zoeken. Europa was niet gedetailleerd genoeg en hoewel ze gokte dat haar moeder ergens in Italië woonde, had ze geen adres en in feite geen enkel aanknopingspunt. Dus stopte ze het probleem weg tot later en leefde ze als een wees. Dat beviel haar vrij goed. Ze was aan niemand rekenschap verschuldigd en hoefde het niemand naar de zin te maken, maar ze was zich bewust in een halve wereld te leven waarin wel plaats was voor het verstandelijke deel van haar wezen maar niet voor het gevoelsmatige.

Maar nu, in het laatste uurtje daglicht van deze kille vrijdag in oktober, met een nieuw hart en een nieuw levensbesef, liep ze de ruim twee kilometer naar Chelsea voor de wekelijkse controleafspraak bij haar cardioloog en was ze hoopvol en gelukkig gestemd, en volstrekt niet vermoeid. Het was een onmogelijkheid voor haar aan anderen uit te leggen hoe ze zich voelde. Nooit eerder zag ze iets wat in de verte had geleken op de wereld die ze nu als de hare beschouwde. Haar visies en reacties op die wereld – zelfs haar wilde, levendige dromen – waren van opwinding en gepassioneerdheid doordesemd. De bomen die nu hun bladeren verloren, schenen haar mooier toe dan toen ze in het door haar ziekte aangetaste voorjaar in bloei hadden gestaan. Hondenbezitters hadden, met hun gespeelde blindheid voor de drollen waarmee hun trouwe viervoeters het park bevuilden, haar ergernis gewekt, maar nu lachten ze haar toe en maakten ze echt oogcontact als ze haar passeerden. En de schoolkinderen die in groepjes naar hun bussen liepen, leken over te lopen van vrolijke levenslust in plaats van brutale opmerkingen en stiekeme sigaretten. Ze deelde hun energie en voelde zich ongekend gezond.

Toen Lucy het gebouw binnenging, werd ze door de glimlachende receptioniste herkend: 'Hé, hallo, leuk je te zien.'

'Ja, leuk een bezoekje te brengen zonder hier of in Harefield te moeten blijven.' Lucy beantwoordde de glimlach hartelijk.

Ze nam haar tijd op de trap maar was absoluut niet buiten adem toen ze de kamer van meneer Denham betrad. Ze spraken over ditjes en datjes terwijl hij naar haar hart luisterde en haar bloeddruk controleerde. Tevreden grijnzend gebaarde hij haar op een stoel plaats te nemen.

'De laatste biopsie toont precies wat we hoopten, Lucy. Geen enkel teken van afstoting. De medicijnen doen kennelijk hun werk en alles ziet er prima uit. Het is allemaal nog pril, maar je incisies beginnen al te genezen. Je houdt je blijkbaar goed aan het dieet. De immunoloog schijnt de balans in je medicatie uitstekend te hebben bepaald. Ik zie hoe goed je eruitziet, maar hoe voel je je?'

De inspanningen hadden Lucy een lichte blos bezorgd en ze was bijna flirtend in haar antwoord: 'Net zo goed als ik er klaarblijkelijk uitzie. Beter dan goed. Ik ben intussen al veel minder afhankelijk van Grace. Geen problemen met de medicijnen – geen enkele reden voor een elektrolyse! – niets. Het is herfst en ik heb zelfs nog geen zere keel gehad.'

Courtney lachte hartelijk. 'Heel goed. Ik wou dat ik jouw houding op enkele andere patiënten van mij kon overbrengen. Slaap je goed?'

Ze knikte.

'Geen noemenswaardige neerslachtigheid, niet het gevoel over te weinig adrenaline te beschikken?' Courtney zag er lichtelijk verrast uit.

Lucy schudde resoluut haar hoofd. 'Nee. Eten gaat prima en ik ben weer aan het koken geslagen. Ik heb mijn eigen broodplank, wat Grace erg amusant vindt, maar ze begrijpt het best. In de keuken is geen bacterie te vinden. De diëtiste is heel tevreden over me. Ik zit elke dag een paar minuten langer op de trimfiets. Ik kan al behoorlijke afstanden lopen – ik ben hier vandaag over de brug naartoe gelopen – en dat is een stuk leuker dan urenlang op de loopband. Al ben ik wel blij dat ik niet helemaal naar Harefield hoefde.'

Ze keek of hij haar een kritische blik zou toewerpen, maar evenals veel andere chirurgen die vaak uren op de been waren, was ook meneer Denham lichamelijk zo fit als een hoentje. Ook wist ze dat hij de beste deelnemer van het ziekenhuis was aan de marathon van Londen en dat hij tenniste met andere leden van de medische staf. Hij gaf duidelijk zijn goedkeuring aan de opdracht die ze zichzelf had gesteld om sterker te worden, en dus vervolgde ze: 'Slapen is totaal geen probleem. Ik kan mijn hart nog altijd snel horen kloppen, zelfs als ik lig te rusten.'

'Mm. Je herinnert je dat we hierover hebben gesproken? Je nieuwe hart stelt het nog zonder de zenuwverbindingen die gewoonlijk reageren op de veranderingen in je activiteitsniveau, en daarom klopt het aanzienlijk sneller dan het oude. Het reageert eenvoudig minder snel op een toe- of afname van de lichamelijke activiteit. Het herstellen van die verbindingen kan een behoorlijke tijd duren.'

'Ik herinner me dat u en meneer Azziz me dat hebben uitgelegd. Ik maak me er geen zorgen over. Ik geloof zelfs dat het daardoor niet zichtbaar is hoe ik over bepaalde mensen denk, en dat kan erg nuttig zijn.'

'Ja, je kunt er voor enige tijd je voordeel mee doen aan de poker-tafel. Bedenk echter goed dat je ook niet op de normale manier pijn op je borst kunt voelen. Dat is de reden waarom we je zo goed in de gaten moeten houden. Maar alles verloopt echt voorbeeldig. Dus er is niets wat je zorgen baart, Lucy?'

'Nee…' Lucy hield zich een beetje op de vlakte. Courtney Den-ham wachtte. 'Lichamelijk voel ik me ongelooflijk goed, veel en veel beter dan voor de transplantatie.'

'En emotioneel, Lucy?' vroeg hij. Hij wist niet veel van haar per-soonlijke leven, al dacht hij niet dat ze een vaste vriend had. Mis-schien was er thuis een of ander probleem. En als ze wel een vriend had, kon de uitvoerige nazorg een last worden voor iemand die daar niet tegen opgewassen was. Je diende veel aandacht te besteden aan zindelijkheid en hygiëne als je immuunsysteem zo krachtig werd onderdrukt – en dat gold ook voor eventuele liefdespartners. In-tieme omgang was vaak frustrerend, zelfs voor mensen die al lang bij elkaar waren, en bijna onmogelijk zonder een onzelfzuchtige partner.

Opeens schoot hem iets te binnen. 'Overweeg je naar Australië te reizen, Lucy, om je familie op te zoeken?' Hij keek haar een ogenblik aan, maar er viel geen spoor van emotie te bekennen. Het was toch heel goed mogelijk dat ze haar familie wilde zien na zo'n ingrijpende ervaring. Er werd door al haar artsen over gesproken dat haar familie zich niet in Engeland had laten zien. 'Onze stelregel is dat we reizen naar het buitenland de eerste maanden na een transplantatie moeten ontraden. 'We houden je gesteldheid natuurlijk nauwlettend in de gaten en als de progressie die je boekt zich op deze manier voortzet, en je wilt je ouders graag bezoeken, dan verwacht ik dat we daar er-gens na de jaarwisseling mee zullen kunnen instemmen.'

Ze nam rustig de tijd, keek hem intens aan en vroeg zich af hoe hij zou reageren op wat ze hem zou zeggen. 'Nee, ik heb geen enkele be-hoefte om weg te gaan, meneer Denham. Het is meer dat de wereld waarin ik nu en hier leef plotseling volkomen anders is.' Ze zweeg even, zich ervan bewust dat ze zijn volledige aandacht had. 'Mijn dromen zijn onstuimig en enorm levendig. Mijn smaak voor voedsel is enigszins veranderd. En… mijn oriëntatie lijkt anders te zijn.'

'Dromen, smaakzin – ja, dat begrijp ik wel. Je hebt erg veel meegemaakt. Zou dat van die smaken je hoofd kunnen zijn dat je dicteert wat je zou moeten eten? De medicijnen kunnen je een hongerig gevoel geven, vooral de prednison. Je doet er goed aan dat ook aan dokter Stafford voor te leggen.' Lucy was niet in het minst overtuigd door zijn analyse, maar voor het moment liet ze het maar zo. 'Ik weet niet goed wat je bedoelt met je oriëntatie.'

'Meneer Denham, ik ben altijd rechtshandig geweest. Maar tegenwoordig pak ik een pen automatisch met mijn linkerhand op. En een soeplepel. En ik heb het gevoel dat mijn linkerhand sterker is.'

'Zoiets hoor ik voor het eerst. Maar ik maak me er geen zorgen over. Het hart is een pomp, en met je brein, dat bepaalt welke hand je gebruikt, hebben we ons niet bemoeid. Misschien is het een reactie op het infuus, een akelig gevoel in je rechterhand, misschien een ongemakkelijk en pijnlijk gevoel na de operatie, hoewel zich dat gewoonlijk aan de linkerzijde zou voordoen. Is je vaker bloed afgenomen via je rechterarm? Hoe dan ook, laten we maar even aanzien of het aanhoudt. Niet dat het erg belangrijk is.' Hij maakte een aantekening op haar status. 'Verder nog iets?'

'Het eten. Ik ben al ongeveer tien jaar vegetariër. Nu wil ik opeens weer vlees eten.'

'Nou, daar kan ik achter staan. Je bent er instinctief op gericht krachtiger te worden, Lucy. En mogelijk heeft het ook met je medicatie te maken. Probeer in het belang van je nieuwe hart de hoeveelheid rood vlees te beperken. Maar met vis en kip zul je hoog kunnen scoren bij je diëtist. Laten we dat straks ook controleren.' Hij maakte weer een aantekening.

'En de dromen. Ik droom echt heel intens, krachtige beelden en zelfs eigenaardige geluiden…' Ze wist dat ze het hem niet goed duidelijk kon maken.

'Lucy, je leven heeft aan een zijden draadje gehangen. Eerst de ziekte van Chagas, toen de heftige behandelingen met sterke medicijnen en uiteindelijk een transplantatie, een langdurige, ingrijpende operatie. Om van de nabehandeling nog te zwijgen. Het is te verwachten dat je geest dan gedurende enige tijd een paar rare bochten maakt.' Hij keek naar haar en constateerde haar niet te hebben overtuigd. 'Maar we kunnen overwegen een psycholoog in te schakelen om hier dieper op in te gaan. Die medicijnen hebben enkele erg onplezierige bijwerkingen. Je hebt beslist alles te horen gekregen over de emotionele schommelingen die bepaalde medicijnen veroorzaken. Ik zal een afspraak regelen en zorgen dat je binnen een dag of twee door iemand van het ziekenhuis wordt gebeld, maar ik geef het ook door aan dokter Stafford – hij is de deskundige op dat vlak. Het kan zijn dat hij voorstelt de samenstelling van je medicatie te wijzigen.' Hij keek haar vriendelijk aan, maar zij had het gevoel voor een irrationele vrouw te worden aangezien. Ze staakte haar uitlegpogingen, bedankte glimlachend en daarmee kwam er een eind aan het gesprek.

Hij heeft enkele aantekeningen gemaakt, dacht ze, maar niet half zoveel als ik. Als ik inderdaad een psycholoog tref, heb ik heel wat vreemde zaken te vertellen.

Alex en Max kwamen tot stilstand voor het appartement dat hij twee jaar geleden op Royal Avenue had gekocht toen zijn scheiding van Anna een feit was. Het bevond zich op een ideale afstand van een van de ziekenhuizen waar hij werkte. Gelegen aan de oostzijde van het kleine, met grind bedekte plein, en afgesloten van het verkeer van de kant van Kings Road, was het een rustig toevluchtsoord, bestaande uit de twee onderste verdiepingen van een vroeg Victoriaans huis – waarvan hij een verdieping pas onlangs had kunnen kopen met het geld dat zijn moeder hem had nagelaten. Er was een schitterende tuin bij die zowel vanuit de kelder als de begane grond te bereiken was.

Max pakte zijn vaders hand toen ze samen de straat overstaken. Op de trap in het roze Londense schemerlicht werden ze door iemand opgewacht.

'Je zei toch vanavond?' Simon leek zich enigszins schuldig te voelen over zijn inmenging. Hij spoorde Max, die hij goed kende van de dagjes uit met zijn oom, aan tot een high five.

'Sorry, Simon. Ja, absoluut. Ik verwachtte je. Ik ben door iets opgehouden. Kom binnen.' Alex ontsloot de voordeur en de deur naar zijn vertrekken en richtte zich vervolgens tot zijn zoon. 'Je zult je spullen nu wel goed kunnen opbergen, Max. Er is ruimte te over.' Hij had niet gewild dat Max in zijn eigen kamer zou overnachten vóór Wills spullen er eindelijk weg zouden zijn. Hij wist dat Max erdoor van streek zou raken, dus de laatste keren dat hij hier was geweest, had Alex het grootste deel van zijn bed aan hem afgestaan. Hij had nu het plan opgevat Simons hulp in te roepen om de klus vanavond te klaren en de laatste dozen uit zijn kleine hal te verwijderen. Hij wist dat Simon, als Wills beste vriend, het prettig vond dat zijn hulp was ingeroepen en dat hij op een discrete manier een paar dingen van Will zou kunnen meenemen. 'Daarna maak ik voor ons allemaal iets te eten.'

'Je hebt nooit zo goed leren koken als oom Will, pap.' Max keek een beetje sip naar zijn vader, die zich niet beledigd voelde.

'Je bedoelt dat ik me niet zo vaak als oom Will heb laten overhalen om worstjes met patat te maken!' Hij glimlachte ootmoedig naar zijn zoon.

Max knikte en trok de rugzak op zijn schouders om die naar zijn kamer te brengen. Hij merkte de bijna nieuwe laptop van zijn oom op die in de hoek naast de koffietafel stond. 'Oom Wills Power-Book is nog hier. Denk je dat ik het zou kunnen gebruiken voor mijn Sims? De grafische effecten zijn stukken beter op een Mac dan op een pc.'

'Dat zal wel in orde zijn, denk ik zo. Ik weet alleen niet of dat programma ook op een Mac draait. Maar je mag het natuurlijk proberen.' Hij boog zich naar zijn zoon en zei in een poging resoluut te klinken: 'Nou, berg gauw je spullen weg.'

Terwijl Max de trap af stommelde naar zijn kamer aan de straatzijde van de kelder, maakte Alex zijn stropdas en het bovenste knoopje van zijn overhemd los. Hij begon een paar stukken kipfilet in stukjes te snijden en vertelde Simon ondertussen van het bizarre telefoontje van de ex-vriendin van zijn broer. Het had de nodige overredingskracht gevergd alvorens de bloemist – die op het punt had gestaan om naar huis te gaan – het ordernummer had willen geven aan de hand waarvan ze aan hun naspeuringen hadden kunnen beginnen. Ze achterhaalden dat Will de opdracht om de rozen te laten bezorgen op 19 september had gegeven om tien voor drie plaatselijke tijd in Chartres. Wat hem had aangezet dat op dat moment te doen – een maand vóór de datum waarop die opdracht moest worden uitgevoerd – viel niet goed te doorgronden. Will was gewoon nooit zo'n regelaar. 'Je moet niet denken dat Will niet romantisch kon zijn, hoor, Alex. Die actie stemt helemaal overeen met zijn spontane aard.' Simon, die zijn stem duidelijk in bedwang hield, probeerde zichzelf ervan te overtuigen dat die kwestie helemaal niet zo uitzonderlijk was.

'Zo spontaan is het anders niet om al een maand van tevoren bloemen te bestellen. En ze waren definitief uit elkaar, Simon. Will heeft me gezegd dat zijn besluit onherroepelijk was. Dat hij zich lichamelijk tot Siân aangetrokken voelde was als een verslavend middel, dat weet ik, maar hij vertelde dat zijn hart er niet meer bij betrokken was en dat er op geestelijk gebied nooit veel overeenkomsten waren geweest. Ik denk dat Siân verre van dom is, maar zij is gewoon minder ontwikkeld dan hij was en hun interessegebieden lagen mijlenver uiteen.'

Simon voelde zich vreemd en knikte naar Alex. Het klopte met wat Will ook tegen hem had gezegd op een avond waarop ze een paar biertjes te veel hadden gedronken. 'Hij vertelde me dat ze drie keer meer uitgaf dan hij, dat ze nooit een boek las en niet eens een wandeling met hem wilde maken. Maar misschien was hij haar gaan missen en speelde hij met de gedachte het weer bij te leggen.'

'Dat is natuurlijk wat zij denkt en dat brengt haar van de kaart. Maar ik ben er zeker van dat het niet zo is. Hij zei altijd dat Siân als een mooi, verwend kind was: gewend om altijd haar zin te krijgen, gewend aan de magnetische uitwerking die ze op mannen heeft en volstrekt niet in staat diep na te denken over iets wat niet rechtstreeks met haar te maken heeft. Dat klinkt misschien een beetje wrang, maar haar gebrek om zich voor andere zaken open te stellen, dreef hem soms tot wanhoop. Wat de een waardevol vond, was voor de ander waardeloos. Zij hield van mooie dingen, wilde een garderobe van Chanel en Prada – wat haar gezien haar werk moeilijk aan te rekenen is – terwijl hij altijd zei graag voor een jaar of langer voor een internationale hulporganisatie te willen werken.'

De pan begon te sissen toen Alex er een gesnipperde ui in schraapte. 'Toen ze hem na het overlijden van zijn moeder weer onder druk zette om te gaan trouwen, besefte Will dat hij de zaken gewoon te lang op hun beloop had gelaten, dat hij echt niet met Siân kon trouwen, dat hij met geen mogelijkheid de man kon zijn die zij volgens hem nodig had. En dat het niet fair was tegenover haar om geen punt achter hun verhouding te zetten. Hij moest de strijd aan met het lichamelijke magnetisme, wat niet makkelijk zal zijn geweest, omdat zij wist hoeveel macht ze over hem had, en hoe ze die moest gebruiken.' Alex kon het niet helpen een onpartijdige houding aan te nemen. 'En ik denk dat het wederzijds was. Arme Siân. Het is allemaal zo treurig. Was het haar fout dat ze drie jaar optrok met iemand die zelf niet wist wat hij precies wilde? En laten we eerlijk zijn: Will had een zwak voor de geneugten des levens.' Hij keek naar een bijna lege fles dure cognac die door Will was geopend en gestaag aangesproken. Alex begreep dat hoewel zijn broer wist dat het in alle opzichten beter was om uit elkaar te gaan, het hun allebei pijn had gedaan – niet alleen Siân.

Simon had wat zitten neuzen in een enorme verzameling boeken die Alex voor hem apart had gezet in een doos die hij nu bezig was dicht te plakken. Hij droeg hem naar de hal, waar nog enkele andere bezittingen stonden opgestapeld. Toen hij terugkeerde had Max net de stekker van de glanzende witte Apple in het stopcontact gestoken. Glimlachend dacht hij aan wat Alex net had gezegd. Ja, ook Will had er een paar dure speeltjes op na gehouden. Niet gewoon een motor, maar een Ducati. Niet een of andere oude laptop, maar een iBook. De piano in de flat die hij deelde met Siân was een Bechstein. Hij wilde uitsluitend kwaliteit en had liever niets dan het te moeten stellen met goedkope rommel. Hij had zijn hart op de goede plaats gehad, en redelijk was hij ook geweest, maar ook hij had zich een paar mooie en dure dingen gepermitteerd.

'Wat stond er op het kaartje?' vroeg hij opeens aan Alex. 'Dat bij de rozen zat?'

Alex schonk voor Simon en Max iets te drinken in en haalde vervolgens een stukje papier uit zijn jasje. '"Snelvoetig, doornstekig, bloedrood, liefdebezoedeld, hartverscheurd: nu zuiverwit. *Bon anniversaire. Toujours*, William." Siân was ontroostbaar.' Hij keek naar zijn zoon en zijn broers vriend, verenigd in de taak de Apple op te starten. 'Het waren witte rozen. Had ik dat al gezegd?'

Simon schudde zijn hoofd. 'Die verdomde Will met zijn anagrammatische geest. Maar je hebt gelijk. Witte rozen staan voor ingetogen liefde, niet voor passie. Een groot verschil. En ze waren voor haar verjaardag, dus misschien probeerde hij te zeggen dat hij haar niet haatte en haar voor altijd op die manier liefhad.'

'Hij hield nog altijd van Siân.' Max keek op van het scherm vóór hem en sprak die woorden als een vaststaand feit uit.

Zijn vader glimlachte naar hem. 'Ja, op een nieuwe manier, denk ik. Maar er is ook iets raadselachtigs. Wat is er in Wills laatste uren gebeurd, tussen zijn bezoek aan de kathedraal en het aan boord gaan van die veerboot? Hij was met iets bezig. En in zijn voorlaatste bericht op mijn mobiel zei hij dat hij me iets buitengewoons te vertellen had. Ik vraag me telkens weer af wat dat geweest kan zijn.'

Max en Simon hadden geprobeerd dé computer aan de praat te krijgen, maar ze zagen geen kans in te loggen. Er knipperde een wachtwoordvraag: *De enige vrouw met wie ik overweg kan...* 'Wat was het wachtwoord van oom Will, pap? Wie was de enige vrouw met wie hij overweg kon? Siân is het niet. En oma ook niet. Die hebben we allebei al geprobeerd.'

Alex haalde zijn schouders op. 'Hoe noemde hij zijn motor ook weer?' vroeg hij.

'Claudia,' zeiden Max en Simon in koor en ze typten die naam in.

'Bravo, Alex.' Simon kon niet geloven dat het zo eenvoudig was en hij keek naar de bekende bureaubladafbeelding van een bekend werk van Joshua Reynolds, van Cleopatra die een parel in een glas wijn laat verdwijnen. Dat maakte dat hij zich merkwaardig dicht in zijn buurt voelde. Hij keek naar Alex en kreeg plotseling een idee. 'Wat het ook was waar hij aan dacht, het kan heel goed zijn dat hij het naar zijn eigen e-mailadres heeft verzonden. Ik weet zeker dat hij ideeën en documenten vanuit Rome naar hier stuurde. Dat heeft hij me verteld.'

'Simon, dat is zo voor de hand liggend en meteen zo snugger. Kun je inloggen op zijn server?' Max leek teleurgesteld door de vertraging. 'We controleren zijn mailbox, Max, dan gaan we eten en meteen daarna mag jij met je spel aan de gang. Het zal in ongeveer tien minuten gepiept zijn.'

'Ik denk trouwens dat je vader gelijk heeft. Ik ben bang dat je computerspel hier niet op zal werken.' Simon probeerde hem een nog grotere teleurstelling te besparen. 'Het is een heel ander systeem.'

Max keek een beetje verongelijkt toen hij naar zijn vaders pc liep. Die bevond zich helemaal aan de andere kant van de open keuken, die het midden van het grote woonvertrek vormde. Hij startte het programma en begon daar te spelen. Alex glimlachte gelaten. Hij wist dat zijn zoon de Apple had willen gebruiken om zo dichter bij Will te zijn en dat het hem niet om 'betere grafische effecten' te doen was. Hij liep naar zijn zoon en gaf hem een kus op zijn hoofd. Toen pakte hij zijn glas en liep terug naar Simon en naar Wills iBook. Hij begreep dat Simon helemaal gelijk had. Dat alle foto's, overdenkingen en wat al niet daarop te vinden zouden zijn. Will had zijn Apple ook voor zijn werk gebruikt, had er zijn foto's mee bewerkt voor hij ze verstuurde en alles keurig geordend opgeslagen. Hij vroeg zich af waarom hij er niet eerder naar had gekeken.

'Go... gompie!' Simon veranderde zijn aanvankelijk woordkeus toen hij aan Max dacht. 'Met "Claudia" kom ik niet bij zijn mail.' Hij zag er verslagen uit. 'En natuurlijk heb ik ook alle andere voor de hand liggende mogelijkheden geprobeerd. De naam van jullie huis op het land. Zijn eerste vriendinnetje. Behalve het proberen van alle woorden in het woordenboek zou ik niet weten wat we nu moeten doen. En: Will was ook nog een beetje dyslectisch, toch? Zijn spelling was creatief maar ook excentriek.'

Alex knikte. Zonder een aanknopingspunt zouden ze er nooit achter komen.

Hij liep terug naar de kookplaat, goot de pasta af en mengde er de kip doorheen. 'Kom je eten, Max?'

'Ik kom zo, pap. Ik moet ze nog even wat geld geven voor ik op pauze kan drukken.'

'Hoe bedoel je, geld?'

'Dat is een trucje.' Hij grijnsde breed naar zijn vader. 'Er is een heel cool trucje om ze meer geld te geven om mee te spelen.' Alex liep naar hem toe om te kijken en om zijn zoon bij het scherm weg te krijgen vóór het eten koud zou zijn. 'Je typt gewoon "Rozenknop" en nog een paar symbolen, en hoe vaker je dat doet, hoe meer geld ze krijgen. Het is echt een supertrucje. Oom Will heeft het me geleerd.'

Alex liep terug naar Simon, die het ook had gehoord. 'Citizen Kane. Dat is de naam op de slee, toch, aan het einde? Wills zaadfilm.' Simon zat al op hetzelfde spoor en typte de naam in. Opeens was er verbinding.

De pasta stond koud te worden, maar Alex werd in beslag genomen door een e-mailbericht dat Will aan hem had gericht maar dat hij voor verzending waarschijnlijk nog had willen controleren – wat verklaarde waarom hij het nooit had ontvangen. Simon keek hem vragend aan en hij opende het bericht toen Alex knikte. Het was Simon die de eerste woorden hardop las: '"In de Boom van het Leven is het Kether die de Bron representeert. Dit is de Zon achter de Zon, het Ultieme Licht, het bewustzijnsreservoir voor alle ingewijde alchemisten. Deze Bron kan worden aangeboord zodra er Lichtbijeenkomsten zijn – aan gene zijde van tijd en ruimte. Ze vinden plaats in de verbeelding van de ware "Adept", onder bescherming van de Roos. Op die Lichtbijeenkomsten kunnen alle Adepten zich niet alleen met de Bron verbinden, maar met alle andere leden van hun genootschap, overal in de wereld, inclusief de meesters uit het verleden en de vroege alchemisten. Elke rode-roos-koning moet zich verenigen met zijn witte-roos-koningin om niet alleen in henzelf verandering te bewerkstelligen, maar ook in degenen die zich het dichtst in hun buurt bevonden. En het is op die manier dat de ondergrondse rivier van de wijsheid onophoudelijk vanuit oeroude tijden stroomt."'

De woorden braken abrupt af, maar hadden hun poëtische uitwerking op de twee mannen niet gemist. De pasta was vergeten terwijl ze elkaar aankeken in de hoop verheldering te vinden, maar Alex wist niet meer dan Simon. Iets uitstekend boven de beste vriend van zijn broer schudde hij zijn hoofd om aan te geven dat hij geen idee had waar Will mee bezig was geweest. Plotseling merkte Simon onder in het scherm een knipperend icoontje op.

'Alex, iemand probeert in deze computer binnen te dringen. Het is net alsof ze erop hebben gewacht tot we online zouden gaan…' Zijn stem stierf weg en hij en Alex keken naar het nog altijd knipperende alarmsignaal. Het scherm loste op in allerlei kleuren en de anti-spyware produceerde een venster dat aangaf dat ze werden aangevallen door hackers die zich in Engeland bevonden. De scherminhoud werd opgeslokt door een groen draaiend rad dat vervolgens in een vierkant uitmondde.

```
S  A  T  O  R
A  R  E  P  O
T  E  N  E  T
O  P  E  R  A
R  O  T  A  S
```

11

Lucy's spanningen namen toe. Niet goed voor haar hart. Maar wat kon ze doen? Ze moest om vijf uur bij Cadogan Pier zijn. Het was al halfvijf en ze was nog steeds thuis, ze moest haar haar nog doen en wist nog steeds niet welke schoenen ze aan zou trekken.

'Concentreer je, meisje,' zei ze hardop. 'Je hebt nu een echte afspraak met Alex Stafford. Waarom zou dat je zorgen baren?'

Het was elf dagen geleden en het was het eerste wat er op die maandagochtend gebeurde: het telefoontje dat volgde na het gesprek dat ze met meneer Denham had gehad. Dokter Stafford had haar nogal informeel uitgenodigd voor een snelle lunch, zogenaamd om eens wat te babbelen over haar problemen met de medicatie, maar behalve dat ze een paar minuten over steroïden en stemmingswisselingen hadden gesproken, waren die onderwerpen niet meer aangeroerd. In menig opzicht was deze lunch weer haar eerste uitstapje in de echte wereld. Het was de 'noem me alsjeblieft Alex'-lunch en ze had echt het gevoel dat de grens tussen werk en plezier werd overschreden. En ze beschouwde het als een succes. Hij had rustig bij haar gezeten, gelachen, aandachtig naar haar geluisterd en niets over zichzelf verteld. Maar het was een aangenaam beginpunt.

Ze had de indruk dat hij wel enig belang in haar stelde, misschien, al vanaf het eerste begin, maar het was lastig er echt zeker van te zijn. Alex was een arts die een uitstekende score haalde met zijn optreden aan het ziekbed, maar als persoon viel hij met geen mogelijkheid te peilen. Als haar al iets was opgevallen, was het dat hij minder tegen haar dan tegen anderen sprak, een tikje bedeesd leek, of misschien weifelend. Daaruit maakte ze op dat hij een zwak voor haar moest hebben. Of hij had medelijden, omdat ze klaarblijkelijk geen vriend had die haar opzocht, en geen familie – alleen Grace en een reeks grappende collega's waarvan de helft homo was. Misschien wilde hij laten zien dat hij niet overdreven vriendelijk tegen haar was, als een waarschuwing geen onjuiste conclusies te trekken uit zijn uitmuntende zorg voor haar als zijn patiënte en om de grenzen te markeren van de relatie tussen arts en patiënt. Dat was het meest voor de hand liggend, eerlijk gezegd. Tot ze aan de bloemen dacht die hij na de operatie voor haar had meegenomen. En dus sloeg de meter weer de andere kant op, en opnieuw vroeg ze zich af of ze meer in zijn ogen meende te zien dan er daadwerkelijk was.

Die impasse werd doorbroken door de uitnodiging op maandag 20 oktober om halftien: 'Lucy, Courtney Denham heeft me gevraagd eens met je te praten over je medicatie, en dat biedt mij een uitstekend excuus om je te vragen of je zin hebt met mij te gaan lunchen. Ik zit niet erg ruim in mijn tijd, ben ik bang, maar we kunnen ergens naartoe gaan in de buurt van het ziekenhuis en waar we erop kunnen vertrouwen dat het met de hygiëne in de keuken wel snor zit. Ik weet wel een geschikt zaakje in de buurt.'

Zijn aanpak was zo belachelijk ongedwongen en het had haar verbaasd hoe snel ze akkoord was gegaan, hoe leuk ze het had gevonden te worden uitgenodigd. Lucy riskeerde het zelden zich zo echt met iemand in te laten: ze was het meisje met de talloze vrienden overal op de aardbol, waaronder verscheidene mannelijke bewonderaars, maar ze was de geliefde van niet één van hen. Affaires werden tot korte avontuurtjes beperkt, emoties altijd op afstand gehouden. Zodra iets serieus dreigde te worden, maakte ze zich haastig uit de voeten. Dit lag anders. Hij was haar dokter en het kostte haar geen enkele moeite zichzelf ervan te overtuigen dat een liefdesverhouding onmogelijk was en een lunchafspraakje verder niets betekende.

De snelle lunch werd gebruikt in de heerlijke tuin van Dan's Restaurant in Sydney Street, vijf minuten van het Brompton en op een perfecte, zonnige oktoberdag: twee eenvoudige gangen en mineraalwater. En, herinnerde ze zich, het geluid van haar eigen stem die een paar satirische schetsen van haar leven over de tafel kwebbelde en ratelde over haar ervaringen in Zuid-Amerika die hij erg amusant leek te vinden. Heel ongebruikelijk voor haar om zo open te zijn, maar ze was geestig geweest, wist ze.

Hij had haar galant teruggebracht tot haar eigen voordeur en ze hadden de hele weg ongedwongen gesproken. Toen: niets. Dagen verstreken. Haar oren waren voortdurend gespitst op de telefoon, maar die hield zich hinderlijk stil. Ze begreep dat hij een professionele afstand tussen hen in acht moest nemen: hij was nog altijd een van haar artsen. Medisch gezien diende hij momenteel alleen nog haar antibiotica in de gaten te houden en op afstoting te letten, maar het bleef een professionele band, met alle beperkingen van dien. Landen dus maar, met beide benen op de grond. Er was iets voor te zeggen hem te vergeten.

Maar dat kon ze niet. Ze vroeg Grace om raad. Ze herzag de smalende beschrijving van een werklunch die ze haar vriendin had gegeven en vertelde haar dat ze een uur met elkaar hadden gepraat en ontspannen hadden gelachen, hoewel Alex haar niets persoonlijks over zichzelf had verteld, gaf ze toe.

Grace waarschuwde haar: het was geen goed teken. Gewoonlijk was het de vrouw die luisterde en de man die pronkerige verhalen vertelde. En ja, het was anders geweest, erkende Lucy, maar ze vermoedde dat het precies dat was wat die man zo aantrekkelijk maakte. Ze was geïntrigeerd en het hielp niet dat hij er lichamelijk zo appetijtelijk uitzag. Hij was gescheiden en had een zoontje. Allemaal veel te problematisch, besloot ze. Zodra ze weer aan het werk kon, zou ze hem na één dag vergeten zijn, hield ze zichzelf voor.

En toen was daar, na negen dagen volstrekte radiostilte, opeens Alex, die haar tamelijk openlijk betrok bij een situatie die met zijn werk te maken had. Het ging om het Halloween-feest van het ziekenhuis. Behalve als personeelsfeest van beide zusterziekenhuizen werd het ook aangegrepen om fondsen te werven. Hij had haar gewaarschuwd dat ze geen Chelsea Arts Ball moest verwachten. Alleen personeelsleden, studenten en vrienden konden een kaartje kopen, maar het leverde de ziekenhuizen geld op. En of ze haar beste gevoel voor humor mee kon brengen – een must, klaarblijkelijk. Hij zou een uitvoering moeten bezoeken en daar veel meer van genieten als zij met hem mee zou gaan.

'Ik beloof goed op je te passen,' had hij gezegd. 'Dergelijke evenementen kunnen een beetje uitbundig worden als de massa iets te verfrist raakt, waarop Amel me attendeerde toen ik zei dat ik jou graag wilde uitnodigen.'

Hij wilde haar kwetsbare gezondheid niet te zeer op de proef stellen en verzekerde haar dat het slechts een paar uurtjes zou duren. Ze gingen voor een tochtje met een plezierboot de Theems op, waarvan de duur werd beperkt door het tij en door de huurtijd. Hij verontschuldigde zich dat ze zich daar bij hem zou moeten aansluiten omdat hij na zijn werk in Harefield die dag gelijk door zou moeten. Hij zou haar wel naar huis brengen, na een rustig etentje, als ze niet te moe zou zijn. 'O... en het wordt een themafeest. Had ik dat al gezegd? Het thema is: "De geesten van de doden uit het verleden". Je hebt een of ander kostuum nodig, als het even kan.'

Lucy had de telefoon bijna zonder iets te zeggen neergelegd, had geen enkele quasinonchalante opmerking kunnen bedenken. Binnen twee dagen? Ook had hij niet verteld wat hij zou dragen, wat haar opzadelde met het schrikbeeld iets te dragen wat totaal niet bij zijn outfit paste. Met hulp van Grace had ze zich er uiteindelijk bij neergelegd als Ariadne te gaan – zij met die draad, die op een snuggere prins viel. Grace meende vol leedvermaak dat dat wel passend zou zijn. Ze zei dat een klassiek kostuum zo te draperen was dat de ergste littekens niet zichtbaar zouden zijn en tegelijkertijd de beste lichamelijke attributen van haar vriendin kon laten uitkomen: haar prachtige donkere Grieks-Romeinse haar en gezicht, haar lange nek en kleine, vrouwelijke lichaam.

'Is dat niet waar het om gaat?' had Grace droogjes gevraagd.

Lichtelijk in paniek omdat de tijd begon te dringen, bracht ze de laatste haarspelden en clips met parels op orde: twee zwarte lokken krulden aan weerskanten van haar gezicht en de rest in een sierlijke vlecht op haar hoofd, waarmee haar fraaie hals en schouders de gewenste nadruk kregen. De crèmekleurige zijde van het klassieke kostuum, dat ze met aanzienlijke artistieke vaardigheid in recordtijd in elkaar had gezet, gaf haar borsten een discreet accent. Ze was een getalenteerd naaister. De reflectie van de zijde verleende haar verschijning een glanzende elegantie die door Grace 'magisch' werd genoemd.

Ondanks de tijdsdruk had Lucy de jurk nog afgewerkt met barok-parels. Dit was niet alleen voor Alex, maar voor iets wat ze nauwelijks uit kon drukken. Maar nu ze haar 'echte afspraakje' had, voelde ze zich, kijkend naar haar eigen spiegelbeeld, eigenaardig dof.

'Draag de Jimmy Choos, Lucy.' Grace haalde haar abrupt terug naar het hier en nu. 'Aangezien die dokter van jou nogal lang is, brengen die jou ook op de benodigde hoogte. Je zult eruitzien als een film-ster, terwijl je er toch goed op kunt lopen.' Grace nam het heft in handen en gaf haar nerveuze vriendin weer enig zelfvertrouwen door haar te verzekeren dat ze er geweldig uitzag. 'Maar maak nu wel voort, anders zal er op de hele aarde geen muiltje zijn dat nog kan voorko-men dat Assepoester de gelegenheid misloopt.'

Lucy keek met afgrijzen op haar horloge, pakte haar omslagdoek en tas en holde bijna de trap af de Prince of Wales Drive op. Ze dacht aan haar bonkende hart en hield wat in, anders zou ze de artsen op hun vrije avond nog met een acute crisis opzadelen. Ze hoopte dat er als bij toverslag een taxi zou verschijnen. Dat de tijd begon te dringen was nog zacht uitgedrukt.

Haar wens werd verhoord en even later kwam de witte taxi – die uitstekend kleurde bij haar jurk – op Chelsea Embankment bij het havenhoofd tot stilstand. Ze aarzelde even toen ze op straat stond. Bij de toegangspoort stond Magere Hein. Zijn kostuum was angstwek-kend gedetailleerd. Het leek of ook hij net van zijn werk kwam: het afroepen van de doden in een andere wereld. Hij joeg haar op een cu-rieuze manier schrik aan.

Lucy maakte bijna een sprongetje toen ze opeens een luide stem achter zich hoorde: 'Wie is deze godin?' Ze draaide zich om en zag een klassieke Venetiaanse carnavalsgestalte met een schitterend mas-ker van bladgoud dat overliep in een kroon gemaakt van gelakt mu-ziekpapier. Ze was oprecht verrast toen de lachende Alex achter het masker vandaan kwam. Hij zag er adembenemend uit, bijna byro-nisch, wat ze volstrekt atypisch voor hem vond. Zijn haar was een fractie langer geworden en iets krullender, en hij had een lichte stop-pelbaard. Stond hem echt goed, vond ze. Het was een andere persoon die ze zou leren kennen, of in elk geval een nieuw facet van zijn ka-rakter. Was dit de onberispelijke Alex buiten diensttijd, of was dit uitsluitend ingegeven door zijn wens zijn rol van die avond zo goed mogelijk te vertolken?

Hij had zich op Lucy's uitdossing geconcentreerd terwijl zij zijn veranderde fysionomie doorgrondde. Hij nam er de tijd voor. Toen, zonder een woord te zeggen maar met een brede, waarderende glimlach, nam hij haar hand om haar naar Magere Hein te leiden.

'Kaartjes voor de boottocht naar de Onderwereld. Snel graag. Dokter Stafford... met godin. We staan op het punt te vertrekken en de helft van de aanwezigen aan boord is al aan stukken gereten.' De in een mantel gehulde figuur wierp een blik op de kaartjes. 'In de saloon rechts speelt een band, drankjes in de bar links, of onder de overkapping op het voordek. Te bereiken via de trap achter in de bar. Een genoeglijke avond toegewenst.'

Lucy moest lachen om de vrolijke informatieverschaffing van de Dood, maar toen ze van de loopplank op de boot stapten, werd hun de pas afgesneden door twee gemaskerde figuren die er als geesten uitzagen.

'Duizend excuses, goede zielen, maar u dient de veerman voor deze reis naar het domein van de doden te betalen.' De man hield zijn hand op.

Alex haalde een briefje van tien uit zijn zak en gaf dat aan de geest. Zijn vrouwelijke compagnon nam het aan en hield het tussen haar lange witte vingers. Ze wreef er met de vingers van haar andere hand overheen, blies een keer en weg was het briefje. Ze maakte een grootse buiging.

'Misschien een Troilus voor deze Cressida, goede dokter?' smeekte ze.

Alex zocht weer in zijn zakken en deze keer gaf hij een briefje van vijf. 'Meer een Elizabeth Fry voor je Charles Darwin.' Hij grinnikte toen ze verder liepen.

'Waarlijk, heer, maar terwijl wij bedelaars mee moeten met de tijd, lijkt er in de vertaling iets verloren te zijn gegaan. Mee eens?' Alex lachte. 'Het dient een eerzaam doel, zoals u bekend zal zijn. Bijgevolg dank ik u, goede heer.'

'Links voor een drankje, rechts voor een dansje?' Alex liet Lucy de keuze toen ze in het halletje tussen de zalen stonden.

'Laten we even een kijkje nemen.'

Ze opende een deur en onmiddellijk werden ze door geluid overspoeld. De ruimte zag eruit als Dantes *Inferno*. In een nevel van kunstmatige rook tolde een gekostumeerd en uiterst gemêleerd gezelschap rond. Zwaaiende armen en benen. Aan weerskanten van de deur stonden echte skeletten. Op een stampend oerritme leken de aanwezigen boven hun hoofden met lichaamsdelen te zwaaien. Lucy kreeg niet de indruk dat die rekwisieten afkomstig waren van een verhuurbedrijf, maar ze hoorde te weinig van haar eigen stem om het Alex te kunnen vragen. Ze had wel eens gehoord van de grappen en de macabere humor van studenten en assistent-artsen bij dergelijke gelegenheden: ze moest daar weg.

Alex trok – met gespeelde ontzetting – de deur van de danszaal stevig dicht en meteen was het lawaai een heel stuk minder. 'Links naar de drankjes!' Ze draaiden zich om naar de andere deur en gingen de bar binnen.

Ook in deze ruimte wemelde het van de gekostumeerde figuren en er stond een provisorische tapkast opgesteld. De drankjes werden geschonken door een dokter Frankenstein met een verward uitstaande haardos en een aantal van zijn volgelingen. De achterwand zag eruit als een anatomielab. Er stonden rijen bekerglazen, potten, distilleerkolven, gekleurde flessen en ander laboratoriumglaswerk met hersenkwabben, levers, nieren, handen en voeten op sterk water.

'Damien Hirst zou zich hier beslist thuis voelen,' merkte Lucy op toen ze zich een weg door de drukte baanden.

'Nogal luguber, vind je niet?' Alex vertrouwde erop dat Lucy er dankzij haar gevoel voor spottende humor wel tegen zou kunnen, maar het was allemaal niet iets voor hazenhartjes.

'Hallo, dokter Stafford,' zei Frankenstein. 'Misschien zal het u en uw gast boven meer naar de zin zijn. Een minuut of tien geleden zag ik ons aller Azziz naar boven gaan met iemand van de administratie. Neem de trap daarginds.' Hij gebaarde met zijn rechterelleboog terwijl hij met één hand twee bierflesjes opende en de inhoud van vier flesjes heel bedreven in vier glazen schonk. 'Zes pond alstublieft,' zei hij tegen een koningin Elizabeth met vlammend rood haar, die in haar tas begon te graaien.

'Zit godsamme voor geen meter, zo'n korset,' klaagde de koningin in een zwaar Londens accent tegen Alex. Ze betaalde, nam de vier glazen op en hoste terug de menigte in.

'Ik zou 't niet weten,' zei dokter Frankenstein tegen niemand in het bijzonder, maar hij maakte oogcontact met Alex, die in de lach schoot. Frankenstein drukte Alex een halve fles champagne en een glas verse jus d'orange in de hand en gebaarde dat ze naar boven moesten gaan. Omdat Alex zijn handen vol had, haakte Lucy haar hand achter zijn bovenarm en zo zochten ze zich een weg naar boven, naar de frisse avondlucht.

De boot voer al in het schemerdonker over de rivier toen ze op het bovendek stapten en zo op het oog terechtkwamen op een bijeenkomst van de Londense medische aristocratie, rond 1750. Op Lucy maakte dat een bijna surrealistische indruk. Weldra herkende ze enkelen van de aanwezigen van haar eindeloze tochtjes naar een van de ziekenhuizen. Er zaten en stonden ongeveer vijftig personen. Drie leerling-verpleegsters in lange, golvende gewaden giechelden naar dokter Stafford. De drie gratiën, dacht Lucy. Toen viel hun blik op Lucy achter hem, en ze draaiden zich om, berustend. Ze voegden zich bij een groepje jonge assistent-artsen. De medewerkers van de administratie stonden te kletsen met de jonge vrouwelijke artsen, en hun vrouwen keken steels naar de jonge artsen. De afdelingshoofden schoolden samen met de hoofden van de administratie en de directieleden. Er kleefde een soort onnatuurlijke natuurlijkheid aan de hele vertoning. Een historische quadrille in klederdracht.

Vreemd. Geen Jane Cook. Lucy kon haar nergens ontdekken. Ze fluisterde iets tegen Alex. 'Past op de zaak,' legde hij uit. 'Anders zou ze wel hier zijn. Het ziekenhuis staat voor haar op de eerste plaats, maar het zal haar spijten dat ze niet hier in Amels buurt kan zijn. Hij is haar held.'

'Ook de mijne. Hebben we allemaal nodig, hoor.'

Onder het overkapte deel van het bovendek, omgeven door doorzichtige plastic schermen, stonden tafels en stoelen en er brandden straalkachels. De sinistere decoraties in hun obsceenste vormen hadden het niet tot hier gehaald. Amel, dwaas uitgedost als de ontdekkingsreiziger Robert Falcon Scott, stond bij de reling te converseren met twee dames – een grote, slanke donkerharige en een volslanke maar niet minder attractieve blonde. Alex en Lucy bewogen zich in zijn richting en Amel begroette hen hartelijk.

'Ha, Alexander de Grote. Merkwaardig dat je niet iets Macedonisch draagt. Ik ben zo blij dat je onder ons bent gekomen. Met je stralende gezelschap, Lucy. Wat zie je er lieftallig uit. Ik ben geenszins verrast, maar wel alleszins verrukt.' Hij nam haar delicate hand in de zijne, bekeek haar bewonderend en ze voelde de oprechtheid van zijn compliment. 'Sta me toe jullie even voor te stellen. Deze prachtige dames zijn eveneens eminente doktoren – Zarina Anwar en Angelica LeRoy, beiden toonaangevende chirurgen – maar we laten ze niet vaak los uit Harefield! Zij hebben meneer Denham en mij bij jouw transplantatie geassisteerd. Dames, mag ik u, nu ze er zes weken later onvergelijkelijk veel beter uitziet dan toen jullie voor het eerst kennismaakten, wederom voorstellen aan Lucy King, televisiedocumentairemaakster.'

Lucy keek vol ontzag naar de twee vrouwen voor haar. De ene vrouw was donker, gereserveerd en beschaafd en had fantastische nagels, de andere was blond, glimlachend en levendig.

'Lucy, je lijkt verbaasd?' zei Amel. 'Hoe goed ik ook zijn mag, ik zou me nooit alleen zo lang kunnen concentreren – het duurde bijna acht uur met jou – en dus laat ik het op bepaalde momenten over aan mijn alter ego's, die sommige dingen beter kunnen dan ik. Angelica maakt de fraaiste hechtingen.'

Angelica, die eruitzag als een iets oudere, blonde versie van Scarlett O'Hara, stak haar een hand toe. Ze merkte op dat Lucy haar extravagante uitdossing bewonderde. 'Kan dit gewaad je waardering wegdragen? Ik moet erkennen dat ik dol ben op dat tijdperk. Dergelijke dingen doen me zo aan thuis denken.'

'Aan thuis?'

'Ja, je weet wel, carnaval. Ik ben geboren en getogen in New Orleans.' Lucy werd betoverd door de honingzoete stem die van haar geboorteplaats één langgerekt woord maakte. 'Ik ben hier nog maar pas en heb het voorrecht een jaar samen te mogen werken met meneer Azziz. Hij is een van de grootste artiesten op ons vakgebied. Hij lijkt iets extra's, iets "anders" toe te voegen aan zijn werk, wat ik graag met eigen ogen wilde zien. Vindt u ook niet, meneer Stafford? Oeps! Neem me niet kwalijk, dokter Stafford?'

Hun conversatie was afgeluisterd door het hoofd van de administratie, die duidelijk in de ban was van Angelica en die haar nu galant te hulp schoot. 'Maak je geen zorgen, Angelica. Alleen het Koninklijk College van Chirurgen is in staat het mysterieuze onderscheid tussen 'meneer' en 'dokter' te begrijpen. Ik snap er ook nog steeds geen snars van.'

Alex lachte en knikte begrijpend. Hij had het zijn vrienden die meenden dat ze hem intussen wel als 'meneer' zouden moeten aanspreken ook niet kunnen uitleggen, laat staan een verbijsterde Amerikaanse collega. 'Noem me alsjeblieft gewoon Alex, Angelica. Maar om je vraag te beantwoorden, ja, ik geloof echt dat het Allah behaagt als Amel zijn chirurgengewaad aantrekt en in de operatiekamer de strijd aangaat.'

Lucy kon Alex' toon niet plaatsen, maar Amel glimlachte breed naar hem. 'Bespot mij niet, jonge Stafford. Ik probeer niet te vergeten dat je een van de mensen van het Boek bent, ofschoon de huidige wereld lieden telt die blind zijn voor de noodzaak van het wederzijdse respect. Natuurlijk, ik ben er nog niet achter of ik moet geloven dat je echt een ongelovige bent, en zal mij dus onthouden van een oordeel en je respect betuigen. Wat ik overigens met alle plezier doe. Je verdient het. In elk opzicht.'

Toen richtte hij zijn volledige aandacht weer op Lucy. 'Mijn dierbare Lucy, wat is het toch geweldig je hier als een van ons in ons midden te hebben en te kunnen constateren dat je er zo gezond uitziet. Laat me de omslagdoek van je aannemen. Die zul je nu niet nodig hebben: het is hier met die straalkachels even warm als op een zwoele zomeravond. Momenteel in elk geval wel.'

'Dank u.'

Lucy begreep intuïtief dat Amel haar probeerde te helpen met het slechten van de grens tussen patiënt en dokter, maar ze reageerde nogal bedeesd. Ze liet de doek van haar schouders glijden en gaf hem aan haar chirurg, die hem over een stoel drapeerde. Alex was druk in gesprek met Zarina, alsof ze nog iets ernstigs te bespreken hadden, maar hij probeerde Lucy heel ongedwongen bij hun conversatie te betrekken. Ze waardeerde dat gebaar en ze luisterde en glimlachte en gaf antwoord op de vragen die haar werden gesteld, maar ze voelde zich tot haar eigen verbazing timide en geïsoleerd van de groep. Ze observeerde de subtiele interacties die tussen al die mensen plaatsvonden, maar eraan deelnemen kon ze niet. Hun levens speelden zich af in een soort verheven glazen bol die uitzicht gaf op alle facetten van het menselijk gedrag. Misschien niet zo verschillend van haar televisiewereld, maar met een andere rolbezetting. Zou ze ooit weer aan het werk komen? Die gedachte slierde door haar hoofd, terwijl ze gedesoriënteerd op onbekende wateren ronddobberde. Nou ja, ze was in elk geval nog op deze planeet, dankzij de mensen die haar nu omgaven.

'Lucy.' Ze hoorde haar naam. 'Lucy, ken je de rivier?' Het was Courtney Denham met zijn melodieuze Trinidad-accent. Hij stond dichtbij met zijn vrouw, luisterde naar de gedachtewisseling, observeerde haar onzekerheid. Hij zag er treffend uit als Othello.

'Hallo.' Ze was dankbaar voor zijn aandacht en glipte even weg bij Alex. 'Nee, niet erg goed.' Ze wist niet goed hoe ze hem moest aanspreken nu hij vrij was. Ze kwam nog elke week bij hem in het ziekenhuis. 'Moet ik mij voor schamen. Ik woon hier nu lang genoeg. Vindt op deze rivier niet de roeiwedstrijd tussen Oxford en Cambridge plaats?'

'Niet slecht voor een koloniaal. Ja, vanaf de brug waar we straks onderdoor zijn gevaren bij Hammersmith, via de Eyot bij Chiswick daarginds. Catherine, mijn vrouw.' Hij onderbrak zichzelf en stelde zijn Desdemona voor, een volslanke en sexy vrouw van dezelfde lengte als haar man. Ze lachte energiek naar Lucy.

'Courtney heeft me over je verteld, Lucy.'

'Wij wonen net achter die bomen, buiten Castelnau, in Barnes,' ging haar arts verder. 'Maar binnenkort komen we naar Mortlake.'

De drie converseerden ongedwongen en Lucy had zich geen zorgen hoeven te maken over de vraag of het misschien ongepast was de grens tussen arts en patiënt te overschrijden. Ze luisterde naar Courtney, die haar attent maakte op allerlei interessante plekjes die ze passeerden, tot zijn opmerkingen werden onderbroken toen de boot onverwachts een slinger maakte. Iedereen moest even moeite doen zich staande te houden en er vielen een champagnekoeler en een aantal glazen op het dek. Het vaartuig maakte een scherpe draai in de richting van de oever, de voorsteven daalde toen de motoren voor even in de achteruit werden gezet. De scheepshoorn liet drie waarschuwingsstoten horen, waar Lucy geweldig van schrok. Het hele gezelschap ging kijken wat de oorzaak van de beroering was. De aanblik vanaf het bovendek maakte dat er een deken van stilte over de feestvierders viel. Naast de boeg van hun schip verscheen een praam. Het was een van de mooiste vaartuigen die Lucy ooit had gezien, glanzend rood en goud en in elk opzicht volmaakt. De drie gratiën slaakten zuchtjes van bewondering.

Zelfs in het oranjegele licht kon Lucy de opvarenden opmerkelijk goed zien. Twee rijen trompetblazers stonden opgesteld naast de relingen van de boot onder hen; de roeiers spanden zich in om uit het zogwater te komen van het gehuurde schip. Onder een met goud versierde baldakijn bevonden zich enkele mensen die als edelman waren verkleed. Een van hen zag er nog schitterender uit dan de overigen. Naast hem stond een man in een donker gewaad en met een ambtsketen.

Een scène uit een film, zei haar professionele oog haar, maar ongelooflijk goed uitgevoerd. De kosten moesten zelfs die van een dure Hollywoodproductie hebben overstegen. Wat deed dat vaartuig hier op de Theems met Halloween? Misschien had de ambassadeur van Italië een eigen Venetiaans carnaval georganiseerd. Of een groepje jonge beroemdheden? Lucy herkende niemand. Daar was het, op de rivier, gadegeslagen door misschien tweehonderd mensen die geen idee hadden van de beroering die hun schip bij het andere vaartuig teweegbracht. De meesten van hen waren intussen al zo aangeschoten dat ze de volgende ochtend moeite zouden krijgen zich te herinneren welke dag het was. Al die katers voor het goede doel. Ze hoorde Alex er een grap over maken en giechelde, maar toen huiverde ze opeens. Wat was het waar ze naar keek?

De deur van de danszaal beneden werd geopend en enkele dansers kwamen aangesneld om te zien wat er op het bovendek aan de hand was. Het lawaai leek zich in Lucy's beleving honderdvoudig te versterken. Boven alles uit klonk het geschal van trompetten. Een heuse fanfare. Door de geringe afstand tussen de vaartuigen kon ze het duidelijk horen.

'Wat een Halloween-uitstapje,' merkte een nichterige Zuid-Afrikaanse stem rechts van haar op.

'Dat kan het niet zijn, daar is het veel te geolied voor. Te filmisch,' antwoordde zijn partner.

'Een opera, schat. Er ligt geen Cecil B. langszij. Ik wou dat ik me daar bevond. Al die goddelijke kostuums. En kijk eens even naar dat prachtpersonage met die mantel over zijn schouder. Moreel verderfelijk als Lord Byron. Ik wed dat je een knal hoort als hij komt!'

'Ze stellen ons in elk geval in de schaduw,' zei de ander.

'Kom, we halen even iets te eten. O, wat een beeldige jurk, liefje,' zei de eerste tegen Lucy voor ze wegstoven.

Lucy had hun opmerkingen niet meegekregen en ook niet gemerkt dat Alex achter haar stond. Ze werd helemaal in beslag genomen door de groep op de praam. Zij keken op hun beurt terug – naar haar, meende ze – hun ogen concentreerden zich op Lucy en het schip. Een donkere man in een fluwelen gewaad hield zijn magnetische blik op Lucy gevestigd. Ze waren als vrienden die van elkaar gescheiden waren. Gedurende een eeuwigheid van seconden waren hun ogen onlosmakelijk met elkaar verbonden.

Hij begon met een zwaar accent te spreken terwijl de magnifieke praam bijna op gelijke hoogte kwam met het dolboord van hun schip. Ze snoof een exotische mix op van rozen en citroenen, en van katten en rioolbuizen en etensluchtjes. Bizar. Ze hoorde zijn woorden klinken als een klok: '*Sator Arepo Tenet Opera Rotas.*'

Hij sprak ze in haar hoofd uit alsof hij direct naast haar stond. De twee vaartuigen gleden langs elkaar en rezen en daalden op de ongelijke waterniveaus die de Theems op dit moment in petto had. Er was een zuigende, wervelende stroom tussen de twee schepen; toen dreven ze onverwacht uiteen. De praam draaide bij en koerste naar wat Lucy in een afnemende duisternis waarnam als een reeks traptreden langs de oever, met een tuin en een laan die nog net tussen een paar huizen zichtbaar was en die leidde naar een kerk landinwaarts.

Lucy's hart bonsde – of liever gezegd: bonkte. Haar directe omgeving klonk hol, zoals de ruimte met een daverende echo wordt gevuld wanneer je kopje-onder gaat. De mensen op het schip leken zich in een tussenwereld te bevinden, hoewel ze de warmte van Alex' lichamelijke aanwezigheid ergens dicht in haar buurt voelde. Ze kon de oever duidelijk zien. Een grote man met een baard, gehuld in het ambtsgewaad van een professor, kwam met zijn gevolg door de tuin aangehold, terwijl de opvarenden van de praam op de treden sprongen. Opnieuw was er trompetgeschal, maar nu klonk het schril en niet welluidend, als een gebarsten kerkklok. Wat een verbluffend gezelschap, wat een wonderlijk feest. Ze droegen allemaal perfecte historische kostuums, de trompetters in hun helderrode kledij speelden nog altijd; en de professor in zijn toga boog voor het vorstelijke personage dat van de praam was gestapt. De buitenlandse man – een monnik misschien, zij het overdadiger getooid – aan wiens blik ze zich niet had kunnen onttrekken, ging van boord, evenals verscheidene fraai uitgedoste edelen en een groot aantal anderen die zo op het oog minder vooraanstaand waren. Ze keerden zich nog even naar de rivier, brachten haar een discrete groet, en bewogen zich toen in het kwijnende licht over het gras.

Op haar schip werd de verstomming geleidelijk opgeheven en weldra sprak iedereen over wat men had gezien. 'Overdadig gekostumeerd feest,' zei iemand. 'Verbluffend! Er heeft iemand diep in de buidel getast om alles zo op en top te krijgen,' zei een ander. Weer een ander leek van zijn stuk gebracht en oordeelde: 'Sinistere bedoening, als je het mij vraagt. Als spionnen die ons in de smiezen hielden.' Het geluid zwol aan en stierf weg toen de dansers weer naar binnen gingen en de deur openden en achter zich sloten.

Het schip had het einde bereikt van zijn reis stroomopwaarts, keerde en voer terug in de richting vanwaar het was gekomen. Lucy was sprakeloos en Catherine Denham stond peinzend naast haar met haar hoofd een beetje schuin. Ze wisselden een minzame blik, maar zeiden niets.

'Het was net alsof ze rechtstreeks van Hampton Court Palace kwamen,' zei Angelica tegen de in gedachten verzonken Zarina. De spreekster was als een opgetogen kind dat net een bijzonder voorrecht had genoten. 'Door de barst in de tijd die naar verluidt de werelden van de levenden en de doden verbindt.'

'Twickenham Studio's, geen twijfel aan,' hield Zarina vol.

'Nee, Oxford om precies te zijn,' vertrouwde Lucy alleen zichzelf toe.

Alex en Amel hadden zich onmiddellijk losgemaakt uit hun clubje en stonden aan weerzijden van Lucy, die als aan de reling vastgeklonken over het donkere water tuurde en langs de oever speurde naar tekenen van de roodgouden praam en de trappen waarop de passagiers van boord waren gegaan.

Alex keek door alles en iedereen heen en herhaalde de vreemde woorden die hij twee weken geleden met Simon had gezien: 'Sator Arepo...' Hij legde een zachte, van warmte stralende hand op Lucy's rug en onderkennend dat ze huiverde, greep hij snel haar omslagdoek en drapeerde die om haar schouders. 'De bewegende vinger schrijft,' zei hij zacht, en Amel knikte nadenkend.

Er was niemand die nog sprak. Het schip doorkruiste Mortlake Reach en allen waren in gedachten verzonken. Daar was de torenspits van de St. Mary in Mortlake, oprijzend achter een rijtje huizen, maar door de toegenomen duisternis konden ze de huizen niet meer ontwaren die ze even tevoren nog wel hadden gezien. Groothandels bleven zichtbaar, een café, een fraai gebouw uit de tijd van koning George. Maar de grote praam, de trappen en de mensen waren door de nacht opgeslokt.

15 juni 1583, Mortlake

De majestueuze praam van de koningin klieft volhardend door het wassende water van de Theems, met als bestemming de trappen bij Mortlake Reach. Het geroep en geschreeuw van de opvarenden van de praam is hoorbaar als de schuit krachtig begint te deinen door de rollende golven die door een ander, vreemd vaartuig worden veroorzaakt. Het is alsof hun junidag door een herfststorm wordt verstoord. Het is altijd druk op de rivier, maar gewone stervelingen dienen uit de buurt te blijven van het vaartuig van de koningin.

Signor Bruno maant hen tot zwijgen: 'Zij is geen stervelinge. Zij is door het rijk van de dood gegaan. Een godin. Een engel van het licht. Lu-

cina – de lichtschenkster.' Met zijn sterke Italiaanse tongval spreekt hij de Engelse woorden duidelijk uit. Hij gebaart naar iemand die zich haast hen te groeten.

Een lange man, slank en knap, met een eerlijk gezicht en een sikje, verschijnt in een bleke schilderskiel met wijde, neerhangende mouwen aan de rand van het water. Hij wordt gevolgd door zijn vrouw, zijn dienaren en een wirwar van kinderen die door de tuin rennen en tussen de huizen en bijgebouwen door naar de stenen trappen aan de oever. Hij had erop gehoopt dat de Koninklijke praam op de terugreis van Oxford naar Londen hier zou aanleggen. De fanfare van Koninklijke trompetters kondigt de komst aan van Zijne Majesteit, Lord Albert Laski, prins van Sieradz, met zijn charismatische vriend en pupil, de hoveling Sir Philip Sidney en hun overige reisgenoten. Zijn wens is in vervulling gegaan.

John Dee was gespitst geweest op de grote debatten die de afgelopen dagen in Oxford plaatsvonden. De geruchten daarover waren door de stroming aangevoerd. Nu wil hij de infame Italiaanse monnik Giordano Bruno leren kennen, die de universiteit zo in beroering heeft gebracht met het voorleggen van een reeks wetenschappelijke en filosofische stellingen waarvan Dee gelooft dat ze buiten het bevattingsvermogen liggen van – en daarmee onaanvaardbaar zijn voor – de conservatieve vaders van de universiteit die door Bruno 'schoolmeesters' worden genoemd. 'Een zwendelaar', hebben zij Bruno op hun beurt genoemd, maar ook grimmiger aanklachten van ketterij en blasfemie werden tegen de man ingebracht. Hij heeft ideeën over de onsterfelijkheid van de ziel en de doctrine van de zielsverhuizing, en daarenboven spreekt hij over andere zonnestelsels en dat zonnen – vele zonnen – zelflichtgevend zijn en dat de planeten dat licht slechts weerkaatsen. De theorie van Copernicus is heliocentrisch – de zon die het centrum vormt van het al; Bruno spreekt van een theocentrisch universum – met God als centrum van het al. Dee is gegrepen door zijn ideeën: dat we God in de natuur moeten zoeken, in het licht van de zon, in de schoonheid van hetgeen aan de aarde ontspringt. 'Wijzelf,' heeft hij onlangs tegen vrienden gezegd, 'en de dingen die we van ons noemen, komen, verdwijnen en keren terug.' Het is een krachtige en onweerstaanbare idee – misschien een beetje vreemd? Toch betreft Bruno's werk, voor zover Dee kan nagaan, ook volop het gebied dat hij zelf bestudeert en verder wil verkennen.

'Grote prins, u bent gekomen om mij eer te bewijzen, waarvoor God zij geprezen.' De buiging die Dee maakt voor de in fluweel gehulde man is diep en elegant. 'Excellenties en heren, u bent welkom in mijn onderkomen en mijn boekenhuis.' Hij richt zich nu in het bijzonder tot de fascinerende jonge hoveling, die op zijn beurt een sierlijke buiging maakt en vervolgens in zijn handen klapt bij wijze van een minder formele maar niettemin warme begroeting van de entourage van zijn gastheer, die sinds jaar en dag zijn mentor is. De twee mannen werpen voor een ogenblik gezamenlijk een blik over de Theems.

Nu kijkt Dee onderzoekend naar de kleine, donkere man uit Napels. Zich niet bekommerend om hoffelijkheden en in beslag genomen door de rivier zelf, vraagt de Italiaan eenvoudig aan Dee: 'Hebt u haar zojuist gezien? De donkere schoonheid?'

De oude man knikt traag en tuurt in gedachten verzonken over de rivier, naar de door toortsen verlichte boot die zijn vrienden nog maar net aan land heeft gezet, maar die desondanks al bijna uit het zicht verdwenen is. Een spookschip, besluit hij. Hij keert zich weer naar zijn gast en grijpt zijn hand. 'Signor Bruno. Het is vreemd, die verschijning. Doch duivels kunnen in verzoeking leiden door zich voor te doen als geesten van het licht.'

Signor Bruno is onbezorgd. 'Ofschoon ze donker is, is ze de goedgunstigheid zelve. De kabbalistische boom leert ons via Kether dat de bron van Licht onze intenties en daden stuurt. Hebt u haar niet gehoord? Ze is de bries die de luit van Apollo beroert. Zoals de liefde spreekt, zo spreken de goden onderling; en zij zullen zorgen dat de hemel zich voegt naar hun harmonie. Sator Arepo Tenet Opera Rotas.'

'God houdt het rad van de schepping in zijn handen. En we mogen zeggen dat het een wonderbare, ingewikkelde en schitterende wereld is.' Ze draaien zich beiden om en lopen samen met hun gevolg over het gras naar het huis.

'En ze is hemels mooi,' fluistert Bruno, die zich nog een keer omdraait om te zoeken naar de verdwenen verschijning.

12

Toen ze bij de pier terugkeerden, legde Alex een beschermende arm om Lucy heen, die nu gehuld was in zijn rococojas met gouden biezen. Snel leidde hij haar naar zijn auto. Hij nam het zichzelf kwalijk dat hij haar klaarblijkelijk te snel na de operatie in een risicorijke situatie had gebracht. Ze had niet de geringste tekenen vertoond van enige ziekte sinds ze uit het ziekenhuis ontslagen was, ze was in alle opzichten een modelpatiënte geweest die geheel volgens het boekje herstelde, maar ze was angstwekkend stil geworden en er was vanavond duidelijk iets geweest wat haar had uitgeput. Ook maakte hij zich grote zorgen dat ze misschien een verkoudheid had opgelopen, aangezien ze koud aanvoelde – wat fataal kon zijn als er niet snel werd ingegrepen. En dus nam de dokter onmiddellijk bezit van de man toen hij naar Brompton Hospital reed. Hij pakte haar koude hand, die hij met een mengeling van bezorgdheid en affectie warm begon te wrijven. Als hij niet zo verontrust had gedaan, zou het romantisch zijn geweest, dacht ze.

Toen ze een zij-ingang van het ziekenhuis betraden, was ze opgelucht dat hij met haar naar een lift liep en haar niet in een rolstoel zette. Hij bracht haar zonder problemen naar een behandelkamer en verbond haar met een cardiograaf. Gelukkig leek Alex zijn kalmte te herwinnen: hij gaf op rustige toon instructies. De twee onthutste jonge artsen waren verrast te zien dat hij niet de vertrouwde rol van immunoloog op zich nam maar die van een stagiair. Hij wilde de zorg voor haar aan niemand anders overlaten.

'Sta ik echt voor de poort van de Dood?' Lucy voelde zich uiterst ongemakkelijk bij de consternatie die ze veroorzaakte en ze probeerde de nodeloze ophef enigszins te dempen. 'Ik dacht dat hij me aan jou had toevertrouwd vanavond, op de pier.' Ze probeerde enige zorgeloosheid op hem over te dragen, ze was duidelijk minder bezorgd dan hij, maar ze zag haar hoop op hun onderlinge nabijheid in rook opgaan, zoals zijn goede humeur van zijn gezicht was geweken toen hij had bemerkt hoe koud ze aanvoelde en hoe doodsbleek ze was.

'Ik leg ongetwijfeld te veel nadruk op de tragische elementen van de komedie,' zei hij. Zich bewust van haar verlegenheid, probeerde hij een grapje te maken. 'Maar je zult je voor deze ene keer naar mijn omzichtige natuur moeten schikken.'

'Ik probeer gevleid te zijn.' Lucy probeerde hem te plagen, maar Alex was onverzettelijk, concentreerde zich uitsluitend op hetgeen nu moest gebeuren en hield zich doof voor haar ironische stemming, die door een buitenstaander goed voor geflirt had kunnen worden aangezien.

Amel – achtervolgd door de lachsalvo's die hij met zijn uiterlijke verschijning bij het uitgedunde groepje stafleden had geoogst – voegde zich weldra bij hen, ondanks Alex' nadrukkelijke verzekering dat hij de rest van zijn avond niet moest laten verstoren. 'Gaat het ons lukken je weer weg te lokken bij de door jou beminde immunologie, Alex?' Amel zag geamuseerd hoe hij Lucy's bloeddruk controleerde en de volle verantwoordelijkheid voor haar op zich had genomen. 'Ik denk dat je het een beetje overdrijft, maar ik ben toch even gekomen om mezelf ervan te verzekeren dat mijn inschattingen en intuïties me niet bedriegen. Ze houden het tafeltje dat ik heb gereserveerd nog wel een halfuurtje voor me vast.'

Lucy keek schuldbewust: dit was precies wat ze niet had gewild. Maar toen de monitor de gegevens toonde, bromde Amel tevreden. Hij was het met Alex eens dat Lucy wat bleekjes zag en onnatuurlijk koud aanvoelde. 'Maar zeker niet iets om ons ernstig zorgen te maken. Het maken van een angiografie hoeft al helemaal niet overwogen te worden. Het hart is zeer sterk en klopt uitstekend. Het zenuwstelsel heeft er natuurlijk nog helemaal geen vat op, maar het hart zelf is krachtig en gezond. Niettemin zie je bleek, Lucy, en ik zie aan je ogen dat je vanavond ergens flink van bent geschrokken. Ik denk dus dat mijn collega hier gelijk heeft.' Hij wierp een geamuseerde blik over zijn schouder naar Alex. 'Wellicht zullen we je ter observatie voor één nachtje hier moeten houden. Een formaliteit die ik uitgevoerd wil zien, dokter Stafford,' voegde hij er, glimlachend naar de patiënte, aan toe.

Alex was dankbaar dat Amel persoonlijk de leiding op zich nam, maar toen hij hen voor een ogenblik alleen liet om Grace te bellen en te laten weten dat haar vriendin vannacht niet thuis zou komen, stelde zij haar chirurg van haar teleurstelling op de hoogte met het gezicht van een kind dat op haar verjaardag niet het vurig gewenste cadeau heeft gekregen.

'Het is zijn manier om duidelijk te maken hoeveel je voor hem betekent.' Hij probeerde haar wat te troosten en was zich misschien meer bewust van haar toegenomen gevoelens voor Alex dan zijzelf. 'Ik denk dat hij het zekere voor het onzekere wil nemen en dat je gewoon een koutje hebt gevat op de boot. Het zou hebben volstaan een warm bad te nemen en vroeg onder de wol te gaan, maar het kan nooit kwaad de zaken grondig aan te pakken. Je operatie is per slot van rekening nog maar zes of zeven weken geleden.'

Lucy knikte berustend. 'Het is echt iets voor mij om zo van het toneel te verdwijnen. Je zou kunnen zeggen dat het een gewoonte is die ik mijn hele leven heb gecultiveerd.' Melancholiek sloeg ze haar ogen naar hem op.

Amel boog naar voren en keek haar over de rand van zijn bril aan. 'Je hebt geen enkele reden je te haasten. Wen maar aan de gedachte dat de tijd aan jouw kant staat. Je hartslag en bloeddruk zijn goed en ik denk dat je veel te gezond bent om hier te zijn. Ik ben erg tevreden over de progressie die je maakt, en er zullen binnenkort een biopsie en een echo volgen, en rond de kerst een algeheel onderzoek, dus dat is een heel goed teken. Deze kleine episode heeft naar mijn mening niets met afstoting te maken. En niemand weet dat beter dan Alex. Hij heeft een scherpe neus voor die zaken.'

De eigenaar van die scherpe neus keerde terug en het leek Amel gepast de twee eraan te herinneren dat hij een tafeltje had gereserveerd en zich weer bij de twee verrukkelijke dames diende te voegen. 'Ik ben blij met het ECG, maar een echo is niet nodig, Alex. Misschien een antibioticum, en we kunnen haar morgenochtend weer ontslaan. Ze zal tegen die tijd aan beter voedsel toe zijn.' Hij lachte naar de twee. 'Een interessante avond, vinden jullie ook niet?' Hij liep naar de deur en zei tegen Alex: '"Dat gezegd hebbende, trekt hij verder."'

Alex had die waarschuwing niet nodig. Hij had ervoor gekozen niet meer over het eigenaardige incident op het water te spreken, hoewel de woorden die hij had gehoord nog in hem naklonken. Het voorval had hem onmiddellijk doen denken aan het uitzonderlijke beveiligingsonderdeel waar Will zijn laptop van had voorzien – het geheimzinnige Sator-vierkant. In alles wat er om hem heen gebeurde leken echo's en weerkaatsingen te huizen, en hij overdacht Wills e-mail – waarin gewag werd gemaakt van een onophoudelijke gedachtestroom – in het licht van hun eigen tocht over de Theems vanavond. Noch Amel noch Lucy, begreep hij, had geloofd dat er een volstrekt rationele verklaring was voor hetgeen ze hadden gezien. Peinzend keek hij de vertrekkende Amel na en draaide zich vervolgens naar Lucy. De plaats van de hemelse godin was ingenomen door een broos wezen in een nachthemd van het ziekenhuis, en hij speelde voor kleedster met de prachtige zijden creatie en een van kussentjes voorziene kleerhanger die hij speciaal voor dat doel had meegebracht. Ze zag er uitgeput uit, maar niettemin lag er een stralende helderheid over haar gezicht. Even wijs als Athena, misschien, dacht hij, maar ook even kwetsbaar als iedere Florence Dombey of Catherine Morland, geworpen in een grotere wereld zonder familiale bescherming. Dit was zeker niet het moment haar alleen achter te laten.

'Ik moet nog een paar statusmappen van patiënten bijwerken. Vind je het goed als ik dat hier doe?' Hij wees op een stoel naast haar bed. 'Ik voel me er prettiger bij als ik persoonlijk nog wat op je kan letten.' Lucy glimlachte en keek hem nieuwsgierig aan. 'Niet dat ik de assistent-artsen niet vertrouw – van wie sommigen al dertig uur of meer op de been zijn. Maar je zult er mijn schuldgevoel mee weg kunnen nemen.'

Lucy's gezicht ontspande zich voor het eerst in een uur. Ze knikte omdat ze haar stem niet vertrouwde. Alex las wat hij geloofde dat haar uitdrukking zei en beantwoordde haar glimlach. 'Maar je moet proberen te slapen, Lucy. Laat mij niet degene zijn die dat verhindert.' Dus sloot ze onmiddellijk haar ogen als een gehoorzaam kind en ze viel snel in slaap, een slaap die aanvankelijk werd bevolkt door schitterend uitgedoste mannen op een praam en die daarna overging in een ijsachtig droomwereld.

Een karig geklede man knielde neer voor een andere man, die op een zetel zat. Die tweede man droeg schitterende, dikke, met brokaat versierde rode gewaden. De knielende man had niets bekoorlijks, zag Lucy. Hij was vrij klein en donker, droeg een ruw, wollen gewaad dat mogelijk ooit een habijt van een monnik was geweest. Ze had het gevoel dat hem van de andere man een of ander oordeel te wachten stond. Maar de knielende man was op een vreemde manier elders met zijn hoofd en schonk nauwelijks aandacht aan zijn rechter. Hij tuurde door de nauwe spleten van de luiken voor de ramen naar een brug in het bleke winterlicht. 'De Ponte Sant'Angelo, Lucina,' hoorde ze hem tegen haar zeggen, en hij keek haar diep in de ogen zoals hij eerder op deze avond had gedaan. Ze probeerde bemoedigend naar hem te glimlachen. Hij was de man van de praam geweest, de monnik. 'Het is deze brug waar Beatrice Cenci, slechts vijfentwintig jaar in deze wereld, werd onthoofd omdat ze haar vader vermoordde,' zei hij zacht tegen Lucy, 'nadat hij herhaaldelijk had geprobeerd haar te verkrachten. Ook haar oudere broer werd hier precies een jaar geleden gevierendeeld. Zijne Heiligheid wilde hen ten voorbeeld stellen aan andere tegendraadse gezinnen.'

Lucy had geen idee hoe ze op hem moest reageren. Ze zag hem zijn blik van haar en het raam afwenden en richten op de man in het rood. Toen sprak hij opnieuw, even duidelijk als hij eerder die avond tegen haar had gedaan: 'De Kerk is gebrekkig geworden, Zijne Excellentie. De Kerk heeft de leringen uit het oog verloren van de apostelen die de mensen bekeerden door hun verkondiging en door hun voorbeeld van een goed leven. Maar nu krijgt iedereen die geen katholiek wenst te zijn pijn en straf te verduren. Er wordt dwang en geen liefde gebruikt om de twijfelaars aan de "waarheid" te overtuigen.'

Hij keerde zich kalm af van de man in wiens hand zijn aardse lot lag, en opnieuw keek hij naar de heldere geest van Lucy, als was hij een man die werd bezeten door, of zoals hij zou hebben gezegd, sprak met de engelen: 'De ziel van de mens, Lucina, wees daarvan overtuigd, is de enige god die er is. En hoe dienen we die te eren?'

En nu zei de man op de zetel – hij moest een kardinaal zijn, dacht

Lucy – iets wat Lucy nauwelijks kon horen tegen de man op de grond; iets over dat hij zichzelf in zijn eigen gevangenis zou opsluiten, in zijn eigen geloof, en de sleutel zou weggooien. Zijn stemvolume zwol aan, zodat Lucy hem duidelijk kon horen toen hij de bewakers van de monnik instrueerde. 'Draag hem over aan de autoriteiten van de stad om te doen wat zij moeten doen, maar zie erop toe dat hij een zo genadig mogelijke dood krijgt, zonder het vergieten van bloed.'

Lucy zag dat de monnik tot knielen was gedwongen, maar nu verhief hij zijn geringe gestalte. 'U velt dit oordeel met oneindig meer vrees dan waarmee ik het ontvang.' Zijn stem klonk volkomen kalm, zonder angst of vrees. De woorden brachten allen die aanwezig waren tot zwijgen.

Ze had het hele tafereel dat zich voor haar afspeelde gadegeslagen zonder enige inspanning van of zeggenschap over haar eigen lichaam. Ze werd verlamd door het geluid van laarzen op stenen, zag de onmiddellijk in de vrieskou condenserende ademhaling van de personages in haar mysteriespel, voelde zelf de kou, voelde dat haar ledematen zwaar waren en ver weg. Ze bewoog in haar bed en voelde half in de greep van de slaap de draden die met haar borst verbonden waren, zag de schaduw van een engel die met gebogen hoofd naast haar zat. Opnieuw sloot ze haar zware oogleden en ze zakte dieper weg in haar slaap.

Toen ze ontwaakte was het een zonnige ochtend. Haar lichaam voelde zo licht als een veertje en ze had de indruk dat haar hart muzikaal klopte. Op de stoel naast haar stond alleen haar tas met logeerspullen, die waarschijnlijk door Grace was afgeleverd, maar op haar nachtkastje zag ze een boeketje van kleine roze rozen en een met pen geschreven briefje in krachtig schuinschrift:

Voor de slapende Ariadne als ze ontwaakt. Vandaag is mijn zoon bij mij, maar morgen ben ik vrij. Heb je de onverschrokkenheid mij en enkele vrienden naar Mortlake te vergezellen om er te lunchen?

Het briefje was ondertekend met 'Alessandro', zijn alter ego van de vorige avond. De dokter had zich teruggetrokken en misschien zou de man terugkeren. En ja: ze was er zeer in geïnteresseerd Mortlake nog eens te zien, bij daglicht.

'Zal ik ze voor u in het water zetten?' vroeg een verpleegster met opgewekte stem.

Lucy glimlachte sereen. 'Nee, dank u. Ik hoef hier niet langer te blijven; ik neem ze mee naar huis.'

13

Er lagen drie afgegooide outfits op het bed. Siân hoopte vandaag het zelfvertrouwen uit te stralen waaraan het haar volledig ontbrak. Als professioneel styliste was het haar tweede natuur een zorgvuldig gekozen garderobe te organiseren die elk probleem verhulde en nonchalant oogde, alsof ze in een paar minuten iets bijeen had geplukt wat moeiteloos het omslag van *Vogue* kon sieren. Wat was er mis vandaag? Het lukte haar niet deze anders zo eenvoudige taak te volbrengen.

Op Calvins verzoek stond er eerst een wandeling door Barnes Common naar Mortlake op het programma. Platte schoenen, dacht ze, of laarzen? Daarna lunchen bij een oud zaakje aan de rivier, dus ze moest zowel praktisch als vrouwelijk zijn. Dat zaakje was allesbehalve The Ivy. Bovendien was het een kille dag voor begin november. Ze was ongerust. Haar nieuwe vriend, die ze een stap voor moest blijven, zou er zijn. Evenals de beste vriend van haar ex-vriend, die voor de tweede keer deze 'nieuwe' man van haar zou ontmoeten.

Maar erger nog dan dat alles vreesde ze de afkeuring van Alex. Ze was bezorgd dat hij het haar kwalijk zou nemen dat ze zijn uitzonderlijke broer verruilde voor een neef die hij één keer eerder had ontmoet. En dat was op zijn broers begrafenis geweest, toen iedereen aangeslagen was en te verdoofd om te kunnen denken. Ze meende dat Alex een gereserveerde houding tegenover Calvin had aangenomen. Nou ja, hij zou een gereserveerde houding hebben aangenomen. Of was Alex die dag misschien met zijn hoofd ergens anders geweest? Toch had hij kans gezien de eulogie zonder een trilling in zijn stem uit te spreken in een volgepakte plattelandskerk – een vloeiende, krachtige cadans die zelfs de neerslachtige Simon, die naast haar had gezeten, waarderend had doen opkijken en bijna tot glimlachen bracht, terwijl Alex zijn van warmte en subtiele humor doortrokken rede had gegeven. De tranen konden haar nog in de ogen springen als ze dacht aan de woorden die hij had gekozen, over dat wij slechts dat zijn waar dromen uit bestaan en dat er aan onze levens 'met een inslapen een einde komt'. Will had die regels uit *De storm* soms uitgesproken, alsof hij zijn eigen lot voorvoelde. Ze kreeg een brok in haar keel, maar haar tranen hield ze resoluut in. Die kon ze er vandaag niet ook nog bij hebben.

De voordeurzoemer ging en ze hoorde Calvins stem door de intercom. Hij was onderweg naar boven. Ze moest zichzelf bijeenrapen en proberen er ontspannen uit te zien. Ze schoot een roze ruiterjasje aan met veelkleurige knopen op de mouwen en speldde een zijden roos op de revers. Ze zag er grappig maar meteen ook elegant uit. 'Will heeft mij verlaten,' fluisterde ze in zichzelf, 'dus kunnen ze mij moeilijk verwijten dat er nu iemand anders in mijn leven is. Alex is altijd te aardig geweest om me ervoor te laten boeten.' Maar ze voelde een ongerustheid die ze niet kon plaatsen.

Alex verloste Lucy precies om elf uur 's ochtends van haar zondagse alleen-zijn en hij merkte meteen dat de naargeestigheid die haar die vrijdagavond had belaagd, verdreven leek te zijn. Ze droeg haar donkere haar, samengehouden door een sjaal, in een paardenstaart en ze zag er deugdzaam maar ook sensueel en in elk geval lieftallig uit. Met haar hand in de zijne liepen ze naar zijn auto. Hun conversatie had een lichte ondertoon toen hij haar iets meer over de samenkomst vertelde. Hij was zich ervan bewust dat Lucy zich mogelijk enigszins ongemakkelijk voelde bij het vooruitzicht zijn vrienden te ontmoeten. Hij vertelde dat het voorstel afkomstig was van een neef met wie hij nog nooit echt kennis had gemaakt en die hem wilde ontmoeten voor hij over een paar weken weer terug zou keren naar de Verenigde Staten. Wegens Alex' volle agenda was het nu of nooit. Het leek hem beter de verwikkelingen rond het liefdesleven van zijn neef maar achterwege te laten. Hij had er zelf nog geen standpunt over ingenomen, maar zag zo op het oog geen bezwaren.

Simon zwaaide toen Alex zijn auto in Woodlands Road achter

Simons opvallende terreinwagen parkeerde. Hij floot waarderend in zichzelf toen hij Lucy in zich opnam, die aan Alex' arm kwam aangelopen. De mannen drukten elkaar stevig de hand en Alex stelde Lucy en Simon aan elkaar voor. Wow! dacht Simon. Hoe komt het toch dat artsen altijd zo'n mazzel hebben?

'Hebben wij elkaar al eens ontmoet?' vroeg Lucy hem meteen. Ze werd aangenaam getroffen door zijn open en schrandere voorkomen.

'Dat zou ik beslist nog geweten hebben.' Simon was niet iemand die in het wilde weg met hoffelijkheden strooide. Net als Will beschikte ook hij over een kritische kijk en een satirische scherpzinnigheid en weigerde hij zich te voegen naar sociale conventies die hij niet deelde. Maar deze jonge vrouw was zo ontwapenend bekoorlijk dat hij er in alle oprechtheid aan toevoegde: 'Maar het doet mij genoegen dat het nu gebeurt.'

Lucy schonk hem een welgemeende glimlach en ze liep ontspannen tussen hem en Alex in.

'Siân en Calvin zijn ergens bij de eendenvijver.' Alex' stem klonk kalm, maar Simon vroeg zich af hoe hij zich werkelijk voelde.

'Ik ben erg benieuwd,' zei Simon. 'Ik heb op de begrafenis nauwelijks met hem gesproken.'

Lucy zweeg. Amel had haar op de hoogte gebracht van het afschuwelijke sterfgeval in Alex' familie en ze wist dat die klap onmogelijk verwerkt kon zijn, maar Alex had haar er niets over verteld en ze kende hem nog niet goed genoeg om het onderwerp zelf ter sprake te brengen, om hem te zeggen dat ze van het verlies op de hoogte was en met hem meeleefde. Ze zou wachten op een geschikte avond waarop ze hem bij een goed glas wijn misschien zou vragen er met haar over te praten. Ze hoopte dat hij dat zou doen. Zo'n avond, waarop hij haar in vertrouwen zou nemen, zou een volgende fase inluiden.

Al wandelend spraken de mannen wat met elkaar tot ze een paartje in het oog kregen dat van de vijver hun kant op kwam. Toen ze zo dicht genaderd waren dat Lucy hun gezichten kon zien, raakte ze gespannen. Ze werden aan elkaar voorgesteld. Alex was heel voorkomend en omhelsde het meisje hartelijk. Simon ontfermde zich over de vriend en gaf tegelijkertijd het meisje een welgemeende zoen. Geen van tweeën reageerden ze erg spontaan op zijn begroeting, en

Lucy voelde een grote afstand tot hem en alleen tot hem. Je zou hem in zekere zin knap kunnen noemen: keurig verzorgd blond haar, een keurig chocoladebruin jack, een kaki broek en een overhemd. Maar ze voelde zich op haar hoede jegens hem, wat jammer was, besefte ze, aangezien hij klaarblijkelijk een neef van Alex was.

Maar het exotische meisje – misschien een jaar of twee ouder dan zijzelf – fascineerde Lucy. Ze was een tot leven gekomen schilderij van Rosetti, met lichte, rossige krullen; ze bezat de lengte van een foto-model en iets onweerstaanbaars dat ze niet nader kon duiden. Lucy voelde zich onmiddellijk tot haar aangetrokken. Ze leek het type dat vaak uitging maar niettemin een zekere kwetsbaarheid behouden had. Lucy meende gekweldheid in haar te zien en vroeg zich af wat daar de reden van kon zijn.

Op haar beurt keek Siân onderzoekend naar Lucy en in een seconde besloot ze dat het haar beviel wat ze zag. Andere vrouwen maakten haar dikwijls nerveus. Ze had veel liever mannen om zich heen. Maar dit fascinerende klassieke gezicht – zo anders dan dat van haar, met die enorme, warme ogen – stelde haar gerust en straalde sympathie uit. En ze was blij dat ze gekomen was, zou het fijn vinden voor Alex als hier voor hem iets moois uit zou groeien. Hij was uit eigen vrije wil bijna als een eiland geweest sinds er een einde was gekomen aan zijn huwelijk met Anna. Vandaag zag hij er ontspannen en gelukkig uit, stijlvol gekleed in een lichtroze shirt, een wijde trui en jeans. Siân glimlachte goedkeurend.

Lucy was zo in beslag genomen door haar indrukken dat ze de conversatie niet had gevolgd. Calvin legde de bloedverwantschap uit, besefte ze. Hun oma's waren zussen, maar een van hen was naar Amerika geëmigreerd en de betrekkingen tussen alle partijen waren tot een sporadische correspondentie verwaterd.

'Ik herinner mij dat mijn moeder naar een familielid schreef dat op Nantucket woonde, als ik me niet vergis.' Alex had nooit iets over zijn familie verteld, dus dit wekte Lucy's belangstelling en voerde haar aandacht terug naar het gesprek.

'Ja, klopt helemaal. Mijn oma ontmoette mijn opa toen hij in Parijs was, waar zij leerde schilderen of aan haar beheersing van het Frans werkte, meen ik. Het was liefde op het eerste gezicht, volgens de meeste verslagen die ik erover heb gehoord, en ze is met hem mee-gegaan naar Amerika. Nantucket was de thuisbasis van zijn grote familie. Mijn moeder en haar verwanten van vaders zijde wonen er nog steeds.'

'Hoe ben jij dan in Kansas terechtgekomen?' Alex meende dat Siân had gezegd dat hij in Kansas woonde.

'Mijn universiteit. Ik studeer daar.'

Simon waren zijn dure schoenen en kleding opgevallen. Hij gokte dat hij een vak had gestudeerd waarmee wat te verdienen viel. 'Studeren?'

'Ja, theologie.' Calvin glimlachte even en Simon had moeite het niet uit te proesten.

Alex hield zijn lach in en hield zijn blik op het pad gericht. Een neef van mij en Will die banden heeft met de Kerk, dacht hij. Dat is andere koek. Zoiets moest Simon ook hebben gedacht. 'O, leuk.' Calvin bespeurde geen ironie.

Alex leidde hen in de richting van White Hart Lane en vroeg de anderen verder te wandelen tot The Ship en zei dat hij Lucy daar met de auto zou brengen. Hij wilde het risico niet nog eens nemen Lucy al te zeer te vermoeien, maar zij wilde er niets van weten.

'Maak je om mij alsjeblieft geen zorgen. Je weet dat ik graag op de loopband train en als het weer het even toelaat wandel ik van Battersea naar het ziekenhuis. Een beetje lichaamsbeweging is goed voor me.' Met een mengeling van beminnelijkheid en vasthoudendheid spoorde ze de dokter aan in te stemmen.

'Met mate.' Alex liet zich niet vermurwen, dus gaf ze toe aan zijn goedbedoelde voorzichtigheid en hij holde terug om de auto te halen.

'Ben je ziek geweest, Lucy?' De bezorgdheid in Siâns stem was oprecht.

'Een hartoperatie een paar maanden geleden. Maar ik moet toch ooit de draad weer echt oppakken. Ik wil in elk geval niet voortdurend in de watten worden gelegd.'

'Ik zou er maar van genieten als ik jou was.' Ze stak haar arm door die van Lucy. 'Alex zal het heerlijk vinden jou te verzorgen, en hij is er goed in.'

De anderen liepen kwiek door het laantje naar de rivier en de auto voerde haar comfortabel mee. Toen de anderen een minuut of tien later arriveerden, zaten zij en Alex al prettig aan een ronde tafel bij het raam, dat uitzicht bood over het water waar ze een paar dagen geleden nog over hadden gevaren.

'Wat een geweldige plek!' zei Calvin terwijl hij een stoel voor Siân naar achteren schoof.

'We kwamen hier vroeger heel vaak en dan leek het in maart altijd net of er tussen de broers oorlog was uitgebroken,' zei Siân. 'Will studeerde aan het UCL, maar bij de roeiwedstrijden was hij supporter van Oxford, gewoon om Alex te pesten, die aan Cambridge studeerde. Daar kon je nooit goed tegen, Alex, al moet ik toegeven dat hij het je ook flink kon inwrijven als Cambridge verloor.'

'Je moet zeker eens bij die wedstrijden gaan kijken.' Alex werd door botsende gevoelens belaagd, maar hij wist zoiets als een lachje te produceren. 'Maar het uitzicht over de Theems is zelfs in de winter een verademing.' Hij schonk de anderen een glas wijn in maar hield het zelf bij mineraalwater.

'O, Alex, moet je nog werken?' Siân kende zijn lunches met uitsluitend thee maar al te goed, al klaagde hij er zelden over.

'Ik kan opgeroepen worden, maar dat komt op hetzelfde neer.'

'Daarom zullen er wel zoveel comazuipende artsen zijn – of niet, Alex?' Calvin keek de anderen met een ernstig gezicht aan, maar Alex trok slechts zijn wenkbrauw op.

Er werd een op een schoolbordje geschreven menu gebracht en Alex en Lucy beraadslaagden wat ze het beste kon nemen: niet iets wat zou worden opgewarmd, en niets van het koude buffet. Ze koos voor gegrilde kip. Toen de bestellingen waren opgenomen, vroeg Alex geïnteresseerd aan zijn nieuwe neef: 'Wat was voor jou de reden om naar hier te komen? Wat brengt een mens ertoe een bezoek te brengen aan Mortlake Church?'

Calvin bracht zijn handen voor zich en keek Alex recht aan. Het dramatische effect nog versterkend, wachtte hij even en zijn neef schoot bijna in de lach. 'Wat weet jij van John Dee?'

'De astroloog van koningin Elizabeth? Niet heel veel. Ik geloof dat hij Euclides heeft vertaald – of een voorwoord voor het boek heeft geschreven? Hij was vanaf de klassieke Oudheid de eerste die overal in

Europa de leringen van Euclides doceerde. Prospero is naar hem gemodelleerd, meen ik. Een eigenaardige mengeling van wetenschap en magie. Heb ik gelijk?'

'Ja, helemaal. Maar is het je bekend dat wij familie van hem zijn? Heeft je moeder jullie dat verteld?'

'Nee, nooit. En het is door hem dat wij verwant zijn?'

Simon boog zich iets naar voren om het gesprek zijn onverdeelde aandacht te schenken. Hij keek oplettend naar de Amerikaan.

'Via de vrouwelijke lijn. Het moet volledig via de vrouwelijke lijn zijn.' Calvins antwoord aan Alex leek onverwacht intens.

'Wat betekent dat het te herleiden is aan de hand van ons mitochondriaal DNA.' Alex keek met een licht spottende blik naar Calvin, maar zijn neef keek op zijn beurt naar Alex zonder veel aandacht te besteden aan diens laatste commentaar. In plaats daarvan leek hij iets te overwegen. Hij wilde geen fout maken door dit overhaast te doen.

'Ik geloof dat je broer iets van je moeder heeft geërfd toen ze stierf. Iets wat van Dee afkomstig was, of beter, van diens dochter Katherine. Het verbaast me dat je dat niet weet, Alex.'

Lucy zag dat Simon zijn handen even samenkneep. Hij deed zijn best een zekere gespannenheid te verhullen. 'Sorry, Calvin, over welke tijd hebben we het precies?' vroeg ze. 'Van koningin Elizabeth?'

'Ja. Zijn leven speelde zich grotendeels af tijdens haar bewind. Hij stierf in de eerste jaren van het koningschap van James, maar James moest hem niet. Zijn beste jaren had hij met de goede koningin Bess. Hij is precies hier begraven, in de St Mary, daarom leek het mij gepast. Ik zou straks graag een kijkje nemen in de kerk.'

Alex keek nadenkend, maar zijn groene ogen verraadden niet wat hij dacht of voelde. Hij draaide zijn blik naar Siân toen hij energiek begon te spreken.

'Dat sleuteltje dat Will kreeg toen Diana stierf. Is dat wat je bedoelt?'

'Mogelijk. Waarschijnlijk. Dat zou ik wellicht weten als ik het zag.' Hij keek weer naar Alex, probeerde min of meer nonchalant te doen, maar slaagde daar niet helemaal in. 'Je weet waarschijnlijk niet wat ermee gebeurd is?'

Alex, hoewel gewoonlijk erg bedachtzaam, reageerde onmiddellijk op die vraag, waardoor de zorgvuldige overweging die achter zijn antwoord zat niet werd opgemerkt. Hij haalde iets uit zijn borstzakje en liet dat voor hun ogen aan een kettinkje bungelen. Drie paar ogen keken gefascineerd naar het object.

'Dat heb ik,' zei hij zacht.

Siân keek ernaar als naar een geestverschijning, en het was alsof het Wills handen waren die het eerbiedwaardig aanreikten. Maar ze was er vooral door geroerd dat Alex, doorgaans toch zo'n nuchtere man, het bij zich had gehad, iets van Will, een hechte verbondenheid. Ontroerend Alex met een dergelijk object te zien. Ze wilde huilen.

Calvin deed moeite zich niet door zijn handen te laten verraden. Hij wilde het pakken, maar voor hij iets kon zeggen, hield Lucy, die tijdens de conversatie bijna uitsluitend toeschouwer was geweest, er haar geopende hand onder. 'Alex, het is prachtig. Mag ik het eens vasthouden?'

Hij glimlachte, enigszins verrast door haar geboeidheid. Het was immers een tamelijk eenvoudig zilveren sleuteltje, oud misschien, maar slechts bescheiden gegraveerd en van een kleine parel voorzien. Hij gaf het haar en zij sloot haar hand eerbiedig – en ze sloot ook haar ogen. Het zonlicht speelde op haar lange, donkere wimpers en ze was een deel van dat licht.

Calvin zocht een manier om het sleuteltje ook in handen te krijgen, maar Alex was in de ban van het ongrijpbare op Lucy's gezicht. 'Wil je het vasthouden? Het een tijdje bij je houden?' Het leek raar nu iets te zeggen. Hij had het gevoel dat zijn woorden onmiddellijk vervlogen, maar hij moest ze uitspreken. Zonder de betovering te verbreken antwoordde ze hem in stilte, met een blik die Alex nooit eerder zag maar hoopte opnieuw te zien. Ze droeg er een krachtig 'ja' mee over, en andere emoties die Alex niet in woorden kon gieten.

Simon was de enige aan tafel geweest bij wie de ogen niet uit de kassen waren gerold toen Alex de kleine sleutel tevoorschijn had gehaald. Hij had naar Calvin gekeken, die nu met iets scheen te worstelen. Hij besloot een heel praktische vraag te stellen.

'Weet iemand wat er met dat sleuteltje kan worden geopend?'

'De kostbaarste schat in de familie.' Calvins antwoord was vurig. 'Maar we weten niet wat het is.' Hij keek even naar Alex voor hij zijn blik weer op Lucy's hand vestigde. 'Je kent het vermoeden dat het on-geluk brengt als het niet van moeder op dochter overgaat?'

'Nee, wist ik niet.' Alex' stem klonk nuchter. Betoveringen en vloe-ken maakten geen deel uit van zijn vocabulaire. 'Het werd Will gege-ven, en wat mijn moeder hem verder ook heeft verteld, zal voor altijd hun geheim blijven.' Hij keek zijn neef geamuseerd aan. 'Jij lijkt veel meer te weten dan wij.'

'Mijn moeder heeft me verteld dat het van moeder op dochter moet overgaan. Of, als er geen dochter is, misschien op een nicht. An-ders zou er iets akeligs kunnen gebeuren. De keten schijnt dan op een of andere manier te breken.'

Lucy's uitdrukking was een zwijgende uitdaging aan Calvin, maar ze zei niets.

'Nou ja, het lijkt er nauwelijks toe te doen als we het bureau of de deur of de kist niet vinden die ermee kan worden geopend.' Siân voel-de de behoefte om wat er ook gaande was te temperen. Ze wilde per se dat de sleutel in Alex' bezit zou blijven. Will had er veel te vaak de slaap niet door kunnen vatten in de maanden na Diana's dood, en ze bracht dat in verband met het diepe verdriet dat hij door haar verlies had ondergaan en misschien was hij er mede door hun verbroken ver-houding zo geobsedeerd door geraakt. Hij moest maar bij Alex blij-ven: hij zou zich er niet, zoals Will, door van zijn stuk laten brengen.

De maaltijden werden gebracht, waardoor de spanning werd door-broken. Calvin zag tot zijn spijt geen mogelijkheid meer het onder-werp weer op het sleuteltje of de vloek te brengen. Hij had nauwelijks trek en zag ongeduldig uit naar het moment waarop ze aan de wande-ling naar de kerk zouden beginnen.

Eenmaal op straat kon hij het niet laten er weer tegen Alex over te beginnen. 'Er moet een of ander document zijn dat bij de sleutel hoort. Volgens mijn oma moet het nog altijd ergens zijn. En het zal iets zeggen over waar dat wat met het sleuteltje kan worden geopend zich bevindt, denk ik.'

'Ik zou het zo niet weten, maar ik zal nog eens tussen Wills papie-ren zoeken. Enkele van zijn bezittingen zijn nog steeds bij de lijk-schouwer.' Alex wendde voor nauwelijks geïnteresseerd te zijn en voor het eerst hield hij iets van wat hij wist achter.

Toen hij de zware deur van de St Mary opende, vroeg Alex: 'Omwille van wat moeten we ons John Dee herinneren?'

Voor hij antwoordde nam Calvin de kleine kerk in zich op, die er vanbinnen zonnig uitzag maar niettemin een zware indruk maakte. Uit een ooghoek zag hij dat Lucy de sfeer onmiddellijk had opgepikt. Ze hield haar hand tegen haar borst gedrukt en hij wilde met haar praten zonder een onhebbelijke indruk op Alex te maken.

'Hij was de eerste die de term 'British Empire' gebruikte – en hielp het de koningin aan de hand van zijn kaarten ontdekken. Hij beschikte over een omvangrijke bibliotheek, een van de grootste van Europa. Zijn collectie omvatte meer dan drieduizend boeken en zeldzame manuscripten, terwijl jullie Universiteit van Cambridge slechts driehonderd boeken bezat! Sommige mensen geloven dat toen die bibliotheek werd geplunderd en verspreid raakte, het verlies vergelijkbaar was met het aan het vuur ten prooi vallen van de bibliotheek van Alexandrië.' Calvin had zijn aandacht weer op Alex gericht.

'Ja. Enkele van die boeken bevinden zich in het Royal College of Physicians – herinner ik mij, nu je het zegt. Duidelijk de inspiratie voor Prospero's boeken…' Alex was ergens met zijn hoofd waar Calvin hem niet kon volgen, maar hij had meegekregen wat hij zei.

'Hij was ook de allereerste James Bond, zou je kunnen zeggen. Een van Walsinghams nogal bijzondere spionnen waartoe ook Sir Philip Sidney behoorde, zijn eigen schoonzoon. En Sidney werd opgeleid door Dee. "007" was Dee's persoonlijke getal. Het betekende dat hij de "ogen" was van de koningin, gecomplementeerd met de spirituele kracht van het cijfer zeven, dat uiteraard het heilige cijfer was en dat daarnaast voor Dee nog een andere persoonlijke betekenis had. Maar nog interessanter is dat een man genaamd Kelley,' Calvin schraapte zijn keel, 'een alchemist was. Alchemisten konden met de engelen spreken. Verbazingwekkende geheimen zouden hun zijn geopenbaard.' Hij keek Alex recht aan. 'Als je dat allemaal gelooft.'

'Mogelijk doe jij dat!' Simon had het verslag van de Amerikaan ook opgevangen.

Zijn repliek had weer een glimlach op Alex' gezicht gebracht en hem gewekt uit de curieuze stemming waarin hij voor een ogenblik verzeild was geraakt. Hij had zichzelf verloren in de verrukkelijke aanblik van Lucy, die naar het hoogaltaar en de kansel had gekeken alsof ze iets zocht, met het sprakeloze ontzag van een klein kind. Zo'n heerlijke dag; Alex grijnsde breed, verzonken in zichzelf. Zoveel verschillende en onverwachte kostelijkheden.

Allerzielen 1609, Kerk van St Mary, Mortlake

'Hoe weldadig deze rust binnen te stappen.' Bescherming vindend tegen de ongewoon koude novemberdag, zijn de woorden van Katherine Dee slechts een fluistering als ze de zware kerkdeur sluit en stilletjes verder naar binnen glipt. Nog altijd slechts in de twintig, is ze het zachtaardige maar nogal vroegrijpe meisje dat blij is te ontsnappen aan het frivole rumoer van de festiviteiten op de feestmarkt en het gedans op het grasveld. Ze haalt diep adem en sluit voor een ogenblik haar ogen: ze snuift de vage geur van wierook op, en ook van de late herfstbloemen waarmee de kerk ter ere van Allerzielen is getooid. Onder de grote Elizabeth werden de feestdagen tot één dag versmolten: Allerheiligen en Allerzielen. Maar de mensen houden de tradities van hun grootouders nog altijd in ere, brengen kleine koekjes en hapjes voor de zielen van de overledenen, bidden nog altijd voor de godvrezenden. Dat is wat ook zij zal doen.

Ze huivert in de ruimte die van andere mensen verstoken is, mensen die zich nu uitleven en te goed doen aan het eten en de muziek die High Street vult. Iedereen is weggegaan van hier, de dienst sinds lang voorbij. Ze loopt snel naar de trappen van de kansel en knielt neer om een boeketje van kruiden en bloemen neer te leggen die ze heeft verzameld uit vorige offergaven in de tuin van het huis tegenover de kerk. De rozemarijn groeit nog volop, en enkele anjers wisten zich te handhaven, evenals een late damascusroos, die, in wijlen haar moeders favoriete schakering – crème overlopend in felroze – op miraculeuze wijze weerstand had geboden aan de vroege vorst van vanochtend, opgelegd door de nieuwe maan van die nacht.

Genietend van de serene sfeer zit ze hier in alle rust aan haar vaders voeten en bewondert ze de nieuwe koperen grafversiering die recentelijk is aangebracht. Bekostigd uit bijdragen van haar vaders goede vrienden had het maanden geduurd voor die gearriveerd was om de zware tombe op te luisteren. Haar vader zou er behagen in scheppen, besloot ze: er gaat een lichtende glans van uit, een alchemistische schittering die de kleurloze steen in een gouden fonkeling doet overvloeien.

'Het ziet er inderdaad wonderschoon uit, Miss Kate.'

De stem doet haar opspringen. Het is de kapelaan, en hij komt naderbij. Ze knikt naar hem, gerustgesteld door zijn vertrouwde gezicht. Hij kijkt onderzoekend naar de bloemen.

'De anjers zijn voor een geliefde,' zegt ze. 'Menigmaal aromatiseerde ik er de wijn mee, om zijn laatste dagen te verlichten.'

De kapelaan kijkt met treurige blik naar het meisje dat de laatste jaren van haar leven wijdde aan de grote maar verzwakte man. Hij vraagt zich af hoe zij haar dagen vult, nu haar kansen op een huwelijk wellicht verkeken zijn. 'De rozemarijn is ter herinnering, Kate?'

Ze knikt en overweegt kalm of ze nog meer zal zeggen. Dan: 'De roos was echter zijn favoriet – zijn volmaakte metgezel. De roos is een code die het doel van de hele mensheid toont: het verwerven van goddelijke wijsheid.' Ze kijkt de jongeman recht aan en vraagt zich af of hij haar zal tegenspreken op grond van zijn eigen, enigszins afwijkende, theologie. Maar hij zwijgt en zij vervolgt: 'Het enige pad dat naar die wijsheid voert, leidt door liefde en kennis. De bloeiende roos geeft de hele betekenis van het universum weer. En de hele zin van het universum kan ons worden verhelderd door juist zo'n roos als deze. Het mysterie van de roos begrijpen is het wezen van het universum doorgronden. Door zijn eenvoudige volmaaktheid kunnen wij een grotere volmaaktheid bereiken.'

Ze kijkt hem aan, maar ze spreekt desondanks aan hem voorbij, door de ruimte en de tijd. 'Om de mogelijkheden van de roos te beseffen, moet de mensheid het vermogen ontwikkelen lief te hebben, tot het alle mensen omvat, alle wezens, alles wat afwijkt en ons vreemd is. We moeten ons vermogen tot kennis en begrip door de liefdevolle intelligentie van het hart verruimen.'

Ze glimlacht naar de man, die het gevoel heeft betoverd te zijn, al is het een aangename en gelukkige betovering. Na de bloemen aan haar vaders voeten te hebben geschikt, buigt ze even naar hem en een ogenblik later is ze verdwenen.

14

Simons brein had die middag een omvangrijke hoeveelheid ideeën samengevoegd en hij was Alex en Lucy naar de auto gevolgd zodra hij zich van het andere paar had kunnen losmaken. Hij was een eclectische geest die beschikte over het vermogen facetten die behoorden bij een verscheidenheid aan bronnen te isoleren en onderling in verband te brengen – een eigenschap die hij deelde met Will en die voor een deel hun vriendschap verklaarde. Die indrukken hielden hem nu bezig en op het gevaar af Cupido te frustreren moest hij er met Alex over spreken.

Hij stelde voor ergens rustig koffie te gaan drinken, maar Alex wilde Lucy zo snel mogelijk naar huis brengen. Ze was er een halfuur geleden nogal vermoeid gaan uitzien en hij wilde dat de bijzondere kwaliteiten van die dag door niets zouden worden verduisterd. Aangespoord door een tederheid die hem niet helemaal in dank werd afgenomen of zelfs maar werd herkend door de dame die de tederheid gold, stelde hij Simon voor hem straks te ontmoeten in Chelsea, nadat hij Lucy zou hebben afgezet bij haar appartement aan de andere kant van de rivier.

'Ik moet me voor het Brompton beschikbaar houden, dus is het beter niet te ver weg te gaan.'

Lucy was door haar opvoeding geneigd zich te schikken naar de wensen van anderen, maar nu voelde ze zich ongekend halsstarrig en wilde ze niet dat er voor haar werd gesproken, waarmee ze voor het eerst tegenover Alex op haar strepen ging staan. Haar gezondheid mocht hen dan oorspronkelijk hebben samengebracht, haar zelfstandigheid kon ze zich niet laten ontnemen.

'Alex, ik heb een aangename dag gehad en ik ben niet vermoeid. Ik ga graag met jullie mee om ergens iets te drinken.' Ze keek hem veel-zeggend aan, waardoor Alex' tegenwerpingen wegsmolten.

'Alleen als je me belooft dat je mij een haard laat aansteken en ik jou er in een stoel naast mag zetten.'

Even later zat ze comfortabel met een kop thee in haar hand en met Alex', of waarschijnlijker: zijn zoons kat Minty op schoot in een zonnige hoge zitkamer met uitzicht op de bomen op een binnenplein. Ontspannen liet ze zijn smaak op haar inwerken, de details van de open haard van grijs marmer, het feit dat de kamer net rommelig ge-noeg was om je er op je gemak te voelen, alles kon haar waardering wegdragen. Alex was in de keuken met iets bezig en nu wilde ze de twee mannen deelgenoot maken van de overdenkingen waarmee ze zich het afgelopen uur had beziggehouden en die betrekking hadden op hun gezamenlijke middag.

'Vonden jullie het in de kerk ook zo vreemd? Dat er geen spoor van Dee te vinden was, nergens een teken van zijn graf? En dat er van het huis niets meer over is, behalve een stukje van een oude tuinmuur. Het is alsof zijn hele aardse leven slechts een droom is geweest en al-leen zijn geestelijke zelf nog rest. De kerk is vanaf het begin van de ze-ventiende eeuw enorm veranderd.' Er klonk een zekere bedroefdheid door in haar stem, maar ook vasthoudendheid.

'Dat waar dromen uit bestaan?' Alex lachte. 'Maar het nogal my-thische verslag in de gids vond ik wel mooi, dat iemand zich jaren later herinnerde dat hij een storm opwekte voor Sir Everard Digby! Een passend staaltje magie van de oorspronkelijke Prospero!'

Simon wilde iets oneerbiedigs tegen Lucy zeggen over de onbehol-pen restauratie door de victorianen van kerken overal in het land, maar zag daar abrupt van af en begon over iets anders. Hij had haar met toenemende belangstelling gadegeslagen en wisselde opeens een blik van verstandhouding toen Alex zich bij hen voegde en een pot koffie op de tafel zette.

'Weet je, Lucy, ik denk dat je gelijk had. Ik ken jouw gezicht – het is zeer kenmerkend.' Ze keek hem quasigeërgerd aan maar be-greep toen dat het een compliment was. 'Ik heb de hele lunch ge-probeerd om erachter te komen. Nu ben ik er zeker van dat ik je een paar weken geleden in de pub gezien heb, de Phene Arms. Ik heb je toen grondig geobserveerd en gekeurd...' Hij lachte beschroomd.

Lucy knikte traag en er ging een belletje rinkelen: de man die naar haar had geknipoogd op die regenachtige dag toen ze te voet voorbij was gekomen. 'Ja! Maar niet in de pub, ik kwam er voorbij op de terugweg naar het Brompton. Je hebt een goed geheugen.' Ze had hem toen al knap gevonden en zijn gezicht moest haar onbewust zijn bijgebleven.

'Het vreemde was dat ik die dag op weg was naar mijn lunchafspraak met Siân. Ik had je van de straat moeten plukken om ons te vergezellen, een volslagen vreemde! Maar serieus, jullie klikten echt.'

'Dat was mooi geweest,' zei Alex. 'Siân is een verloren ziel op het moment, en met andere vrouwen niet altijd op haar best. Maar ik geloof dat ze zich vandaag, voor het grootste deel, wel heeft vermaakt.'

'Ze heeft wel het nodige te verwerken gehad, vermoed ik.' Lucy keek van Alex naar Simon en terug, maar ik wilde niet te nieuwsgierig doen. 'Ze was de vriendin van je broer...?' Het was eigenlijk geen echte vraag. Ze had de onuitgesproken feiten aan de lunchtafel gecombineerd.

'Ze waren meer dan drie jaar samen. In mei zijn ze uit elkaar gegaan. Maar als het aan Siân had gelegen was dat niet gebeurd.' Alex was meer in gedachten verzonken dan zijn woorden deden vermoeden.

'Ze leek een nieuwe start te maken, of dat probeert ze althans.' Simon keek naar Alex en stapte toen over op een meedogenloze vorm van humor. 'Er gaat niets boven een vroege dood onder tragische omstandigheden om jezelf een nagenoeg goddelijke status te geven. Een typische James Dean-geste van Will! Nu zal dat arme wicht nooit over hem heen komen.'

'Maar dat was wel wat hij wilde,' opperde Lucy.

'Ja, dat is waar.' Alex glimlachte met trieste ogen naar haar en sloot die discussie. 'Simon, wat vond jij van die nieuwe vriend van haar?'

'Mijn moeder zei altijd dat als je niets aardigs over iemand kon zeggen, je beter niets kon zeggen.' Simon gooide zijn hoofd achterover en lachte. 'Dus dat maant mij als een steen te zwijgen, ben ik bang.'

'Er is iets met hem,' zei Lucy. 'Maar is het zo dat jullie hem gewoon niks voor Siân vinden?'

Simon reageerde snel: 'Ik vertrouw hem niet. Punt. Hebben jullie zijn ogen gezien toen jij het sleuteltje aan Lucy gaf? Hij wilde het, dat was zo klaar als een klontje.'

'Het is een beetje *Schateiland*, hè?' Alex keek sceptisch. 'Ik was verrast hoe gefascineerd Will was, maar dat had meer te maken met zijn relatie met onze moeder en zijn belangstelling voor haar familie. En zijn plaats daarin. Hij had altijd het gevoel dat hij sterk op haar leek. Ik denk dat zijn nieuwsgierigheid een soort zoektocht naar zijn identiteit was. Calvin zit er beslist alleen maar achteraan omdat hij waarschijnlijk hoopt de hand te kunnen leggen op de juwelen van de koningin. Wat uiterst onwaarschijnlijk is.'

'Maar de informatie over Dee is verhelderend.' Simon wachtte even of Alex daar commentaar op had, maar dat bleef uit. 'Ik weet helemaal niets van hem, maar ik ben wel in de gelegenheid geweest dat document van Will te laten onderzoeken, het origineel dat bij de sleutel hoorde. Heeft hij je dat verteld?' Alex schudde zijn hoofd. 'Mijn neef houdt zich aan Oxford met koolstofdatering bezig. Er blijft natuurlijk een foutenmarge, maar hij zegt dat het veilig is te stellen dat het ergens tussen 1550 en 1650 opgesteld moet zijn.'

'Waarmee we aardig in de buurt zitten van Dees tijd.' Alex stond op, liep naar een boekenplank en pakte een dossiermap. Hij keerde ermee terug en haalde er voor hun ogen een opgevouwen blad perkament uit. 'Dit is het origineel. Will heeft het mij in bewaring gegeven en had er zelf een kopie van op zak. Die zit hier ook ergens tussen. Calvin vroeg me ernaar in de kerk.'

Lucy had aandachtig geluisterd, maar begon nu verrassend krachtig te spreken. 'Alex, ik heb hier verder niets mee te maken, dus misschien zou ik niets moeten zeggen. Maar net als Simon voelde ik me ook niet erg op mijn gemak bij Calvin. Hij kijkt je niet openlijk aan, of liever, hij wendt zijn ogen snel af, alsof hij je blik niet verdraagt. Ik ben het met je eens, Simon. Hij wilde het sleuteltje te pakken krijgen. En hoe vreemd het ook klinkt, ik had de grootste moeite niet te bezwijken voor zijn intensiteit en het hem gewoon te overhandigen. Mijn indruk is dat er iets mee geopend kan worden waar hij bijzonder nieuwsgierig naar is, en misschien weet hij zelf wat het is.'

'"De kostbaarste schat"...' bracht Simon hun op honende toon in herinnering.

Alex lachte. 'Elke kostbaarheid zou al lang geleden zijn geplunderd. Het huis op het land behoorde toe aan mijn moeders familie, en daar zijn enkele oude boeken en een paar mooie dingen. Maar rijk was de familie niet. Als er iets van waarde was, zal dat al lang geleden boven water zijn gekomen, daar ben ik zeker van.'

'Mag ik er eens naar kijken?' Lucy tilde de kat voorzichtig van haar schoot en nam het perkament aan dat Alex haar behoedzaam aanreikte. Er gleed een kaart uit, die op de grond viel. Lucy pakte hem op, legde hem op tafel zonder er echt naar te kijken en concentreerde zich op het perkament. Ze fronste haar wenkbrauwen. 'Dus dit is zestiende-eeuws?' Het schoot door haar heen dat het wellicht beter was het uitsluitend met handschoenen vast te pakken.

'Of begin zeventiende eeuw,' zei Simon, die naast haar neerhurkte om er nog eens naar te kijken. 'Het ziet er niet echt als een traditionele schatkaart uit.'

'Maar dit is er slechts een deel van.' Lucy klonk heel stellig en dat verraste de twee mannen. 'Dat wat met het sleuteltje kan worden geopend, bevat er een ander deel van.'

Ze keken haar verbouwereerd aan. 'En hoe weet Cassandra dat?' Alex kon het niet helpen ironisch te klinken.

'Ik weet het niet. Maar ik heb het gevoel dat ik gelijk heb.' Er lag geen mystieke of geërgerde toon in Lucy's stem, ze klonk alleen heel resoluut. 'Dit is het "sleutelstuk", zogezegd, dus als er nog een ander blad is, zal dit toch het belangrijkste deel zijn.

Alex luisterde oplettend naar haar woorden, maar zei verder niets.

'Will e-mailde er vanuit Rome enkele notities over, samen met andere ideeën.' Simon ging op de grond zitten, trok zijn knieën op en liet zijn kin op zijn armen rusten. 'Ik heb er een begin mee gemaakt ze door te nemen sinds we een paar weken geleden in zijn iBook zijn gekomen. Het merendeel is een dyslectische warboel: vaag gezwam over alchemisten en het licht. Ik heb er een uitdraai van gemaakt die hier ook in zit. Maar hij lijkt zich te hebben gericht op de inquisitie, voornamelijk vanwege de koolstofdatering, en op deze eerste woorden hier, over het Bloemenveld, en over de vlammen. Hij achterhaalde dat het Campo de' Fiori de plek was waar in die tijd blijkbaar religieuze verbrandingen plaatsvonden. Hij maakte een lijst van namen en verzamelde enkele feiten. Een man genaamd Bruno lijkt hun kleurrijkste slachtoffer te zijn geweest – misschien babbelde hij zogezegd ook wel met engelen.' Simon keek de anderen aan en zei: 'En als die Dee met engelen sprak, zal de inquisitie ook wel in nadere details geïnteresseerd zijn geweest.'

'Net als Calvin.' Alex lachte zonder veel vrolijkheid. 'Misschien is hij de moderne inquisitie.'

Zijn pieper ging af en hij liep naar de telefoon in de keuken, maar Simons woorden volgden hem.

'Dat is niet grappig. Zou Calvin achter de inbraak in Wills computer hebben kunnen zitten?'

Simon keek de anderen aan en besefte dat ze zich allemaal erg ongemakkelijk voelden over Calvin. 'Het spijt me, dat had ik misschien niet moeten zeggen, maar dat *Sator Arepo*-gedoe is echt iets voor hem.'

Hier onderbrak Lucy hem. '*Sator*-gedoe? Simon, bedoel je het woordenvierkant?' Ze speelde in haar hoofd nog altijd met die woorden van twee avonden geleden.

'"De Heer houdt de hele schepping in Zijn handen." Er zijn andere suggesties gedaan over hoe dat precies moet worden vertaald, maar inderdaad. Het is ofwel een magisch oog dat het kwade afweert, of zoiets als een begroetingsformule onder vroege christenen. Will wist dat het waarschijnlijk paranoia was, maar hij berichtte me dat hij meende te worden gevolgd toen hij in het buitenland was. En we hebben het zogenaamde Sator-vierkant op zijn computer gevonden, vermoedelijk om te voorkomen dat anderen zijn mail zouden lezen. Uit zijn notities blijkt dat hij daar nogal fel over werd. Maar waar ik me zorgen over maak is of Siân misschien iets te veel aan haar nieuwe vriend heeft verteld over haar vorige.'

Alex keek Simon bezorgd aan terwijl hij bij de telefoon stond en over de woorden nadacht. 'Jill, met Alex Stafford. Heeft Jane mij nodig in Harefield of heb jij mij daar nodig?' Hij keek op terwijl hij werd doorverbonden. 'Wat we zeker weten is dat iemand geprobeerd heeft zijn e-mails te lezen... Bij jou dus? Ik kom er zo snel mogelijk aan.' Hij legde de hoorn neer. 'Misschien moeten we dit nader onderzoeken, Simon. Ik denk dat Calvin in elk geval nieuwsgierig was naar het reilen en zeilen van Will. Ik heb het gevoel dat hij geen open kaart speelt met ons. Als Lucy gelijk heeft dat hij gefocust is op het sleuteltje en het wil onderzoeken, dan is het goed mogelijk dat hij het wachtwoord en de accountnummers heeft ontdekt – als hij de vrije hand heeft gehad in Siâns appartement. Heb jij tijd om meer over Dee aan de weet te komen?'

Lucy had voor een deel haar aandacht gericht op de gedachtewisseling tussen Alex en Simon en voor een deel op het gezicht op de kaart op de koffietafel die uit het stuk perkament was gegleden.

'Ik heb tijd,' zei ze. 'Laat mij iets nuttigs met mijn hersenen doen, Alex. Ik ben nog altijd vrij van mijn werk, maar dat is tijdelijk en niet omdat ik seniel ben. Research is een belangrijk deel van mijn werk.'

Alex was zich ervan bewust dat hij in toenemende mate door haar gefascineerd was en dat hij haar beter wilde leren kennen. Hij glimlachte. 'Oké, dank je. Maar nu moet ik je naar huis brengen. Het spijt me dat we het hierbij moeten laten. Simon, ik bel je over een dag of twee. Ik moet me haasten. Er is een zieke tienjarige onderweg van Ormond Street.'

'Laat mij Lucy dan naar huis brengen. Ga jij maar. Als jij geen bezwaar hebt, Lucy?'

Ze keek rusteloos naar de kaart en antwoordde toen: 'Nee, natuurlijk niet, dank je.'

Alex liep naar haar toe, boog zich en drukte haar even zacht tegen zich aan. 'Jou bel ik ook over een dag of twee.' Hij keek van haar naar de ansicht op tafel die Lucy kennelijk obsedeerde. Hij ging rechtop staan: 'Guido Reni's portret van Beatrice Cenci. Heeft Will me uit Rome toegestuurd. Hij las veel Shelley.'

De naam brak los uit Lucy's recente, levendige droom en ze kon slechts staren. Na het geven van de instructie de deur goed dicht te trekken, was de dokter vertrokken.

Na twintig minuten zwijgend achter het stuur van haar auto te hebben gezeten, sloot Siân nijdig haar voordeur. 'Moest je nou echt zo doorzaniken over dat sleuteltje? Ik wil dat ding hier niet hebben.' Ze keek Calvin verrassend fel aan. 'Ik heb soms het gevoel dat het Will van me heeft afgepikt.'

'Dat is ook zo, denk ik.'

Ze keek hem met open mond aan. 'Wat bedoel je daar in hemelsnaam mee?'

Calvin aarzelde opeens. 'Wat bedoelde jij?'

'Ik bedoelde dat hij er zo door in beslag werd genomen dat hij mij soms niet eens leek te zien. Het werd een obsessie voor hem.'

'Siân, ik ben heel serieus over die...' Hij sloot zijn ogen even en sprak het ene woord toen met klem uit. '... vloek. Mijn moeder heeft me nadrukkelijk verteld dat de sleutel in de familie van de ene vrouw op de andere moet overgaan. Hij had nooit aan Will gegeven mogen worden. Ze zei dat daar onheil uit zou voortvloeien.'

'Dat geloof je toch niet echt? Dat Wills ongeluk aan een of andere vloek te wijten is?' Siân had te lang in een familie van niet-bijgelovige geesten verkeerd om enige waarde aan dat idee te hechten.

'Dat geloof ik wel,' zei Calvin dof. 'Ik ben doodserieus. Het hele ongeluk was te eigenaardig. Plotselinge mist. De rivier. Jij zei dat hij echt een uitstekend motorrijder was. En te overlijden aan een bloeding in de hersenen. Ik heb begrepen dat het daarbij vaak gaat om een oude verwonding die uit het verleden op je afkomt om je te doden. Dat gebeurt gewoonlijk als je al eerder hoofdletsel hebt opgelopen en er iets gebeurt waardoor de tijdbom weer wordt ingesteld.' Zijn blauwgrijze ogen keken haar nogal vijandig aan. 'Het had nooit mogen gebeuren. En ik kan serieus stellen dat jullie verhouding waarschijnlijk vanwege die sleutel op de klippen is gelopen.'

Siâns mond viel open. Ze was kwaad, van streek en totaal verbluft. Ze was absoluut niet onder de indruk van zijn redenering. Will was een sportieve, ondernemende man geweest, die in zijn leven tientallen keren in de kreukels had gelegen. Ze wist van het bloedstolsel: dat was geen vloek. Maar ze maakte zich zorgen over het feit dat die wonderlijk veranderde man die in haar leven was gekomen er wel heilig van overtuigd was. Ze keek onderzoekend naar zijn gezicht in een poging hem te begrijpen. Hij was religieus, dat wist ze, maar irrationeel had hij haar nooit toegeschenen. Alleen omdat hij een strikte geloofsovertuiging had die afweek van die van haar, maakte dat hij er de voorkeur aan gaf elders te verblijven en slechts af en toe te blijven slapen. En nu beweerde hij dat zij en Will uit elkaar waren vanwege een of ander ongeluk dat een voorwerp zou aankleven? Dat was belachelijk.

Calvin had een paar seconden naar zijn vingers gekeken alsof hij nadacht of hij nog meer zou zeggen en hakte toen de knoop door. 'Dat meisje Lucy zou het zeker niet moeten hebben. Dat is gevaarlijk. Het brengt ongeluk. Het zou in handen moeten zijn van iemand die weet hoe het zit. Ik zou de sleutel mee moeten nemen om hem aan mijn moeder te geven.' Zonder verdere verklaring maakte hij een einde aan hun gesprek. Hij vertrok en trok de deur met een klap achter zich dicht.

15

De kerstversieringen op de ziekenhuisafdeling wisten Lucy's stemming niet te verbeteren. De afgelopen weken waren een hel geweest en ze zag op tegen de biopsie die stond gepland. Hoewel dat geen al te pijnlijke ingreep was, werd het vooruitzicht van lichamelijk ongemak aanmerkelijk versterkt door de mistroostige stemming die bezit van haar had genomen vanaf het moment waarop de hoofdpijnen waren begonnen en de nachtmerries zich hadden gemanifesteerd. Het gevoel dat ze bezig was haar leven opnieuw op te bouwen en dat ze een toekomst had om naar uit te kijken, had haar bijna verlaten.

Het was zo moeilijk te begrijpen. De periode na de transplantatie was aanvankelijk voorspoedig verlopen: haar progressie was voorbeeldig. Afgezien van lichtelijk bevende handen en aanvallen van eetzucht, en van het merkwaardige gevoel dat haar geest soms niet geheel de hare was, hadden de medicijnen bij haar niet tot bijzonder nare bijwerkingen geleid en haar mentale welbehagen was boven ieders verwachting uitgestegen. Maar begin november had ze kou gevat en daar waren Alex en Courtney Denham erg nerveus van geworden. Ze wist dat infecties ernstige gevolgen konden hebben en ze was qua hygiëne, dieet en leefstijl uiterst zorgvuldig en voorzichtig geweest. Het was maar een koutje, maar haar temperatuur kon schrikbarend omhoogschieten. En Alex had zichzelf, ondanks Amels geregeld herhaalde verzekering dat hij niets had gedaan wat maar in de buurt kwam van onachtzaamheid, verwijten gemaakt over de avond op de boot, de excursie naar Mortlake en zelfs de mogelijkheid dat ze op een of andere manier in aanraking was gekomen met de uitwerpselen van de kat in zijn huis. Niet in staat iets anders de schuld te geven van de huidige neerwaartse spiraal die was gevolgd op de voorspoedige recuperatieperiode na haar transplantatie, waakte hij nu over haar als een jonge moeder over haar eerste baby. Hij was een en al professionaliteit en hij sprak zijn bezorgdheid nooit echt tegenover haar uit. Maar zijn handelen zei haar dat hij weer helemaal haar specialist was, en dat hun reis van twee mensen die zich tot elkaar voelden aangetrokken tot nader order was uitgesteld. Langdurige praatsessies met meneer Azziz, meneer Denham en een nieuwe medicus die in het Brompton was aangesteld, maakten duidelijk dat Alex zich ernstig ongerust maakte. Hij verdween naar het lab, voerde zelf tests uit, wijzigde haar medicatie en bleef bezorgd.

Zijn zorgen werden nog groter toen zijn zoon een ernstige dubbele armbreuk opliep na een val op de schaatsbaan. Er was een operatie nodig en ze zag Alex bijna helemaal niet meer als hij vrij was. Lucy begreep dat, maar het was een tegenslag. En ze kon er, binnen de grenzen van hun huidige relatie, niet met hem over praten om uit te vinden of en hoe hij zich staande hield. Er waren geen momenten waarop ze onder elkaar waren, tussen de nieuwsgierigen in het ziekenhuis en de spertijd die aan het einde van zijn werkdag volgde als hij naar zijn zoontje ging. Het was een absurde paradox: hij hiield zich meer dan wie ook bezig met het controleren van haar immuunsysteem en de mogelijkheid dat haar nieuwe hart zou worden afgestoten, maar dat had hen teruggevoerd naar een volstrekt professionele relatie aangezien hun persoonlijke band nog onvoldoende verankerd was. Ze meende dat de kans op een hechte onderlinge band mogelijk geheel verkeken was. Haar humor ging het gevecht aan met haar lot, maar de spanning wist haar uiteindelijk in de greep te krijgen en haar zenuwstelsel te bereiken. Voorheen had ze er niet al te veel bij stil willen staan, maar nu drongen de verschrikkingen die ze had doorgemaakt, de toenaderingen die de dood dat jaar tot haar had gezocht, pas echt tot haar door. En iemand die ze juist voldoende had leren vertrouwen en om wie ze was gaan geven, leek zich juist van haar te verwijderen.

Ze viel ten prooi aan een reeks verschrikkelijke hoofdpijnen, depressies en beklemmende dromen die door vijandige lieden werden bevolkt. Dan ontwaakte ze in paniek en voelde ze zich alsof ze werd gadegeslagen door iemand voor wie ze zich wilde verbergen. En dus werd ze ingepland voor weer een reeks tests.

Nu was het 22 december, een grijze maandag, en het had er alle schijn van dat ze de kerst in het ziekenhuis zou moeten doorbrengen. Het enige positieve daarvan was dat ze Alex misschien zou zien. Eind november was hij met zijn studenten in het andere ziekenhuis geweest en vorige week in Cambridge. Ze grapte met Grace dat ze al niet meer wist hoe hij eruitzag en ze had zich afgevraagd wie de kat had verzorgd – maar het ontbrak haar aan de zorgeloosheid die ze voorwendde en ze voelde zich een in de steek gelaten kind. Ze was weer terug bij af. Hij was haar uiterst vriendelijke, maar momenteel zeer absente, geneesheer dokter Stafford. De man Alex vertoefde elders, misschien in het huis van zijn ex-vrouw, bij hun zoon. Maar in elk geval had ze nog altijd het sleuteltje als haar talisman, en daaraan klemde ze zich hartstochtelijk vast.

'Zo ernstig zal het beslist niet zijn.' Simon had de monotonie van haar ziekenhuiskamer samen met Grace doorbroken en een stapel boeken voor haar meegebracht, en hem viel haar terneergeslagenheid onmiddellijk op.

Ze glimlachte deemoedig naar hem: dit was het enige genoeglijke van de afgelopen weken. Zoals afgesproken had Simon haar na de koffie bij Alex thuisgebracht en de vonken tussen hem en haar kamergenote waren letterlijk overgesprongen. Grace was helemaal bevangen geweest door hem. Zijn oneerbiedigheid en ongezeglijke charme hadden direct indruk op haar gemaakt. En Grace, die de hoge jukbeenderen en de sexy vormen van haar deels Afrikaanse moeder had geërfd en de luchthartige schranderheid van haar joodse vader, haalde het beste in hem boven. Hij vond een excuus snel terug te keren met boeken voor Lucy over Dee, en Grace nam haar kans waar. Binnen enkele weken hadden ze zich ingescheept voor een wervelende romance, en hoewel Lucy het geweldig vond voor haar vriendin – die het afgelopen jaar een hele reeks teleurstellingen op het vlak van de liefde te verwerken had gehad – werd de impasse waarin haar verhouding met Alex was beland des te schrijnender. Maar nu zij bij haar waren, vermande ze zich.

'Ha, wat lichte lectuur,' zei ze toen ze de forse stapel kloeke paperbacks in zijn armen zag.

'Grace heeft me gezegd dat het goed was jou een beetje bezig te houden, omdat anders het gevaar zou bestaan dat je gaat liggen piekeren. De biografie van Dee lijkt onderhoudend, maar de wiskunde en zijn hermetische gezever zullen waarschijnlijk niet tot rode oortjes leiden. Denk je er ook maar iets mee aan te willen? Will heeft die hele troep bij Amazon besteld en naar het adres van Alex laten sturen, dus dachten wij dat jij er ook maar eens naar moest kijken.'

Simon probeerde haar belangstelling voor iets te wekken wat haar zou afleiden van de huidige patstelling waarin ze verkeerde, maar haar bedaarde, bleke gezicht deed hem denken aan de geforceerde kalmte van een jonge novice, waaraan in zijn ogen niets natuurlijks was. Bijna als een terloopse toevoeging zei hij: 'Naar verluidt, en bij wijze van een curieus extraatje, zou Dee precies op deze dag het leven hebben gelaten. Maar de geleerden schijnen onlangs vastgesteld te hebben dat hij waarschijnlijk pas eind maart overleden is – een respijt van enkele maanden. Je zult de biografie moeten lezen om het hoe en wat van die wijziging uit te zoeken. Volgens een nogal griezelige legende zou zijn hart ergens onder het hoogaltaar van de kerk in Mortlake begraven liggen. Ik ben er zeker van dat je geboeid zult zijn door die obscene bijzonderheid.'

Om een of andere eigenaardige reden reageerde Lucy's gezicht met steeds intensere uitdrukkingen van geïnteresseerdheid op al die informatie – en op Simons boeiende woordkeus. Ze glimlachte een beetje cryptisch en was blij dat ze iets interessants had om over na te denken. Ze had moeite met lezen gehad door de acute hoofdpijnen die bijna bovennatuurlijk hadden geleken. Door een verandering in de medicatie begonnen die nu eindelijk wat draaglijker te worden en ze was dus nog niet ver gekomen met haar onderzoek, maar het maakte dat ze zich dichter bij Alex voelde, en dat was waar ze wilde zijn.

'Maar overdrijf het niet, Luce,' had Grace er vriendelijk aan toegevoegd. 'Beter worden is het belangrijkste. Dat heeft Alex uitdrukkelijk gezegd. Je weet dat mijn ouders nog altijd vurig hopen dat je in de gelegenheid zult zijn de kerst bij ons in Shropshire door te brengen.'

Lucy waardeerde de inspanningen van Grace en ze was haar dankbaar, al waren dit niet de feestdagen waar ze stilletjes op gehoopt had. 'Dank je, liefje. Ik ben er zeker van dat ik me beter zal voelen als ik meer weet over de biopsie.'

'Voor u vaste reisplannen maakt, zullen al uw artsen het eerst over uw ontslag eens moeten zijn, juffrouw King.'

Lucy bloosde toen ze de stem hoorde waarvan de eigenaar zonder dat ze het had gemerkt achter Simon binnen was geglipt.

'En kan ik er enige hoop op hebben invloed op u uit te oefenen, dokter Stafford?' In de aanwezigheid van vrienden viel het haar lichter koket te flirten.

'Altijd!' In een fractie van een seconde had hij haar stemming opgeklaard. 'Ik hoop dat jullie tweetjes mijn patiënte niet te zeer vermoeien. Ik ben gekomen om haar een beetje nekpijn te bezorgen, ben ik bang.'

Lucy lachte en gebaarde ter verklaring naar Grace dat precies op die plek met een naald zou worden geprikt. Haar vriendin kuste haar op haar voorhoofd en ze trok Simon samenzweerderig met zich mee om haar met Alex alleen te laten. 'Ik bel nog wel om te vragen hoe het gegaan is. Laat het me weten wanneer ze klaar is om te ontsnappen, Alex.'

'Laat haar nou maar aan mijn zorgen over, Grace.' Hij zond haar een spottende glimlach na en weg waren ze.

Alex overbrugde de afstand tussen hen door ongedwongen op de rand van haar bed te gaan zitten, wat ze fantastisch vond. 'Voel je je eigenlijk al wat beter?' Hij klonk enigszins aarzelend, alsof hij er niet zeker van was hoe ze op hem zou reageren.

'Ja, eigenlijk. Het is erg fijn je te zien.' Ook zij zocht naar de juiste toon. Ze wist dat ze elk moment konden worden gestoord. 'Hoe gaat het met je zoon? Ik hoopte dat hij misschien met je mee was gekomen en ik kennis met hem zou kunnen maken.'

Alex schudde zijn hoofd. 'Dit is daar niet de juiste plek voor. Hij heeft het momenteel niet zo op ziekenhuizen! Maar het gips gaat er één dag voor Kerstmis af. Het heeft hem zeker niet voorzichtiger gemaakt: hij wil nog steeds gaan skiën.' Alex las onzekerheid op haar gezicht. 'Zijn de dromen die je tegenwoordig droomt weer wat zoeter?'

'Ik vind van wel. Dat personage met die zwarte cape en die zeis speelt een veel minder prominente rol.' Ze zocht toevlucht bij de ironie. 'Simon heeft me wat huiswerk gebracht. Het is een deel van de boeken die Will bestelde. Ik hou je op de hoogte als ik iets interessants vind.' Ze meende dat ze hem zo duidelijk kon maken hoe ze zich voelde.

'Er is geen enkele reden je te haasten, Lucy. We zullen spoedig tijd hebben om erover te praten. Het belangrijkste is nu dat we je hier vandaan en terug naar huis krijgen.'

Iemand die minder onzeker was zou die geruststellende woorden hebben opgepikt, maar Lucy was op het ogenblik niet zo'n optimistische ziel. Er arriveerde een verpleger met een rolstoel. Alex nam die met een guitige blik van hem over en hij gebaarde de jongeman dat hij kon gaan. 'Op dit ogenblik staan de schikgodinnen klaar om je een prikje in je nek te geven.' Hij boog zich naar haar toe en fluisterde: 'En ik heb ze gevraagd voor een hele dunne naald te zorgen.'

Die woorden maakten haar weifelende glimlach meer ontspannen: en onder de supervisie van Alex, die haar door de gangen naar haar cardioloog, specialist en röntgenoloog duwde, voelde ze zich weer op haar gemak.

Toen Calvin langs de receptie naar de ontbijtzaal liep, hing er een geur van lelies die hem bijna de adem benam en die het prachtige oude hotel nog luxueuzer deed lijken. Hij naderde het restaurant in zijn lichtbruine overjas terwijl hij aan een van de grote knopen friemelde. Hij zag de weerspiegeling van het hoofd van de professor in het glas, stak zijn hand in zijn zak maar trok die er meteen weer uit.

'Professor Walters zit al aan tafel, meneer Petersen. Zal ik uw jas aannemen, meneer?'

De maître d' van Claridge gaf Calvins jas aan een hulpkelner en begeleidde hem vervolgens naar de tafel in de hoek van de ontbijtzaal, die werd ingenomen door een man van halverwege de vijftig in een fraaie en ongetwijfeld dure blauwe blazer, een streepjesoverhemd en een beige zijden sjaal. Calvin zag zijn manchetknopen al van een afstand glinsteren. Bij de tafel aangekomen, vouwde professor Fitzalan Walters zijn *New York Times* dicht en legde die naast zich neer. Hij stond hij op, reikte Calvin een sproeterige hand en legde zijn andere hand op de arm van zijn gast. Toen de kelner zijn stoel aanschoof, werd Calvin opnieuw getroffen door de aanzienlijke aanwezigheid die de man had, ondanks dat hij vrij klein was.

'Wat een aangename omstandigheid dat we elkaar kunnen ont-moeten nu ik in Londen ben, Calvin.' Fitzalan had een lage stem met een uit het zuiden van Amerika stammende tongval die op oud geld duidde en de aandacht opeiste. 'Ben je voor de kerst weer thuis?'

'Ik vertrek overmorgen.'

Walters was hoogleraar aan de theologische faculteit en nam een hoge positie in aan de universiteit. Opgericht in Kansas in 1870, met een dependance in Indiana, was het de universiteit voor de wind ge-gaan en telde het tot haar oud-studenten tal van senatoren, rechters en bekende figuren uit alle rangen en standen. Een met succes vol-tooide studie aan die universiteit leek een paspoort te zijn voor een uitstekende carrière in de advocatuur, de politiek of in Washington. Aan mensen die niet waren ingewijd, beschreef Walters haar trots als een neoconservatief, fundamentalistisch instituut. Het leek alsof er niets en niemand was waar professor Fitzalan Walters niet van op de hoogte was. Tien jaar geleden had hij een invloedrijk boek gepubli-ceerd over de wederkomst des Heren. Het beantwoordde aan Calvins morele overtuigingen en overige belangen een aanstelling als docent te verwerven die hem voldoende zou opleveren om in zijn levens-onderhoud te voorzien, terwijl hij zijn doctoraal kon doen om ver-volgens, zo hoopte hij, te kunnen promoveren. En mocht er aan de universiteit een post vacant zijn die hem kon bieden waarop hij uit was, dan zou hij reflecteren. Professor Walters – FW zoals hij zich graag door zijn vrienden liet noemen – had tijdens hun eerste gesprek van een levendige belangstelling voor Calvin blijkgegeven. Ze hadden langdurig gesproken over zijn voorvader John Dee. Het was duidelijk dat Calvin moest proberen in de gunst te komen bij Walters, maar hij was degene die gevleid werd: sommige mensen vonden Dee een zon-derlinge figuur, maar FW sprak respectvol over hem en was nieuws-gierig. Veel mensen geloofden dat Dee inderdaad, zoals hem tijdens zijn gesprekken met de engelen was toegezegd, nadere details had ontvangen over de Apocalyps en de wederkomst van Christus. Ze hadden gegist wat er in zijn geschriften kon hebben gestaan en wat er van veel van die geschriften geworden was. Het was bekend dat zijn huis was leeggeroofd en dat zijn bibliotheek was geplunderd toen hij in de jaren tachtig van de zestiende eeuw in Bohemen verbleef. Walters leek zelfs beter dan Calvin op de hoogte van veel details die betrekking hadden op Dees leven en werk.

Ze hadden een vruchtbaar onderhoud en FW beloonde hem met de aanstelling die hij nodig had; hij hielp hem bovendien met het verwerven van een beurs die hem in de gelegenheid zou stellen een studiereis te maken en het geheel met een proefschrift te bekronen. Calvin kwam uit een gegoede familie met enig onroerend goed en wat aandelen, maar contant geld was altijd schaars, dus hij was dankbaar voor de geboden steun. Op een later punt in hun samenwerking, toen Calvin professor Walters beter had leren kennen, vond hij enkele van zijn ideeën over intelligent design, de Opname in de hemel en het creationisme nogal extreem, en hij raakte beslist verontrust toen Walters openlijk stelde dat de verschrikkingen van 11 september met evenveel recht te wijten waren aan de heidenen, de feministen en de homoseksuelen als aan islamitische terroristen. Maar hij sprak zijn indrukken nooit uit ten overstaan van zijn beschermheer. FW had hem in tal van kwesties in vertrouwen genomen en hij genoot van die positie. Maar hun samenwerking was recentelijk weer helemaal opgebloeid toen Calvin hem terloops had ingelicht over de dood van een Engelse neef, en over een sleutel met een fascinerende geschiedenis die op een haar na door Calvins moeder werd geërfd. Die sleutel had in de vrouwelijke lijn van de familie moeten blijven, legde hij uit, maar was in handen gekomen van een neef in Engeland, waarmee een eeuwenoud patroon was doorbroken. Hij geloofde dat er mogelijk boeken en geschriften mee verbonden waren die zijn illustere voorvader als te gevoelig had beschouwd voor de in doctrinair opzicht verscheurde wereld van de vroege zeventiende eeuw, en FW toonde zich verrast dat Calvin hem niet op een eerder tijdstip van het een en ander op de hoogte had gesteld.

Terwijl de kelner een servet op Calvins schoot legde, bedacht hij hoe sterk hij bij de man betrokken raakte. Walters leek in een joviale stemming toen hij Calvin uitnodigde te bestellen. Zelf had hij al voor een traditioneel Engels ontbijt gekozen. 'Ik ben dol op die worstjes. Daar valt in mijn thuisland met geen mogelijkheid aan te komen,' zei hij. Calvin vroeg zich af wat hij op zijn lever had. Het was niets voor FW om niet onmiddellijk ter zake te komen.

'Ben je al iets verder gekomen met je Engelse verwanten en John Dee?' Terwijl hij at, lette Walters scherp op elke reactie van Calvin.

'Zal ik uw bestelling opnemen, meneer?' De kelner hield pen en papier gereed en Calvin wilde een eiergerecht bestellen. Maar nog voor hij het eerste woord had uitgesproken, werd hij door Walters onderbroken.

'Hij neemt een Engels ontbijt: spiegeleieren, worstjes en met boter besmeerde toast.' Walters negeerde de nabijheid van de kelner en zei zonder zachter te spreken: 'Die Britten snappen geen snars van beboterde toast.'

'O, dat snappen wij Britten heel goed, meneer,' zei de kelner glimlachend. 'Dat houdt in dat de toast direct uit de broodrooster met boter besmeerd dient te worden, opdat de smeltende boter door de toast wordt opgezogen, die daardoor slap en klef wordt. Anders nog iets, meneer. Koffie, cafeïnevrij of normaal?'

Calvin knikte naar de kelner voor Walters hem toebeet: 'Dat is alles. Dank u.'

De kelner verdween en Calvin zei: 'Om uw vraag te beantwoorden, ja, ik heb onlangs geluncht met mijn neef en een paar vrienden van hem. En ik heb…' hij zocht naar het juiste woord, 'kennisgemaakt met de ex-vriendin van die andere broer. Hij is op een tragische manier aan zijn einde gekomen. Ik weet niet of mijn promotor u dat heeft verteld? Een ongeluk, enkele maanden terug.' Calvin liet zijn woorden opzettelijk aarzelend klinken, maar hij hield zijn koele grijsblauwe ogen op zijn disgenoot gevestigd. Hij wilde diens reactie peilen op dit specifieke nieuws. Hij vroeg zich af of iemand van de faculteit ervan had geweten en verantwoordelijk was voor de inbraak in het huis van de familie op zo'n gunstig tijdstip.

Kennismaken en uithoren, dacht Walters, maar hij keek ernstig en onderzoekend naar Calvin en knikte. 'Ja, Guy heeft het me verteld. Ik heb er alles over gehoord. Heel onfortuinlijk. Hem kun je geen vragen meer stellen.'

Het ontbijt werd gebracht en Calvin vervolgde: 'Nee, maar zijn voormalige vriendin had het er moeilijk mee dat hun verhouding was verbroken en ze heeft me veel over de familie verteld. Ze had een luisterend oor nodig.' Hij stond op het punt zijn mentor, die meer dan alleen maar beleefd luisterde, iets te onthullen waarvan hij wist dat het hem belang zou inboezemen. Hij haastte zich niet en at eerst een van zijn eieren voor hij verderging. 'Het interessante was dat ik tijdens die lunch aan de weet kwam dat die broer nu over de sleutel beschikt. Ik heb hem gezien. Van de bijbehorende papieren weet hij weinig. Het is heel vreemd. Ik heb geprobeerd Siân – de vriendin – in te lichten over de problemen die samenhangen met de onjuiste erfopvolging; als de erfenis niet via de vrouwelijke lijn wordt doorgegeven. De familie wist niets van een connectie met Dee. De vader meende dat het allemaal maar bijgeloof was, of iets om je voor te schamen. Het baart me zorgen dat ze het dictum hebben veronachtzaamd.' Calvin sprak vrijuit, beseffend dat FW elk woord in zich opnam. 'Ik moet zeggen dat ik bijna een ramp verwachtte. Mijn moeder was er duidelijk over dat de keten verbroken zou worden. Ik geloof dat het iets te maken heeft gehad met zijn dood. Precies het soort tegenspoed dat zij zou hebben voorvoeld.' Hij zat nog altijd enigszins te vissen, maar hij ving geen reactie. 'Zij zouden het niet begrijpen. Ze schijnen geen ontzag voor die machtige ideeën te hebben. Als God iets vervloekt, is het vervloekt. En als een engel dat doet, is het effect hetzelfde.' Hij keek op naar zijn toehoorder. 'Het loopt intussen stroever tussen Siân en mij. Maar ik heb nog altijd contact met haar.'

Dat verbaast me niks, dacht Walters. Hij had haar zelf gezien en was zich in hoge mate van haar charmes bewust.

'Calvin.' Hij boog zich naar hem toe. 'We hebben dit besproken. Het kan zijn dat we op het spoor zijn van een van de grootste historische vondsten van onze tijd. We willen allebei dat de universiteit er deel aan heeft. Academische roem voor jou. En er zit zeker een boek in. Vanuit het oogpunt van je carrière kan dit het helemaal voor je worden. En vanuit religieus oogpunt zou het uiteraard fascinerend zijn. Ik verwacht dat het de hele theorie, waar we jaren naartoe hebben gewerkt, van de Opname van de gelovigen in de hemel na de wederkomst van Christus zal kunnen staven. Dee zal er zeker van hebben geweten. Ik zou denken dat je gewoon… je aanspraak moet laten gelden…'

Walters zweeg veelzeggend en Calvin wist dat dit zijn kans was om voor de faculteit zoiets als een held te worden. Veel mensen, niet in de laatste plaats van de faculteit, zouden er heel wat voor overhebben om de nalatenschap van Dee in handen te krijgen. Iedereen zou het belang voelen dat hem erdoor verleend zou worden, en voor Calvin kwam daar nog het besef bij van zijn waarde voor FW, die politiek en sociaal als een invloedrijk man gold. Hij doorzag nu de instructie die hij had gekregen om de sleutel los te krijgen van Alex – of van Lucy, als zij er nog over beschikte – wat daar ook voor nodig zou zijn. FW zou er niet eeuwig op blijven wachten.

De kelner legde discreet de rekening op tafel en professor Walter ondertekende die zonder er verder naar te kijken. Bij wijze van fooi stopte hij een flink biljet in de leren map. Ze stonden op om te vertrekken en de maître d' verscheen met Calvins jas. Walters drukte ook hem een Amerikaans biljet in de hand en nam toen Calvin bij zijn arm.

'Heb je nog even?' Het was niet echt een vraag. 'Laten we naar mijn suite gaan. Ik heb iets wat jou en een paar mensen die je moet leren kennen wellicht zal interesseren. Het zal je helpen te begrijpen hoe cruciaal dit alles kan zijn.'

Terwijl ze door de elegante hotelvestibule in art-decostijl liepen, stond er een man op van zijn stoel om vóór hen de lift in te stappen. Walters en Calvin stapten ook naar binnen en draaiden zich om met hun gezicht naar de deur.

'Heb je iets bereikt, Mefistofeles?' vroeg Walters zonder naar de man te kijken.

'Jawel, professor. Het was zeer informatief.' De vreemdeling overhandigde Walters een kleine leren aktetas.

'Dit is Angelo, Calvin, al heb ik ook andere namen voor hem. Hij kan zo nu en dan een nogal kwade engel zijn. Hij werkt voor mij in Europa.' Professor Walters' stem klonk duister.

Calvin draaide zijn hoofd om en keek in een onbekend gezicht. Alles aan de man was onopvallend, behalve dat hij de gele ogen had van een kat. Zijn accent kon Calvin niet thuisbrengen.

'Aangenaam kennis te maken,' zei Calvin zonder het te menen, en het viel hem op dat de vreemdeling onberispelijk gekleed ging in een fraai donker kostuum en een kasjmieren overjas. De man knikte beleefd naar Calvin, die zich daar om een of andere reden ongemakkelijk bij voelde. Hij vroeg zich af wat FW bedoelde met dat 'kwade engel'.

'Ik heb uw gasten in de suite laten plaatsnemen,' zei de man, 'en koffie voor ze besteld, zoals u hebt verzocht, meneer.'

'Dank je.'

De liftdeur ging open en het gezelschap stapte de vestibule in. 'De Davies Suite is hier links,' zei Walters.

Angelo opende de deur en deed een stap achteruit, en Walters ging voor Calvin naar binnen. Over zijn schouder kon Calvin de schitterende grote kamer zien in geel en wit en met een geboende houten vloer. Bij het door de ochtendzon beschenen raam stonden twee mannen. Walters doorkruiste de ruimte en begroette de mannen formeel.

'Dit is de jongeman over wie ik u heb verteld, Calvin Petersen. Hij is mijn persoonlijke beschermeling en de man van wie ik hoop dat hij ons naar de antwoorden zal leiden waar we al jaren naar zoeken.' FW klonk erg vormelijk.

'Calvin, mijn collega's.' Hij gebaarde met zijn arm, noemde geen namen, maar Calvin was zich vagelijk bewust een of beide gezichten te kennen van de omvangrijke politiek arena of misschien van een religieuze televisiezender.

FW legde de aktetas op een tafel en klikte hem open. Hij haalde er iets uit wat op een stuk perkament leek, gevolgd door een delicaat miniatuurportret. 'Wel, mijn kwade engel?' vroeg Walters zacht.

Angelo stapte naar voren met ineengevouwen handen. 'Meneer, ik heb het Victoria and Albert Museum uitgelegd dat dit een recent legaat is aan ons college. Ze bevestigden dat het portret laat zestiende-eeuws is en mogelijk een echte Hilliard, maar het schijnt niet gecatalogiseerd te zijn en het kan dus slechts een kopie zijn van een origineel dat verloren is gegaan. Ze zijn nog niet in staat geweest de geportretteerde te identificeren. De papieren,' zei hij terwijl hij enkele documenten overhandigde, 'zijn van belang voor het Fitzwilliam Museum in Cambridge. Het zijn wat zij noemden fraaie kopieën van een originele tekst die mogelijk verloren is gegaan, maar daarvan konden ze zonder nader onderzoek geen bevestiging geven. Het kan echter zijn dat ze deel uitmaken van John Dees papieren, met uitzondering van dit ene vel dat nog het meest lijkt op een fragment uit een toneelstuk.

Ze hebben er een kopie van gemaakt en zullen die, als wij dat willen, door een grafoloog laten onderzoeken. Over deze leken ze vrij opgetogen, al zijn ze op hun hoede aangezien het een vervalsing kan zijn.' Hij keek in de begerige gezichten en vervolgde: 'De kleine boeken in het Latijn zijn nog voor onderzoek bij een antiquaar, maar de bijbel is zeer oud en waardevol. Ik heb iemand opgedragen de gemarkeerde passages te bestuderen en die schijnen het nodige aan het licht brengen.'

Walters knikte een keer om het verslag te besluiten en overhandigde de miniatuur aan Calvin. 'Onnodig te zeggen dat dit allemaal strikt vertrouwelijk is, Calvin. Een verrukkelijke dame, nietwaar?' zei hij. 'Denk je dat zij een voorouderlijk lid van jouw familie kan zijn?'

Calvin versmalde onwillekeurig zijn ogen terwijl hij naar het gezicht keek, worstelend met de implicaties van de vraag. Wat had dit met hem te maken? Maar het kostte hem slechts enkele seconden om het verband te leggen met de diefstal uit het huis van de Staffords in de provincie, waarvan hij wist dat die had plaatsgehad toen Will in kritieke toestand in het ziekenhuis lag. Hij opende zijn mond om iets tegen professor Walters te zeggen, bedacht zich toen en probeerde verborgen te houden wat er in hem omging. Hoe ver zouden deze mensen gaan? Hij werd in verwarring gebracht door onbehaaglijke overwegingen die zijn intuïtie snel bevestigden: zij zouden bereid zijn alles te doen wat nodig was om hun doel te bereiken. Toen keek hij tamelijk plotseling met zijn volledig geopende ogen en zijn volledige aandacht naar de lieftallige vrouw die, tegen de blauwe achtergrond en in haar rijk versierde keurslijfje, recht door hem heen keek.

'Ik ben er niet zeker van,' zei hij langzaam. 'Maar ik geloof dat ik een paar weken geleden met haar heb geluncht. Het zou zelfs kunnen zijn...' Hij werd zo getroffen door het portret dat hij ongemerkt hardop dacht, 'dat zij momenteel de houdster van de sleutel is.'

16

De deurbel klonk opnieuw. De portier was niet op zijn post geweest of hij had de man toestemming gegeven door te lopen naar haar deur. 'Taxi, liefje. Besteld voor iemand genaamd King?' Lucy keek de man niet-begrijpend aan. 'Ik moet u deze envelop geven en vervolgens tien minuten blijven wachten.' Hij knipoogde naar haar, gaf haar een dichtgeplakte envelop en draaide zich om. 'Ik wacht voor de deur in de taxi op u.'

Grace was door alle onderbrekingen die ochtend al laat voor haar werk. 'Wat nu weer? Als het zo doorgaat, kom ik helemaal de deur niet uit…' Ze lachte en keek over de schouder van haar vriendin naar de handgeschreven woorden op de kaart:

> *3 februari. Mademoiselle. Zorg voor een warme jas en praktische schoenen — en neem uw paspoort mee! Dépêche-toi… Alexandre*

'Ik zet deze wel voor je in het water.' Ze nam de luxe doos van haar over die de portier even tevoren had gebracht. 'Raap jezelf bij elkaar, Lucy. Je gaat blijkbaar naar een weerzinwekkend romantisch oord. Parijs misschien?' Grace begon een lied van Piaf te zingen en ging op zoek naar een vaas.

'Ik krijg er geen hoogte van, Grace. Hij stuurt me voor Kerstmis een kaart en een dure fles van mijn favoriete Bulgaarse Thé Rose-parfum vóór ik naar Shropshire ga, en vervolgens is hij de hele maand januari niet beschikbaar. Het langste telefoongesprek duurde amper tien minuten, en dat is een armzalig substituut voor een rechtstreekse ontmoeting. Ik eet die hele vaas met bloemen en al op als ik er iets van snap. Het zou me allemaal behoorlijk kunnen irriteren. Wat zeg ik? Het irriteert me mateloos! Hij is geïnteresseerd, hij is niet geïnteresseerd...'

Grace wuifde haar onzekerheden weg. 'Lucy, die man is geïnteresseerd. Hij heeft een hoop moeite gedaan om je parfum te identificeren en vervolgens nog meer moeite om te achterhalen waar het te koop was. En nu, moet je kijken!' Ze gebaarde naar de forse bos langstelige rode rozen. 'En dan nog een taxi! Het spijt me, maar je kunt het hem niet kwalijk nemen dat hij tot over zijn oren in het werk zat. Hij moest lesgeven, toch? Simon zegt dat hij de afgelopen maand nauwelijks een dag vrij is geweest. Hij moet heel wat uit de kast hebben gehaald om vandaag een vrije dag te krijgen. En hoe romantisch: hij is blijkbaar van plan je mee te nemen naar een heel bijzondere plek.'

Maar Lucy's sterke nieuwe hart kampte met een zenuwcrisis. Het viel haar niet makkelijk zich gevoelsmatig open te stellen voor Alex Stafford. Het mogelijke doorbreken van de dokter in hem, en de onzekerheden met betrekking tot zijn privéleven, riepen een grote behoedzaamheid in haar wakker. Ze keek naar Grace, die een grijns onderdrukte en ze begon plotseling iets door te krijgen. 'En wat weet jij hiervan?' Ze wapperde met de kaart die zojuist was gebracht.

'Er is geen tijd om je dat te vertellen. Je komt nog te laat.'

'Heeft hij dit samen met jou bekokstoofd?'

Grace grinnikte zonder antwoord te geven en Lucy liep haar achterna de keuken in.

'Er moet een reden zijn waarom jij noch een van mijn andere vrienden vandaag tijd had om met me te lunchen. Was je er al zo zeker van dat ik een beter aanbod zou krijgen?'

'Nou ja,' ze zag dat de rozen geen doornen hadden en begon de bloemen voor Lucy te schikken, 'wat ik wel weet is dat hij alles in het werk heeft moeten stellen om voor jouw verjaardag een dag vrij te krijgen. Maar ik heb hem met de kerst niet gezegd wat je favoriete parfum is en ik weet ook niet wat hij vandaag van plan is met je te gaan doen.' Ze keek haar vriendin aan. 'Maar alleen een blinde dwaas kan eraan twijfelen dat hij in je geïnteresseerd is, Lucy. Hij werkt dag en nacht, waar of niet? Dan blijft er maar weinig tijd over. Bovendien denk ik dat hij zich erg om je gezondheid bekommert, wat zéér verstandig is gezien je hachelijke toestand van een paar weken geleden. Hij wil dat je beter wordt en je niet het hof maken tot de dood erop volgt. Maar hij ziet toch maar kans je zo ongeveer om de dag te bellen. En zeg nou zelf, dat is toch hartstikke lief? Geruststellend ouderwets in een wereld waarin iedereen altijd haast heeft en verhoudingen al voorbij zijn voor ze goed en wel zijn begonnen. Hij is anders dan andere mannen. Maar goed, als jij je hebt bedacht, dan neem ik die rozen wel.'

Lucy keek gekweld. 'Twee of drie telefoontjes in de week is niet om de dag! En hij laat eigenlijk niks los.'

'Dat is precies het punt! Schiet nou maar op. Maak dat je wegkomt!' Grace schonk haar een gulle lach. 'Trek iets warms en moois aan! Je taxi wacht.'

Alex opende de deur van haar taxi aan de Chiswickzijde van de Theems, bij de door een laagje stofsneeuw bedekte Kew Bridge, en hij betaalde de chauffeur. 'Van harte gefeliciteerd!'

'Dus we gaan toch niet naar Parijs?' vroeg ze plagerig. 'Ik verwachtte naar Waterloo Station te worden gereden.'

'O, je hoopte op een lunch bij Boffinger, heb ik gelijk?' Hij lachte en nam haar iets steviger dan gebruikelijk bij haar hand en leidde haar naar zijn auto. 'Het spijt me dat ik je moest vragen me hier te ontmoeten. Ik moest vanuit North Circular komen. Ik moest tot in de vroege uurtjes in het andere ziekenhuis blijven en vervolgens hier eerst een paar belangrijke dingen regelen.' Lucy wachtte en toen hij de deur opende, werd haar door de heerlijkste geuren de adem afgesneden. De softtop van zijn Audi had ze voor haar verzameld: de verrassend ruime achterbank lag vol met bossen narcissen, hyacinten, viooltjes en andere lentebloemen. Ze kon geen woord uitbrengen, ze was opgetogen.

'Voor de Terugkeer van Persephone,' zei hij. Ze keek hem vragend aan. 'Jouw verjaardag is een bijzondere datum, nou ja, op één dag na. Het is volgens de oude Grieken de dag waarop de lente zich voor het eerst aankondigt. De dag waarop Persephone terugkeert uit de onderwereld.'

'En dat geldt ook voor mij.' Lucy omhelsde hem. 'En waar neem je me mee naartoe? Ik dacht dat ik een paspoort nodig had.'

'Is ook zo.' Hij bootste haar stem na. Hij keek in de buitenspiegel en toen ze wegreden zei hij: 'Het leek me wel wat je voor een lunch mee te nemen naar het stadje waar ik ben opgegroeid, waar mijn ouderlijk huis staat. Regelrechte ansichtkaarten!' zei hij lachend. 'En je weet dat L.P. Hartley zegt dat het verleden een vreemd land is. Nou, het is mijn verleden.'

Ze lachte vergenoegd. 'Ik zou geen plek kunnen bedenken waar ik liever naartoe had gewild, Alex. Een fantastisch idee. Dank je.'

Ze ontspande zich in het genereuze beige leer van de passagiersstoel en liet zich door de goddelijke bloemengeur en de lichamelijke nabijheid van Alex bedwelmen. Dit had ze vandaag niet verwacht. Ze had zich ingesteld op een sombere verjaardag die ze maar zo snel mogelijk moest vergeten. En nu, omhuld door een warmte die niets met de buitentemperatuur te maken had, liet ze de chauffeur zich op het verkeer concentreren en nam ze zelf het initiatief tot een gesprek.

'Ik ben reuze geboeid geraakt door je illustere voorouder, Alex. Ik ben pas halverwege de boeken die Simon me heeft bezorgd, maar ze staan vol verrassingen.'

'Ik dacht dat ze gortdroog zouden zijn? Vooral omdat Calvin er zo door is gegrepen.'

'Helemaal niet gortdroog! Ik weet dat je de ideeën van de Verlichting bent toegedaan, Alex, maar we moeten proberen je voorvader door de lens van zijn eigen tijd te zien, als we kunnen, om de aanzienlijke indruk op waarde te schatten die hij in het Elizabethaanse Engeland maakte. Hij was echt een man van zijn tijd, van de Renaissance, met een grondige kennis van astronomie, wiskunde en geschiedenis, een autoriteit op het gebied van de navigatie en een eminent leermeester. Dat Drake en Gilbert de weg naar de Nieuwe Wereld vonden, dankten ze aan Dee. Ik ben er eerlijk gezegd niet zeker van of ik hem wel volledig recht kan doen.'

'Nou, ik weet helemaal niks, en we moeten nog zeker een uur rijden om Hampshire te bereiken met dit weer! Stel die man maar aan me voor.' Hij was vandaag wel heel erg opgewekt en Lucy vond het heerlijk ervan te kunnen meegenieten.

'Het eerste wat ik je moet uitleggen over John Dee, Alex, is dat veel van wat we weten – of beter, hoe we hem zijn gaan zien – afkomstig is van Méric Casaubon, een zeventiende-eeuwse geleerde die vastbesloten was elk positief aspect van Dees reputatie te vernietigen. Casaubon is de reden waarom we Dee nog altijd niet zonder vooropgezette meningen kunnen zien. Hij meende dat Dee een verdoolde was die zich, zoals hij dat noemde, met "duistere" praktijken inliet. Hij publiceerde de obsceenste details over Dees leven. Niet dat hij daar nou zo rijkelijk aanknopingspunten voor kon vinden, maar het lukte hem enkele curiositeiten boven water te krijgen.'

Alex grinnikte. 'Niet bepaald een integere biograaf, dus.'

Lucy schudde haar hoofd. 'Nee, verre van dat. Maar wat voor ons echt van belang is, is dat Casaubon door een uiterst merkwaardig toeval toegang kreeg tot een uitzonderlijke verzameling persoonlijke documenten van Dee.'

Hij keek haar geïntrigeerd aan. 'Ga verder.'

'Begin zeventiende eeuw was het Robert Cotton – denk aan de Manuscripten van Cotton in de British Library – die zich om onbekende redenen geroepen voelde te gaan graven in de grond rond Dees huis in Mortlake. En hij had geluk…'

Alex keek Lucy alleen aan. 'Het is dus mogelijk dat onze sleutel, en een andere vondst die er verband mee houdt, daar naadloos bij aansluit.' Ze knikte bevestigend. 'Maar waarom alles begraven? Waren de ideeën die hij opschreef echt zo gevaarlijk?'

'Cotton ontdekte een bergplaats met papieren die weliswaar vochtig waren maar nog altijd leesbaar. Daaronder waren alle transcripties van Dees en Kelleys contacten met engelen, die later door de zoon van Cotton aan Casaubon werden gegeven.'

'Met engelen.' De vertrouwde ironische toon klonk door in zijn stem en Lucy giechelde. Ze ging verzitten en draaide zich iets meer naar hem toe.

'Je hebt een belofte gedaan. Je zou hem in de context van zijn eigen tijd zien en niet vergeten dat veel van zijn zestiende-eeuwse tijdgenoten er soortgelijke overtuigingen en ideeën op na hielden!'

Haar stem klonk zowel opgewekt als smekend, en Alex stelde met plezier vast hoeveel geestdrift het onderwerp in haar wakker riep.

Hij luisterde waarderend terwijl zij vaardig blijk gaf van haar inzicht in de geestelijke atmosfeer van die tijd. De Elizabethaanse wereld werd door een wonderlijke verscheidenheid aan lieden bewoond: politici, theologen, dichters, toneelschrijvers, ontdekkingsreizigers en tot de verbeelding sprekende zeevaarders als Walter Raleigh en Francis Drake. Maar tot de bewoners behoorde ook een buitengewone collectie geesten – feeën, demonen, heksen, spoken, elfen – zowel goede als kwade, en magiërs die met hen spraken. Het was geheel in lijn met die wereld dat Spensers geweldige epische gedicht over een toverfee handelde en dat de moeilijkheden van Hamlet door een geest werden ingeluid. Die fascinerende vermenging van de materiële en de etherische wereld was zowel toe te schrijven aan een filosofie van het occulte denken op het hoogste intellectuele niveau, als aan een traditie van bijgeloof en folkloristische invloeden. Ze berustte op een nalatenschap van magie en kabbala, afkomstig van de grote neoplatonisten van de Italiaanse Renaissance. Het doel was het doorgronden van de diepste sferen van geheime kennisbronnen en van vage wetenschappelijke en spirituele overdenkingen.

'Het gezicht van die beweging in Engeland was John Dee.'

Alex had alles in zich opgenomen en bewonderde de manier waarop ze de forse hoeveelheid ingewikkelde informatie beheerste, maar toen ze over Dee begon – de man die zich uitvoerig met Euclides had beziggehouden, wist hij – stond hij voor een raadsel. 'Het is moeilijk te vatten dat een man die zo ongeveer als een wiskundig genie geldt, meteen ook een infame magiër was. Ik vraag me af hoe hij die wetenschappelijke en occulte visies voor zichzelf met elkaar kon laten rijmen.'

'Je moet niet vergeten dat zelfs de wiskunde in die tijd werd beschouwd als een onderwerp dat heel dicht in de buurt kwam van de "zwarte kunst". Rekenen was akelig nauw verwant aan magie en het maken van astrologische kaarten.'

Alex schoot in de lach omdat hij moest denken aan Wills afkeer van wiskunde – een hels vak, had hij het altijd genoemd als Alex de wiskundeopgaven voor zijn jongere broer zat te maken. 'En toch hield Dee altijd vol een vroom christen te zijn, zoals Calvin ons ver telde, en was hij zelfs een aanhanger van de religieuze reformatie van de Tudor-dynastie.'

'Ja, dat is vanuit ons huidige perspectief nogal vreemd. Maar Dee was beïnvloed door de meest uiteenlopende en uitzonderlijke ideeën die in het Europa van de vijftiende eeuw de ronde deden. Het was in die tijd dat Italië werd overstroomd door documenten en boeken uit Constantinopel en Spanje, waar de joden en moslims door Ferdinand en Isabella werden verdreven. Een van de belangrijkste van die ideeën drong zich op de voorgrond via de leringen die in de kabbala te vinden waren. Het andere was de ontdekking van een verzameling aan Hermes Trismegistus toegeschreven documenten die bekend kwam te staan als het *Corpus Hermetica*.' Lucy keek naar Alex: dit was de kern van haar informatie en ze wilde er zeker van zijn dat hij haar nog volgde ondanks de gladheid en de intussen toegenomen sneeuwvlokken die de ruitenwissers op de proef stelden. Ze zweeg even en bedacht dat het meisje wel erg slechte weersomstandigheden had gekozen om weer aan de dag te treden.

'Niet ophouden.' Alex was geboeid geraakt. 'Ik geniet van je stem.'

Ze glimlachte en genoot ervan dat haar nu eens de rol van autoriteit was toebedeeld. 'De renaissancefilosofen Pico della Mirandola en Marsilio Ficino werkten voor de Medici, en het was Lorenzo's grootvader Cosimo die hun vroeg al het andere aan de kant te schuiven en zich toe te leggen op de Hermes-teksten waar hij net de hand op had gelegd. De teksten die zij vertaalden – de geschriften van Hermes – zonden rimpelingen van mysticisme over Europa. Hermes was een wijze uit de Egyptische mythologie – niet de boodschapper van de Griekse goden. Hij was een soort Grieks-Egyptische kruising die zowel de kwaliteiten van de Griek Hermes als van de Egyptische god van onder andere de schrijfkunst Thoth. Door de renaissancegeleerden werd hij de Egyptische Mozes genoemd.'

Omdat de buitentemperatuur daalde, draaide Alex de verwarming wat hoger. 'Dat klinkt alsof hij helemaal geen historische figuur was?'

'Meer een soort god die doordrenkt was van heldachtige menselijke kwaliteiten. De boeken en documenten die bekend zijn geworden als het *Corpus Hermetica* – Latijnse en Griekse teksten over hem en geschriften die theoretisch van hem zouden stammen – dienden zich onder de vlag van deze mythologische figuur aan, maar de Florentijnen lazen ze allemaal en namen aan dat hij een bestaande wijze en priester was. Voor hen was hij een bron van de oude, gewijde wijsheid uit de tijd van Mozes en zij veronderstelden dat zelfs Plato er de invloed van had ondergaan, maar het is waarschijnlijker dat het *Corpus Hermetica* gebaseerd was op enkele leringen van Plato en anderen. Veel geleerden uit onze tijd denken dat het in feite gaat om teksten die ongeveer een eeuw na Christus zijn ontstaan, maar dat daarin de op schrift gestelde veel oudere mondelinge overleveringen, die de voorchristelijke Egyptische religieuze denkbeelden betreffen, bewaard zijn gebleven. En voor liberale denkers die zochten naar religieuze waarheden die de religieuze onenigheden waardoor zij werden geplaagd mogelijk zouden overstijgen, vertegenwoordigden ze een nieuwe visie! Die teksten stelden hen in staat te ontsnappen aan het geruzie op leven en dood over het geloof – of ze trouw moesten blijven aan Rome of zich moesten aansluiten bij Luther en Calvijn, en of ze de strijd moesten aanbinden met joden en moslims. De denkbeelden die in het *Corpus Hermetica* uitdrukking vonden, voerden hen tot de zuivere essentie van het wezen Gods. En ze hadden in veel opzichten gelijk er zoveel achting voor te hebben, aangezien we nu weten hoe sterk Mozes werd beïnvloed door de Egyptische religieuze visie op de wereld.'

Alex legde een hand op Lucy's schoot en vroeg haar even te wachten. De bedwelmende geur van de bloemen in de afgesloten ruimte van de auto, gecombineerd met de indrukwekkende ideeën die ze doorgaf, deed hem opeens duizelen.

'Wacht, Lucy. Begrijp ik het goed? Als we over het hermetisme spreken, hebben we het over de geschriften die zijn ontstaan rond de naar verluidt historische figuur Hermes, die begiftigd was met de goddelijke attributen van de Griekse god met diezelfde naam?'

Ze knikte en Alex vroeg: 'En de betekenis van Hermes was...?'

'Dat hij hun leek te spreken over een zuivere religieuze waarheid, een waarheid die nog onbesmet was, zo je wilt. Ficino noemde de hermetische documenten "een vonk van het goddelijke licht". Door het overdenken van die leringen ontstond naar zijn zeggen de mogelijkheid uit te stijgen boven de begoochelingen die de menselijke geest aankleven, en de goddelijke geest te doorgronden. Dat waren fascinerende denkbeelden in een tijd waarin tal van doctrinaire kwesties de mensen in tal van richtingen trokken. Langs die nieuwe weg kon de geest van God rechtstreeks worden begrepen. Dat meenden ze althans. Hermes schijnt zelfs de komst van Christus te hebben voorvoeld, maar dan op basis van het superieure uitgangspunt van de Egyptische wijsheid. Met die Egyptische leringen werd er ook een flinke scheut magie en occultisme geïmporteerd, en, door de grote verering van Isis in die cultuur, het respect voor vrouwen. Hermes genoot een zodanig hoog aanzien dat zijn beeltenis zelfs het altaar van de kathedraal van Siena haalde.'

Terwijl Alex naar Lucy's woorden luisterde, overwoog hij welk belang die denkwijze zijn moeder kon hebben ingeboezemd, met haar oecumenische benadering van de spiritualiteit en haar gematigde feminisme. 'Oké.' Hij knikte nadenkend. 'Van de hermetische teksten werd in ruime kring aangenomen dat ze met Genesis konden wedijveren, gelet op hun oorsprong en spirituele autoriteit?'

Lucy knikte heftig. 'Klopt. Vooral voor denkers als Giordano Bruno en Ficino.'

Rijdend tussen het spaarzame overige verkeer en door de eigenaardige stilte van de sneeuwwitte omgeving die zich zelfs tot de doorgaande weg waarover ze reden dreigde uit te strekken, zagen ze een eindje voor hen opeens een hert oversteken en in de bosjes langs de weg verdwijnen. Beiden glimlachten betoverd, maar Alex liet zich niet van het onderwerp afbrengen.

'En hoe zit het met de kabbala?'

'Juist, daar hechtte Pico belang aan. Door de verdrijving van de joden uit Spanje bereikten de leringen van de kabbala Italië, zowel in de vorm van de mondelinge overlevering als van geschreven teksten. Pico vatte de kabbala op als een oude traditie van mystieke wijsheid, verbonden met de Hebreeuwse taal die van Mozes stamde. En voor Mozes en zijn gevolg was het Hebreeuws de taal van God, dat weten we.

De kabbala kende een getal toe aan elk van de oeroude letters – dat wordt "gematria" genoemd – en bewaarde een geheime kennis van de magie die besloten zou liggen in de Hebreeuwse taal zelf. Elke letter correspondeert met een numerieke waarde. Zelfs van gewone Hebreeuwse woorden werd aangenomen dat ze goddelijke kracht bezaten.'

Ze stopte even om er zeker van te zijn dat Alex het allemaal nog kon volgen, maar dat was niet nodig geweest. Hoewel Alex zijn ogen steeds op de weg moest houden, keken ze elkaar toch een ogenblik aan. 'De gedachte was dat de taal zelf informatielagen bevatte die door het gros van de mensen niet werd opgepikt: een verborgen taal. Een soort boodschap voor de elite. Ik kan het nog volgen.'

'Goed. JAHWEH is het tetragrammaton van God, de vier Hebreeuwse letters JHWH, die van oudsher zijn naam vormen. Sommigen zeggen dat die naam onuitspreekbaar is omdat er geen klinkers in zitten, maar Jehova is een variant, net als Jove, trouwens.'

Alex onderbrak haar. 'Amel heeft me verteld dat het woord Yahweh is afgeleid van een Egyptisch woord dat "de kracht van de maan neemt toe" betekent. Het zou verwijzen naar Jah, een Egyptische maangod, maar ook naar een Babylonische maangodin met dezelfde naam.'

Lucy rolde voor de grap met haar ogen. 'Alex, dat is erg interessant, maar breng me nou niet op een zijspoor. We zijn bijna doorgedrongen tot de kern van de ophef rond de kabbalistische leer.' Hij lachte en knikte. 'Dus,' vatte ze samen, 'voor de christenen was een tot de verbeelding sprekend aspect van de kabbala de wijze waarop de traditie van de kabbala de waarheid van Jezus als de zoon van God leek te bevestigen. Op deze manier: als je de naam IESU hebt voor Jezus, of nog beter Jeshua – zoals Joshua – een variant ervan, dan voeg je, zo dachten ze, de substantiële middelste letter "S" toe aan de uit louter medeklinkers bestaande naam Jahweh. Zij meenden dat die letter "S" de onuitspreekbare naam uitspreekbaar maakte. Voor de christelijke kabbalisten was de naam die hoorbaar werd gemaakt hetzelfde als het Woord dat Vlees werd.'

Alex schoot in de lach en wierp een blik op Lucy toen ze de hoofdweg verlieten en verder reden richting Longparish. 'Tja, zelfs als we de etymologie van "Jahweh" weglaten, blijft het een vreemde redenering. En ik kan gewoon horen hoe mijn broer dat nog veel oneerbiediger zou hebben verwoord.' Ze lachte. 'Waren zij overtuigd?'

'Afhankelijk van hoe bekwaam je het Hebreeuwse alfabet manipuleerde en de medeklinkers uitrekte om klinkers te onderdrukken – ja! Het was overtuigend voor de ingewijden in die tijd. Maar een deel van de agenda was om moslims en joden te bekeren tot het denkbeeld van de Drie-eenheid, tot het christendom.'

Alex knikte peinzend. *'Plus ça change!* Maar, zijn we intussen niet ver weg van John Dee?'

'Dat moet zo lijken. Je moet dit tamelijk complexe web van gedachten doorzien om te zien wat Dees fijnzinnige geest prikkelde. De christelijke kabbala gaf zijn zegen aan de gemeenschap met de engelen, via hun heilige namen in het Hebreeuws, die een magische kracht bezaten om de magiër of tovenaar rechtstreeks tot God te brengen zonder leerstellige restricties.'

'In oude tijden,' zei Alex, 'waren namen geladen met macht. Als je de echte naam van een entiteit kende en die uitsprak, had je er macht over.'

'En dat was in feite waarvan zij geloofden dat Mozes er toegang toe had, als een bijzondere magiër of ingewijde. En Hermes Trismegistus ook. De reis van de ingewijde verliep van de materiële wereld – de aarde – via de ether of lucht – het onderparadijs – naar de hemelse wereld – de ware hemel of nirwana, zo je wilt. Maar de engelen beschermden de magie en de reis tegen kwade geesten. Dus Dee kon zowel een gedreven wetenschappelijk onderzoeker zijn als iemand die zich met engelen inliet. Voor hem waren de concepten van het neoplatonisme – die de geest waren van de Renaissance en de onvermurwbare vijand van Lorenzo de' Medici, de arme Girolamo Savonarola, tot wanhoop dreven – hoogstaande ideeën. Hij volgde een Venetiaanse monnik genaamd Giorgi, die een boek schreef over de leringen van Hermes en de kabbala *De Harmonia Mundi* noemde, ofwel: *De filosofie van de universele harmonie.*'

Alex legde zijn hand op haar arm: 'Maar de hoop een vreedzame vereniging in de praktijk van het religieuze geloof te bereiken, werd eenvoudigweg niet gerealiseerd in Dees tijd?'

Lucy lachte zacht. 'Nee, dat is zeker waar. De man die Simon noemde, Giordano Bruno, heeft het heel fraai verwoord. Hij zei dat de middelen die de Kerk gebruikte om de mensen naar het Huis des

Heren terug te drijven niet de middelen van de apostelen waren, die vanuit de liefde predikten. Iedereen die in de zestiende en zeventiende eeuw geen katholiek wenste te zijn, liep het risico te worden gemarteld door de inquisiteurs – of, omgekeerd, in een groot aantal Noord-Europese landen op de brandstapel te belanden als hij of zij katholiek wilde blijven. De Reformatie en de katholieke reactie wakkerden de verdeeldheid aan. Wat een pessimistisch vooruitzicht was voor de meer liberale intelligentsia van die tijd. De Kerk omzeilen – in al zijn vormen – door rechtstreeks met Gods engelen te spreken, leek hoop te bieden. Maar ja, magie en contact met engelen? Dat werd als regelrechte ketterij beschouwd.'

Alex had de auto door een reeks bochten in met sneeuw bedekte lanen gemanoeuvreerd en zei: 'Dus Dee was een man van de late Renaissance en hij verkende de occulte filosofie in wetenschappelijke richtingen, via alchemie en astrologie, wiskunde en geometrie. Allemaal disciplines die je nader brengen tot de werken van God. Amel gelooft nog altijd dat daar iets van waarheid in steekt.'

'En, Alex, cruciaal is dat de *Hermetica* hun studie van de astrologie rechtvaardigde, want die liet hen inzien hoe de Egyptenaren hun gebouwen in verband met de sterrenhemel concipieerden. Veel hedendaagse geleerden denken dat dit de impuls was die hen voerde tot het inzicht dat de zon en niet de aarde het centrum van het zonnestelsel was. En dat leidde hen uit het middeleeuwse denken.'

Alex dacht na en het duurde even voor hij vroeg: 'Maar denk je dat Dee zich echt aangetrokken voelde tot de hervormende aspecten van die occulte filosofie?'

'Geen twijfel aan. Hij leverde zijn bijdrage om koningin Elizabeth als een neoplatoonse heldin te profileren. Dee beïnvloedde rechtstreeks de geschriften van mensen als Edmund Spenser en Philip Sidney. Hij tartte ook de Spaanse koloniale macht door zijn geloof in het Britse recht eigen ontdekkingsreizen te ondernemen. De term "Britisch Empire" werd door Dee gemunt – maakte deel uit van zijn wereldbeeld.'

'Calvin maakte daar gewag van, maar dat spreekt ernstig in Dees nadeel!' zei Alex.

'Ja, dat zou nu zo zijn, maar niet als je hem in zijn eigen tijd en omgeving plaatst. Zijn concept van Brittannië was een doelbewust tarten van de Spaanse/katholieke overheersing van de aarde. Dat Amerikanen Engels spreken in plaats van Spaans is voor een deel aan Dee te danken.' Alex dacht na en Lucy keek naar hem en begon te lachen. 'Ik heb je uitgeput.'

'Je hebt me betoverd.' En dat was de waarheid. Hij nam snelheid terug toen ze het stadje binnenreden. 'Moet je die sneeuw op dat dak zien.'

Lucy had er nog geen aandacht aan geschonken, maar nu nam ze met een diepe zucht de schoonheid van de plek in zich op: een nog onaangetast Engels plattelandsstadje, maagdelijk wit gemaakt door de sneeuw. Huizen bogen onder het gewicht van de jaren; daken bogen door onder pannen die waren gebakken door eeuwenlange zonneschijn. Ramen leunden op hellende balken. De rivier trok ruisend langs de voortuinen en onder oude bruggen door. Ze raakte helemaal in de ban.

'Ik dank je hiervoor. Wat een verschil met de stad. Kunnen we nog even een stukje wandelen?'

Het was ongeveer halftwaalf toen Alex bij The Plough parkeerde, de geliefde pub van zijn moeder. Hij hielp haar met het omdoen van haar sjaal en hij knoopte haar jas tot en met de bovenste knoop dicht. Om hun lichaamswarmte te delen wandelden ze dicht naast elkaar door de laan. Een waterig zonnetje bescheen met de kracht van een kaars de daken en wegen. Maar Lucy was met haar gedachten niet bij de kou. Ze liet het stille plaatsje, de kleurige vlekken op de deuren en in de ontwakende bloembedden, het loutere overleven van het stadje zelf met zijn winkel en kerk en postkantoor en speeltuintjes, haar ziel binnendringen. Het weer had bijna elk teken van leven uitgewist, maar de enkeling die uit zijn huis of auto kwam knikte naar Alex. Dit was zijn wereld. Zijn jeugd bevond zich overal om hem heen.

Ze passeerden het cricketveld en hij wees haar op het clubhuis met het rieten dak, dat er door de kou verschraald uitzag. 'Een tweede thuis in de zomermaanden. Eerste zoentjes onder die bomen, eerste katers na verloren wedstrijden. Nog grotere als we wonnen. Mijn moeder hielp vaak met het smeren van de boterhammen.'

Lucy had de indruk dat zijn commentaar talmde achter andere, onuitgesproken gedachten. Maar ze zei niets om hem aan te sporen die uit te spreken; in plaats daarvan dronk ze de details over zijn leven in als dorstig grasland een verkwikkende regenbui. Het gaf haar een gevoel dat ze nooit eerder onderging – het genoegen de wereld te zien door de ogen van iemand anders, van iemand die ze zou beminnen. Ze besefte hoe de afwezigheid van zulke herinneringen uit haar eigen jeugd het moeilijker hadden gemaakt zichzelf te kennen. Alex, zeker van zijn identiteit, kon mensen in zijn hart sluiten, met tederheid en met kracht, onbevreesd voor het donker. Wat er ook om hem heen gebeurde, hij was en bleef zichzelf. Zij vond haar veerkracht door haar affecties te beteugelen, maar één storm van ingrijpende emoties kon haar met verwoesting dreigen, dacht ze, haar enige overtuiging onderuithalen. Het drong opeens tot haar door dat het geen verrassing was dat haar hart haar achilleshiel was geweest.

Toen ze even later weer bij de auto terugkeerden, haalde Alex er twee bosjes witte narcissen uit en ze liepen naar de kerk. Hij opende de deur voor haar. Zij was als een toeriste en hij wees haar op de dertiende-eeuwse kenmerken van het gebouw, op het oudste gebrandschilderde glas, het fraaie houten dak. Ze liepen vanuit de onverlichte ruimte de tuin in, waar de nu karige sneeuwval zacht door het zonlicht werd beschenen. Zwijgend liepen ze naar het nieuwste deel van het kerkhof. Lucy wist wat er zou volgen, maar ze betwijfelde of ze hem enige steun zou kunnen geven. Alex was echter in gedachten verzonken en vroeg niet om troostende woorden. Hij hurkte bij enkele graven neer, waarvan er één te vers was om het te wagen over de pijn te spreken, en bij het andere was dat nauwelijks minder. Hij legde de bloemen teder op de graven en liet zijn gedachten onuitgesproken. Hij ging rechtop staan, haakte zijn arm in de hare en ze liepen terug. Lucy kon geen woord uitbrengen: ze was letterlijk sprakeloos. Misschien had ze hem aan zijn lot overgelaten of een goed moment gemist, maar de bedaarde kracht van zijn lichaam stelde haar gerust terwijl ze hun voetafdrukken achterlieten en de straat overstaken naar de pub.

Ontwakend uit een droom bestelden ze hun lunch en hun stemming veranderde. Iedereen die iets kwam drinken of eten maakte een praatje met Alex en gedurende hun in alle rust genuttigde gangen stelde hij vragen aan gasten die op de barkrukken of aan de tafels zaten, over vakanties, familieleden, bouwprojecten. Hij kende hun verhalen. Het was een gemeenschap waarvan hij deel uitmaakte en Lucy genoot. Het verloste haar van haar gebrek aan vertrouwen in anderen; ze mengde zich vrolijk in de gesprekjes.

'Dus de mens kan nog altijd een sociaal dier zijn?'

'O, dat mag ik hopen. Ik zou er niets meer aan vinden als ik van mening was dat we de onderlinge verscheidenheid niet meer konden waarderen.' Hij keek haar ernstiger aan dan zijn toon suggereerde. 'Als je nog niet te moe bent,' zei hij toen de koffiekopjes en de dessertschaaltjes waren afgeruimd, 'wil ik je mijn ouderlijk huis laten zien. Dat je het gewoon eens hebt gezien, eigenlijk.'

Hij was ongewoon omzichtig. Maakte hij zich zorgen dat zijn idee niet in goede aarde zou vallen? Ze kon het niet zeggen. Wilde hij daar een tijdje samen met haar zijn? Of was hij bezorgd over wat er gedacht zou worden als zij zich daar zouden terugtrekken? Lucy had het gevoel dat dit een cruciaal moment in hun verhouding was en ze werd door onzekerheid geteisterd.

Toen legde hij uit: 'Ik ga er al maanden niet graag meer naartoe. Het is het thuis van een gezin. Maar de gezinsleden zijn niet meer thuis, op mijn beklagenswaardige vader na.' Toen hij haar aankeek, met zijn keurig geschoren gezicht en verzorgde haar, zag hij er jonger uit dan zij hem ooit had gezien. Zijn gebruikelijke evenwichtigheid was van hem geweken. 'Ik zou het fijn vinden als je met me mee zou gaan. Mijn vader is waarschijnlijk op zijn werk in Winchester, maar ik zal een briefje voor hem achterlaten.'

Lucy nam het heft in handen en zei spontaan: 'Ja, alsjeblieft, Alex: ik wil er graag heen.' De ongemakkelijkheid verdween.

De border langs het pad was bezaaid met sneeuwklokjes en de winterjasmijn bij de veranda vocht tegen de elementen. De tuin maakte meteen indruk op Lucy: iemand moest er een hoop werk en liefde in hebben gestoken. Het huis was eerder groot dan voornaam, waarschijnlijk tudorstijl, dacht ze. Het rieten dak had een zigzagpatroon en was van kleine details voorzien die kenners als de handtekening van de rietdekker zouden herkennen.

Toen ze naar binnen waren gegaan bleek het er warm te zijn en

Lucy was onmiddellijk geïmponeerd. Een grote open haard, een kleine vleugel voor het Franse raam dat uitkeek op de tuin, een vreedzame atmosfeer. 'Mijn moeder zou overal bloemen hebben staan, zelfs in de winter.' Alex verontschuldigde zich dat de gezelligheid momenteel ontbrak, al werd die afwezigheid verzacht door een comfortabele oude zittekist die met chintz en een roomkleurige stof was overtrokken. De sfeer van een krachtige vrouwelijke ziel domineerde de meer mannelijke zaken als een paar pantoffels van zacht leer en een stapeltje gelezen kranten.

Alex leunde tegen de tafel. 'Zal ik thee voor je zetten? Volgens mij heb je dat liever dan koffie.'

'Ja, lekker. Is het goed als ik wat rondkijk?'

'Daarom zijn we hier.' Hij liep door naar de keuken en zette een ketel water op. Toen zag hij een pakje liggen op het eiken werkblad. Terwijl Lucy een blik wierp in de studeerkamer annex bibliotheek en in de eetkamer, frunnikte Alex aan het karton en de noppenfolie. Hij nam kennis van de inhoud, nam de hoorn van de haak van de wandtelefoon en draaide een nummer.

'Pa, je bent niet op de rechtbank. Ik ben in het huis. Ik ben hier met een jarige vriendin en we hebben geluncht in de pub. Is alles in orde? Ik zag net het pakje van de politie. Wat hebben ze verder gezegd?'

Lucy hoorde de geagiteerde stem van Alex en ze ging op de leuning van een grote fauteuil zitten terwijl hij sprak.

'En dat is alles? Meer weten ze niet? Verder is er niets teruggeven?'

Lucy hoorde hem het gesprek beëindigen: het weer was slecht en ze zouden weldra terugrijden, maar hij zou in het weekend met Max langskomen. Hij legde de hoorn op de haak en keek naar Lucy. 'Moet je eens komen kijken.'

Heel voorzichtig en bijna ceremonieel legde hij een klein portret in haar handen. Ze was verrast dat het veel zwaarder woog dan ze had verwacht. Ze keek onderzoekend naar het gezicht van een vrouw met donker haar, prachtige bruine, amandelvormige ogen. Een kunstig geborduurd werkstukje met tegen een blauwe achtergrond hertenbokjes en minuscule bomen. Het hele object had een oppervlakte van slechts enkele centimeters. Lucy kon haar ogen er niet van afhouden.

Een staande klok sloeg het halve uur en er ging misschien nog een minuut voorbij voor ze Alex om nadere gegevens vroeg.

'Wie is dit?' Ze sprak vrijwel zonder volume.

'Een verre voorouder van mijn moeder, denken we. We zijn niet helemaal zeker. Het werd enkele maanden geleden uit het huis gestolen en het is onlangs door Interpol terugbezorgd. Mijn vader kan niet goed zeggen hoe zij eraan zijn gekomen. We hadden het al min of meer opgegeven.' Hij keek haar half geamuseerd en half ernstig aan. 'Doet ze je aan iemand denken?'

Lucy keek hem recht in zijn ogen. 'Natuurlijk.' Ze ging zitten met het portretje terwijl Alex de theepot met kokend water vulde. Niemand kon de gelijkenis ontgaan. Het was haar eigen gezicht.

Ze voelde een zware hoofdpijn opkomen en werd wat duizelig, maar dat zou ze hem niet vertellen. Sinds haar operatie onderging ze die sensaties wel vaker. Ze had Grace verteld dat zij dacht dat het kwam doordat ze dicht bij de dood was geweest en daardoor plotseling uiterst gevoelig was geworden voor de pijn van anderen. Grace had lachend gezegd dat het een bijna-doodervaring was. Nee, ze was niet bezig in Jeanne d'Arc of Theresia van Avila te veranderen, en ze zou er met geen woord over reppen tegen Alex. Maar de ervaring was reëel genoeg en het vasthouden van het portretje maakte het er niet beter op. Hij zette een mok thee voor haar neer. Ze voelde zich misselijk. Ze was graag even gaan liggen, maar wilde per se voorkomen dat Alex zich weer ongerust zou maken over haar broze gezondheid. Hij sprak tegen haar, maar ze kon zich niet op zijn woorden concentreren.

Ze keek nog eens naar het gezicht van de dame, naar de details van het portret. Ze stond op van de stoel naast hem en hield zich nog even aan de leuning vast. Ze deed een paar passen door de kamer en ging achter de piano zitten zonder te vragen of hij bezwaar had en ze beroerde afwezig een paar toetsen. Er ontsnapten enkele compacte samenklanken. Alex vroeg of ze kon spelen. Ze antwoordde dat ze een aantal jaren les had gehad, maar haar woorden klonken ijl en ze keek hem met een uitdrukkingsloos gezicht aan. Ze stond op het punt om over te geven. Hij stond in een fractie van een seconde naast haar.

'Het is gewoon de reis, Alex. Ik ben wat moe. Geen paniek. Ik denk dat ik me voor het eerst in weken weer eens echt heb ontspannen.' Ze wilde de dag niet op een fiasco laten uitlopen en vocht tegen het beklemmende ongemak. 'Ik heb me de hele dag gelukkig gevoeld en vind het heerlijk dat je me hier mee naartoe hebt genomen.' Ze zag zijn bezorgde blik, waarmee hij haar min of meer professioneel gadesloeg, besefte ze. Ze vond het vervelend dat ze niets voor hem kon verbergen. Haar ogen gleden opnieuw naar het portret in haar linkerhand en ze concentreerde zich op de details van de kleding van de dame en probeerde uit te maken welke boom er was geborduurd. De boom van wijsheid.

'Dit is een moerbeiboom, toch?' Ze raakte het sleuteltje aan om haar nek. 'Alex, wat hiermee wordt geopend, is hier. Het bevindt zich onder een moerbeiboom. Hier in jullie tuin.' Het uitspreken had haar de grootste moeite gekost. Ze legde haar hoofd in haar handen en helde ver voorover. Hij ving haar moeiteloos op in zijn armen, droeg haar met twee treden tegelijk de trap op, legde haar op een bed, trok haar schoenen uit en legde een dikke deken over haar heen. Ze was zich ervan bewust dat hij haar voorhoofd even streelde. Met zijn andere hand voelde hij haar pols, maar ernstig bezorgd leek hij niet. Ze werd door slaap overmand.

Toen ze wakker werd was het veel donkerder. Ze zag dat er in huis lampen brandden en zocht haar weg naar beneden. Een keurig geklede oudere man zat bij de brandende haard en las een krant. Hij keek op en knikte vriendelijk naar haar.

'Wat een vreselijke gaste ben ik. Het spijt me heel erg. Ik ben Lucy.'

Hij stond snel op. 'Ach, arm meisje, je hoeft je niet te verontschuldigen. Voel je je al wat beter? Ik zal Alex even roepen.' Hij liet haar plaatsnemen in een stoel en opende de achterdeur om zijn zoon te halen. Toen Alex verscheen voelde hij haar handen en controleerde hij zorgvuldig haar pupillen.

'Je hebt me laten schrikken.' Maar zijn stem klonk opgelucht. 'We zullen maar zeggen dat het aan de overdadige lunch lag, hè?'

Ze knikte dankbaar. Ze wilde doen alsof die vreemde reactie nooit had plaatsgevonden en zou hem gekust hebben als zijn vader er niet was geweest. Alex begreep het allemaal en liet de zaak rusten. Toen glimlachte hij schalks naar haar.

'Heb je gezien wat ik boven naast je bed heb gezet?' Ze schudde haar hoofd en hij liep snel naar boven. Toen hij terugkeerde, zette hij een lichtelijk beschimmeld houten kistje op het tafeltje naast haar. 'Volgens mij heb jij de sleutel!'

Ze bleef een hele tijd naar het kistje kijken: een eenvoudig en tamelijk klein eiken kistje met hier en daar wat aarde en schimmelplekjes. Het beslag leek haar ondanks de dofheid van zilver te zijn. Het zag er helemaal niet kostbaar uit en ze was een tikje teleurgesteld, als was het een anticlimax. Zo'n eenvoudig kistje zou nooit kostbare sieraden bevatten, dacht ze. Was zij wel de aangewezen persoon om het te openen? Alex had haar thee en toast gebracht en keek nu geamuseerd maar ook geïntrigeerd naar haar, terwijl Henry het klaarspeelde een houding aan te nemen die het midden hield tussen beleefde belangstelling en lichte nieuwsgierigheid, door zich om het vuur te bekommeren en de gordijnen te sluiten, maar steeds met een half oog gericht op de weifelende Lucy. Ze spoorden haar niet aan voort te maken en de staande klok tikte oorverdovend in het stille huis.

Ze maakte haar halsketting open waaraan het sleuteltje hing en legde het voor het bewerkte zilveren slotje. Ze keek ernstig naar Alex en zijn vader en vroeg: 'Ben ik wel degene die dit moet doen?'

Alex lachte, stond op en knielde naast haar neer. Hij sloot zijn hand geruststellend om haar trillende vingers. 'Aan jou de eer.' Zijn intonatie bemoedigde haar. Ze stak de sleutel in het slotje en draaide. Ze verwachtte min of meer dat het verroest zou zijn, en zelfs dat het niet zou gaan. In plaats daarvan klonk er een duidelijk klikje. Lucy trok het paar dunne handschoenen aan dat Alex haar voorhield. Henry stond op en kwam naderbij. De twee mannen keken gespannen toe toen ze het kistje opende en daarmee een muffige geur van eeuwen bevrijdde.

Lucy tuurde naar binnen, aarzelde en haalde er vervolgens eerbiedig een soort hoes uit van strogeel leer, losjes dichtgeknoopt met een leren koord. Langzaam trok ze de lus open en hield toen enkele vellen perkament in haar hand, verzegeld met een rode lakzegel. Er lag een dun laagje wit poeder over. Alex vroeg of het zout was of misschien aluin of kalk. De conditie van het perkament was uitstekend,

Henry boog zich voorover, liep zonder iets te zeggen weg en keerde terug met een klein scherp mes. Daarmee sneed ze door de rode was. 'Het is iriswortel,' zei ze, vertrouwd als ze was met het delicate aroma van gedroogde irissen, dat het aroma van gedroogde bloemen versterkte en meteen bijdroeg aan hun conservering.

Ze keken ademloos naar een reeks schitterend gekalligrafeerde raadsels en naar een kleine gouden munt die tussen de vellen vandaan gleed.

17

'Je kunt met me meegaan of je blijft hier. Maar wat je ook kiest, ik ga.' Ondanks allerlei frustraties en problemen had Lucy nog nooit onenigheid met Alex gehad, maar daar was ze nu dichtbij. Dit besluit lag uiterst gevoelig voor haar. Het had haar weken gekost om toestemming te krijgen en alles was in kannen en kruiken. Ze werkte weer, zij het parttime, en moest de zaken zelf plannen. Ze had een kamer geboekt waar ze van vrijdag tot zondag kon verblijven en ze was geestelijk klaar voor de ervaring. Meer nog, er was iets wat haar noodzaakte te gaan. Het moest nu gebeuren.

Alex was verontrust. Hij had een hele maand elk uur waarin hij niet bij zijn studenten of in het ziekenhuis was geploeterd om zijn dissertatie voor te bereiden – wat als zodanig al een berg was geweest om te beklimmen – maar wat hem had gedreven was dat hij, bij wijze van nevenproduct, in de toekomst wat meer tijd zou hebben. Lucy had een week of twee geleden aangekondigd dat ze naar Chartres zou gaan voor de lentenachtevening. Ze had het tijdstip zorgvuldig gekozen en was met de beheerders van de kathedraal overeengekomen dat ze, vóór het seizoen officieel zou beginnen, na de openingsuren toegang zou krijgen tot het labyrint. Hij wist dat ze erg veel moeite had moeten doen en haar contacten bij de televisie had moeten inschakelen om het allemaal voor elkaar te krijgen. Wills ansichtkaarten hadden haar geïntrigeerd. Ze wilde zelf zien wat Alex' broer had gezien. Ze wilde de dans van de lenteritus op het geëigende moment uitvoeren.

Het verbaasde Alex dat het zoveel voor haar betekende, al was hij er zelf ook nieuwsgierig naar, maar hij maakte zich zorgen als ze alleen zou gaan. Dus had hij haar enkele dagen tevoren tijdens een lunch eenvoudig gezegd: 'Ik wil graag met je meegaan.' Ze was ver-heugd en opgelucht geweest. Dat had ze niet verwacht.

Ze waren, ondanks het structurele tijdgebrek, nader tot elkaar ge-groeid sinds haar verjaardag. 'Ik kan het niemand aanbevelen,' had ze tegen Grace verzucht, 'iets te gaan voelen voor een man die geschei-den is, die een zoon heeft die ik nog altijd niet heb ontmoet, die een volledige baan heeft en als klap op de vuurpijl een promotieonder-zoek moet voltooien.' Heimelijk maakte ze zich nog over iets anders zorgen. Ze vroeg zich al weken af of Alex' onvermogen om intiem met haar te worden iets te maken had met de onzekerheid omtrent haar gezondheid. Ze wist dat hij in minder dan een jaar zijn moeder en zijn broer had verloren. Daar sprak hij niet over en hij liet zijn masker nooit zakken, maar ze snapte ook zonder nadere uitleg wel dat de wond nog niet genezen was. Kon zij het hem kwalijk nemen dat hij er terughoudend in was echt een verhouding met haar te begin-nen waaraan op elk moment een einde kon komen? De levensver-wachtingen na harttransplantaties werden steeds gunstiger na het eer-ste cruciale jaar, maar garanties waren er niet. Maar nu hoopte ze haar twijfels tot rust te kunnen brengen. Ze zou uitzoeken wat er tussen hen was en de onzekerheden op de koop toe nemen. Ze had al we-kenlang aan bijna niets anders kunnen denken.

Van zijn kant had Alex het klaargespeeld de hele vrijdag en het vol-ledige weekend vrij te maken. Hij zag uit naar het moment waarop ze 's avonds samen het labyrint zouden doorlopen, om daarna eindelijk eens wat tijd met elkaar te kunnen doorbrengen. Maar opeens wer-den hun plannen op een onverwachte manier doorkruist. Ze had het niet kunnen verkroppen. Als ze had geluisterd had de droefheid in zijn stem haar al half verteld wat ze moest weten, maar Lucy voelde zich op een bespottelijke manier gedwarsboomd. Ze had het gevoel dat het lot zich tegen hen had gekeerd en overtuigde zichzelf ervan dat ze dat niet zou toestaan. Het was een les je hart niet weg te schen-ken. Slechts aangedreven door haar eigen gevoel van afstoting – de eb en vloed van onverwachte genoegens gevolgd door intense teleurstel-lingen – was ze doof voor de emoties van Alex. Het enige wat tot haar doordrong was het nieuws dat zijn ex-vrouw hem gevraagd had dat weekend de zorg voor Max op zich te nemen vanwege een crisis in haar familie – het had iets te maken met haar moeder die in het ziekenhuis was beland.

'Het is al goed, Alex,' zei Lucy, maar het was hem duidelijk dat het dat niet was. Ze zei dat ze accepteerde dat hij verplichtingen had, maar ook dat ze alleen zou gaan. Ze had hem om te beginnen al niet gevraagd met haar mee te gaan. Ze had het nog net kunnen opbrengen hem welterusten te wensen en vervolgens jankend opgehangen. Ze was volkomen vergeten hoe dat voelde.

Alex legde de telefoon neer en klikte met de balpen in zijn hand. Hij zou Anna in geval van nood nooit in de steek laten. En hij zou Max nooit in de steek laten. Er was geen Will om een beroep op te doen. Was er nog een andere oplossing, of moest hij Lucy aan haar lot overlaten? Zij kon de datum niet veranderen en hij kon het probleem niet veranderen. Impasse.

Vrijdagochtend vroeg brachten Grace en Simon haar naar Waterloo en Simon tilde haar tas uit zijn Land Rover. 'Weet je zeker dat je geen gezelschap wilt? We zouden ons nog altijd ziek kunnen melden.'

Lucy omhelsde Simon. 'Je bent geweldig. Nee, ik denk dat ik dit alleen moet doen. Ik moet eerlijk gezegd even een tijdje alleen zijn. Ik heb een hoop om over na te denken.'

'Weet je eigenlijk waar je precies naar zoekt?'

'Geen idee. Als ik het weet stuur ik je een kaartje! Het lukte haar een lach op haar gezicht te krijgen.

'Zorg dat het een kaartje is van een engel!' zei Simon met een spottend lachje.

Ze hadden de afgelopen twee zondagmiddagen met z'n tweeën op de grond gezeten van Alex' appartement in Londen, met hun handschoenen aan en omringd door de teksten van de verbluffende documenten die in het kistje hadden gezeten. Een eigenaardig verjaardagscadeau, had Alex het genoemd: achttien vellen perkament waardoor ze niet aan het etentje toe waren gekomen op de avond van haar verjaardag. Op elk van die vellen stond een wirwar aan raadsels en verwijzingen naar een ander, even vaag iets. Het eerste was die geweest waar Will een kopie van had gehad – een of ander manuscript van de tekst die samen met het sleuteltje aan hem was nagelaten. Nu was er, zoals ze eerder al gedacht had, een heel katern aan teksten. De nalatenschap had begraven gelegen onder een reusachtige moerbeiboom in de tuin van het ouderlijk huis van Alex, precies zoals ze gezegd had, met slechts een gouden Elizabethaanse 'engel', een muntstuk van aanzienlijke waarde, die er als een behoeder bij was gestopt. Henry had gemeend dat het Dees manier was om de veerman te betalen – een engel die er zorg voor droeg dat het kistje de eeuwen veilig zou doorstaan. Het had er duidelijk al vierhonderd jaar gelegen: de munt kon aan de hand van het merk '0' rond 1600 worden gedateerd. Alle perkamentvellen waren nog steeds leesbaar, nagenoeg onaangetast, met slechts hier en daar een klein schimmelplekje. Het kistje had niet erg diep in de grond gelegen, had Alex hun verteld toen ze gebiologeerd naar de versregels hadden gekeken en naar de elkaar kruisende patronen op de achterkant. Niemand had er iets van geweten dat het kistje daar had gelegen, zo leek het. Alex had hun met een gezonde dosis scepsis verteld dat de boom naar verluidt een stek was geweest van de grote moerbeiboom van Shakespeare – die weer een geschenk zou zijn geweest van king James, oftewel koning Jacobus I van Engeland, die destijds geobsedeerd was door de zijdeproductie. Hij importeerde echter de verkeerde moerbeisoort, en die *morus nigra*, de zwarte moerbeiboom, had de zijderupsen niets te bieden. Maar de oude boom was prachtig en Alex herinnerde zich dat hij als kind altijd vlekken op zijn handen en rond zijn mond had gehad als de eerste bessen van het seizoen de twee kleine jongens weer hadden verlokt zichzelf ermee vol te proppen. Hij kon hun smaak nog proeven. Waarom het de moerbeiboom was en hoe Lucy het opeens had geweten, was op zichzelf een raadsel. Het enige wat ze er van die dag tot op de huidige over had kunnen zeggen, was dat het portret het haar had verteld.

Ze verdreef de gedachten aan Alex en gaf haar vriendin een afscheidskus.

'Let goed op jezelf, liefje.' Simon stak zijn hand op naar Lucy en legde zijn arm om het middel van Grace. Ze stapte in de Eurostar en liet zich met een verdrietig gevoel in haar stoel zakken. Dit was niet meer het tripje waarop ze zich de afgelopen dagen had verheugd en ze zou willen dat de telefoon gisteravond niet was gegaan. Maar het was een tocht die ze beslist wilde maken en ze hield zich vast aan het onweerstaanbare gevoel dat ze een of ander vaag verlangen zou stillen en zich op een later tijdstip om het vraagstuk Alexander Stafford zou bekommeren. De drie gratiën hadden een pact tegen haar gesloten en het verstandigste was zich vooralsnog naar hen te schikken. Maar er wachtte haar nog een heel andere bestemming, en die zou ze vinden.

Alex haalde Max die ochtend vroeg op in Crabtree Lane zodat Anna naar haar familie in het noorden kon reizen, waar haar moeder, hoorde hij, een eerste operatie zou ondergaan. Hij monterde haar wat op en gaf haar enkele goede adviezen en geruststellende woorden. Hij besloot Max op een ontbijtje te trakteren en bracht hem vervolgens naar school. Maar toen hij met de boodschappen naar huis reed, sloeg de vermoeidheid toe. Dit was zijn eerste vrije dag in weken en hij had geen idee hoe die te vullen. Hij zou een paar werkstukken van studenten nakijken. Hij zou een lange wandeling langs de rivier maken. Hij zou een tijdje gaan lezen. Het enige wat hij echt wilde was Lucy bellen. Om wat te zeggen? Zij was niet gelukkig met hem. Haar ratio begreep zijn dilemma. Emotioneel lag het allemaal anders. Hij zou de dingen enigszins tot rust laten komen, besloot hij. Toen pakte hij de telefoon en belde haar mobiele nummer.

'Ja?' Haar stem verraadde niets. Ze moest voor het opnemen zijn nummer hebben herkend.

'Lucy?'

'Alex?'

Doordat ze zichzelf had opgelegd de teleurstelling het hoofd te bieden, klonk ze kortaf. Hij kon niets uitbrengen. Hij wilde haar eraan herinneren dat ze gezien het tijdsverschil met Frankrijk haar medicijnen tijdig moest innemen, dat ze regelmatig iets moest eten en ervoor moest waken geen kou te vatten, wat eigenlijk allemaal voorwendsels waren om duidelijk te maken hoe graag hij wilde dat ze bij hem was. Maar zij stoorde zich aan zijn overbezorgdheid – een armzalig substituut voor zijn aanwezigheid. Hij voelde zich onbeholpen en zei eenvoudig: 'Veel succes vanavond.' Lucy zei niets en hij fluisterde zacht '"*Tread softly…*"' Hij had geen idee of ze dat gedicht van Yeats kende, maar het was het enige wat hij haar kon zeggen.

Hij legde de hoorn op de haak en pakte de ansichtkaart op van het labyrint van Chartres dat Will aan Max had gestuurd en dat hij koesterde. 'Nou,' fluisterde hij, 'jij zou jezelf nooit zo'n probleem op de hals halen, of wel? Wat moet ik doen?' Hij legde de ansicht op de eettafel en haalde de verbijsterende stapel documenten voor de dag die sinds Lucy's bizarre onthulling aan het licht was gekomen. Hij had een vrije dag. Misschien werd het tijd dat hij ze eens goed bekeek.

Het was halfzeven 's avonds. De koster trof haar in de dwarsbeuk van de kathedraal aan. Ze was nooit eerder in Chartres geweest, had zich nooit erg aangesproken gevoeld door religieuze bouwwerken.

Het laatste uur van de dag had ze het licht van het gebrandschilderde glas over haar gezicht laten spelen en haar blik op de roosvensters gevestigd. Ze was gaan zitten en had gewoon naar boven gekeken. De aanblik was ontzagwekkend en eigenlijk niet helemaal te bevatten. Ze dacht na over de wijze waarop het licht werkte: het was een hoge ruimte en je ogen werden naar het licht getrokken. In Engeland waren kathedralen langer en lager en dat was, had ze Alex horen zeggen, optimaal voor de geringere intensiteit van het Engelse licht. Het zonlicht was in Frankrijk misschien intenser en de kracht waarmee het het halfduister binnendrong was uitzonderlijk en dwong je voortdurend je blik erop te richten. Ze stak een kaars aan voor haar moeder, waar ze ook was, en een voor haar vader, en nog twee andere voor twee mensen die ze nooit had gekend. Ze had geprobeerd vandaag niet aan Alex en zijn familie te denken, maar dat was eenvoudigweg niet gelukt. Ze was geraakt door wat hij aan de telefoon had gezegd, hoe kort van stof hij ook was geweest. Ze wilde dat hij hier bij haar was. Een man had haar gadegeslagen, een onaangename bijkomstigheid voor een jonge vrouw die alleen reist. Ze was vergeten hoe ergerlijk dat was, hoe verontrustend het kon zijn, en ze wenste dat ze zich aan Alex kon vastklampen. Maar goed, nu was ze hier met de koster en nog slechts drie andere mensen die deelnamen aan deze besloten rondleiding. Ze zouden allemaal het heilige pad bewandelen, had hij gezegd. De stoelen waren verwijderd en naast de grote windingen brandden kaarsen. De sfeer was verheven.

De met de koster meegekomen gids begon te vertellen. 'In de twaalfde eeuw werden bepaalde kathedralen aangewezen als bedevaartskathedralen om de aantallen mensen te verminderen die ten tijde van de kruistochten naar het onveilige Heilige Land wilden reizen. Aan veel van die kathedralen waren labyrinten toegevoegd die bekend werden als "de weg naar Jeruzalem". Oorspronkelijk werden die met Pasen doorlopen, zoals bij de klassieke labyrinten de komst van de lente en het uitlopen en opkomen van bomen en planten werd gevierd. De ervaring van het doorlopen was echter meditatief, kalmerend en concentrerend. Veel mensen vinden dat het hen nader brengt tot de hemel, voorbereidt op het bevatten van Gods wil. Gedurende de minuten die nodig zijn om het labyrint te doorlopen, verwijl je buiten de tijd, ben je betrokken op het inwendige en spirituele in plaats van op het materiële en tijdelijke.'

De informatiestroom kabbelde voort, maar Lucy's gedachten namen een hogere vlucht. De flakkerende kaarsen riepen het effect op van een bassin en wierpen schaduwen door het schip. Ze wilde dat de anderen eerst zouden gaan: zelf wilde ze als laatste, zonder dat er iemand naar haar keek. Haar hoofd was leeg en ze gaf zichzelf over aan het uitzonderlijke spel van licht en schaduw. Ze wilde buiten de tijd zijn.

En toen was het haar beurt – meer dan een halfuur was omgevlogen en haar voeten liepen met een eigen wil naar het labyrint.

Het was zes uur 's avonds. Max had zich voor de televisie geïnstalleerd nadat hij ongebruikelijk vroeg had gegeten, en Alex strekte zich op de bank naast hem uit met een glas bordeaux in zijn hand. Hij had de papieren zorgvuldig in groepjes verdeeld en pakte opnieuw het eerste vel op. Hij dacht aan Lucy in Chartres met Wills kopie van dezelfde tekst. Dat maakte dat hij zich dichter in haar buurt voelde en hij hunkerde ernaar bij haar te zijn. 'Onze twee zielen, derhalve…' Hij voelde dat de dichter John Donne iets had verwoord wat precies op hen van toepassing was. Lucy en hij waren qua ruimte van elkaar gescheiden, maar in gedachten waren ze samen. Hij zou hun twee zielen nu als één beschrijven – ze bevonden zich buiten de tijd. Het moest zeven uur zijn in Frankrijk, dacht hij. Hij pakte Wills ansichtkaart van het labyrint op en keek ernaar en vervolgens las hij nog een deel van de tekst op het oude document. *Ik ben wat ik ben, en wat ik ben is wat ik ben… Ik heb een wil om te zijn wat ik ben.* Alex liet al die uitsluitend eenlettergrepige woorden keer op keer door zijn hoofd spelen. Na een minuutje schreef hij op een notitieblok: *Will I am.* William.

Hij draaide Wills ansichtkaart om, bekeek het bericht dat hij aan Max had geschreven en het geometrische patroon dat hij had getekend. Max vroeg hem iets en Alex zei 'ja' zonder dat tot hem was doorgedrongen wat hij precies had gevraagd. Hij keek opnieuw naar de kaart en vervolgens weer naar de tekst. *Linksonder een vierkant. Rechtsonder een vierkant.* Hij bestudeerde de patronen die Will had getekend. Hij had ze vrij letterlijk geschetst: de vijf elkaar kruisende vierkanten gaven een visuele presentatie van de woorden. Dat herinnerde Alex aan de wiskundige kwadraten die ze op Cambridge hadden bestudeerd: magische getallenkwadraten. Gewoonlijk werd de reeks opgeteld tot één getal, maar de interne secties van het vierkant werden ook bij elkaar opgeteld.

Ik ben halverwege de omloop. Hij nam een slok wijn. Er stond een magisch kwadraat op een van de perkamentvellen. Wat was de helft van het totaal, vroeg hij zich af.

+	ELOHIM		+	ELOHI	+
	4	14	15	1	
9	7	6	12
5	11	10	8
	16	2	3	13	
+	ROGYEL		+	IOSPHIEL	+

met aan de linkerzijde verticaal: ADONAI, en aan de rechterzijde verticaal: ZEBAOTH.

Ze hadden Lucy gezegd dat ze behoedzaam langs de brandende kaarsen moest lopen. "'*Tread softly…*'" Ze hoorde Alex' stem en ze dacht aan wat Yeats had gezegd over lopen op dromen. Ook op mijn dromen, besefte ze, en de woorden van het gedicht echoden in haar hoofd. Toen werd haar geest opnieuw leeg en nu hoorde ze Alex' stem alsof hij de inhoud van Wills document in haar oor fluisterde: *Onze twee zielen, derhalve…* Ze voltooide de regel van de bron, in Donnes gedicht, zonder onderbreking: *… die één zijn, Ofschoon ik moet gaan,* *onderga nog geen inbreuk, maar een uitbreiding…* Opnieuw hoorde ze Alex' stem in haar hoofd: '*Ik ben wat ik ben, en wat ik ben is wat ik ben. Ik heb een wil te zijn wat ik ben.*' De woorden dreven in haar hoofd en haar voeten zochten hun weg, heen en terug en rond. Ze werd licht in haar hoofd door de flakkerende kaarsen en ze bedacht dat ze niet had geluncht. Ze voelde zich alsof de hemel haar wenkte. Ze genoot van de sensatie behoedzaam te moeten zijn met haar passen, maar vrij met haar ziel.

Abrupt opende ze haar ogen – om de betovering van de innerlijke stem te verbreken. Ze meende een man te zien die uit het centrum van het labyrint bewoog. Maar ze was toch alleen? Ze huiverde: iemand had over haar graf gelopen. Ze keerde terug om hem opnieuw te zien maar zag alleen de bewegende vlammen, de lichtjes. De vriendelijke, volle stem van Alex keerde terug in haar hoofd, bemoedigend en kalmerend. '*De waarheid is zo. En dit is de nauwe kloof, geschikt en duister, Waardoor de bevreesde geliefden moeten fluisteren.*' Ze glimlachte. Het was geheimzinnig. Ze zou haar spirituele gedachten moeten concentreren. De woorden – elk woord van Wills papier – voerden Alex naar haar terug. Zij waren bevreesde geliefden; ze kon hem horen fluisteren, en ze schenen slechts een scheur in de tijd te hebben, een nauwe kloof om elkaar te vangen. Na één misstap kon een van de twee hopeloos achteropraken.

Ze stond nu naar het grote roosvenster gekeerd en rook haar eigen parfum dat langs haar gezicht opwaaide. Er was een andere luchtstroom die de vlammen in diverse richtingen boog. Weer voelde ze de beweging van iemand in het labyrint, maar het was een begoocheling van het licht. Ze beefde. Ze hoorde Alex' stem die haar geruststelde, haar kalmeerde, haar ademhaling hielp vertragen. Op een of andere manier was hij bij haar. Hij dacht aan haar, concludeerde ze. '*Ook het hart is een vierkant.*' Ze stapte in het centrum van het labyrint, waar zich, had de gids verteld, ooit een plaque van Theseus had bevonden. Ze voelde dat er iets in de andere richting langs haar streek, en plotseling bezorgd om de kaarsen drukte ze haar rok dicht tegen haar lichaam aan. Toen ontspande ze zich. Weer was er de luchtstroom die het parfum aanvoerde dat ze met de kerst van Alex had gekregen, en ze voelde een lichamelijke warmte naast zich, hoorde zijn stem in haar oor alsof hij direct naast haar stond. *'En ik ben halverwege de omloop.'* Er was geen twijfel aan, het was Alex' stem.

Of toch niet? Haar ogen waren zwaar geweest, halfgesloten, maar nu sloeg ze ze weer op. Ze haalde diep adem. Alex' gezicht deinde in de nevel van licht en de naar rozen geurende vlammen van de kaarsen. Zijn gezicht was niet keurig geschoren, tamelijk stoppelig zelfs. Zijn haar was langer en krullender dan ze die avond op de boot had gezien, niet half zo onberispelijk als hij er op haar verjaardag had uitgezien. Ze besefte dat hij slechts in haar verbeelding aanwezig was, maar hij leek aanraakbaar. *'Kijk niet verder dan de dag, Mijn alfa en mijn omega.'* Opnieuw de stem. Vriendelijk, rustgevend, vol, zangerig. *Maak van deze helften één geheel.'*

Alex maakte zijn berekeningen en zag opeens dat de Tafel van Jupiter, die op een klein vel perkament was getekend, precies de kwadraten vormde die overeenkwamen met Wills schets. *Halverwege* – dit was het midden, nu was hij zeker. Hij veronderstelde dat dit het eerste stukje van de puzzel was. Hij pakte zijn balpen weer op. *Mijn alfa en mijn omega.* Iemand voor wie het begin ook het einde was – dezelfde dag, of plaats? Alex kreeg een ingeving en pakte een boek van de plank. Hij controleerde een datum. Toen stond hij op en pakte de bijbel die tussen de persoonlijke spullen van Will zat die pas onlangs door de lijkschouwer waren teruggestuurd. Het was een moderne versie van de King James – het oude boek van de koning, misschien? Een lied van gelijk getal. Hij keek naar het Lied van Salomo, waarvan hij zich herinnerde er tussen de Franse spullen van Will een Franse vertaling van te hebben gezien. Maar daarvan was de nummering wellicht niet strikt aangehouden. Had Will diezelfde gedachtesprong en dezelfde vergissing gemaakt? Alex bladerde naar de Psalmen.

Lucy was in de greep van een dromerige sensatie. Ze dobberde in een uit bloemen en vlammen bestaand veld. Ze hoorde de stem waarvan ze onmiddellijk begreep dat die toebehoorde aan haar grootste liefde. Haar hart sloeg wilder en aangenamer dan ze ooit had ervaren. Ze was zich bewust dat bonzen en bonken zo gevaarlijk als een hartaanval was, omdat ze zichzelf liet gaan. Maar ze was niet bang en ze was niet alleen. 'Een gelijk aantal stappen vanaf het begin…' herinnerde ze zich van Wills tekst. Ze besefte dat de operatie waaraan ze haar leven dankte praktisch tot op de dag een halfjaar geleden had plaatsgevonden, van het herfst- tot het lentepunt. Ze bevond zich halverwege het pad van het eerste cruciale jaar. En ze draaide nu weg van het centrum van het labyrint, klaar het te verlaten, een gelijk aantal stappen naar het einde ervan. '*Onze twee zielen zijn één.*' Alex' stem was weer naast haar, in haar. Toen: '*Ik ben wat ik ben, en wat ik ben is wat je zult zien.*' Ze kende de tekst op het gekopieerde vel, al was de volgorde mogelijk anders. Onze twee harten zijn één, dacht ze en ze sperde haar ogen open. O, goede god! Mijn alfa en omega. Mijn begin en mijn einde.

Alex begon met Psalm 23, 'De Heer is mijn herder'. Dat leverde geen cryptische aanwijzingen of boodschappen op, meende hij, niets ongebruikelijks. Dus verdubbelde hij het getal, beschouwde nummer drieëntwintig als een helft en maakte er een geheel van. Dat bracht hem tot Psalm 46, en hij telde hetzelfde aantal woorden – of stappen – voorwaarts. Hij schreef het betreffende woord op de achterkant van Wills ansichtkaart uit Chartres. Toen telde hij hetzelfde aantal woorden achterwaarts en schreef dat woord naast het eerste. Alex hield zijn adem in en de achtergrondgeluiden leken weg te sterven. Hij had een intrigerend nieuw woord van iconische betekenis samengesteld. Er volgde iets buitengewoons uit toen hij het samenvoegde met de naam die hij aan het begin had opgeschreven. William.

Hij wierp de balpen op tafel, sprak de woorden hardop uit en lachte. Max keek verbaasd naar hem. Dit moest hij Lucy laten zien: ze was er samen met hem. In het labyrint.

Lucy bereikte de laatste stap van de laatste winding van het pad en liet vervolgens de intensiteit van het kaarslicht en de vlammen achter zich. Ze was zich nauwelijks bewust van de aanwezigheid van anderen. Ze had de wezenlijke woorden begrepen van het document dat de sleutel vergezelde. Iemands omega was haar alfa geweest. Wat ik ben is wat je zult zien. Ze had gezien. Ze kende de naam. Ze moest Alex alles vertellen.

Ze gaf de koster een kus, stopte de gids wat geld in de hand en rende met de lichte stappen van een danseres van de grote kathedraal naar het noordelijke portaal. Ze zette haar mobieltje aan en koos het nummer, nauwelijks de tijd nemend om door te ademen.

'Hallo?' Zijn stem klonk enigszins opgewonden. De synchroniciteit verraste hem niet.

Ze wilde hem onmiddellijk zeggen hoe ze zich voelde, dat het haar speet dat ze zo koppig was geweest toen hij haar eerder had gebeld, maar er liep iemand dicht in haar buurt en ze voelde zich niet op haar gemak en dus begon ze anders. 'Ik moet je iets vertellen. Nou ja, eigenlijk wil ik je meer iets vragen. Misschien moet ik morgen terugkomen.' Haar gedachten tuimelden over elkaar heen: hoe moest ze het zeggen, hoe moest ze gedachten uiten die haar brein als duizend kaarsen schroeiden?

'Ik wil jou ook zien.' Alex klonk evenwichtig, maar zijn stem galmde. 'Ik wil je weekend niet bederven, maar ik ben iets gaan beseffen en ik moet je iets absoluut uitzonderlijks laten zien. Ik heb het raadsel in de tekst die je bij je hebt opgelost.'

'Ja, ik ook! Kijk, Alex.' Ze noemde zijn naam opnieuw en hij wachtte geduldig tot ze zou spreken. Het was moeilijk. Ze probeerde de woorden te vinden om een vreemde en ingewikkelde vraag te stellen en hem complexe emoties toe te vertrouwen, maar er waren mensen om haar heen. Maar ze barstte bijna en moest het delen – alleen met hem. 'Alex? Ben je er nog?'

'Kijk, als je nog een dag wilt blijven, kun je dan zondag wel eerder terugkomen? Ik breng Max om drie uur terug naar Anna, misschien zelfs eerder. Zondagmiddag zou perfect zijn. Ik zou voor ons kunnen koken.' Idioot, dacht hij, als ik Will was geweest zou ik haar gewoon hebben gezegd dat ik haar wilde en haar nu naar hier terug hebben gekregen. Hij zou al het andere opzij hebben geschoven en zijn doorgedrongen tot de kern. Als Max er was, dan was Max er. Het leven is soms zo.

'Lucy?'

Ze was gestopt met praten. Ze werd aangestaard door een man die achter haar stond en luisterde. Hij keek haar nu recht aan en kwam op haar af. Ze voelde zich heel ongemakkelijk. Het was dezelfde keu-

rig geklede man die haar eerder die dag wellustige blikken had toege-
worpen.

'Alex!' Haar stem klonk paniekerig. Hij hoorde de telefoon vallen,
gedempte stemmen, Lucy snikte als een kind, en het geluid uit de
telefoon stierf weg. Hij hoorde nog een klok halfvier slaan en daarna
niets meer.

18

Hij klemde zijn hand zo krachtig om haar mond dat haar voor even de adem werd afgesneden. De snelheid. Lucy was het niet meer gewend zo snel te bewegen, probeerde omwille van haar hart haar lichamelijke oefeningen altijd op een rustig tempo te houden. Haar armen werden stevig door een van zijn armen omklemd, maar ze had haar rechterhand voor haar borst en probeerde zichzelf onder controle te krijgen. Ze dacht dat als ze een beschermengel had, het nu een goed moment zou zijn om kennis met haar te maken. Of met hem.

Hij rook naar limoenen. Het eigenaardige was dat die geur haar niet onwelgevallig was, maar de situatie waarin ze die geur moest opsnuiven was afgrijselijk. Ze dwong zichzelf niet in te storten en deed er alles aan zich aan de stekende pijn te onttrekken die haar belaagde. Het was niet haar hart maar het waren haar benen, armen en schouders die het door zijn krachtige omklemming uitschreeuwden. Hij leek de wonden en littekens van haar operatie opnieuw in hevige schroeiplekken te hebben veranderd. Trappen en schoppen zou zinloos zijn, begreep ze, omdat ze, verzwakt als ze nog altijd was, volstrekt geen partij voor hem was. Ze probeerde te denken, maar de pijn weerhield haar.

Ze kwamen bij de uitrit van een ondergrondse parkeerplaats en haar benen werden bijna onder haar vandaan gerukt. Hij begon met haar de steile geasfalteerde spiraal af te rennen, verder en verder naar beneden. Haar benen weigerden verdere dienst. Ze dreigde buiten bewustzijn te raken en toen haar maag zich omdraaide moest ze opeens aan haar ziekte van Chagas denken. Letterlijk terug in de onderwereld, dacht ze. Een andere man stond in het halfduister tegen een auto geleund en even wilde ze om hulp roepen, tot ze besefte dat hij op hen had staan wachten. Ze werd ruw op de achterbank gesmeten van een dure donkerblauwe auto met prachtige lichtbruine, leren bekleding. Haar aanvaller gleed naast haar en duwde haar hoofd naar beneden. De andere man was achter het stuur gaan zitten en trapte het gaspedaal diep in. Twee kerels! Ze voelde zich misselijk, zwak en bang. Haar brein overzag de walgelijke mogelijkheden. Het absurde besef drong tot haar door dat ze het grote geluk had gehad nooit eerder ernstig met een verkrachting te zijn bedreigd, al had ze vaak alleen door vreemde contreien had gereisd. Een aanranding of verkrachting overleven vereiste dat je zo kalm en beheerst mogelijk moest blijven, giste ze. Gebruik je hersens, Lucy: er is je altijd gezegd dat je een goed stel hebt. De manier waarop je je gedraagt bepaalt wellicht of je wel of niet in leven blijft. De huiveringwekkende gedachte nam opeens bezit van haar dat het labyrint haar omega zou kunnen blijken als ze nu verkeerd te werk zou gaan. Dus probeerde ze haar gespannenheid en ademhaling onder controle te krijgen door een gebed te maken van het geluid van Alex' stem. Ze klampte zich vast aan de extase die ze in het labyrint had gevoeld, de vereniging met hem, de gewaarwordingen in haar hart.

'Siân, ik zit in grote moeilijkheden. Kun je me helpen?' Er klonk een urgentie in zijn stem door die totaal niet paste bij de man die zij kende.

'Je hoeft alleen maar te zeggen hoe, Alex.'

Op jachtige toon legde hij uit wat Lucy mogelijk was overkomen in Chartres. Hij vertelde dat hij de Franse autoriteiten had gebeld, had gerapporteerd waar ze zich had bevonden en dat ze een harttransplantatie had gehad.

Ze waren snel genoeg in actie gekomen om haar mobiele telefoon nog in de buurt van de kathedraal te vinden en hadden hem daar meteen van op de hoogte gesteld. Iemand had in haar hotelkamer haar spullen doorzocht, zeiden ze. Hij was over zijn toeren omdat hij niet wist waar ze was en zelfs nog ongeruster dat ze haar medicijnen misschien niet zou kunnen innemen. Het tijdig innemen van haar immunosuppressiemiddelen was bittere noodzaak. Hij moest nu op het vliegtuig stappen. Zou zij bij Max kunnen blijven?

'Geen probleem, Alex.'

'Komt het niet heel slecht uit?'

'Helemaal niet. We wilden juist ergens gaan eten. Onbelangrijk na wat jij me net hebt verteld. Ik ben binnen twintig minuten bij je.'

'Siân.' Alex aarzelde. 'Ik kan het eigenlijk niet maken als je al alles doet om me te helpen, maar zou je alleen kunnen komen – zonder Calvin? Het is zo dat... Max...' Alex keek naar zijn zoon die naast hem was komen staan en hem zonder iets te zeggen steunde zonder de situatie als een volwassene te kunnen begrijpen. Alex was er volkomen eerlijk over dat hij niet wilde dat zijn zoon al met Wills opvolger te maken kreeg, maar ook stuitte hem de gedachte tegen de borst dat die vreemde man, die hij sinds enkele maanden als een familielid moest beschouwen, in zijn woning en privéleven zou rondbanjeren.

'Geen probleem, Alex. Ik begrijp het. Ik gooi even een paar dingen in een tas en als ik morgen meer nodig heb, neem ik Max wel even mee naar hier.'

Ze had zich inderdaad gehaast en stond al voor zijn deur voor hij het telefoongesprek met Anna had beëindigd om uit te leggen wat er aan de hand was. Hij verzekerde haar dat ze zich om Max geen zorgen hoefde te maken. Anna wist dat haar ex-man niet om het minste of geringste in paniek raakte. Ze zag in dat dit buitengewoon belangrijk voor hem was en dat hij zich grote zorgen maakte. Max vertrouwde Siân en Anna stemde in met de oppasregeling, maar ze zou terugkomen zodra ze kon.

Alex stak zijn paspoort en nog een paar noodzakelijke dingen bij zich. Hij liet Siân binnen en zag toen dat Calvin toch was meegekomen. Hij keek haar niet-begrijpend aan terwijl zij Max omhelsde.

'Calvin blijft niet, Alex. Hij heeft me alleen even weggebracht. Maar hij heeft iets belangrijks te zeggen waarvan ik denk dat je het moet weten.' Ze draaide zich om en keek haar vriend indringend aan.

Alex was op zijn hoede. 'Ik heb nogal haast, Calvin. Is het relevant?'

'Zeer. Laat mij je naar het vliegveld brengen, Alex, dan praten we onderweg.' Zijn stem was nu verstoken van de gebruikelijke mengeling van charme en zelfvertrouwen, maar klonk eerder verontschuldigend en aarzelend. 'En je moet de papieren meenemen die verband houden met Dee. Ik weet dat je ze hebt gevonden…'

Alex wilde in de lach schieten, maar de omstandigheden waren te ernstig en hij kon zijn oren niet geloven. Het ging hier toch om de jacht op een familieschat? Het mysterie van een bepaalde familie, of op z'n best een intrigerende reeks raadsels waar toekomstige generaties zich het hoofd over mochten breken. Maar Calvins woorden impliceerden dat er nog veel meer op het spel stond, dat er aan dit mysterie een duistere kant kleefde. Toen Alex antwoordde klonk zijn stem dodelijk en kil, op een manier die Siân nooit eerder had gehoord.

'Wat heeft dit met jou te maken?' vroeg hij, elke lettergreep krachtig benadrukkend, waardoor zelfs zijn zoon geschrokken naar hem keek.

'Misschien heb ik in verkeerde kringen iets te vrijuit gesproken, misschien ging ik om met mensen die er twijfelachtige prioriteiten op na houden, maar wat vaststaat is dat er iemand zeer op is gebrand de hand te leggen op een bepaalde nalatenschap.'

'Calvin, alles wat jij weet, wil ik weten. Alles wat je me kunt vertellen, moet je mij vertellen. Ik heb in mijn leven nog nooit iemand pijn willen doen. Als er iets met Lucy gebeurt, zal dat veranderen.' Alex keek Calvin met zoveel gerechtvaardigde woede aan dat die laatste zijn ogen wel móést neerslaan. Alex keek naar de plek op de vloer waar Max had gezeten en zag nu pas dat zijn zoon een soort legpuzzel had gemaakt van de achterkanten van enkele perkamentvellen waarover hij zich zelf nog niet had gebogen. Hij had nog nauwelijks aandacht besteed aan hun patroon. Hij glimlachte en knipoogde naar zijn zoon. Max leek opgelucht de vader die hij kende weer terug te hebben. Alex raapte de papieren op, stopte ze in hun beschermhoes en vervolgens snel in een aktetas. Hij pakte zijn dokterstas en trok met één hand zijn jas aan.

'Wees lief voor Siân. Ik hou van je.' Hij drukte de jongen stevig tegen zich aan en gaf hem een kus. 'Je bent een verdomd slimme jongen.' Hij draaide zich met bijna evenveel gevoel naar Siân en omhelsde ook haar. 'Dank je,' zei hij zacht, en het volgende moment waren de twee mannen verdwenen.

Tussen de silhouetten van enkele bomen, op een ongepast mooie plek in de heuvels die uitzicht boden op Chartres, hield de auto stil. Lucy werd ruw door de chauffeur uit het voertuig getrokken. Ze voelde zich misselijk, maar verder was er niets met haar aan de hand, bekende ze zichzelf om de moed erin te houden. Maar ze was verstijfd van de kou. Ze had haar lichte regenjas aangetrokken toen ze de kathedraal had verlaten, maar die was niet opgewassen tegen de kille avondlucht. Met het verdwijnen van het zwakke maartzonnetje was de temperatuur pijlsnel gedaald. Ze zag in het laatste licht een tamelijk mooi gebouw. Het was een deels vervallen boerenhoeve, zag ze, maar ze was nu niet geïnteresseerd in architectonische kwesties. Vreemd hoe je omgeven door schoonheid zo'n verschrikking kon ervaren. Ze werd door de twee mannen door de deuropening geduwd en kwam terecht in een vochtige ruimte waar een zwak vuur brandde en waar nog een man was die aan een tafel zat te lezen. Hij leek, dacht ze, bijna onverschillig voor hun komst.

O god, wat gebeurt er toch, vroeg ze zich verbouwereerd af. De moed zonk haar in de schoenen. Dit leek nu geen aanval meer op een vrouw alleen. De angst had haar stevig in de greep en ze wist totaal niet hoe ze deze situatie moest benaderen, noch wat haar te wachten stond.

'Ik vertrouw erop dat u niets is aangedaan, mevrouw King?' De man aan het tafeltje keek op van zijn boek. 'Een hartoperatie is een ernstige zaak en verandert een mens.'

Die woorden brachten haar in verwarring: wie kon die dingen weten? Lucy keek naar de bijna attractieve man, misschien een jaar of veertig en met enig overgewicht. Hij had grijzend, krullend haar en leek middelgroot. Hij zat aan een eenvoudige boerentafel met daarop een schaakbord met een onderbroken partij. Ze wilde, kon niet spreken en dwong zichzelf tot ogenschijnlijke kalmte. Ze koos ervoor niet te vragen waarom ze naar deze troosteloze plek was gebracht. Haar ogen priemden door de kamer en keerden terug naar zijn gezicht. Hij vond haar stilzwijgendheid kennelijk nogal amusant of misschien zelfs indrukwekkend. Weldra doorbrak hij de patstelling.

'Dank u, heren. Mefistofeles, als jij even naar buiten gaat en onze nestor belt. Ik denk dat hij graag iets van ons hoort. En nu,' zei hij min of meer tegen Lucy, 'wachten we.' Hij klonk volstrekt ongeïnteresseerd en nam zijn boek weer op. De grote man met de onaantrekkelijke naam die haar in Chartres had ontvoerd, verdween door de voordeur. Ze was inderdaad in een soort hel terechtgekomen, dacht ze huiverend.

Na een uur had Lucy nog altijd geen woord gezegd, maar ze begon de indruk te krijgen dat ze niet in onmiddellijk gevaar verkeerde. Ze keek rond en zocht in het halfduister naar een verklaring. Ze had het nog kouder gekregen. Het vuur was te klein om de tochtige ruimte te verwarmen. Maar ze liet niets over zichzelf los. De chauffeur, een grote man met grijze ogen, werd nu in vloeiend Frans aangesproken door de man met het boek. De eerste liep naar een zeer oude keuken, die zich grotendeels buiten Lucy's gezichtsveld bevond, en keerde terug met een beker water. Ze bood weerstand aan de dwaze inval hem te negeren en nam de beker aan, nog altijd zonder iets te zeggen, maar ervan drinken deed ze niet.

Er ging een mobieltje af. De man aan de tafel nam bedaard op.

'Mm-mm?' Hij luisterde lange tijd voor hij zelf iets zei.

'Schakel hem maar door.'

Lucy merkte nu voor het eerst op dat hij een Amerikaan was met een licht zuidelijk accent, maar allesbehalve warm zoals dokter Angelica.

'We hebben het meisje.' Zijn stem klonk licht en vrolijk en deed haar denken aan een kat die met een gewond vogeltje speelt dat hij als mogelijk hapje heeft afgekeurd. 'Ik denk dat we in het bezit zijn van de middelen voor het slot.' Hij gebaarde naar de man die Lucy uit het portaal van de kathedraal had gevoerd en die nu zwijgend in het donkerste deel van de kamer van zijn stoel opstond. Hij kwam naar haar toe en rukte aan het kettinkje rond haar nek – het dunne gouden kettinkje dat Alex haar voor haar verjaardag had gegeven. Het sleuteltje lag nu in zijn hand en ze had een snijdende pijn in haar nek. Ze voelde zich ontwijd en keek in de gele ogen van de duivel met zijn passende naam.

'Ja, dat zijn we zeker.' De charmante zuidelijke stem van de kat vervolgde: 'Nu dan, dokter, ik denk dat wij iets hebben wat u wilt. En u hebt iets wat wij willen. Er is geen enkele reden hier nog iemand anders bij te betrekken, en er zal niemand anders bij betrokken raken als u mijn instructies nauwgezet opvolgt. Maar geloof me, als ik de gendarmerie aan de deur krijg of anderszins de indruk krijgt dat u mij wilt bedriegen, zal ik zeer lichtgeraakt reageren. De tamelijk wenselijke ruil die ik in mijn hoofd heb, zal dan van de baan zijn. Ik hoop dat ik duidelijk genoeg ben?' Het viel Lucy op dat hij zeer zakelijk sprak en het woord 'gendarmerie' in voortreffelijk Frans uitsprak. Hij stond op van zijn stoel en liep traag door de kamer naar het vuur, en terwijl hij Lucy passeerde hoorde ze heel zacht Alex' stem uit het toestel. Dat gaf haar nieuwe moed: hij klonk precies zo evenwichtig als altijd. '... begrijpt dat die papieren waar uw belangstelling kennelijk zo krachtig naar uitgaat mij nauwelijks boeien. Het verbaast me hogelijk dat volwassen mannen er zo gefascineerd door raken. Denkt u echt...'

De man liep weer verder om haar geen zekerheid te geven over wat er aan de hand was. Ze keek naar zijn gezicht en vond hem op een of andere manier pathetisch in zijn pogingen de verbale strijd met Alex aan te gaan. Hij pakte een omgevallen schaakstuk op en speelde ermee. Uiteindelijk keerde hij naar haar terug en ging zo dicht in haar buurt zitten dat ze Alex' stem duidelijk kon horen. Ze besefte dat hij uit was op een emotionele reactie van haar kant.

'... is herstellende van een operatie en mag niet aan grote spanningen worden blootgesteld. Ik zal hemel en aarde bewegen om ervoor te zorgen dat u enkele zeer onplezierige vragen te beantwoorden krijgt. En hoewel meneer Petersen me verzekert dat u een man bent die zich aan alles weet te onttrekken, kan ik u verzekeren dat ik vasthoudend en meedogenloos zal zijn. Laten we dit verbale steekspel dus staken om afspraken te maken waaraan we ons zullen houden. Het vliegtuig naar De Gaulle vertrekt over een kwartier en zal vanavond om elf uur landen. Hoe stelt u voor...?'

Lucy wendde haar hoofd af. Ze begreep dat zij wilden dat Alex hun de vellen perkament zou brengen, maar ze had geen idee hoe zij op de hoogte konden zijn van hun bestaan en waarom ze zo belangrijk waren, en evenmin wat 'meneer Petersen' ermee te maken had. Ze weigerde nog eens naar de man te kijken die haar had gegijzeld en probeerde zich doof te houden voor de laatste woorden die hij aan de telefoon sprak:

'Het is zo aangenaam te onderhandelen met iemand die intelligent is. Dat bespaart een hoop tijd en ellende. En ik heb vanwege dit alles de opera van vanavond al gemist, al zullen enkele zeer hoogaanzienlijke lieden bij hoog en bij laag volhouden dat ik daar wel aanwezig ben, lieden die in de pauze zelfs een glas champagne voor me zullen halen. Houdt u niet van opera, dokter Stafford? *Lucia di Lammermoor?*'

Alex aarzelde bij de laatste instructie over hoe hij Lucy weer zou kunnen oppikken, maar hij wist dat hij zijn laatste troeven bijna had uitgespeeld en aan de voorwaarde gehoor zou moeten geven. Hij klapte zijn mobieltje dicht en sloot aan achter de laatste passagier die aan boord ging. Hij dacht na over de onuitgesproken bedreiging die hij daarnet zo duidelijk had opgepikt. De adrenaline had hem het afgelopen heftige uur geconcentreerd gehouden. Hij klikte zijn riem vast en overdacht wat er allemaal was gebeurd. Nadat Calvin zonder succes had voorgesteld hem naar Frankrijk te vergezellen, had hij tijdens de autorit zijn best gedaan Alex op de hoogte te stellen van de drie mannen, en niet alleen van hun obsessieve belangstelling voor de papieren van John Dee. Met het oog op Lucy's ontvoering was het verontrustender dat hij had gezinspeeld op de organisatie waartoe zij behoorden en de banden die ze in drie continenten onderhielden met de invloedrijkste overheidspersonen. De man met wie Alex net had gesproken werd door Calvin Guy genoemd, 'de Amerikaan in Parijs'. Die Guy verbleef voornamelijk in Frankrijk, omdat hij ervan overtuigd was af te stammen van een tempelridder, en hij had allerlei mensen in zijn zak. Door de manier waarop Calvin zijn naam uitsprak, kon Alex alleen maar denken aan geklaarde boter – en om een of andere reden hielp dat. Glibberig wellicht, dacht hij, maar niet solide.

Alex was door de ene schok na de andere getroffen. Calvin had gesproken over andere mannen die contacten met zijn collega onderhielden en die extreem gefascineerd waren door hun voorouders en hun vermeende rol als vertrouwelingen van de engelen. Het viel Alex op dat ze allemaal een bijnaam hadden en hun invloed reikte volgens Calvin tot de hoogste politieke kringen. Ze behoefden het vuile werk nooit zelf op te knappen, vertelde zijn neef, en Alex was er zeker van dat er oprechte bezorgdheid in Calvins stem doorklonk. Zijn resumé was nauwgezet geweest: het was onmogelijk hun een voet dwars te zetten en het was hun niet om geld of kostbaarheden te doen. Hij verzekerde Alex dat ze uit waren op propaganda die effectief voor politieke doeleinden kon worden ingezet. Ze zouden krachtig worden beschermd door vele mannen van formaat die belang stelden in hun bevindingen, maar, zo geloofde hij, ze zouden vrijwel zeker afzien van het toebrengen van ernstig letsel als ze precies kregen wat ze wilden. Het zou voorlopig het beste zijn dat te doen wat zij eisten.

Alex wist niet goed hoe hij Calvin moest plaatsen. Zijn gevoelens hielden het midden tussen razernij, ongeloof en zelfs medelijden. Luisterend naar zijn lange betoog had hij zich een paar keer afgevraagd hoe eerlijk Calvin tegen hem was, en of hij er misschien nog een andere agenda op na hield. Maar hij had geluisterd naar wat hij wel en niet had gezegd en hoe hij het had gezegd. Zelf had hij er de voorkeur aan gegeven zo min mogelijk vragen te stellen om zichzelf zo min mogelijk bloot te geven.

Hij wilde al die zaken overdenken en aan een grondige beschouwing onderwerpen. Het enige wat hij wist was dat hij in vijfendertig minuten meer dan genoeg van Calvin had gehoord om er onpasselijk van te worden. Er was Alex een waarheid geopenbaard waarover hij vaker maar nooit in die mate als persoonlijk betrokkene had nagedacht: dat er mensen op de wereld waren die net religieus genoeg waren om te haten, maar niet religieus genoeg om lief te hebben. Bijna wanhopig stelde hij vast dat hij er goed aan deed Lucy tegen elke prijs heelhuids terug te krijgen, om zich met haar zo snel mogelijk uit de voeten te maken.

19

Gedurende de hele vlucht dacht Alex na over de consequenties van de geobsedeerdheid van die mensen door Dee en de zogenaamde engelenboeken. Kon dit verband houden met het fatale ongeluk van zijn broer? De lijkschouwer had zijn oordeel, 'dood door ongeval', een maand geleden gegeven, maar Alex koesterde intussen nieuwe verdenkingen. Hij zou zijn overwegingen echter voor een andere keer moeten bewaren. Er zouden nu te veel wonden worden opengereten en op dit moment was zijn grootste zorg Lucy zo snel mogelijk te vinden. Die man Guy, de nakomeling van een tempelridder, had ontwapenend mild geklonken aan de telefoon, maar zijn aanpak zou stellig veranderen indien hij op de proef werd gesteld en hij nam Calvins verzekering dat zij uiterst terughoudend zouden zijn met het gebruiken van geweld met een korreltje zout. Hij vond dat Lucy's leven op het spel was gezet en als hij niet snel bij haar zou zijn, zou haar een tweede, mogelijk nog grotere ramp treffen als ze niet snel van haar medicatie werd voorzien. De politie had op de plek waar ze werd ontvoerd haar telefoon en kleine handtas gevonden. Ze beschikte dus niet meer over haar medicijnen en Alex moest haar tijdig bereiken om ze haar te kunnen geven.

Het vliegtuig landde tien minuten later dan gepland, maar zijn geest was fris en helder terwijl hij naar de balie van het autoverhuurbedrijf rende om de auto af te halen die voor hem was gereserveerd en betaald. Dat wees erop dat ze over een behoorlijk netwerk beschikten. Hij vond het gruwelijk rond te moeten rijden in een auto die zij konden traceren, maar hij had geen andere keus. Binnen twintig minuten beschikte hij over een kleine Citroën. Rijdend door de regen liet hij de luchthaven achter zich om op weg te gaan naar een huis in

Arbonne-le-Forêt. Hij zou de elementen moeten negeren om binnen een uur op het afgesproken tijdstip van halfeen 's nachts aan te komen. Te laat komen was geen optie voor hem noch voor Lucy. Ze had haar medicatie om negen uur Franse tijd in moeten nemen. Het kon al levensbedreigend zijn daar enkele uren te laat mee te zijn.

De rit in de richting van Fontainebleau en vervolgens Arbonne verliep ondanks de verslechterende weersomstandigheden verrassend vlot. Er was verder niemand op de weg en Alex, die de route naar Fontainebleau vrij goed kende, volgde zonder problemen de overige aanwijzingen die hij had gekregen. Hij reed het dorp binnen, volgde een landweg en spiedde naar de namen van de huizen op de muren. Hij vond het gezochte huis snel, aangezien in het verder slapende gehucht alleen daar licht brandde. Hij klopte aan. Een huishoudster opende de deur.

'*Je suis desolé...*'

'*Oui, Monsieur. Il attend. Entrez, s'il vous plaît.*' Ze was nerveus en Alex begreep dat haar iets tegen haar zin was opgedrongen. Ze vroeg hem plaats te nemen in een grote kamer met stenen muren. Het huis was misschien ooit een eenvoudige boerderij geweest, maar na een ingrijpende verbouwing zag het er nu uit als een redelijk imposante boerenhofstede. Aan de muur hingen foto's van een zeer mooie jonge blonde vrouw met verbluffende jukbeenderen. Alex wist niet wat hij ervan moest denken.

'Geen aanknopingspunten voor u, dokter Stafford. Het huis behoort toe aan een Duitse actrice die ooit een geliefde van mij was, maar we liggen al jaren met elkaar overhoop.' Een donkerharige man met een getinte huidskleur, gekleed in een beige coltrui en een donkere ribfluwelen broek, daalde een pronkerige trap af. Dit was niet de stem van de man aan de telefoon. 'Ze heeft er geen idee van dat ik hier ben, en haar zwangere dochter bevindt zich in Londen... Ik denk niet dat ze het waarderen dat ik hier ben en het is dus raadzaam u correct te gedragen.' Een licht accent van onbekende origine, nu verborgen achter een op een Amerikaanse school geleerd Engels, concludeerde Alex. Qua voorkomen, maar niet qua manier van doen, deed hij denken aan een briljante astma- en allergiespecialist die Alex kende en die uit Israël kwam.

'Dat interesseert me allemaal niet. Ik heb enkele documenten voor u en wil deze aangelegenheid zo snel mogelijk afronden.' Alex hield het kort en zakelijk om het zelfvertrouwen uit te stralen dat hij momenteel niet echt had, maar zijn aanpak was overtuigend. De inhoud van de map in zijn aktetas werd pagina voor pagina, bijna woord voor woord, en door in handschoenen gestoken handen onderzocht. De tijd verstreek; Alex werd nerveus vanwege Lucy's medicijnen. Hij wees erop dat de papieren oud en kwetsbaar waren en dat elke overbodige aanraking moest worden afgeraden.

'Wat denkt u dat de inhoud ervan is?' vroeg de man. Hij was verrast door Alex' gebrek aan belangstelling of kennis. Alex stelde met klem dat hij geen idee had en dat hij de hele preoccupatie ermee als volstrekt onzinnig beschouwde. Over het woord dat hij de afgelopen avond op Wills ansichtkaart had geschreven, zei hij echter niets en hij hield zich gedeisd tot hem werd toegestaan te vertrekken.

Even na één uur zat hij weer achter het stuur van de Citroën en reed hij in westelijke richting. De door de regen geteisterde weg naar Chartres zou hem nagenoeg een uur kosten, ofschoon het voor een belangrijk deel om een autosnelweg ging. Zijn mobieltje ging en opnieuw hoorde hij de boterachtige stem van de tempelridder.

'Een uiterst indrukwekkende prestatie, dokter Stafford. En wij houden ons aan ons woord. Dus: *la porte d'hiver.* Twee uur precies. *Je vous souhaite une bonne nuit. Au revoir.*'

Enkele seconden nadat de klok van de kathedraal twee uur had geslagen, trof Alex Lucy alleen aan, ineengedoken en bevend bij de toegang tot het noordelijke portaal. Dat maakte hem woest. Hij trok zijn zware overjas uit en legde die om haar schouders. Hij keek achterom en zag een donkere auto met gedoofde lichten wegscheuren. Hij nam Lucy scherp op en schatte snel in hoe ze er geestelijk en lichamelijk aan toe was. Ze moest uitgeput zijn, maar ze glimlachte naar hem.

'Mij zullen ze niet krijgen. Ik heb geen hap gegeten van wat ze me aanboden. Zelfs geen slokje water gedronken.'

Alex had even een ogenblik nodig om te beseffen dat ze sprak als de godin die terugkeert uit de onderwereld en lachte toen zacht van opluchting en ongeloof. Hij drukte haar even tegen zich aan, zoge-

naamd om zijn lichaamswarmte op haar over te dragen, maar Lucy
voelde dat hij bijna onmerkbaar huiverde. Zijn ongerustheid van de
afgelopen uren was op een vreemde manier helder als glas voor haar.
Ze voelde zich voor één keer sterker dan Alex, gaf geen blijk van zwakte toen ze zijn omhelzing beantwoordde en hem in zijn ogen keek.

'Het gaat goed met mij, Alex. Ik wist dat je me zou komen redden.'
Toen vroeg ze: 'Wat was er nou zo belangrijk aan die perkamenten?'

Hij kon geen antwoord geven.

'Het hotel is hier vlakbij.'

'Daar gaan we niet heen.' Hij gaf haar een flesje water en enkele
capsules die hij uit de diepe zakken van zijn jas haalde. Alex liet haar
in de auto stappen en stopte even voor het Grand Monarque Hotel en
hij weigerde haar hand los te laten zelfs toen hij bij de nachtportier de
rekening betaalde en haar paspoort en bezittingen bijeenraapte. Hij
stopte nog even om de politie te bedanken en om haar tas en telefoon
op te halen. Ook gaf hij door dat Lucy emotioneel aangedaan maar
ongedeerd was. Zijn eerste zorg gold nu haar gezondheid en ze zouden verdere vragen later die dag beantwoorden na eerst wat te hebben
gerust. Zijn Frans was vloeiend en zijn manier van doen dermate resoluut dat het duidelijk was dat hij geen tegenspraak zou dulden. Ze
waren snel weer vertrokken. Tijdens de dertig minuten durende rit
hield hij haar hand vast en liet die alleen los als hij moest schakelen.
Het was bijna drie uur toen ze de oprit opreden van het huis nabij
L'Aigle, en ondanks het late uur zette Alex de auto in de garage, die
hij vervolgens goed afsloot. Ze holden door de ijzige regen en hij viste
een sleutel tussen enkele bloempotten met geraniums vandaan.

Hij knipte een paar lampen aan, sloot de luiken van de ramen,
wees haar de badkamer, liep met grote passen de trap op en rommelde wat in een schakelkast. Hij was terug voordat Lucy een stoel had
gekozen.

Ze zag er vermoeid maar niettemin stralend uit. 'Heerlijk, deze
plek,' zei ze. Ze zag de witte meubels die onlangs van nieuwe bekleding waren voorzien, de kleine oranjerie grenzend aan de grote zitkamer met prachtige aquarellen, een piano, een cello leunend tegen
de kruk, overal foto's. Ze voelde zich een verdwaald kind dat eindelijk

thuis was gekomen. Ze nam plaats op een antieke eetkamerstoel met leuningen naast een buffetkast die met porselein was opgefleurd.

Alex stak de kachel aan, zette een ketel water op, doorzocht de vriezer in de kelder en keerde terug met een bruin brood. Hij was er nog niet ontspannen genoeg voor om haar indrukken te horen.

'Ik weet niet hoe lang het er al ligt, maar als we het in de broodrooster stoppen zal het zeker smaken. De boter kunnen we waarschijnlijk niet meer vertrouwen... maar je moet iets eten.' Hij had nog geen moment rust genomen toen hij haar met grondig gewassen handen een mok hete thee en een snee toast met honing voorzette. Hij liep weer even naar boven. Lucy's bloed begon door de warmte van de thee en het huis weer te stromen, maar ze voelde hoe de vermoeidheid bezit van haar nam toen ook hij aan de keukentafel ging zitten. Hij glimlachte toen hij in haar grote vermoeide ogen keek, die aan de onderkant van een donkere rand waren voorzien.

'Goed. Ik heb ook boven een kachel aangestoken en het water zal nu net warm genoeg zijn voor een snelle douche.'

Ze stond op en legde haar vingers lichtjes op zijn lippen om hem het zwijgen op te leggen. 'Ik heb geen douche nodig, Alex... en ook geen dokter.' Met haar duim volgde ze de lijn van zijn mond. Hij drukte er een kus op en proefde de heerlijke zoetheid van de honing. Groene ogen keken onderzoekend in bruine om hun stemming te peilen: het volgende moment hield hij zijn hand achter haar hoofd en kwamen hun monden innig samen.

Al hadden ze nog zo lang gewacht, ze weigerden nu haast te maken. Alex verloor zichzelf in haar naar honing geurende adem en kuste haar langdurig voordat hij haar kleine gestalte optilde en tegen zich aan drukte. Zij vouwde haar benen om hem heen en bleef hem aankijken terwijl hij haar moeiteloos de trap op droeg. De kamer rook al lichtjes naar het brandende dennenhout en hij legde haar voorzichtig op een dikke wollen deken op het bed. Ze ontkleedden elkaar zonder haast, bewust genietend van het moment. Hij kuste haar wangen en wimpers en ging toen naast haar liggen op de zachte wol, de contouren strelend van haar middel en kleine buik. Zijn handen gleden teder omhoog, volgden het wrede litteken dat rond haar linkerborst welfde, bijna van haar rib tot haar sleutelbeen.

Lucy onderdrukte een zucht en kon wel huilen. 'Het is zo lelijk.'

'Nee, het is prachtig,' zei hij. 'Het heeft je gered.' Al kussend volgde hij langzaam de lijn, tot zijn lippen en warme adem haar nek beroerden en vervolgens haar mond weer vonden.

Deze keer was hun begeerte onbeteugeld en gepassioneerd. Lucy hunkerde naar de warmte van zijn lichaam, elk uitstel was nu een kwelling, het genot grenzend aan pijn. 'Alex.' Haar opgekropte gevoelens zochten een uitweg in een geluid dat zo vol verlangen was dat hij zijn hand vastberaden naar haar heup bracht. Zijn naam keer op keer horend, tilde hij haar lichtjes op en drong in haar. De jachtige dans van hun ademhaling.

Hij drukte zijn hand tegen haar onderrug, zij sloeg haar benen om hem heen en voelde hem zo diep en intens in haar sensuele lichaam dat haar geest leek weg te smelten en haar ademtochten licht als vlinders werden. Nu zochten zijn vingers zich een weg van haar navel omlaag, maar ze hield hem tegen. 'Nee, Alex. Te veel.' Hij opende zijn ogen, keek recht in de hare en legde haar ziel vrij. Haar hele lichamelijke wezen werd belaagd door brandende sensaties die haar geest niet kon afstoppen. Nooit eerder had ze zich zo kwetsbaar en open gevoeld. Haar gevoelens waren na een langdurige verbanning teruggekeerd. Op een of andere manier, ze kon niet zeggen hoe, had ze hem haar vertrouwen geschonken en smachtte ze naar de eenwording met hem. De lichamelijke uitwerking was bedwelmend. Hij nam haar genot in zich op, de delicate en onherhaalbare eerste akkoorden van hun intimiteit. Toen pas gaf hij zich over aan haar ritme.

De tijd bestond niet meer. Hij legde zijn arm om haar heen. Luisterend naar zijn hartslag en naar de wind zonk ze in slaap.

20

Ze was zich bewust van een tikkend geluid en voelde de lege ruimte naast haar.

Langzaam opende ze haar ogen. Ze zag hem poken in de kachel en houtblokken op het vuur leggen, waarmee de geur van dennenhout werd ververst. De luiken voor de ramen van deze kamer waren niet gesloten en de wind liet het glas rammelen.

'Het is vroeg, nog vóór zevenen. En het weer is ronduit slecht.' Zijn stem was zacht en schor en hij keerde naar haar terug. 'Maar mijn dame is bekoorlijk. Een goede reden om te blijven waar we zijn.' Hij gleed naast haar warmte en wiegde haar. Zijn vingers hadden het aroma van gerookte amandelen en zij kuste de toppen, een prelude tot andere verkenningen met haar lippen.

Hij lachte. 'Ben je altijd zo veeleisend? Na twee uur slaap?'

'Het werd tijd veeleisender te worden... Ik heb me nog nooit zo goed gevoeld na twee uur slaap.' Ze leunde op één elleboog en keek in zijn glinsterende, smaragdgroene ogen. '"Ja, kom, bid ik u. Wilt ge u door mij laten leiden?"' Ze zweefde boven hem.

'"Ja, vrouwe, ik wil."'

Het was al over tienen toen Alex haar wakker kuste en een vinger op haar lippen legde. 'Ik bel even Siân om te horen of alles in orde is, daarna haal ik wat melk en iets te eten – er is hier vrijwel niets.'

'Zal ik meegaan?'

'Het zal niet lang duren. Voel je je prettig hier?' Ze knikte slaap-dronken. 'Blijft dan lekker liggen. Of neem een bad. Het water zal in-tussen gloeiend zijn en buiten woedt een storm.'

Na een laat ontbijt lieten ze zich door het weer in het huis gijzelen. Ze spraken zoals ze nooit eerder deden, zonder onderbrekingen. Eerst over het huis, over de wandelpaden door de bossen, de boomgaard, de geschiedenis van het gebouw, de familiefoto's die er te vinden waren. Lucy genoot van de geuren die door de houtkachel werden verspreid en vroeg naar de gezinsvakanties en de gebeurtenissen waarvan de muren getuige waren geweest. Alex vertelde iets over Will en iets meer over zijn moeder. Lucy vertelde iets over haar moeder. Beiden waren vol gedachten en opmerkzaam. Ze waren ontspannen, niemand had hen nodig, Max werd volop verwend, Siân genoot van haar moederrol. 'Blijf waar je bent,' had ze tegen Alex gezegd, 'en bekommer je om Lucy.' En dus spraken ze uitvoerig over hun beproevingen, hun indrukken van de betrokken hoofdfiguren. En Alex vertelde haar ook over Calvins merkwaardige positie in de hele zaak.

'Ze waren er op een of andere manier van op de hoogte dat jij de sleutel in je bezit had – informatie die ze alleen van Calvin konden hebben. En dat is wellicht de reden waarom jij een doelwit werd.'

Uit Alex' woorden maakte ze op dat hij nog altijd piekerde over alles wat er was voorgevallen. Ze luisterde zonder hem te onderbreken, maar ze overdacht Siâns relatie met Calvin in een nieuw en verontrustend licht. Later belden ze de gendarmerie, met in het achterhoofd de waarschuwing er geen politie bij te halen en zich nog meer problemen op de hals te halen. Hoewel Alex niet gelukkig was met die defensieve houding, leek het hem toch beter pragmatisch te zijn. En dus hielden ze zich op de vlakte.

In de vroege uurtjes had Alex het hertenvlees uit de vriezer gehaald waar zijn moeder op de ansichtkaart voor Will en Siân naar had verwezen. Dat was nu voldoende ontdooid om er tegen vijven een stoofschotel van te maken. Toen hij een mooie fles wijn had geopend en daar wat van over het vlees en in hun glazen schonk, herinnerde hij Lucy eraan dat ze hem iets had willen vragen toen ze hem, nog buiten adem van het labyrint, had gebeld.

Voor het eerst raakte ze gespannen en Alex bespeurde een dilemma en hij begreep dat hij niet moest aandringen. Ze had zich volledig in het vraagstuk kunnen onderdompelen toen ze door Calvins vrienden was vastgehouden. Het had haar geest gescherpt de ideeën van alle kanten te bekijken en het had haar veerkracht gegeven. Maar ze wist dat de woorden die ze nu zou kiezen tot stormachtige emoties zouden leiden, die ze niet zou kunnen controleren. En ze vroeg zich af hoe zij en Alex erdoor gekweld zouden worden als de vraag eenmaal was aangeroerd. Nooit eerder had ze er zo wanhopig naar verlangd iets te vragen, maar nooit eerder had ze zich zo onmachtig gevoeld dat te doen. Ze begon met een omweg.

'Wanneer viel ik je voor het eerst op?' Ze was niet koket en keek hem ernstig aan. Hij begreep dat er complexe ondertonen in die vraag resoneerden. 'Ik denk dat ik wil vragen wanneer je voor het eerst geïnteresseerd in me raakte. Kun je je dat herinneren? Was dat na mijn transplantatie?'

Zijn vingers roken naar laurierblad toen hij haar gezicht aanraakte. Ze zocht naar andere woorden om haar gedachten uit te drukken. 'Als ik alleen zou hoeven vragen: "Hoe sterk ben jij?" zou ik niet zo lang na hoeven denken. Maar ik vraag ook: "Hoe sterk zijn wij?" en daar kan ik nog geen antwoord op geven.'

'Het was in elk geval niet je conditie van afhankelijkheid die me aantrok. Ik heb je nooit gezien als een slachtoffer dat bescherming nodig had. Integendeel: juist je onafhankelijkheid en je persoonlijkheid trokken mij aan. Toen ik je voor het eerst zag... was dat rond mei? Ik hoorde je lachen en dacht: wat een fascinerende vrouw. Je was jong en mooi en geconfronteerd met de mogelijkheid dat er spoedig een einde aan je leven zou komen, maar desondanks wist je je waardigheid en humor te bewaren. Mij zou die moed hebben ontbroken. Jij bleef hopen en je had geen seconde medelijden met jezelf.'

Haar mondhoeken trilden toen hij dat zei. Ze herinnerde zich het exacte tijdstip. Alex was iemand die al het licht in een kamer in zich opzoog, en zijn fysieke aanwezigheid had voor haar in een donkere tijd een stralende helderheid gehad. 'Dus je was wel van mijn oude ik gecharmeerd?'

Alex streelde door haar haar en knikte. Hij wilde haar ziel vinden in haar ogen. 'Wat is het waar je mee zit?'

Zijn vriendelijkheid, de manier waarop hij zo tot in de kern van haar wezen kon zien, maakte dat ze zich kwetsbaar voelde, bijna ongemakkelijk onbedekt. Ze stond op en liep door de keuken om zich aan zijn blik te onttrekken en weer enige lichamelijke autonomie te herwinnen.

Toen ze weer in staat was hem aan te kijken zei ze onomwonden: 'Ik denk dat ik het hart heb van je broer.'

Er verstreek misschien een halve minuut, maar dat leek Lucy wel een kwartier.

'Zeg iets, Alex.' Ze had de fysieke afstand tussen hen vergroot, maar wist niet hoe ze die kloof verbaal moest overbruggen. Ze keek onderzoekend naar zijn gezicht in de hoop er zijn gedachten op te lezen, maar ze vond geen aanknopingspunten. Ze probeerde een andere aanpak. 'Ik dacht dat je misschien wist wie mijn donor was?'

Hij antwoordde haar met genegenheid en leek niet geschokt. Hij zag dat ze worstelde met iets enorms. Hij schudde langzaam zijn hoofd: 'Ik was niet aanwezig. Het is in het beste geval slechts een detail voor degene die de leiding heeft, al komt het soms voor dat het door de donor geleide leven of de doodsoorzaak van belang is voor het hele team.' Hij leek kalm te zijn. 'Maar vergeet niet dat ik op dat moment geen deel was van het team. Waarom denk je dat het van Will zou zijn?'

'Nou ja, de datum stemt overeen.' Ze zweeg even en zag Alex knikken en nadenken en ze vervolgde: 'Maar er is meer. Als ik terugdenk aan de laatste paar maanden, begrijp ik niet dat ik het me niet veel eerder heb gerealiseerd. Het lag voor de hand dat Will orgaandonor zou zijn, met een broer als jij.'

Alex keek haar sceptisch aan, maar ze zette door. 'Luister nou even. Ik ben sinds die tijd geen vegetariër meer en ik heb zulke ondoorgrondelijke dromen.'

'Medicatie.' Hij zei het zonder uit de hoogte te willen doen. 'Je hebt de eerste zes tot twaalf maanden zo'n krachtige cocktail van medicijnen in je lichaam. Die zijn echt heftig, Lucy.'

'Oké, ja, dat heeft Courtney me ook verteld en ik geloof dat ook. Maar iedere keer als ik iemand uit jouw vriendenkring leer kennen, ken ik ze al. Siân, bijvoorbeeld, en Simon. Zij waren me zo vertrouwd.' Alex keek haar weifelend aan en het lukte haar een lachje te produceren, bewust als ze zich ervan was dat haar woorden dwaas moesten klinken. 'Ik weet dat het geschift moet overkomen, Alex, eerlijk waar, maar ik ben niet bezig gek te worden. Ik verzeker je dat er gewoon te veel dingen zijn. Ik kende je huis in Hampshire, en ik had het gevoel thuis te komen toen ik hier binnenstapte.'

'Lucy, je was opgelucht een veilige plek te vinden... Niets was belangrijker voor mij dan die voor je te scheppen toen we hier aankwamen.'

'Ja,' zei ze, 'en daar ben ik je dankbaar voor. Maar bedenk hoe die hoofdpijn bezit van me nam, Alex, die dag in Longparish. De overweldigende walging en pijn en kou. Ik dacht echt dat ik dood zou gaan. Ik ben er zeker van dat ik Wills onderkomen zag, de begraafplaats – alles.' Hij wilde haar onderbreken, maar ze ging verder. 'En ik heb je meerdere keren "Sandy" willen noemen, wat veel te intiem zou zijn geweest toen we elkaar net hadden leren kennen. Maar ik denk dat Will je zo noemde?' Ze keek hem vragend aan.

Alex lachte verrast. Het was waar, dat was de koosnaam die alleen Will vanaf hun jeugdjaren had gebruikt. Hij wilde haar niet veroordelen, maar dit was onbekend terrein voor hem. 'Heb ik me dat laten ontvallen? Of Siân, misschien?'

'Nee, Alex, niemand heeft me dat verteld. En ik denk dat hij je zo noemde vanwege je...'

Ze spraken de woorden samen uit: '... zandkleurige haar.'

Hij keek naar haar, dacht na en deed alles om open te staan voor wat ze zei, maar het was zonderling.

'Ik wil je iets vreemds vragen. Was Will linkshandig?'

Hij liet zijn blik op haar rusten. 'En jij bent sinds de transplantatie ook linkshandig? Lucy, dat is allemaal heel interessant, en dat meen ik.' Hij beantwoordde haar gespannen uitdrukking met sympathie. 'Maar op zich zegt het niets. Het kan heel goed zijn dat de medicijnen die je krijgt daar voor een groot deel verantwoordelijk voor zijn.'

'Dat zou kunnen, ben ik met je eens. Maar kun je er zekerheid over krijgen? Kun je precies achterhalen hoe het zit?'

Lucy zag zijn ogen betrekken. Ze waren nog altijd gefocust maar er sprak nu iets anders uit, een andere emotie. Vragen, ideeën, onuitgesproken woorden. Iedere ander zou haar minder recht hebben gedaan, maar Alex was de enige die de wereld door haar ogen kon proberen te zien. Hij stond op, pakte zijn mobieltje en toetste een nummer en liep terug naar Lucy terwijl hij wachtte. 'Het kan zijn dat ze het me niet willen zeggen. Ik heb het je nog niet verteld, maar ik heb je als patiënte eerder deze week naar James Lovell doorgestuurd. Het leek me dat de tijd daar rijp... Hallo, Jane, met Alex Stafford.'

Lucy kreeg maar heel even gelegenheid de implicaties te overzien als Alex afstand deed van zijn professionele zorg voor haar. Ze luisterde terwijl hij Jane beklaagde dat ze alweer op zaterdag werkte, grapte met haar dat hij onder geen beding gebeld wilde worden, het was zijn vrije weekend, en dat hij trouwens niet in Londen was en een fles calvados voor haar zou meenemen. Ze vond dat hij meer babbelde dan gewoonlijk. Toen greep hij met zijn vrije hand die van Lucy en stelde de vraag: zou zij eens na kunnen gaan uit welke regio Lucy's hart afkomstig was? 'Jane, het is belangrijk, anders zou ik het niet vragen.' De tijd stond stil. Ze zocht in Alex' gezicht naar het antwoord. Hij knikte. 'Ja, ik begrijp het. Jane, kun je nog meer details geven? Kun je me zeggen van welk ziekenhuis?' Toen liet hij zijn weifelende houding varen. 'Of, Jane, zou je het me gewoon kunnen zeggen – de donor?'

Het kwetterende geluid uit het toestel viel stil. 'Kun je zeggen... Meer zal ik niet vragen. Zou de naam mij iets kunnen zeggen?' Lucy had gehoord dat de opgewektheid van Janes stem – haar doorgaans zo aanstekelijke levendigheid – opeens was verstomd. Lucy besefte dat er na het overlijden van Will veel meer mensen zijn naam moesten hebben gehoord in verband met Alex, en als het haar destijds niets had gezegd, zou dat nu achteraf anders zijn. Alex' hand kneep haar vingers bijna fijn. 'Dat is oké. Maak je geen zorgen. Daar help je me enorm mee. Dank je. Jane, ga naar huis, naar je gezin.'

Alex beëindigde het gesprek. Hij keek in Lucy's fluwelen ogen, het bruin nu staalgrijs, en hij nam haar zwijgend in zijn armen. Ze beantwoordde zijn omhelzing vol mededogen. Na een paar minuten vroeg hij alleen: 'Hoe kon jij het weten?'

Ze nam snel een besluit. Alex was een redelijke man. Hij was ongelooflijk verdraagzaam jegens andersdenkenden, welke gebeden ze ook nodig hadden, wat ze ook geloofden, maar hij was met zijn vijf zintuigen stevig in deze wereld verankerd. Ze nam zijn handen in de hare en keek hem kalm en gedecideerd aan. Ze had het gevoel het land van de doden te hebben gezien. Ze zou het zeggen zoals het was, ondanks het risico bespottelijk te worden gevonden.

'Ik heb Will gisteravond gezien. In het licht. In het labyrint.'

Ze nam hun glazen op en voerde Alex naar de zitkamer, naar de brandende haard. Ze vertelde hem over het manuscript, Wills bladzijde. Ze had met de naam gespeeld en het resultaat was: *Will, I am.* Ze had de woorden gehoord over het zijn van twee zielen, nu één. Aanvankelijk had ze het gezien in het licht van haar toenemende gevoelens voor Alex – wat ook zo was. Maar ze voelde dat er nog een tweede betekenislaag mee verbonden was. Iemands omega – het einde – was haar alfa geweest – haar begin. En toen vertelde ze hem dat ze echt Wills gezicht had gezien. Ze had eerst gedacht dat het Alex' gezicht was geweest, het gezicht dat ze het liefste had willen zien. Maar het was vervormd in het kaarslicht: een iets rechtere kin, breder hoofd, iets minder verfijnd, veel donkerder haar, vollere krullen, maar voor het overige sterk gelijkend op Alex' knappe gezicht. 'Het was het gezicht van die schattige jongen, uitgegroeid tot man.' Ze wees Will aan op een foto van de broers als kinderen, ongeveer tien en twaalf, die op de schoorsteenmantel stond. Ze zag meer overeenkomsten dan verschillen tussen hen.

En toen, vervolgde ze, had ze de stem gehoord. Gehóórd. Alex moest in zijn hoofd tegen haar hebben gesproken. 'Ja,' zei hij verrast, 'dat is zo.' En Lucy wist het. Maar ze geloofde dat ook dit een tweede betekenis had. Wills stem was er ook geweest, sterk gelijkend op de stem van zijn broer, iets melodischer misschien, iets helderder en minder kalmerend. En ze had iets langs zich voelen strijken. Will was daar, liep het labyrint voor een tweede keer, met haar. Hij kon haar geloven of niet. Het deed er niet toe. Ze wist dat het waar was.

Het duurde een tijd voor hij iets zei. Hij dacht aan de Zuid-Amerikaanse arts die hem het boek van Márquez had gegeven en hem had uitgenodigd het verschil tussen spiritualiteit en werkelijkheid te vinden.

Hij nam een slok wijn en zei: 'Er is... er wordt onderzoek naar gedaan. Cellulair geheugen, noemen ze het. Sommige medici verwijzen het met kracht naar het rijk der fabelen en snappen niet dat er iemand is die de mogelijkheid zelfs maar overweegt. Anderen stellen dat cellen zogezegd een eigen geest hebben en dat het overbrengen van levend weefsel van het ene lichaam naar het andere geen einde maakt aan het geheugen van die "geest". Het is mogelijk dat de keten van aminozuren, die het contact regelen tussen het brein en de overige delen van het lichaam, ook in het hart ontstaan. Persoonlijk heb ik nooit een standpunt over dit onderwerp ingenomen. Ik weet dat er enkele beroemde proeven zijn gedaan, vooral in Amerika, met uitzonderlijke resultaten waar je onbevooroordeeld kennis van moet nemen. Maar onomstotelijk bewezen is er niets. Als het brein niet ons enige centrum van kennis is, en het hart, zoals sommigen beweren, een eigen zenuwstelsel heeft, dan zou het mogelijk kunnen zijn.' Hij keek naar haar en zag dat ze intens naar hem luisterde en haar best deed het te begrijpen. 'Courtney zou het onmiddellijk van de hand wijzen, maar ik zal er eens met Amel over praten. Hij zal een opvatting hebben, een opvatting die het waard is er kennis van te nemen.' Hij hield zijn glas een ogenblik in het licht van het vuur. 'Maar het blijft vreemd, omdat niet iedereen het ervaart. Het zou een stuk eenvoudiger zijn als dat wel zo was.'

Lucy keek hem bedroefd aan, haar onrust was nog niet tot zwijgen gebracht. 'Alex, of je de impressies waarover ik je verteld heb nou wel of niet kunt verwerken, hoe zit het met de kwestie zelf? Dat ik daadwerkelijk Wills hart heb. Is het in jouw ogen slechts een pomp? Is het een probleem voor jou?'

Alex had achterover op zijn handen leunend op de grond bij het vuur gezeten. Hij bewoog zich naar voren om haar aan te raken, streelde haar jukbeen met zijn duim. 'Lucy, Will was overleden. Ik heb alle gegevens persoonlijk gecontroleerd. Ik was erbij toen hij zijn laatste adem uitblies. Zoals je nu zult begrijpen was dat de reden waarom ik niet bij jou kon zijn.'

Ze legde haar hand op zijn rug.

'Wat Will ook met zich kon meenemen, het was geen levend hart. Als de dood van mijn broer jouw leven mogelijk heeft gemaakt, dan blijf ik hem daar tot mijn laatste ademtocht dankbaar voor.' Hij nam haar gezicht in zijn handen en keek haar aan. 'Is het voor jou een probleem?'

'Jij was het, Alex, die mijn ziel wakker kuste, die zich bijna mijn

214

hele leven in het halfdonker ophield. Jij wist mijn vertrouwen te winnen. Maar ik geloof dat er ook voor Will een rol was weggelegd. Voor het eerst heb ik de intuïtie gevolgd om naar mijn hart te luisteren. Hij moet een gepassioneerd mens zijn geweest en de geweldige nalatenschap van zijn hart had op een kille plek niet kunnen floreren. Als dat slechts psychologisch is, dan is dat maar zo. Voor mij is het meer dan een pomp. Ik denk dat ik uiteindelijk...' Ze zocht naar woorden om de vreemde impressies te verklaren. '... dat ik uiteindelijk zijn vreugde kan voelen. Hij heeft er vrede mee, Alex. Hij achtervolgt me niet. Ik voel dat hij in zuivere lucht verwijlt, ergens op grote hoogte. Ik voel zijn humor, helemaal tot de allerlaatste ogenblikken. Ik was vroeger niet bang voor de dood, en hij heeft me minder bang gemaakt voor het leven.'

'Van de dingen die je hebt gezegd is de gedachte van Wills respectloze geestigheid tot het einde het meest overtuigend.' Alex schoot in de lach. 'We discussieerden vaak heel verhit over iets. Will schaarde zich aan de zijde van de romantische dichters als we het over Newton hadden. Keats – en Lamb, geloof ik – stelde dat Newton de poëzie van de regenboog vernietigde door hem te reduceren tot een prisma. En Will sloot zich, deels om mij op de proef te stellen, bij hen aan. Ik ben mijn hele leven een voorstander van Newtons benadering geweest, en ik ben dat nog, maar vanavond heb jij gezorgd dat ik mijn standpunten heroverweeg. Misschien is het hart niet slechts een pomp. En misschien moeten we in de regenboog een beetje ruimte laten voor de godin. Misschien moeten we de regenboog beschouwen als meer dan de som van zijn delen.'

Alex opende enkele knoopjes van Lucy zachte wollen vestje en legde zijn lange vingers teder tussen haar borsten. Hij kuste haar. 'Het is wonderbaarlijk en heerlijk je hier bij me te hebben.' En als met 'je' meer dan één persoon werd bedoeld, was Lucy de som.

Het beeld in de zijspiegel van de man vlak bij zijn auto, gekleed in een dure, op maat gemaakte spijkerbroek en een nog duurder jasje van licht ribfluweel, had Simons volledige aandacht. Hij wachtte nog een paar seconden, sprong toen uit de auto en hield de daar totaal niet op bedachte Calvin met het autoportier tegen. Simon wilde hem vastgrijpen, maar Calvin reageerde snel en hield de krachtig ontwikkelde arm van zijn belager op afstand.

'We kunnen het meteen hier beslechten als je wilt, maar zou het niet beter zijn als je even mee naar binnen gaat?'

Simon was een beetje van zijn stuk gebracht. 'Ik heb nooit een broer gehad, Calvin – ik had alleen mijn moeder. Will Stafford was alles voor mij en ik heb het onprettige gevoel dat jij meer weet van zijn ongeluk dan je tot nu toe hebt verteld.'

De twee mannen staarden elkaar aan en de onderlinge spanning werd gesignaleerd door een haastig passerende vrouw met een zak broodjes in haar hand. Ze wendde snel haar hoofd af om duidelijk te maken dat ze zich nergens mee zou bemoeien. Beide mannen overwogen wat de volgende stap moest zijn, maar toen bood Calvin zijn ongenode gast zijn 'schamele gastvrijheid' aan. 'Mijn kamers zijn tamelijk klein, maar het is beter even mee naar binnen te gaan.' Hij liet Simons arm los, opende de deur en de laatste drong zich tamelijk onstuimig naar binnen.

Calvins onderkomen vertoonde voor Simon geen enkele overeenkomst met een studentenkamer. Rondkijkend in de woon- en studeerkamer viel hem de overdreven properheid op, het keurige rijtje boeken, de ogenschijnlijk met behulp van een meetlat neergezette schoenen, de jas in de stomerijhoes. Alles was duur, al was de ruimte spaarzaam gemeubileerd. Alex was iemand die zijn zaakjes altijd keurig op orde had, maar zijn neef leek aan een ziekelijke vorm van netheid te lijden. Een vreemdere opvolger van Will in het leven van Siân, dacht Simon, was eigenlijk niet denkbaar.

Calvin nam stijfjes en nerveus plaats op een bank. Het duurde even voor hij Simon uitnodigde te gaan zitten in een stoel in art-decostijl, fleurig bekleed en recht tegenover hem, maar zijn bezoeker gaf er de voorkeur aan te blijven staan.

'Een rechtstreeks antwoord, Calvin, omdat je op een jammerlijke manier betrokken bent bij mensen om wie ik heel veel geef.' Simons stem liep over van nauwelijks verhulde emotie, wat hem boos op zichzelf maakte. 'Ik wil meer weten van de sleutel, van de perkamenten van Dee en van de mensen van wie jij de hielen likt. Ik geloof geen woord van wat ik tot op heden van je heb gehoord, dus laat al dat gelul achterwege en vertel me de waarheid. Je kunt Alex, die altijd blijft geloven in het beste in de mens, misschien voor de gek houden, maar ik ben minder vergevensgezind en mijn twee beste contacten bij Scotland Yard zouden graag een goede tip krijgen.'

Calvin nam de tijd om te antwoorden. Uiteindelijk begon hij met vlakke, zachte stem te spreken. 'De dingen zijn... uit de hand gelopen. Wat zij willen is niet wat ik wil.' Hij stond op, doorkruiste de kleine ruimte om een lade te openen, waaruit hij enkele beduimelde pocketboeken haalde die hij aan zijn bezoeker gaf. Hij ging weer zitten, vastbesloten de situatie zelf de baas te blijven. 'De mensen met wie ik studeer geloven wat er in de Bijbel staat. Ze hebben de inhoud net voldoende vervormd om die geschriften te schrijven. Je kunt om ze lachen, Simon,' zei hij, reagerend op diens ironische blik en minachtende houding, 'maar onderschat hen alsjeblieft niet. Ze zijn er zeker van dat Christus terugkeert en ze zijn er vast van overtuigd dat die dag nabij is. Dees denkbeelden zijn voor hen van belang. Die boeken maken deel uit van een reeks en hun auteur is een van de succesvolsten in de Amerikaanse geschiedenis. Hun theologie is niet de mijne. En dat geldt ook voor de werkwijze die ze hanteren.'

Simon keek naar de grimmige omslagen van de boeken zonder Calvin te begrijpen. Hij zag vier galopperende paarden op een omslag en keek in de op de beschouwer gerichte loop van een geweer, maar hij kon het niet vatten. Hij was zich er echter wel van bewust dat Calvin in een eigenaardige stemming was toen hij verder sprak.

'Ik geloof in de persoon Jezus, Simon, en in de prediking en de lessen van de Heilige Schrift. Maar dat geloof invloed moet hebben op onze cultuur en onze politieke agenda, dat het zou moeten worden gebruikt als een moreel argument om oorlog te propageren? Daar ga ik niet in mee. Het hoofd van mijn college is een charismatische man, maar hij gebruikt zijn religie als een geweer in de wereld. Ik distantieer me daar ten volle van.'

Simon luisterde bijna een uur naar de dingen die Calvin hem te melden had en vertrok toen met in zijn armen de van vreemde titels en omslagen voorziene boeken uit Calvins persoonlijke bibliotheek. Het kon waar zijn, dacht Simon. Calvin had misschien hun theologie maar niet hun politiek gedeeld. Maar het journalisteninstinct in hem bleef knagen en hij had het sterke vermoeden dat Calvin mooi weer speelde, maar uiteindelijk heel weinig had losgelaten over wat er echt aan de hand was. Hij was niet aan de weet gekomen wat de felbegeerde papieren van Dee de christelijke evangelisten van Calvin te bieden hadden. En evenmin wat de aantrekkingskracht ervan was op Calvin zelf.

Maar daar zou hij nog wel achter komen.

21

'Heb jij deze roos gisteren voor me geplukt en naar boven gebracht?'
Lucy stond op uit het bad, sloeg een warme handdoek om zich heen
en bekeek de delicaat verwelkende bloem iets nauwkeuriger. Hij rook
sterk en was kleurrijk, maar nu ze hem wat beter bekeek zag ze dat hij
misschien wat regenschade had. 'Dat had je vandaag moeten doen, de
eenentwintigste, op het lentepunt.'

Alex liep vanuit zijn vroegere slaapkamer de badkamer in die
grensde aan de beide kamers van de broers en ging naast haar staan.
'Nee, ik dacht dat jij dat had gedaan. Ik was verbaasd dat je er zo
vroeg in het seizoen al een had gevonden.' Alex schudde zijn hoofd.
'Had ik er maar aan gedacht, al geloof ik niet dat er al iets in bloei
staat. Wie is er dan hier geweest? Misschien heeft iemand het huis ge-
leend.' Hij deed een stap naar voren en bekeek de bloem eens goed.
'Hij is eigenlijk al verwelkt, hè? Schitterend geconserveerd. Alsof hij
aan de struik door de vorst is geraakt.'

'Hij heeft echter de heerlijke geur van mirre. Is het mogelijk dat hij
al lang geleden is geplukt?'

Ze keerde terug naar de slaapkamer zonder zijn antwoord af te
wachten en zag dat de luiken en het raam openstonden. Alex had een
dienblad naar boven gebracht met een pot thee en brioches. 'Drink je
nu mijn brouwsel?' Ze lachte naar hem. 'Je verwent me. Ik moet morgen terug naar de echte wereld en heb dan een tamelijk lange werkdag.'

Alex vroeg zich af waar de 'echte wereld' nu uit zou bestaan, maar
hij antwoordde Lucy met opzet op lichte toon: 'Zoals wij allen dus.
We zullen rond vier uur het vliegtuig moeten nemen en ik moet eerst
de auto nog terugbrengen en betalen. We zullen een beetje vroeg
moeten lunchen.'

'Ik zou willen dat we hier nooit vandaan hoefden.' Lucy kon Alex'
gedachtegang eenvoudig raden. 'Het voelt zo veilig: alsof het huis zijn
armen om me heen heeft. En het linnengoed geurt naar lavendel…'

Het had haar diep geroerd dit huis van Alex' moeder te betreden en
ze had het gevoel iets te hebben teruggevonden waarvan ze nooit had
beseft het te hebben verloren. Ondanks de spanningen die ze hadden
moeten doorstaan, had het huis zelf op hen de uitwerking van een
minnedrank gehad. Ze had zich in Alex' aanwezigheid ontspannen gevoeld, volledig en genezen. Ze liet de handdoek van zich af vallen en
liep naar het raam en voor de eerste keer in maanden was ze verlost
van de dwangmatige neiging haar littekens te bedekken. Door de over
de regen zegevierende zon was er een dubbele regenboog zichtbaar.

'Kijk, Alex.'

Hij kwam achter haar staan en sloeg zijn armen om haar heen.
'Poëzie en wetenschap.' Zijn ogen lachten naar haar. 'Vóór de lunch
moet je de tuin eens bekijken.'

'Laat mij vandaag voor jou koken,' bood ze aan. Alex protesteerde
niet.

Het gras was doorweekt en er lagen her en der wat kleine takken
in de boomgaard, maar de storm had weinig schade aangericht. Lucy
bekeek de honderd rozenstruiken die in de knop kwamen, overal kleine, nieuwe loten maar nog nergens een bloem in bloei. Ze betastte de
spiraal in de fontein die zich in het midden van de bloembedden bevond en Alex vertelde dat die door zijn moeder was gemaakt. Hij zat
tot de rand vol ijskoud water, maar ze schepte er wat uit en bekeek de
afbeelding van Venus in het midden. Achter de bloemen op een stenen muur die beschutting bood tegen de wind, merkte Lucy een zonnewijzer op, een oude ijzeren wijzer die in de richting van Venus wees.
De zon was krachtig genoeg om er de nauwkeurigheid van te kunnen
testen en ze keek op haar horloge als een klein meisje dat een mysterie
blootlegt. Ze haalde haar neus op toen er niets van bleek te kloppen,
en Alex lachte.

'Hij is als maanwijzer bedoeld. Mijn moeder heette Diana, naar de
godin van de maan, en ze hield van maanlicht. Ze heeft de zonnewijzer een tijdje in het andere deel van de tuin gebruikt en wij moesten
dan altijd de correcties maken – ik herinner mij achtenveertig correc-

tieminuten per dag aan beide kanten van de volle maan, als twaalf uur
's middags overeenstemde met twaalf uur 's nachts. Maar daarna had
je een hoop rekenwerk te doen. Dus zijn bij deze de correcties in het
koper aangegeven.'

'Wat betoverend. Wat een geweldige moeder had jij.'

Alex knikte. De droefheid die ze op zijn gezicht bespeurde was niet
zozeer toe te schrijven aan het gegeven dat hij zijn moeder had moeten verliezen, maar meer aan zijn besef dat Lucy haar moeder haar hele
leven had moeten missen. 'Zullen we door de boomgaard wandelen?'

Toen ze uit het domein van de maanwijzer liep, stapte ze op een
losse, dunne tegel waar een grote ster op stond. Alex had het tikken
van de tegel gehoord. 'Het is allemaal nodig aan wat onderhoud toe.
Als ik hier weer eens een lang weekend ben en het is mooi weer, dan
zal ik de boel eens flink onderhanden nemen. Neem ik Max mee om
te helpen. Zou jij ook bereid zijn tuinhandschoenen aan te trekken?'

'Natuurlijk.' Ze kon het waarderen dat hij ook zijn zoon erbij betrok. Ze pakte zijn hand en ze liepen naar de fruitbomen. Waar het
gras langer, nat en verstrengeld was, droeg hij haar op zijn rug. Ze
dacht aan haar medicijnen en vroeg zich af of ze hallucineerde. Maar
Alex was er, geurend naar het vleugje *vetiveria zizanoides* in het parfum Acqua di Parma, en naar de aardsheid van een houtvuur. Ze gaf
hem een kus in zijn nek.

Hij belde Max, die Siân naar al zijn favoriete plekjes had gesleept, terwijl Lucy de sjalotjes en de citroen sneed voor bij de sint-pietersvis die
ze gisteren op de markt hadden gekocht. Het was een genoegen in die
keuken te koken: veel licht en ruimte, uitstekend toegerust en met
een reusachtige variëteit aan kruiden. Ze schoof de vis in de oven en
zette de rijststomer aan. Vervolgens pakte ze haar glas water en liep
terug naar de zitkamer, naar de piano. Alex had verteld dat die eigenlijk van Will was en ze wilde er iets op spelen. Ze had al jaren niet
meer gespeeld, maar ooit was ze vrij goed geweest en ze moest weten
of ze het weer kon oppakken. Ze bladerde door de partituren op de
standaard en slikte.

'Ga je het dan toch proberen?' Alex kwam bij haar zitten.

'Dit is me allemaal net te moeilijk. Beethovens Waldstein-sonate, impromptu van Schubert… al die onmogelijke stukken van Chopin. Nergens een eenvoudige nocturne te bekennen. Was hij zo goed?' Alex knikte en zij schudde haar hoofd: 'Dan zal ik moeten oefenen.' Ze keek naar de cello en toen opeens naar Alex. 'Dat was jouw instrument. Eigendom van de god Apollo.' Ze lachte, maar haar woorden waren geen vraag geweest.

'Ik ben ermee gestopt. Geen tijd. We speelden trio's samen, maar ik was de zwakste. Mijn moeder speelde viool als de beste. Toen zij te ziek werd om te spelen, ben ik er ook mee opgehouden. Maar Will speelde nog wel altijd voor haar. Hij bracht hier hele dagen door als het regende. Ik denk dat ze nog niet ziek was toen we hier voor het laatst met ons drieën speelden.' Hij was zachter en minder duidelijk gaan praten. Hij zweeg even en vroeg toen: 'Toe, speel alsjeblieft iets. Ik vind het triest dat hij zo lang heeft moeten zwijgen. Het is een prachtig instrument.'

'Verwacht er niet te veel van.'

Ze was een tikje nerveus maar wilde dolgraag spelen. Ze keek net zo lang naar Alex tot ze iets wist en ging zitten. En haar handen vonden hun weg over de toetsen. Alex luisterde: ze speelde Debussy. Geen bijzonder moeilijk stuk, ruim binnen haar mogelijkheden, en ze speelde met heel veel gevoel. Wat hem raakte was haar keuze. Het was kort en hij knikte instemmend toen ze het slotakkoord bereikte.

'"La fille aux cheveux de lin",' bracht hij uit. '"Het meisje met het vlashaar". Will noemde het altijd "Het meisje met de paardendijen".' Lucy lachte. 'Ik was vergeten hoe mooi het is. Wil je het nog eens spelen?'

Ze voldeed met plezier aan dat verzoek. De jaren smolten weg. Het was zijn trouwdag. Hij huwde Anna, van wie Will had gezegd dat haar haar was als 'wind in de korenvelden'. Hij speelde dit stuk op die dag in de kerk van Anna's geboortestad Yorkshire, en hij had tegen Alex gezegd haar heel stevig vast te houden als hij echt van haar hield. Alex merkte dat hij zich afvroeg wat Will hem nu zou zeggen, via Lucy – maak de fout niet opnieuw ook haar te verliezen? Haar haar was donker en zijdeachtig en lichamelijk kon ze niet méér van Anna verschillen, maar hij voelde de dunheid van een sluier die hij zich zelfs een dag geleden niet had kunnen voorstellen, en dat verraste hem. Hij liep naar haar toe en gaf haar een kus op haar hoofd. 'Dank je.'

Lucy waste de borden af en Alex gooide de graten van de vis bij het afval, toen zijn mobieltje overging. Het speet hem dat hij het apparaat die dag had ingeschakeld, maar hij zou niet terug naar het ziekenhuis kunnen, dus wierp hij haar een opgewekte blik toe en nam het gesprek aan. 'Alex Stafford.'

'Dit is de helft. We hebben alles doorgenomen en de helft van de perkamenten ontbreekt.' Het was de stem van Alex' verbale opponent van vrijdagavond, met zijn enigszins aangedikte Kentucky-achtige zangerigheid.

'Ik heb geen idee wat u bedoelt. Dat was alles wat ik had. Misschien kunt u dat nakijken in de boeken waarvan u ons ongetwijfeld heeft verlost.'

'Dan hebt u het helemaal niet gevonden. Het laatste vel is er duidelijk over: "halverwege de omloop". Dit is de helft van de documenten. Ik vermoed dat de rest van het geschrift dat is waar we echt naar zoeken. Denk met me mee, dokter Stafford: er hangt veel van af. Waar zou de rest kunnen zijn?'

'Wat hoopt u te vinden? De zoom van een engelengewaad?'

'Er de spot mee drijven past u niet, dokter Stafford. Denk ernstig na over wat ik u zojuist heb gezegd. U kent mij intussen als een man die alles in het werk stelt om te krijgen wat hij wil. Ik bel u morgen rond deze tijd. Zorg dat u een antwoord heeft.' Hij hing op.

Lucy keek onderzoekend naar zijn gezichtsuitdrukking, had enkele flarden van de stem opgevangen en wist onmiddellijk wat de gevolgen konden zijn. 'Heb je ze alles gegeven?'

Alex knikte. 'Alle originelen. Ik heb nog wel de fotokopieën die ik voor je heb gemaakt om de originelen te beschermen. Ik heb niets voor hen achtergehouden, voor zover ik weet.'

'Hoe nerveus moeten we van die mensen worden, Alex?'

'Ik wou dat ik dat wist.' Hij aarzelde. 'Jij had tot nog toe voortreffelijke intuïties. Heb je het gevoel dat er nog meer moet zijn?'

Ze deed de rubberen handschoenen uit en leunde tegen de gootsteen. 'Je hebt me nog steeds niet verteld over het antwoord dat je vond op grond van Wills eerste blad. Je vertelde me dat je die ook wist te ontcijferen. En ik vermoed met een heel ander resultaat dan ik bereikte?'

Alex nam haar hand en leidde haar naar de boekenplanken in de hal. 'Kun je een bijbel vinden?' Ze begonnen allebei te zoeken en Lucy vond een lichtelijk versleten exemplaar dat aan de binnenzijde ter gelegenheid van Alex' doop door de doopgetuigen van een inscriptie was voorzien: 'Palmzondag, 1970'. 'Ja, prima, het is een King James.' Ze volgde hem naar de bank en Alex begon zijn uitleg.

'Net als jij vond ik het eerste deel: "*Will, I am*". Ik nam aan dat het betekende dat het voor Will was. Toen begon ik na te denken over iemand wiens alfa en omega dezelfde dag waren, en ik dacht meteen aan Shakespeare – het tijdvak klopte en de voornaam ook. Dus ben ik het na gaan kijken en ik had het me goed herinnerd dat hij waarschijnlijk op drieëntwintig april werd geboren en op diezelfde datum ook stierf; het leek dus een mogelijkheid. Ik dacht aan het "lied van gelijk getal in het boek van de oude koning" en besloot dat het de Psalmen konden zijn toen het Lied van Salomo niets opleverde. Ik probeerde dus de vermaarde psalm drieëntwintig en keek ernaar en ben gaan tellen: niets. Maar kijk wat er gebeurt als je het getal drieëntwintig verdubbelt, om de twee helften te maken – of "birth day" en "death day" – een heel getal.'

'Zesenveertig?' Lucy bladerde naar Psalm 46 en ze keken elkaar aan toen er een opgevouwen stukje palmblad, waaraan de vorm van een kruis was gegeven, tussen de bladzijden bleek te zitten. 'Die worden op palmzondag gemaakt. Zit dat daar al sinds je doop in?'

Alex schudde ongelovig zijn hoofd. 'Curieus... dat het precies daar zit. Tel hetzelfde aantal stappen voorwaarts vanaf het begin, en zeg me wat daar staat.'

Lucy's telde met haar nagel zesenveertig woorden vanaf het begin en ze keek hem half lachend aan: "Shake"? Je gaat me toch niet vertellen dat als ik hetzelfde aantal vanaf het einde tel...?

'Sla het laatste woord over, weet je nog? Dat is "Selah" in dit exemplaar, maar het is "Amen" in het exemplaar in mijn appartement dat Will in zijn rugzak had zitten.'

Lucy volgde de instructies en ze beefde toen ze haar vinger boven het zesenveertigste woord hield: 'spear'. 'Alex, je bent geniaal. Maar is dit echt?'

'Zijn we het eens dat de hele boodschap "William Shakespeare" luidt – die overigens zesenveertig jaar was toen de King James werd gedrukt?'

'"*Is't not strange, and ten times strange?*" Is het een weloverwogen code?'

'Ik heb het gevoel dat Shakespeare in de documenten verweven is, maar ik heb geen idee hoe. Maar met de vraag naar "meer" helpt het ons niet verder, of wel?'

Lucy zat er een ogenblik wezenloos bij. 'Is Will tot dit punt gekomen?'

'Misschien weet jij dat?' Alex plaagde haar, maar zonder boosaardigheid. 'Ik zou heel graag weten wat hij in de uren heeft gedaan na zijn bezoek aan de kathedraal en het doorlopen van het labyrint. De berichten die hij me stuurde geven aan dat hij het nodige te vertellen had. En toen ik zijn bezittingen doorzocht, vond ik de ansicht van Chartres, die ene die mijn moeder voor hem had achtergelaten over het hertenvlees, samen met een lunchrecept, en hij had zijn haar laten knippen. Hij tekende een hertenbok of een hert op een stukje tekenpapier en we weten dat hij even voor drieën bloemen voor Siân bestelde. Maar de veerboot vertrok pas veel later. Wat speelde er in de tussenliggende uren door zijn hoofd?'

Lucy keek naar hem. 'Ik wou dat ik het kon zeggen, Alex. Ik ben niet Will. Ik heb alleen een nogal resonerend deel van hem. Maar als mijn intuïties iets waard zijn zou ik zeggen dat er een paar dingen nogal uitzonderlijk zijn. Die bloemen die hij bestelde voor Siân... Heb je al eerder gezegd dat het om rozen ging?'

'Witte rozen. Voor haar verjaardag, die pas over een maand was.'

Lucy knikte. 'Ik rook rozen in het labyrint, waarschijnlijk de parfum die jij me gaf en die in de warme lucht in mijn neus drong. Maar misschien is ook dat een fenomeen van het labyrint. Of misschien ook niet. Kan het zijn dat de roos die we boven hebben gezien zes maanden oud is? Zou hij zo volmaakt kunnen verwelken? Kan het zijn dat hij hier was toen Will er was?'

Alex haalde zijn schouders op. 'Je bedoelt dat hij hem mogelijk heeft geplukt?'

'Dat was het herfstpunt. Er is dus een equinoxroos, het hertenvlees. En de hertenbok. Dat is interessant, vind je niet? Is het hart niet een emblematische figuur van Diana de maangodin?' Ze wachtte zijn antwoord niet af. 'En er was een hart op het lijfje van de vrouw op de miniatuur. Ik zou zeggen dat Will misschien hier is geweest. Ligt het op de weg naar de veerboot?'

'Waar wil je heen?'

'Gaf Diana hem aanwijzingen?' Ze keek hem ernstig aan, opeens overvallen door een idee. 'Wat waren de bewoordingen van haar nalatenschap aan hem – bij de sleutel?'

'Zoiets als: "Voor Will, voor als je iemand bent die je nu niet bent…"' En Alex volgde haar gedachtegang. 'Ik veronderstel dat jij dat nu bent, Lucy. Als je denkt als een dichter in plaats van als wetenschapper. Misschien was het sleuteltje echt voor jou bedoeld.'

'Ze hebben de gouden replica van me afgepakt die jij voor mijn verjaardag hebt laten maken.'

'Doet er niet toe. Als we weer thuis zijn, krijg je de oorspronkelijke zilveren weer terug.'

'Wij maken deel uit van dit raadsel, Alex. Jij en ik worden verondersteld het op te lossen. Hakte Alexander niet de gordiaanse knoop door, of zoiets?'

Hij lachte. 'Vreemd genoeg is ons familieteken, van de Staffords, een knoop. Ik denk dat mijn ouders heimelijk een grapje maakten toen ze mij Alexander noemden. Hij maakt al minstens vanaf de vijftiende eeuw deel uit van het wapen van de Staffords. Maar dat is niet mijn moeders zijde van de familie.'

'Niettemin lijken de Staffords op een of andere manier in het mysterie te zijn opgenomen. Er was een Stafford die ergens gedurende de regeringsperiode van koningin Elizabeth ambassadeur in Frankrijk was. Hij onderhield het contact met de hermeticus Giordano Bruno, die nota bene op het Campo de' Fiori, het "Bloemenveld", op de brandstapel eindigde. En het is die gebeurtenis waar het eerste document dat Will werd gegeven naar moet verwijzen, en ik denk dat Will zich dat realiseerde. Ik heb er iets over gelezen toen ik onderzoek deed naar Dee, en ik geloof dat Simon er ook iets over heeft gezegd. De connectie met de naam Stafford viel me natuurlijk op. Ik zal er mijn aantekeningen op naslaan. Ik vraag me af of hij familie was.'

Ze keek hem aan en kreeg opeens een idee. 'De knopentuin. De rozen. De maan. Het rijk van Diana. Laten we gaan kijken.'

Lucy's vinger volgde de spiraal die Diana in haar fontein had gemaakt. Hij bestond uit spiegelglas en vormde een glinsterend pad middels een patroon van blauwe en robijnrode tinten samengebracht in een mozaïek van gebroken porseleinen borden die qua kleur zo nauwkeurig was afgestemd dat ze opzettelijk voor dat doel waren gebroken, besefte Lucy. Het bekken was ondiep en met schelpen omzoomd; en Lucy moest denken aan the Lady of Shalott, die gedwongen was alles door een spiegel te bekijken om haar borduursels te maken, terwijl de glinsterende scherven de lucht en het landschap weerspiegelden. Ze volgde de spiraal tot Venus in het centrum en ze dacht aan Alex' zachte vingers die het litteken rond haar borst volgden en om haar hart cirkelden. De beweging zelf was sensueel, betoverend, een mysterieuze geste.

Ze draaide zich naar Alex om iets te zeggen, maar hij was in gedachten verzonken, keek naar de veranderde zonnewijzer en ze aarzelde. Hij las haar empathie en noodde haar in zijn geest.

'Voor de zon is hier geen dominante rol weggelegd. Zijn levenskracht is wezenlijk voor rozen, maar zelfs midden in de zomer, als de geur overweldigend is, nam mijn moeder me mee als de schaduw nog dieper geworden was om te bewijzen dat de geur het sterkst en aanlokkelijkst was in de avond. Alle bloemen geuren 's nachts het krachtigst. In het maanlicht verspreiden witte rozen een bijna tastbaar licht. De maanwijzer maakt middernacht tot noen. De fontein weerspiegelt de sterren: een scherf van de hemel op aarde. De geest van deze tuin is vrouwelijk. Mijn moeder creëerde deze ruimte om een andere zienswijze op de wereld uit te drukken en de norm omver te werpen. De zon is gade en een vitale partner, maar geen vorst. Het was niet voldoende het verstandelijk te begrijpen: ze moest ons er getuige van laten zijn.' Hij keerde zich naar Lucy. 'Misschien omdat haar huis een huis van mannen was.'

'Ze lijkt er haar eigen huis op na te hebben gehouden.'

'Ja. Maar het was iets waar ze om gaf. Vanaf de Prehistorie, vóór de mannelijke rol in de voortplanting correct werd begrepen, waren vrouwen de dragers van de geheimen van leven en dood – aangezien zij leven konden voortbrengen zonder enige duidelijk begrepen bijdrage van de man. Ze werden beschouwd als beschikkend over een aangeboren kennis van de mysteries van de goden, als ingewijd in de goddelijke wijsheid. Toen volgde er een verschuiving naar een meer mannelijke, apollinische, rationele visie op de wereld die het mysterie en het dromerige, lunaire en vrouwelijke van de religie bagatelliseerde. De zonnegod, Apollo, bracht helderheid en legde de nadruk op het kenbare in plaats van het onverklaarbare. Dionysus was de god van de extatische visies en van de rite van de maan.'

'Jij en Will,' zei Lucy.

Alex lachte. 'In sommige opzichten. Maar mijn moeder hoopte dat een huwelijk van helderheid en mysterie niet onverenigbaar was en dat daaruit het beste inzicht in de wereld zou volgen. Misschien vond ze dat zij en mijn vader dat in sommige opzichten belichaamden.'

Alex zweeg, maar Lucy begreep alles. Ze liep naar hem toe en pakte zijn hand. 'Als ik een moeder zou kunnen kiezen, zou ik voor jouw moeder kiezen,' zei ze gevoelvol en Alex was geroerd. Ze keek naar de talon van de maanwijzer die naar de waterige haven van Venus wees, merkte op dat er een tijd werd aangegeven, bij toeval, van tussen drie en vier uur, terwijl het minstens een uur vroeger had moeten zijn.

Alex volgde haar blik. 'Veel meer dan achtenveertig minuten ernaast nu.'

Lucy dacht aan Alex' moeder in het licht van deze tuin. 'Wist je dat Botticelli de *Primavera* schilderde en het paneel van *Venus en Mars* om de magie teweeg te brengen van een exact aspect van de planeten, om de beschouwer de harmonie van de hemelen in te blazen? Jouw moeder moet hebben geweten dat van de individuele mens, als microkosmos van het hele universum, werd aangenomen dat hij de hele schepping en het geheel van de goddelijkheid tot uitdrukking bracht.'

Alex hoorde haar, maar Lucy's aandacht was overgegaan op de schaduw van de klok. Het was het lentepunt – binnen een dag – waarop de balans van mannelijk en vrouwelijk, zon en maan, dag en nacht, in evenwicht was. Een hemels huwelijk. Ze dacht eraan wat een volmaakt moment het voor hen was hier gezamenlijk bij het huis te zijn – 'een vurig gewenste vervulling'. Het zou rond dit inaccurate tijdstip kunnen zijn, rond vier uur, even voor het ochtendgloren, het laatste uur van het maanlicht, vóór de eerste stralen van de opkomende zon op de equinoctiaalpunten. 'Alex, kijk waar de schaduw valt.'

De ware tijd was even na tweeën, maar de schaduwvinger raakte de dunne tegel met de ster waarvan Alex eerder had gezegd dat hij moest worden vastgelegd. Hij bukte zich en bekeek hem eens goed, en deze keer fascineerde het hem dat hij los lag. Lucy trok een stevige haarspeld uit haar haar om er een hoek mee op te lichten. De tegel kwam moeiteloos omhoog en daaronder bleek zich een tamelijk diepe maar lege ruimte te bevinden.

'Hier heeft zonder enige twijfel iets gelegen.' Alex keek verbijsterd naar Lucy. Dit was een gebied waarvan hij geen kaart had. Het had er alle schijn van dat zijn moeder deze geheime bergplaats jaren geleden al had gemaakt met een bedoeling waarvan hij niets wist. Er had een of ander object in de ruimte onder de ster gezeten die ruwweg de diepte had van een ouderwetse Engelse voet. De ruimte was groot genoeg om er een kistje of een fles in te verbergen.

'Er is ons iemand voor geweest,' zei hij.

Lucy reikte naar Alex' rechterhand, waarvan de vingers nog altijd de tegel vasthielden. Ze sloot haar vingers over de zijne en keerde de tegel om. Ze keken elkaar aan en lachten.

'Will.'

Op de onderzijde van de tegel stond een tweede ster – vierkanten in een bloemvorm – zorgvuldig geschilderd en van getallen voorzien met enkele woorden eronder. Het geheel was er ter verduurzaming ingebrand.

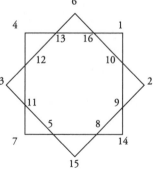

Onder de ster stonden de Italiaanse woorden: *E quindi uscimmo a riveder le stelle*. En precies in het midden van de ruimte zat met tape een sleutel vastgeplakt. De reservesleutel van Wills Ducati.

22

Simon keek oplettend in de achteruitkijkspiegel, maar met zijn hoofd was hij nog steeds bij Calvin. Hij werd in beslag genomen door de eigenaardigheden die hij bij Calvin had gezien – de volstrekte afwezigheid van iets persoonlijks en de vreemde schaarsheid van wetenschappelijke boeken op zijn planken. Niet bepaald het onderkomen van iemand die zich vol overgave aan een universitaire studie wijdt. En dan die leugenachtige reactie dat de boeken waarmee hij werkte te oud en te waardevol zouden zijn om ze uit de bibliotheek te kunnen meenemen. Kon daar ook maar iets van kloppen? Wat voerde hij in zijn schild? En aanhoudend speelden de woorden van Iago door Simons hoofd: 'Ik ben niet wat ik ben.' Hoe passend, dacht hij. Het volgende moment zag hij drie op en neer deinende hoofden haastig zijn kant op komen en hij startte de motor.

In de bescherming van Alex' lichamelijke nabijheid had Lucy de vlucht van een uur vanuit Orly in gedachten verzonken doorgebracht. Ondanks het opdringerige telefoontje, gevolgd door de merkwaardige vondst in de knopentuin, stond haar hoofd er niet naar ook maar even aan gevaren of urgente kwesties te denken tot ze in de aankomsthal het gespannen gezicht van Grace zag. Ze merkte Simons ernstige blik op terwijl ze op de achterbank van zijn gehavende terreinwagen plaatsnam. Alex kwam naast haar zitten en toen Grace naast Simon was geschoven, reed hij al weg voor de deuren goed en wel waren dichtgeslagen.

'Ik sta bij je in het krijt, Simon. Ik hoop dat ik niet al te samenzweerderig klonk aan de telefoon.'

'Nog lang niet samenzweerderig genoeg, Alex.' Simon lachte nerveus. 'Naar jouw huis of naar het appartement van de meisjes?'

Alex had graag gewild dat hij vrolijk op Simons opmerking had kunnen ingaan. Hij vermeed het rechtstreeks te reageren op Simons bezorgde gelaatsuitdrukking en beantwoordde in plaats daarvan de vraag naar hun bestemming. 'Eerlijk gezegd wilde ik jullie allemaal trakteren op een dinertje in The Cricketers in Longparish? Tenzij je andere plannen hebt, natuurlijk.'

'Uitstekende zaak. Gaf Will niet altijd hoog op van het bier dat er wordt geschonken? Het is al een flinke tijd geleden dat ik er voor het laatst was. Waarom vanavond?' Simon wierp geregeld een blik in de binnenspiegel.

'Lucy heeft weer een interessante archeologische ontdekking gedaan, deze keer bij het huis in Frankrijk.'

Ze rekte de autogordel uit en leunde voorover om hun een snelle blik te gunnen op de sleutel van de Ducati die nog altijd tegen de tegel zat geplakt zoals ze hem hadden gevonden. 'Deze werd ter ontkieming in de rozentuin achtergelaten.'

'Vreemde plek voor een reservesleutel,' zei Simon terwijl hij in de spiegel naar haar grijnsde. 'De Ducati staat bij je vader in de garage?' Alex knikte en Simon keek naar Grace. 'Eten bij The Cricketers dan maar.'

Hij trapte het gaspedaal in en kijkend in de spiegel zei hij: 'Jullie hebben ons het een en ander te vertellen, maar eerst geef ik jullie een lesje eigentijdse geschiedenis. Ik heb de afgelopen achtenveertig uur ook een paar dingen opgegraven. Ik probeerde je te bereiken en hoorde van Siân wat er was gebeurd.' Grace draaide zich om gaf Lucy een kneepje in haar hand. 'Dus heb ik Calvin met een bezoekje vereerd.'

Simons ogen sprongen heen en weer tussen de spiegel en de weg. Hij stuurde de auto de oprit op die hen naar de snelweg moest voeren, maar toen ze na de tunnel over de rotonde reden, nam hij de laatste afslag die leidde in de richting vanwaar ze waren gekomen. Zijn passagiers keken elkaar verbaasd aan. Die weg liep enkele kilometers binnen het grondgebied van de luchthaven en ze werden door een andere auto gevolgd. Een eind verderop scheurde die auto hun voorbij, om vervolgens weer in te houden.

Lucy fronste haar wenkbrauwen toen ze de rotonde naderden met afslagen naar de M25 en de goederenterminals: de andere auto maakte weer snelheid, knipperde met de lichten en kwam heel dicht naast hen rijden. Een passagier draaide het raampje omlaag. Simon trapte keihard op de rem en reed de terreinwagen de stoep op. De passagier schreeuwde een vloek en de auto reed met hoge snelheid langs hen heen en verdween uit zicht.

Iedereen zweeg en begreep wat Simon deed. Hij draaide de weg weer op en reed richting de M25. 'Was dat nodig?' Alex' stem klonk kalm en aanvaardend dat zijn romantische weekendje bijna ten einde was, kreeg hij weer hetzelfde wanhopige gevoel dat hij had toen hij twee dagen geleden met Calvin had gesproken.

'Het is mogelijk dat ik enige verkeersagressie heb opgeroepen en dat het verder niks is,' zei Simon. Maar zijn zenuwachtige manier van doen verraste Lucy. 'Nou, Alex, nu de M3 en de A303, toch?'

'Er is weinig verkeer op zondagavond, dus het zal niet lang duren, Simon. We zullen er tegen zessen zijn. Mag ik je mobieltje even gebruiken om mijn vader te laten weten dat we onderweg zijn?'

'Als die lui via jouw mobieltje contact met je opnemen, kun je het maar beter helemaal niet meer gebruiken.' Hij gaf Alex zijn telefoon en nadat het gesprekje beëindigd was, slaakte Simon een diepe zucht. Hij had een lang verhaal te vertellen waarvan hij wist dat Alex en Lucy er moeite mee zouden hebben. Het was irrationeel en meteen zo eenvoudig dat het zelfs hem bang maakte.

Op zo rustig mogelijke toon, waarmee hij desondanks zijn woede niet kon verhullen, vertelde hij wat hij aan de weet was gekomen tijdens de verhitte confrontatie met Calvin de vorige dag. In de jaren waarin hij als journalist had gewerkt, had hij allerhande mensen ontmoet. Hij was van mening dat het zijn taak was anderen te observeren en het publiek zelf de conclusies te laten trekken over wat hij boven water kreeg. Zorg dat de feiten kloppen en voor het overige was de waarheid wat je ervan maakte. Volgens hem waren Lucy en Alex geconfronteerd met mensen die zo overtuigd waren van hun eigen gelijk dat ze het gevoel hadden boven de wet te staan.

'Dictators, presidenten, religieuze leiders, ik ken ze. Je weet, Alex, dat altijd als Will beschikbaar was, wij samen op pad gingen. Ik schreef de teksten en zijn foto's vertelden het verhaal. Aan het einde van de dag zaten we vaak in een of ander internationaal hotel in een of andere verre hoofdstad en vroegen we ons af hoe die lui er toch in godsnaam mee wegkwamen. Soms waren we zo verontwaardigd door de onzin die ze ons vertelden dat we er stil van werden. Onze conclusies varieerden, maar meestal dronken we een glas op de vrijheid, de democratie en de westerse manier van leven: "Dat die een lang leven beschoren moge zijn."' Hij was buitengewoon emotioneel.

'Ik leerde Will echt kennen toen we een tijd in Afrika waren. Het ging aanvankelijk om een vervolgreportage over een landmijnenkwestie waarop prinses Diana de aandacht had gevestigd. We besloten samen een maand door te reizen en kwamen terecht in Maputo, in het Polana Hotel, in het Mozambique van na de burgeroorlog – de klassieke koloniale setting van troosteloze armoede. Kinderen speelden en lachten op modderwegen en hun enige speelgoed was een leeg colablikje. De omstandigheden grepen Will enorm aan. Op de tweede dag waren we getuige van een bomaanslag op een bus. Alle passagiers waren moeders met kleine kinderen. Al die verwoestingen waren het resultaat van een of andere obscure agenda. Geen van ons kon begrijpen dat mensen zo ver konden gaan om anderen hun wil en hun visie op de wereld op te leggen. Een vijfjarig meisje bloedde dood in mijn armen. Will was niet in staat foto's te maken. Hij wist dat de wereld die ellende moest zien, maar hij vond het te mensonterend om er zijn camera op te richten.

Recentelijker hoefden we niet naar de Derde Wereld te reizen om van rampen verslag te doen. We bevonden ons in Washington en waren verbijsterd door de verschrikkingen, de dikke rookpluim die dagenlang boven het Pentagon hing, de afgrijselijke brandlucht, de lucht dik van vette as. Er heerste begrijpelijkerwijs een sfeer van angst die extreme religieuze elementen van alle overtuigingen gelegenheid gaf de situatie voor hun eigen doelen te gebruiken. De omverwerping van Saddam, zelfmoordterroristen en religieuze fanatici van elk pluimage, iedereen probeert de boel naar zijn hand te zetten...' Simon was bang dat hij niet samenhangend genoeg zou zijn om zijn vrienden het gevaar te laten inzien waarin hij meende dat ze nu verkeerden.

'Alex, Wills heroïsche zoektocht na de dood van jullie moeder was, denk ik, een sterk verlangen een complexe kwestie in zichzelf te onderzoeken – zijn rusteloosheid, zijn onvermogen zich te settelen of, meer in het bijzonder, te berusten in onrechtvaardigheden elders.

Waar hij op stuitte kan hem zijn leven hebben gekost. Na mijn gesprek met Calvin ben ik er helemaal niet meer van overtuigd dat zijn val in de rivier een ongeluk was.'

'Heb ik altijd al gedacht,' zei Alex. 'En deze nieuwe details maken me er zeker van dat er een duistere kant aan de zaak zit. Maar laten we geen beschuldigingen uiten die we nog niet kunnen bewijzen. En zeg er alsjeblieft niets over – en dat geldt voor ons allemaal – tegen mijn vader. Het is voor mij al moeilijk genoeg te verteren, terwijl ik dagelijks met de dood te maken heb.' Alex dacht even na en zei: 'En ik denk ook dat het op dit moment beter is hem niets te zeggen over de redenen die ik had om Lucy naar Frankrijk te volgen. Ik praat met hem als ik meen dat het moment er rijp voor is, maar hij heeft het afgelopen jaar meer dan genoeg moeten doorstaan en ik wil hem niet bezorgder maken dan nodig is. Maar, Simon,' ging hij verder, na diep adem te hebben gehaald, 'wat ik niet begrijp is wat ze in godsnaam willen? En nu we het er toch over hebben, wie zijn "ze"?'

'Ik weet niet of dat wat zij denken te willen op aarde te vinden is. Alex, wat jij en Lucy hebben gevonden is een document waarvan zij geloven dat het de sleutel is die de deur naar de verlossing opent. Ze zijn ervan overtuigd dat ze, met behulp van wat het ook zijn mag waar die papieren hen naartoe leiden – zoiets als een Ark des Verbonds – in staat zullen zijn met de engelen te spreken om het moment en de precieze details van de wederkomst of de Opname vast te stellen. Of dat die conversatie vierhonderd jaar geleden al persoonlijk door Dee werd vastgelegd. Volgens Calvin bestaat er een theorie dat Dee de boel heeft begraven omdat het te gevaarlijk was. Kennelijk heeft hij een heleboel dingen begraven. Ze hebben jou zover gekregen de perkamenten aan hen te geven door Lucy te ontvoeren. Nu hebben ze ontdekt slechts een deel van de puzzel in bezit te hebben. Ze willen de volgende levering, hoe die er ook uitziet, zelfs als jij niet weet waar je die moet zoeken. En ze zullen niet wachten.'

Lucy had zwijgend geluisterd en de gevolgen overwogen van wat Alex had gevraagd en wat Simon had gezegd, maar nu was ze met haar hoofd alleen nog bij Simons woorden. 'Het spijt me, Simon. Ik snap er niks van. Waar heb je het over? En over wie? "Wederkomst, Opname"?'

Grace begreep Lucy's verwarring. Ze was zich er volkomen van bewust dat Simon, die doorgaans heel goed in staat was informatie te vergaren en helder te verwoorden, door ongerustheid zichzelf niet was. Ze had opgemerkt dat hij op hoge snelheid van rijbaan wisselde en als een dronkenman reed.

'Jij en ik hebben er uitgebreid over gesproken na je bezoek aan Calvin, maar waarom begin je niet bij het begin om Alex en Lucy uit te leggen wat je aan de weet bent gekomen? En kun je iets rustiger rijden? Hij is een beetje over zijn toeren,' zei ze met een blik op Alex en Lucy.

'Je hebt helemaal gelijk, Gracie. Het spijt me. De mensen die geïnteresseerd zijn in jou en je voorouder, Alex, zijn theologische fundamentalisten – al is dat een slecht gekozen term omdat het te veel omvat. Voor ons volstaat het te begrijpen dat Calvins vrienden slechts een klein clubje vertegenwoordigen binnen een veel grotere groep mensen voor wie de religieuze autoriteit absoluut en boven elke kritiek verheven is. Ze verwachten dat bepaalde eisen en bevelen die ze aan de Bijbel ontlenen niet alleen publiekelijk worden erkend, maar ook door de overheid worden afgedwongen. Ze zijn bezeten door de gedachte de teloorgang van de religie zoals zij die zien, en de ware plaats ervan in onze maatschappij, te vuur en te zwaard te bestrijden. Uiteraard zijn zij christenen en geen moslims, en hun nogal onverzoenlijke en onchristelijke moraal doordrenkt hun hele denken en alle aspecten van hun kijk op de wereld. Ze leren het creationisme, belasteren Darwin en zijn er vast van overtuigd dat uitsluitend zij de waarheid in pacht hebben. Ze zijn bovenal geïnteresseerd in de Apocalyps, waarmee hun interpretatie van de geschiedenis elke historische gebeurtenis afvlakt tot een te verwaarlozen facet in het kosmische geheel. Jezus is noch het Lam Gods noch de Vredevorst, maar een bloeddorstige Messias die uit is op wraak.'

Grace onderbrak hem: 'Een volstrekt mannelijke aangelegenheid, overigens.'

'Ja, helemaal waar,' zei Simon voor hij verderging. 'Nou, die theologische fundamentalisten van Calvin zijn er nogal zeker van dat de wederkomst van Christus ophanden is. Die wederkomst is een grondbeginsel van de christelijke leer waar zij wat vaart achter willen zetten, ongeacht het aantal busladingen moeders en kinderen dat ter bevordering van hun visie doodbloedt.'

Hij haalde adem, lette op of anderen hem nog volgden. Niemand knipperde met de ogen, hoewel Lucy geschokt was en een beetje nachtblind door de koplampen van het verkeer dat hun tegemoetkwam. Ze kneep onwillekeurig in Alex' hand.

Simon vervolgde: 'Dat is dus waar alles om draait. Ten eerste gelooft deze groep dat bij de wederkomst alle gelovigen letterlijk van de aarde in de hemel worden getild. Lucy, dat is wat ze de Opname noemen.'

'Van de aarde getild? Zomaar?' Lucy vroeg zich af of het slechts een ironische grap was van Simon.

'Net als de dame in *Honderd jaar eenzaamheid*,' zei Alex, 'te mooi om in een graf te worden gelegd en dus wordt ze in het laken gewikkeld dat ze bezig was op te hangen en naar de hemel getild.'

'Jawel! Niets zo literair als Márquez, ben ik bang, niets zo verheffend! Maar vreemd genoeg heeft dat denkbeeld ingang gevonden dankzij een reeks christelijke sciencefictionboeken, die als warme broodjes over toonbank gaan, waarin die idiote zienswijze wordt gepopulariseerd. Voor miljoenen Amerikanen is het echter geen fictie. Dus ja, Alex,' zei Simon, 'ik neem aan dat er bepaalde overeenkomsten zijn, behalve dan dat er in dit scenario slechts een select groepje zal worden opgenomen. Het is een eliteclubje zonder geweten. De beklagenswaardige rest, waartoe de op harmonie en humaniteit gerichte christelijke populatie behoort, plus laten we zeggen achthonderd miljoen Chinezen, driehonderd miljoen Aziaten, ik weet niet hoeveel moslims, sikhs, joden en zeker alle cynici zoals ik en wetenschappers zoals jij, Alex, zullen hier op aarde achtergelaten worden om het uit te vechten of om de rommel op te ruimen. Terwijl de dwaze academici van Calvin met Petrus aan de champagne zitten, vechten wij seculiere humanisten het armageddon uit om uiteindelijk in een bloedbad te verzuipen. Dat is althans waar zij op hopen.'

Alex wilde in lachen uitbarsten, maar hij wist dat zijn vriend doodserieus was. 'Simon, ik heb lang geleden geleerd in te zien dat mensen die geloven soms bereid zijn te sterven voor hun geloof. Dat is hun recht. Maar geloof is geloof en komt voort uit de bereidheid te geloven. Het gaat niet om dingen die we kunnen weten. En die zaken zijn niet alleen onkenbaar, ze zijn vaak niet in het minst plausibel. In de huidige wereld van ontwikkelde individuen kan er niet één groep zijn die hun blinde geloof en onwaarschijnlijke ideeën in die mate aan anderen oplegt en dan ook nog voldoende steun vindt bij de overheid om ons ervoor in een oorlog te sturen! Niet in het Westen, in elk geval. Je bent te pessimistisch.'

'Probeer de argumenten die ze gebruiken niet te rationaliseren, Alex. Het heeft totaal niets met logica te maken. Het gaat allemaal om de angst te worden buitengesloten. En ze werken er koortsachtig aan de klok terug te draaien en het verlichtingsdenken te herroepen. Zoals Jacobus I en zijn heksenjagende generaal het inderdaad zouden bevorderen. Wat zou Shakespeare vandaag zeggen tegen een westerse leider die van een dergelijk klimaat gebruik zou maken? Een president van de "fantastische donkere hoeken" die uit de verslagen naar voren komt als een voorstander van de Opname? Ik zal een korte schets geven van de essentie ervan.

Om de weg te bereiden voor de Wederkomst gelooft een groep zogenoemde christelijke zionisten dat de joden toestemming en steun moeten krijgen om de tempel in Jeruzalem te herbouwen. Dat zou de vernietiging vereisen van een van de heiligste en mooiste plaatsen van de islam, en daar zouden een paar mensen behoorlijk kwaad van worden. Maar dat maakt niet uit: die groep is vastbesloten de Poort van de Wederkomst op te richten. Ze hebben uitstekende connecties. Ze zien zichzelf als deel van een kosmische strijd. Ze demoniseren hun tegenstanders. Ze zijn antimodern, maar niet antimodernistisch. Ze doen hun voordeel met elke technologische ontwikkeling. Ze nemen een ultraconservatieve positie in tegenover vrouwen en tegenover wetenschappelijke onderzoekingen. Ze strijden fel tegen de waarden van de Verlichting, waar wij Kant en Voltaire, jouw helden, Alex, zo dankbaar voor zijn, en tegen de beginselen van de Amerikaanse constitutie. En dat is ongelooflijk ironisch gezien het feit dat dit paradijs van het liberale denken precies de plek is waar zij hun macht konden uitbouwen en waar zij hun stem mochten laten horen. En zij zetten de media zeer doeltreffend in voor de verspreiding van hun boodschap. Bedenk dat ik het niet heb over iemand in een grot in Afghanistan.

We hebben het over rechtse christenen die een vergeldingsfantasie hebben waarin zij op de brutaalste manier zegevieren over de rationele, moderne, wetenschappelijke wereld waarin de algemene gelijkheid in elk geval als ideaal wordt nagestreefd. Hun verbale oorlog wordt via hun literatuur en beheersing van de media gevoerd tegen vrijzinnige denkers en homoseksuelen, tegen vrouwen die in hun ogen onnodig hoog zijn opgeleid, tegen moslims, Arabieren en vooral tegen de Verenigde Naties.

Hun obsessie met het herbouwen van de tempel in Jeruzalem is dat daarmee de weg wordt bereid voor het terugwinnen van de Bijbelse landen Judea en Samaria op de Westelijke Jordaanoever. Zij houden vol dat dit, overeenkomstig het Oude Testament, deel uitmaakt van Gods onwrikbare verdrag met het volk van Israël. De profetieën verzekeren hun ervan dat een volledig verzoende Israëlische staat een noodzakelijke voorwaarde is om de wederkomst van Christus mogelijk te maken. En als ze hun tempel eenmaal hebben,' hij keek Alex even vluchtig aan in de spiegel, 'als dat eenmaal is bereikt, zal de wederkomst naar verluidt beginnen. Zodra het laatste blok steen in positie is gebracht – of misschien zelfs zodra het eerste op z'n plek ligt – zal de Opname volgen. Nou, we weten allemaal dat het brengen van democratie in het Midden-Oosten een prijzenswaardig doel is, maar in dit geval is het er niet om te doen de levens van de mensen in die landen te verbeteren, maar om degenen die het waard zijn in een positie te brengen vanwaaruit ze met het herbouwen van de tempel kunnen beginnen. Ze bereiden dat al voor sinds het moment waarop Israël in 1948 als onafhankelijke staat werd erkend. De tempel is hun belangrijkste inspiratie.'

Alex keek sceptisch in Simons weerspiegelde ogen. 'Dus jij wilt zeggen dat mijn nieuwe neef en zijn mentor, die zogenaamde afstammeling van een tempelridder met zijn dunne laagje hoffelijkheid, dat allemaal echt geloven? En dat zij menen dat de perkamenten die vier eeuwen geleden door Dee werden begraven op miraculeuze wijze hun warrige hypothesen zullen bevestigen?'

Simon haalde zijn voet van het gaspedaal om de afslag naar Longparish te nemen. Het minderen van de snelheid en het geluid was een opluchting voor alle inzittenden. De felle koplampen van het tegemoetkomende verkeer, hun eigen tempo en de snelle stroom van informatie hadden aangevoeld als een aanslag op hun wezen.

Maar Simon was nog altijd op dreef en hij wilde dat Alex volkomen doordrongen zou zijn van wat er op het spel stond. 'Dat is waar zij voor vechten. Ze kennen de propagandawetten door en door en zullen elk middel voor het zaaien van angst en tweedracht inzetten. En jij hebt er uit de eerste hand al kennis mee gemaakt, Lucy. Dus als je mocht denken dat de inquisitie een eenmalig en tragisch stukje oude geschiedenis is geweest, denk dan nog eens na. Ze beschikken over beangstigend omvangrijke financiële middelen en in het huidige politieke klimaat vinden ze een machtig en makkelijk te misleiden publiek. De intentie is wat ze altijd was: gaandeweg de joden tot het christendom bekeren – mijn excuses aan jouw joodse vader, Grace. Het is een nieuwe kruistocht waar ze op uit zijn en het aantal doden dat er naar hun verwachtingen mee gemoeid is, zal dat van de Holocaust verre overtreffen. Het Israël dat hun voor ogen staat, strekt zich helemaal uit tot de Nijl en de Eufraat, en tot de Middellandse Zee, en zelfs tot de woestijn van Jordanië. Dat zou tot een confrontatie met de Egyptenaren en de Syriërs leiden, alsmede met de Irakezen en de Libanezen.' Om zijn woorden kracht bij te zetten, draaide Simon zich helemaal naar Alex en Lucy om. Grace voelde in haar maag het omdraaien van een zware steen. 'Kunnen jullie je de omvang van dat conflict voorstellen?'

Na de verpletterend warme dag speelden er rode wolkenstrepen door de vroege avondhemel. Professor Fitzalan Walters nam zijn panamahoed af om zijn hoofd wat verkoeling te geven. De rit was afmattend geweest in de verzengende hitte van Caesarea naar de archeologische opgravingen waar de lagen van beschavingen van eeuwen en eeuwen te zien waren, helemaal tot de vestingwerken van koning Salomo. Hij was onderhoudend geweest voor zijn twee gasten, want hij wist dat zij met het kapitaal kwamen van de olie-industrie en met de macht van het Congres: het was alles waard hen volledig aan boord te krijgen. Ze waren nu aangekomen bij het terrein van de laatste grote veldslag en zijn hart sprong op. De verrukking liet zich eigenlijk niet echt onder woorden brengen, maar zijn kwaliteit als redenaar was ontwikkeld genoeg om een poging te wagen.

'Heren, we zijn eindelijk bij het ontzagwekkende Megiddo, een stapeling van de meer dan twintig beschavingen die hier in een dikke tienduizend jaar zijn geweest. Van de tijd van Alexander tot de heilige kruistochten en zelfs tot Napoleon hebben mensen om dit land gevochten en geweend. Onze laag is de laatste, want aangewezen als armageddon, de plaats van de cataclysmische strijd van Openbaringen 16:16, de plaats van de toekomstige zege van onze Heer.'

'Dat is nou precies de reden waarom we ons doof kunnen houden voor dat gewauwel over de opwarming van de aarde, FW!' De langste van de twee mannen, met een enorme buik en intens grijze ogen, lachte. Zijn vrolijke maar lijzige Texaanse manier van praten zou in elke andere context innemend zijn geweest.

FW knikte ernstig, nam de mannen bij hun arm en leidde hen de laatste paar meter van het kronkelpad naar de top van de heuvel van Megiddo, waar hij bleef staan om na te denken. Hij gooide zijn hoed met een groots gebaar op de plek vóór hen. 'Het is van hier dat Jezus zal komen op de wolken van glorie om ons naar huis te roepen. In deze ruim driehonderdvijftig kilometer lange vallei zal het bloed een meter hoog staan zodra Hij Zijn grootse werk voltooit.' Hij kneep de mannen nog eens in hun arm om hen tastbaar deelgenoot van zijn vreugde te maken. 'Stelt u zich deze schitterende Jizreël Vallei eens voor, overstroomd met het bloed van, aldus mijn rekenaars, meer dan twee miljard mensen! En wij zullen bij Hem zijn!'

De betovering die hij wist op te roepen hield aan tot ze afdaalden naar de geparkeerde gepantserde Mercedes en de twee mannen die op de uitkijk stonden. De professor was in een zeldzame gesteldheid en zijn stemming werd nauwelijks aangetast toen in de stoffige schemering zijn gsm ging. Hij gebaarde zijn gasten alvast in de koele auto plaats te nemen en nam het gesprek aan.

'Ik ben het, FW, Guy.'

'Iets later dan verwacht, Guy. Nieuws?'

'We hebben een zeer interessante verzameling papieren, maar te oordelen naar de aantekeningen in de familiebijbel is die verzameling niet volledig. Het kan zijn dat ze ons willen bedotten, maar ik heb het gevoel dat ze mogelijk niet weten waar de rest is of waar ze die moeten zoeken.'

'Goed. Ik begrijp het. En Calvin heeft geen kans gezien opheldering te verschaffen?'

Guy aarzelde. 'Nee. Nog niet, in elk geval.'

'Nu dan, Guy, het is volkomen duidelijk wat je te doen staat. Blijf het huis in de gaten houden en hou die jongen in het oog. En zorg dat er,' hij dacht een ogenblik na, 'niets gebeurt wat ongewenst is. Ik verfoei onnodig geweld. Bel me morgen.' Hij beëindigde het gesprek en stapte in de auto, die alleen nog op hem had gewacht. Er wervelde een wolk van fijne rode stof op toen de auto wegreed.

De vredigheid van de landwegen stond in schril contrast met het verontruste gemoed van de chauffeur en zijn drie passagiers. Uiteindelijk nam Lucy het woord.

'Het is waar, Alex. Jouw voorouders – Dee en zijn kring – hielden zich bezig met het zoeken naar verlichting en tolerantie buiten de godsdienstige bekrompenheid van hun tijd. Ze vonden hun uitgangspunt in een eendrachtiger gedragen premisse van het geloof in God dan we in deze tijd hebben. Je herinnert je dat zij geloofden dat het communiceren met de engelen een pad naar de waarheid was, zonder leerstellige bemoeienis. Ze hoopten dat de engelen hun konden zeggen wat God echt wilde, op dezelfde manier waarop Mozes Gods woord rechtstreeks ontving.

Bruno stierf op de brandstapel op het Campo de' Fiori,' ging ze verder, 'omdat hij stelde dat de aarde niet alleen om de zon draaide, maar dat er verscheidene zonnestelsels waren, die allemaal om hun zonnen draaiden. Hij was zijn tijd ver vooruit, was zelfs Galileo vooruit. Maar dat verduisterde zijn geloof in God niet: hij voelde dat God overal was, in alles, in iedereen. Zijn meest aanstootgevende ketterij was dat hij vraagtekens plaatste bij de geboorte van Jezus uit een "maagdelijke" moeder. Hij kende de klassieke modellen die aan die idee ten grondslag lagen, de vele sterfelijke, prachtige vrouwen wier uitzonderlijke zonen door onzichtbare, onsterfelijke goden werden verwekt. Hoewel hij geloofde in de schoonheid van de leringen van de mens Jezus Christus, wilde hij dat wij onze ogen zouden openen en vragen zouden stellen, teneinde te doorzien wat irrationeel was. Ook betwijfelde hij dat het brood tijdens de eucharistie daadwerkelijk vlees werd – een belangrijk onderdeel van mijn katholieke opvoeding. Eigenlijk zulke gematigde revisionistische vragen dat de verontwaardiging die er destijds door werd opgeroepen nu, eeuwen later, maar moeilijk te begrijpen is.

En voor Dee was dat net zo,' ging ze verder. 'Hun pogingen om leerstellige geschilpunten te vermijden, brachten hen tot het onderzoeken van de geheimen van de natuur vanuit een religieuze grondhouding. Dat droeg bij aan een klimaat waarin de wetenschap vooruitgang kon boeken. Ze zochten allemaal naar een religieuze wijze van leven zonder zich star en hardnekkig vast te klampen aan een weefsel van onmogelijkheden. Maar, Simon, jij zegt dat de mensen die dergelijke metaforen met feitelijkheden verwarren, waartoe ook de mensen behoren die mij in Frankrijk ontvoerden, op dit moment mogelijk voldoende invloed hebben op de politiek in het Westen om de wereld terug te duwen in de chaos en de dogma's waaraan Dee en anderen vierhonderd jaar geleden probeerden te ontsnappen?'

'Dat gevaar bestaat, dat is zeker, tenzij degenen die proberen tolerant te staan tegenover de opvattingen van anderen, nog altijd onafhankelijk mogen praten en denken, nog altijd rationele vragen mogen stellen, intelligente sceptici mogen zijn of zelfs denkende gelovigen. Helaas zien Calvins teamgenoten geen hiaten in hun theorie, zij geloven er tot op de letter in, waardoor elke discussie tot mislukken is gedoemd. Zij vertegenwoordigen een schrikwekkende vorm van doemdenken. Calvin zelf staat er, meen ik, nog wel enigszins terughoudend tegenover, maar zijn kameraden op de rechtervleugel geloven zonder enige ruimte voor twijfel dat Dee daadwerkelijk met de engelen sprak. Die kliek wil dus het geheimschrift ontcijferen om de handleiding te kunnen lezen voor het openen van de telefoonverbinding met de hemel, om zo precies te achterhalen wat de bedoeling is. Of wat er al geopenbaard is. En ze zullen anderen desnoods met geweld aan de kant schuiven om de hand te leggen op het mobiele nummer van de engelen. Is dat niet interessant?'

Er heerste een verbluft zwijgen. Terwijl ze langs de fraaie, bescheiden contouren van de kerk van Longparish reden, die de dorpelingen eeuwenlang de mogelijkheid tot stille devotie had geboden, voelde Lucy een steek van pijn en ze begon vurig te spreken. 'Geen wonder dat God zo boos was op Eva wegens het eten van de vrucht van de boom van kennis. Volgens Genesis schenkt kennis goddelijke macht. Het is Eva die ervoor verantwoordelijk moet worden gehouden dat wij de naïviteit achter ons hebben gelaten en dichter in de buurt kwamen van de status van de goden die op basis van de rede kunnen denken en handelen. Maar alleen door terug te vallen in de vroegere onwetendheid konden we al die Opname-onzin geloven. In jouw familie, Alex, zouden de vrouwen niet zijn afgebracht van het verwerven van kennis of een schuldgevoel zijn aangepraat omdat ze meer wilden weten. Zij weigerden onvoorwaardelijk gehoorzaam te zijn aan een wraakzuchtige God. De moerbeiboom, de boom van de wijsheid, is waar zij de documenten van Dee kozen te verbergen. Zij verkozen het klassieke model van Ariadne, als redster van de mens uit het labyrint, boven dat van Eva als de oorzaak van de zondeval en het ongeluk van de mens.'

Alex keek met stille waardering naar haar. Hij kuste haar. 'Je geeft me heel wat stof tot nadenken. "Sapere aude," zei Kant. "Durf te kennen." Hij stond aan Eva's kant.'

Het uur van de hartstochtelijke gedachtewisseling had hen naar het ouderlijk huis van Will en Alex gevoerd. De buitenverlichting sprong automatisch aan toen Simon de auto op de oprit stilzette, maar allen bleven bewegingloos zitten. Het duurde een minuut voor Simon zich omdraaide naar Lucy. 'Maar durf jij te achterhalen waar Wills sleutel naar leidt? Welke doos van Pandora er mogelijk mee wordt geopend?'

Ze gaf geen antwoord en enkele seconden later verscheen een opgetogen Henry Stafford in de deuropening om zijn bezoekers te verwelkomen.

'Zeg, blijven jullie daar de hele avond zitten of komen jullie binnen voor een drankje?'

23

'Een glaasje champagne, pa?' lachte Alex. 'Dat is toch overdreven voor een zondagavond. Wat is er mis met een goede Schotse whisky?' Alex haalde de ijskoude fles uit de emmer, ontdeed hem behoedzaam van de kurk en schonk de glazen vol. Alleen Lucy, die het vanaf haar operatie bij zo nu en dan een glaasje had gelaten, bedankte minzaam.

'Het is Moederdag vandaag, Alex. Ik hoop dat we een glas kunnen heffen op de afwezige dierbaren?' Henry toostte met zijn gasten. 'Ik wil jou en Grace niet buitensluiten, Simon. De schoonmaker was vrijdag hier en alle bedden zijn van schone lakens voorzien. De logeerkamer is op orde. Willen jullie blijven eten en nog wat drinken? Dan rijden jullie morgenochtend terug.'

'Dat is heel vriendelijk, Henry. Het zou lomp zijn dat aanbod te weigeren, als tenminste iedereen zich ermee kan verenigen morgenochtend vroeg op te staan?' Simon keek naar de ontspannen en instemmend knikkende gezichten om hem heen. De stemming was heel anders dan tijdens de autorit. 'Maar, Grace, waarom heb je me er niet aan herinnerd mijn moeder te bellen? Ik kan morgen een aardige uitbrander tegemoetzien.'

'Ik heb mijn moeder wel gebeld.' Grace had niks te vrezen. 'Op mijn moeder, en op de jouwe, Simon. En,' zei ze zacht, 'in het bijzonder op mevrouw Stafford.'

'Lucy, zullen we ook een toost uitbrengen op jouw moeder? Hoewel het in Australië wel een andere dag zal zijn, bedenk ik nu.'

Henry's charme was zo natuurlijk dat Lucy er geen moeite mee had warm te reageren. 'Ik drink met alle plezier op Alex' moeder, Henry. Alex, doe me dan toch maar een beetje.' Hij reikte haar een glas en schonk zijn eigen glas nog eens bij. 'Op Diana,' zei Lucy gemeend en iedereen sloot zich daar bij aan.

'Vreemd genoeg is zij de persoon over wie ik met je wil praten, pa. Maar eerst bel ik Elaine even om een tafeltje te reserveren,' zei Alex.

'*Fait accompli*, Alex. We worden al verwacht. We hebben rond zeven uur een tafeltje bij het raam. We hebben dus nog een uur voor we moeten gaan, is dat in orde?'

Sinds zijn bezoek met Lucy aan de tuin in Normandië leek Alex' wereld enkele graden verschoven te zijn. Hij had altijd ontzag gehad voor zijn moeders gelijkmoedigheid, en voor de diversiteit van haar belangstelling en kennis. Hij had altijd gemeend dat haar kunstzinnige hobby's een uitdrukking waren van iets wat ze omwille van haar huwelijk naar een tweede plan had verwezen. Als ze wat jonger was geweest, zou ze professioneel hebben geschilderd of gebeeldhouwd, of was ze misschien ontwerpster geworden. Maar ze had nog net deel uitgemaakt van de kleinburgerlijke generatie die het gezin op de eerste plaats zette, en ze had haar jongens en haar huis tot haar levenswerk gemaakt. Voor haar kunstzinnigheid was bijgevolg nog slechts een ondergeschikte rol weggelegd. Maar vandaag had hij een geheim ontdekt, een kant van zijn moeder die hij niet had gekend of vermoed, en hij kon niet wachten er meer over aan de weet te komen. Zijn vader, wist hij, zou er niet op bedacht zijn dat de vragen die hij hem wilde stellen niet van Will maar van hem kwamen. Alex' leven was altijd zo door zekerheden gekenmerkt geweest, maar nu waren er minder tastbare, minder concrete zaken waarmee hij worstelde.

'Ik heb het je nog niet verteld, maar Lucy en ik zijn spontaan een weekend naar Normandië geweest. Het was kostelijk, al regende het bijna aanhoudend.' Hij keek oplettend naar zijn vader. 'Waarom heb je het huis in L'Aigle eigenlijk gekocht? Was dat jouw keuze of wilde Diana dat graag?'

'Wat fijn dat je daar was, Alex.'

Simon stond op het punt om Henry's glas bij te vullen. Hij keek naar hem om te zien of hij zou knikken. Hij zag hem glimlachen naar Lucy en zijn zoon. Simon las dat als instemming en het maakte hem duidelijk dat Henry zich veel meer zorgen om Alex had gemaakt, vanwege diens gesloten houding na de sterfgevallen in het gezin en na zijn mislukte huwelijk, dan je op het oog zou hebben gedacht.

Henry ging in op de vraag van zijn zoon: 'Het was heel sterk haar keuze. Minder een wens dan een noodzaak, zou ik zeggen. En ik kon me er prima in vinden, al zijn de weersomstandigheden in de Provence uiteraard een stuk aangenamer. Ze zei dat de Pays d'Auge niet te ver was om er geregeld naartoe te kunnen gaan.' Hij keek Alex vragend aan. 'Waarom vraag je dat?'

'Oké, het diepe in dan maar. Lucy en ik zijn vandaag gaan beseffen dat haar knopentuin een zeker doel diende. Toen Will en ik nog klein waren heeft ze ons uitgelegd dat het haar maantuin was die gewijd was aan Diana, haar patroonheilige. En de knoop die ze voor de rozen ontwierp, was de Stafford-knoop. Die plek is dus zoiets als een Elizabethaans beeldraadsel van haar naam.' Zijn vader knikte. 'Maar ik denk dat ze er op een of andere manier iets gewijds mee bedoelde – een relikwieënschrijn. Zit ik op het juiste spoor?'

'Ga verder.' Zijn vader zat er bedachtzaam bij en Grace en Simon verroerden zich niet.

'Ik vermoed dat de regio voor haar van betekenis was, misschien vanwege de nabijheid van Chartres. Het was eigenlijk meer geluk dan wijsheid toen we eerder op de dag ontdekten dat de tuin een bergplaats was voor… iets. Ik weet niet van wat. We vonden een losse tegel met daaronder een ruimte die groot genoeg is om er een beeldje of misschien een tweede kistje onder te brengen – zo een als zich onder de moerbeiboom bevond, waarvan Lucy de aanwezigheid voelde.' Alex keek zijn vader kalm aan en was zich ervan bewust dat hij verrast zou zijn door de belangstelling van zijn zoon. 'Had jij enig idee dat ze iets dergelijks in de zin had?'

'Alex,' vroeg Simon, 'je moeder heeft een tuin ontworpen om er een geheim object op te bergen, tot een niet nader bepaald tijdstip, en jij en Will hebben daar nooit iets van geweten?' Hij sloeg zijn glas champagne achterover.

'Ik heb geen idee wanneer het werd uitgedacht, maar het lijkt alsof ze er een object of bepaalde informatie opsloeg. En ik moet toegeven dat ik er niet van op de hoogte was, en Will volgens mij ook niet. Maar ik ben er zeker van, om redenen waar ik direct nader op in zal gaan, dat hij het uiteindelijk wel wist en dat het een van de onderwerpen was waarover hij me zo dringend wilde spreken.' Hij keek zijn vader aan. 'Wist jij ervan?'

'Ze zou het voor mij verborgen hebben gehouden, Alex. Mijn houding jegens mysterieuze of esoterische zaken was niet bepaald welwillend, ook niet jegens mensen als John Dee, met zijn geheimen. Voor haar lag dat anders. Ze was qua religieuze denkbeelden allesbehalve conventioneel en had respect en belangstelling voor alle godsdiensten. Ze was wat je "spiritueel" zou kunnen noemen en stond open voor de ideeën over God en geloof van bijna iedereen, en ook zelf hield ze er een heel eigen kijk op na. Ook had ze geen enkele moeite met ons... agnosticisme. Jij bent waarschijnlijk meer een echte atheïst dan ik.'

Henry leek niet geërgerd door de vragen en hij stond op om in de gang een ingelijst object van de muur te halen. 'Je vroeg naar de regio. Herinner je je dit borduurwerk nog dat ze heeft gemaakt? Heel lang geleden. In het huis in Normandië is een kussen te vinden met een voorstelling als deze.'

Hij reikte Alex de lijst aan. Het was eigenlijk meer een wandtapijt dan een borduursel en hij had er sinds zijn jeugd geen acht meer op geslagen. Nu bekeek hij het eens goed. 'Het houdt verband met de gewijde geometrie van Chartres,' zei zijn vader, die zijn best deed zich de betekenis te herinneren die het voor zijn vrouw had gehad.

De voorstelling was die van een gevleugelde, vrouwelijke engel, geweven in schakeringen van blauw en wit. In haar ene hand hield ze een palmtak en in de andere een schoof graanhalmen. De achtergrond werd gevormd door tal van blauwtinten, hoofdzakelijk lazuurkleurig, maar hier en daar donker als de nacht. Over haar gewaden en haar trekken in gouddraadachtige wol bevond zich een soort vlieger met een staart die tot links aan de onderkant van de voorstelling doorliep. Die vlieger kwam nog eens op dezelfde manier terug onder het serafijnse wezen – een verdubbeling van de gestalte maar zonder de menselijke details. Hij draaide de voorstelling naar Lucy toen die naast hem zat.

'Ik denk dat het het sterrenbeeld Maagd is,' zei ze aarzelend.

'Ja, Lucy,' zei Henry. 'Ik geloof dat je gelijk hebt. Ze begon eraan te werken toen Alex net was geboren – het is toch jouw sterrenbeeld,

Alex?' Hij knikte enigszins verward naar zijn vader. 'Wij kochten het huis vóór je moeder zwanger werd van Will. En jij was nog geen jaar oud. We gingen vroeg in het voorjaar op huizenjacht en logeerden bij je peetouders in de buurt van Rouen. Je weet dat je in Chartres bent gedoopt? Je moeder wilde dat per se en je peetvader, die er iemand kende, wist het te regelen. De doop van Will was in Winchester.'

Lucy keek naar Alex, die verbaasd zijn hoofd schudde. 'Ik wist het niet.'

Nu bekeek Lucy het wandkleed onderzoekend. Ze zag dat de gouden draad tussen de afzonderlijke witte sterren van de constellatie meanderde – minuscule kristallijnen speldenprikjes van licht die op juwelen leken – en de hele voorstelling verbond om de vliegerfiguur te maken, herhaald in het lagere diagram. Het bovenste beeld was op de stellaire punten van symbolen voorzien die Lucy niet kon lezen. Simon en Grace bogen zich over de voorstelling.

'Dit symbool hier linksboven is het getal 3 in spiegelschrift,' zei Simon. Grace keek er onderzoekend naar maar begreep niet wat hij bedoelde.

'Het is Grieks,' legde hij uit, 'en het is niet cryptischer dan het Griekse alfabet. Dit hier,' hij wees naar de omgekeerde 3, 'is een Griekse E, Epsilon, waar de vleugel met de arm is verbonden. En dit, aan de onderkant van de diamantvorm, is een G – Gamma, de rand van het gewaad. En de punt van de vleugel is Nu. Het zijn de drie belangrijkste sterren in de constellatie van Virgo. Al die andere zijn kleiner, maar nog altijd heel duidelijk, vind ik. De rechterbovenhoek van de constellatie is Nu, Eta in het midden van de vliegervorm, en dan is dit Bèta bij de scherpe punt van de ruitvorm, Delta daar recht tegenover, en Alfa – de helderste ster – aan de staart van de vlieger, markeert het graan.' Hij wees op een cluster van andere speldenprikken waar een reeks minuscule symbolen naast was geborduurd. 'Ik geloof dat het hele sterrenbeeld Maagd genoemd is naar de Griekse letters, wat uniek is. Maar wat gebeurt er in het onderste diagram? De vorm van de constellatie, zonder de figuur?'

Ze bogen zich er allemaal overheen om te kijken. Lucy las hardop de naast de sterren geborduurde namen van de verschillende Franse steden die op de corresponderende plaatsen waren aangegeven. 'Bayeux lijkt te corresponderen met het punt Epsilon op de kaart. Amiens is waar Nu is en Evreux valt keurig samen met Delta. Welke andere steden zijn er, Alex?'

'Nou, Reims komt overeen met Bèta – een van de belangrijkste kathedralen in Frankrijk, waar de kroningen plaatsvonden. Denk je dat Laon overeenstemt met Kappa?' Hij fronste. 'Parijs komt overeen met Eta en Chartres lijkt op Gamma te wijzen. Heel eigenaardig. Maar was het voor haar van belang?'

Henry zette zijn bril af en antwoordde verrassend levendig. 'We hebben er samen een ronde langs gemaakt toen jij nog een baby was, Alex. En je moeder vertelde me dat die geweldige Franse gotische kathedralen "Notre-Dame"-kathedralen waren – alle gewijd aan de Heilige Maagd. Ze zei dat ze een weergave vormden van de constellatie Virgo, de maagd, op de aarde aan de onderkant – wat ik altijd nogal vergezocht vond, maar zij vond het zo prachtig! Virgo is de enige vrouwelijke constellatie in de dierenriem, en ze is verbonden met Ceres, de godin van het graan, en Isis in het Egyptische pantheon.'

'En nadien uiteraard de Maagd Maria.' Lucy had hierover nagedacht in verband met wat ze had opgepikt in het gidsboek van Chartres. 'Die andere kathedralen – Reims, Bayeux en Amiens – hadden allemaal een labyrint, al was alleen het labyrint van Chartres nog in de oorspronkelijke staat van 1200.' Ze was gefascineerd en dacht aan het palmkruis in de bijbel in het huis. 'Het is interessant dat de Virgo-figuur het palmblad vasthoudt en dat jij op Palmzondag bent gedoopt, Alex. En hoe zit het met deze ster – Alfa, zei je – die zich aan de onderkant van de staart bevindt? Zou dat het huis in L'Aigle kunnen zijn?'

Alex keek naar haar. 'Het is een interessante gedachte. "Mijn alfa en mijn omega." Denk je dat er een verband is met Wills hoofddocument?'

Lucy glimlachte naar hem. 'Dat zou kunnen, als dat wat zich in de tuin bevond zowel de alfaster is van Virgo, en de omega van de aanwijzingen – begin en eind.'

Alex voelde zich plotseling ongemakkelijk. 'Pa, jij gelooft toch niet dat al die gewijde geometrie iets te betekenen heeft?'

Henry dacht even na. 'Wat belangrijk is, Alex, is niet of er echt iets van waarheid achter steekt. Misschien is dat zo, wie weet? Maar interessant is dat de gotische architecten die mening waren toegedaan. Het lijkt zo geconstrueerd te zijn, ongeacht of je wel of niet aanvaardt dat er iets bovennatuurlijks mee verbonden is. De christelijke laag op de plek van een vermoedelijk ouder vrouwelijk heiligdom zou je moeder hebben geprikkeld. Ze hield van zaken die verweven waren, de manier waarop de ene diepzinnige mythe de achtergrond vormde van een andere. De pluraliteit van geloofsovertuigingen, noemde ze dat. Ze zou het bemoedigend hebben gevonden dat de oude kernrituelen waren omarmd en niet met wortel en tak uitgeroeid. Ze vond dat dat continuïteit gaf aan de vorm van het menselijk geloof – dat het aantoonde dat er iets gemeenschappelijks schuilging achter de veelheid van godsdiensten. De samenhang tussen Virgo en de Maagd Maria zou ze verrukkelijk hebben gevonden.'

'Er staat iets op de achterkant van de lijst geschreven,' zei Grace.

Ze draaiden de voorstelling om en Lucy las: '"Ze is zowel zus als bruid."' Ze sprak bezield. 'En jouw moeder kende er klaarblijkelijk een of andere betekenis aan toe, Alex. Ze heeft dit wandkleed gemaakt en ontwierp die tuin. Ze had iets in haar hoofd. En Will moet ook een begin hebben gemaakt met het ontcijferen ervan, denk je niet?'

Alex keek naar de geïntrigeerde gezichten in de kamer en vroeg zacht aan Lucy: 'Zou je mijn vader willen laten zien wat we in de tuin hebben gevonden?'

Ze haalde de tegel voor de dag en draaide hem voorzichtig om, om het vreemde stervormige patroon te onthullen met het motto eronder en de sleutel die nogal provocatief in het centrum was vastgeplakt. 'Wat zich er ook bevond, Will heeft het gevonden. Dit moet verband houden met zijn motor, toch?' vroeg Lucy hem.

Henry bekeek het object van nabij. '"En we kwamen tevoorschijn om opnieuw naar de sterren te kijken,"' zei hij ernstig. 'Dantes *Inferno*. Het zijn dezelfde woorden als de inscriptie op de achterzijde van de miniatuur. Ik heb er eens goed naar gekeken nadat het door Interpol was teruggestuurd.'

Alex trok zijn wenkbrauwen samen, maar Henry dacht aan de motor en hij schudde weifelend met zijn hoofd terwijl hij zijn duim over de sleutel liet gaan. 'Weet je, Alex, de Ducati is wekenlang voor reparatie weggeweest, al was er niet veel schade aan. De politie heeft hem grondig onderzocht en ik kan me niet voorstellen dat er nog ergens iets in verborgen zit. We hebben de zadeltassen doorzocht en dus blijft alleen de tanktas nog over. Al het andere zou ons nu intussen zijn teruggegeven.'

Tenzij er iemand tussen is gekomen, dacht zijn zoon. Maar hij zei: 'Je hebt gelijk, maar zullen we voor alle zekerheid toch nog eens kijken?'

Alex knoopte het dekkleed los en weldra kwam de glanzende gele machine tevoorschijn.

'Zijn explosieve schoonheid, zo noemde hij hem... eh, haar. Ze verkeert in showroomconditie.' Alex leunde tegen de motorkap van zijn vaders auto met zijn armen over elkaar, kijkend naar de ogenschijnlijk goedaardige supersportmotor. 'Ruim half zo duur als mijn Audi. Hij heeft hem van moeders geld gekocht voor zij stierf. Niemand kon hem daarvan afbrengen.'

'Ze is schitterend.' Grace keek er bewonderend naar. 'Ik denk dat mijn broer uit eerbied op zijn knieën zou vallen.'

'Ze paste bij Will.' Simon liet zijn hand over het zitgedeelte en het frame gaan. 'Hij was nooit te laat als er foto's moesten worden gemaakt. En hij heeft me verteld dat ze makkelijker te berijden was dan zijn eerste Ducati. Al moet je natuurlijk geen bierbuik hebben als je erop wilt rijden, want je ligt er bijna op. Alleen geschikt voor sportieve mensen en op lange ritten verrekte oncomfortabel. Waar is de sleutel?'

Lucy aarzelde om een of andere reden, onwillig om hem aan Simon te geven, maar haalde hem toen van de tegel en legde hem in Simons hand. Het volgende moment zat hij erop, draaide aan de gashendel en startte de motor. De machine ronkte onmiddellijk en sloeg toen af in de handen van de beginneling. Iedereen lachte nerveus door de plotselinge herrie en het wegvallen ervan.

Alex haalde met een grijns de sleutel uit het contact en opende de tanktas: leeg, zoals Henry al had vermoed. Toen liet ook hij zijn handen langs de zijkanten van de motor gaan. Er was niets ongewoons te zien, geen vakje, niets behalve de benzinetank, en hij wist dat Will nooit het risico zou hebben genomen de soepele werking te verstoren door daar iets in te stoppen. Hij schudde zijn hoofd en vroeg aan Henry: 'Zat er iets in de zadeltas? Of in de rugzak?'

'Ik herinner me niets ongewoons. Ik zocht natuurlijk ook niet naar iets bijzonders. We zouden de vreemde dingen nog eens door kunnen nemen. Wat hoopte je te vinden?'

Lucy had nadenkend van een afstandje staan kijken en Alex zag nu de uitdrukking op haar gezicht. Hij vroeg zich af of ze weer een van haar plotselinge stemmingswisselingen had, zich ziek voelde of stilletjes werd. Wat zich ook in haar hart afspeelde, ze voelde beslist de nabijheid van Will, reageerde op dingen die met hem verbonden waren, al was hij zelf geneigd te denken dat het slechts psychologisch was. Maar ze leek kalm en evenwichtig vanavond en ze hield haar hand op voor de sleutel. Hij lachte geamuseerd toen hij hem in haar hand legde.

Lucy legde haar hand op het zitgedeelte, boog zich eroverheen en bekeek en betastte de onderkant. Met haar rechterhand schoof ze achter de buddyseat een klein kapje weg en met haar linkerhand stak ze de sleutel in een kleine ruimte die ze had blootgelegd. Alex hurkte om het goed te kunnen zien. Het achterste deel van de buddyseatbehuizing schoof een paar centimeter weg en er werd een zorgvuldig ontworpen compartiment zichtbaar dat Will daar blijkbaar had laten aanbrengen. Ze kon het kapje, dat in het frame verzonken was, nu wegschuiven en haar hand naar binnen steken.

Vier gespannen gezichten keken toe hoe ze er vier kleine leren zakjes uithaalde en iets wat in zwart fluweel was gerold en met een leren veter was dichtgeknoopt. Er trok een schaduw over Simons gezicht toen Alex het laatste object aanpakte dat Lucy hem gaf.

Grace keek naar haar vriendin zonder dat ze zou kunnen zeggen of ze verbaasder was door de vondst dan door de merkwaardige wijze waarop die aan het licht was gekomen. Ook Henry's 'Lieve hemel!' wees erop dat hij op z'n zachtst gezegd verrast was.

'Wills Leica,' zei Alex met een sprankje magie in zijn stem. 'Ik vroeg me al af waar die gebleven was. Hij bewaarde hem altijd zo, tenzij hij hem gewoon in zijn broekzak had zitten als hij aan het werk was. Het is tegenwoordig vrijwel onmogelijk er nog een op de kop te tikken. Ze gaan voor een klein fortuin van de hand. Dit is de camera en in de zakjes zullen de andere objectieven zitten, in elk geval in twee ervan.' Alex klonk nu weer wat meer als zichzelf, maar Amel zou iets anders in zijn stem hebben gehoord, en dat gold ook voor Lucy en Henry.

Simon woog een van de leren zakjes in zijn hand. 'Ik weet het weer. Ik geloof dat jouw opa ze aan hem heeft gegeven, klopt dat? Jouw vader, Henry. Will heeft me verteld dat ze aan hem waren doorgegeven toen hij achttien werd.'

Henry oogde kalm, maar er speelde een zenuwtrekje op zijn gezicht. 'Mijn vader,' zei hij, 'heeft die camera in de buurt van Frankfurt geruild tegen een trucklading voedsel, eind vierenveertig of begin vijfenveertig. Ik denk dat hij hem alleen heeft aangenomen om die man een plezier te doen. Ik geloof eerlijk gezegd dat hij er de waarde nooit van heeft ingezien. Naar verluidt probeerde het gezin een bevroren paard te bereiden – de kinderen zagen er getraumatiseerd en hongerig uit.'

Simon knikte. 'Will heeft me verteld dat zijn opa nagenoeg alle voorraden van zijn compagnie aan enkele uitgehongerde vluchtelingen gaf die, zo heb ik het begrepen, uit handen van de Russen wilden blijven en die helemaal uit Dresden kwamen. En een van hen gaf hem de camera, drukte die bijna met geweld in zijn hand. Volgens Will was er geen moderne camera die maar in de buurt kwam van de finesse van een originele Leica.'

Alex knoopte het zakje voorzichtig los en haalde het toestel voor de dag. Alle knopjes hadden een warme nikkeltint, het camerahuis was van eboniet. Je kon zien dat het apparaat veelvuldig was gebruikt maar niettemin in perfecte staat was. Hij keek naar de teller en zag dat het rolletje niet helemaal volgeschoten was.

Intussen was Lucy begonnen de andere leren zakjes te onderzoeken. Zoals Alex al voorspelde, zaten er twee prachtige originele objectieven in twee van de zakjes, maar in het derde vond ze vier houders voor fotorolletjes waar ze mee schudde. Simon vond er nog twee in het zakje van de camera, en nog een kleine houder die leeg klonk toen hij ermee schudde. Lucy nam die van hem over, opende het dekseltje en doorzocht de inhoud met haar vinger.

'Er zitten belichtingsaantekeningen in en een bewijs van verzending.' Ze bekeek het papier. 'Een aangetekend stuk, verstuurd vanuit het postkantoor in Caen. Geadresseerd aan een zekere Brown aan Thirty-Fourth Street in New York City.'

Alex keek over haar schouder mee. 'Roland Brown – een zelfstandige agent maar wel gelieerd aan Magnum, het persbureau waar Will voor werkte. Zij brachten Wills beste foto's onder in de Verenigde Staten. Ik geloof dat ze ook een kantoor in Londen hebben. Roland was een goede vriend. Hij was gek van Wills Leica II omdat de oude lenzen, die geen coating hebben, de foto's een heel andere kwaliteit geven. Werd er zelfs nog doller op toen de digitale fotografie de boel ging domineren.'

'Will hield van het toestel omdat de sluiter heel stil werkt en niemand hoorde dat je foto's maakte,' zei Lucy kalm.

Simon knikte maar Grace keek haar verbouwereerd aan. 'Hoe weet jij dat in hemelsnaam?'

Lucy lachte. 'Je leert een hoop nutteloze dingen als je in Zuid-Amerika documentaires maakt, Grace. Een andere opleiding dan je krijgt als je voor de richting licht amusement kiest.'

Alex keek naar haar. Ze hadden er niet over gesproken dat ze haar geheim voor zich moest houden, een geheim dat een enorme indruk zou maken en bij iedereen tot zeer emotionele reacties zou leiden, maar hij zag meteen dat ze er ook nooit over zouden hoeven spreken.

Hij nam haar waarderend bij haar hand. 'We komen nog te laat. Zullen we deze maar meenemen naar de pub? Veel te kostbaar om hier te laten.' Henry deed het licht in de garage uit. Ze trokken hun jassen aan en kuierden in de koele lucht over het weggetje. 'Het is maar vijf minuten lopen,' verzekerde Alex hun, maar hij deed zijn arm om Lucy heen en toen ze eenmaal buiten de gehoorsafstand van zijn vader waren, voegde hij er alleen voor haar aan toe: 'Aan het einde van de regenboog nog vijf minuutjes doorlopen.' En ze grijnsden naar elkaar.

24

Tijdens het eten spraken ze levendig over wat het inhield om 'Opname-klaar' te zijn en Simon – die zijn woede om hun politiek voor een ogenblik aan de kant had geschoven om zich vrolijk te maken over de aspecten van hun theologie die nog belachelijker waren – raakte aardig op dreef. Hij weidde uit over de vrouw die voor degenen die in de Op-name geloofden een toilet ontwierp: als je net in een genante positie verkeerde op het moment waarop Jezus zijn opwachting maakte, zou Zijn portret op de stortbak ervoor zorgen dat de engelen begrepen dat je aan de goede kant stond. En er waren er die de verwachting koester-den 's avonds tijdens het eten vanuit hun eetkamers te worden opge-tild, die er klaar voor waren om door de dakspanten op te varen om door de wolken te worden omhelsd. Sommige bijzonder welbespraak-te Opnamekandidaten zouden verklaren dat katholieken het goed be-doelden, maar onjuist waren geïnformeerd. En de paus was een anti-christ omdat je niet met andere mensen en hun goden kunt bidden.

'Aangezien die andere goden niet bestaan zou God jaloers worden en het "spiritueel overspel" noemen.' Simon wist de anderen mee te slepen: de stemming aan tafel sprong van ongelovigheid tot hilariteit tot een vermoeden dat de verteller een iets te krachtig beroep deed op de dichterlijke vrijheid.

'Het is allemaal waar, kan ik jullie verzekeren.' Hij stak zijn han-den omhoog om de aanvallen van de anderen af te weren. 'Ik weet dat het vergezocht lijkt, maar de mensen die zich met dergelijke ideeën vereenzelvigen, lezen het geromantiseerde deel van de propaganda zonder enige kritische reserve. Ik heb besloten er een groot artikel over te schrijven voor de krant. Het zal een geweldige uiteenzetting zijn voor de *Saturday Review*. Hou het in de gaten.'

Henry was geboeid door die informatie en maakte een onderscheid tussen de absurditeiten die Simon zo humoristisch wist te brengen en de meer gevaarlijke facetten van het geloof. Hij zag er de politieke mogelijkheden van. Hij vertelde over een vriend uit zijn jaren in Oxford die nu tot het decanaat van Winchester behoorde. Ze hadden contact gehouden en lunchten nog regelmatig met elkaar. Hij zou hem eens vragen naar die christelijke zionisten om zijn kijk op die kwesties te horen. Ook waarschuwde hij Alex niet te naïef te zijn in zijn idealistische hoek van de geneeskunst, waarin hij er de voorkeur aan gaf te geloven dat de meeste mensen van nature altruïstische levensredders zouden zijn.

'Ik weet dat je voor die discipline hebt gekozen, Alex, omdat je denkt dat die vorm van onderzoek de weg naar een betere wereld opent waarin vooral kinderen minder onder ziekten gebukt zullen gaan. Jij gelooft oprecht dat het stamcelonderzoek veel hoop geeft voor de toekomst. Maar je bent soms van conferenties teruggekeerd waar je tot het inzicht kwam dat niet iedereen die opvatting deelt en dat bepaalde politieke groepen luidruchtig en onverbiddelijk zijn in hun protest. We hebben erover gesproken hoe zij jou en je collega's ervan beschuldigen dat jullie God zouden spelen, en ze maken gebruik van agressieve en opruiende taal om jullie het zwijgen op te leggen. Die mensen willen jullie onderzoeksmogelijkheden beperken om allerlei bekrompen redenen die niet door zuivere motieven zijn ingegeven. En de voorstanders van de harde lijn, met wie je buiten je conferenties in botsing kwam, zijn nauw verwant aan de fanatici over wie Simon het had. Als je door dit materiaal van je voorouders de aandacht van dergelijke mensen op je gericht krijgt, Alex, pas dan heel goed op je tellen. Jouw kijk op het leven wordt geïllustreerd door je carrièrekeuze, maar het zou een vergissing zijn geen acht te slaan op de ontaarde hartstochtelijkheid van de fanatici waar Simon het over heeft. Zij houden er zo'n kleingeestige zienswijze op na dat ze alleen openstaan voor standpunten die ze al hebben ingenomen en geen andere dulden. Zij spreken vanuit onverdraagzaamheid, haat en misschien zelfs angst. Ze kunnen niet erkennen dat liberalen en wetenschappers het gelijk aan hun zijde hebben. Dat ondermijnt alles waarop zij hun wereldbeeld hebben gebaseerd. De woorden van hun

Bijbel betekenen uitsluitend wat zij verkiezen en zij stellen het niet op prijs als iemand daaraan morrelt. Onderschat hun waanzin niet.'

Henry was een mild mens en zijn gepassioneerde stellingname verontrustte zijn zoon. De waarschuwing hing in de lucht en de bezorgde toon van zijn vader miste zijn uitwerking op Alex niet. Als ze weer in het huis zouden zijn, zou hij Max en Anna bellen, die nu wel terug zou zijn, maar hij zou alles wat afzwakken om hun niet de stuipen op het lijf te jagen. Hij en Lucy zouden zeker de frontlinie vormen, aangezien zij rechtstreeks betrokken waren bij de nalatenschap en de ontdekking van het materiaal.

Lucy had aandachtig geluisterd zonder er meer dan een opmerking aan toe te voegen, maar nu stelde ze voor het rolletje in de camera te ontwikkelen in de donkere kamer van Will, als Henry geen bezwaren had, om te zien of er informatie op te vinden was over het object onder de tegel, of in elk geval over Wills doen en laten in Frankrijk voor hij de veerboot had genomen.

Alex had geen idee of het ontwikkelen van fotorolletjes een vaardigheid was die ze al jaren beheerste: het was eenvoudiger daar maar van uit te gaan. Maar hij was bezorgd omdat het een lange en zware dag was geweest. 'Het wordt al laat, Lucy. Ik breng je er in de loop van de week wel een keer een middag naartoe, dan kun je jezelf er in alle rust mee bezig houden.'

Lucy dacht aan wat Henry had gezegd en wilde niet van uitstel weten. 'Ik doe het liever meteen. We hebben weinig tijd. Binnen een uur kan ik een contactafdruk van de negatieven maken, als jij het geen probleem vindt, Henry?'

'Mij maakt het niets uit. Maar weet je dan hoe je dat moet doen, Lucy? Ik weet helemaal niks van doka's. Jij wel, Alex?'

'Lucy is een dame met verrassende gaven.' Alex wierp haar een ironisch lachje toe. 'Maar dan loopt het al tegen elven en we moeten morgen al om zeven uur weg om op tijd in Londen te zijn. En na drie drukke weken ben ik echt aan een goede nachtrust toe.'

Ze bespraken de details van hun vertrek terwijl Alex wachtte op de rekening, maar Henry keerde met een tevreden gezicht terug van de bar en stelde voor dat ze zouden gaan. Alex keek zijn vader met half toegeknepen ogen aan. 'Wat heb je gedaan, Henry?'

'Laat mij jullie trakteren. Het is zo'n genoegen voor me geweest in gezelschap van vier fijne geesten te dineren. Spreek me niet tegen, Alex. Jullie hebben me gered van een boterham met kaas in m'n eentje thuis. En het horen van Simons sceptische levenswijsheden heeft ervoor gezorgd dat ook Will als het ware in ons midden was. Ik heb in maanden niet zo gelachen.'

Dat monterde Alex op en hij en Lucy gaven Henry een arm toen ze in een veel betere stemming dan tijdens de rit naar Longparish terug naar het huis wandelden.

Rond kwart over tien waren Grace en Henry in een diepgaande discussie verwikkeld over enkele contrasterende interpretaties van de Apocalyps. Alex hield zich, na zichzelf ervan verzekerd te hebben dat bij Anna alles in orde was, en na zijn buurman te hebben gevraagd de kat eten te geven, nu bezig met de voorbereidingen voor een tweede kop koffie.

Simon wilde er graag tussenuit knijpen om te zien hoe Lucy vorderde met het ontwikkelen van het fotorolletje. Het verbaasde hem dat ze van Wills donkere kamer op de hoogte was. Het was tegenwoordig ongebruikelijk dat iemand er nog de voorkeur aan gaf het ontwikkelen en afdrukken zelf te doen. Hij was er vaak getuige van geweest als de meester zich ermee bezig had gehouden en hoewel hij zich de precieze stappen niet kon herinneren om de taak zelf uit te voeren, wilde hij erbij zijn om te zien hoe Lucy het zou doen. Dus schonk hij een kop koffie in en excuseerde zich.

De donkere kamer was ondergebracht in de voormalige provisiekamer en er was een wastafel met stromend water. De deur was afgesloten, dus klopte hij stevig op de deur en riep hij haar naam.

'Simon?' Hij bromde bevestigend. 'Heel even wachten. Ik ben bijna klaar met de negatieven. Ik doe zo open.'

Een paar ogenblikken later opende Lucy de deur en gebaarde ze dat hij binnen kon komen. Zijn ogen moesten wennen aan de satanische gloed en ze bood hem een kruk aan terwijl ze haar aandacht op de ontwikkeltank richtte. Ze liet het fixeer weglopen, spoelde de tank met water en opende hem voorzichtig. Ze trok het lint met de negatieven uit de spoel en hing het boven de wastafel.

'Hoe staat het met de discussie?' Ze lachte zelfverzekerd toen ze de zeemlap pakte en er de film mee droogdepte.

'De engel van de Apocalyps. Henry en Grace zijn nog volop bezig! Ik wist helemaal niet dat ze zoveel van geschiedenis wist.'

Lucy glimlachte trots om het compliment voor haar vriendin. 'Grace is erg intelligent, hoor. En zingen dat ze kan. Je hebt nog een hoop aan haar te ontdekken.'

'Ze hadden het over de Openbaring, het Bijbelboek dat in de eerste eeuw werd geschreven. Een allegorie die de vernietiging van de verdorvenen voorspelt, de val van Satan en de vestiging van het koninkrijk van Christus op aarde. De auteur, Johannes – van wie vaak, zonder dat daar trouwens een greintje bewijs voor is, wordt gedacht dat hij de evangelist Johannes was – schreef over de christenen onder het Romeinse Rijk. Maar elke tijd hield er een eigen profetische interpretatie op na.' Hoewel hij met de hem kenmerkende energie sprak, was hij volledig gericht op wat Lucy deed.

Ze glimlachte naar Simon en ging verder met het knippen van het fotorolletje in kleinere strips. 'Er staat hier uitstekende apparatuur. Ik ben de luxe van een droogapparaat niet gewend.' Ze was klaar met de negatieven en knipte de grote lamp aan. Nu kon ze zich gaan bezighouden met de voorbereidingen voor de contactafdruk.

'Heb je alle rolletjes gedaan?'

'Allemaal, op het ene rolletje met speciale ontwikkelinstructies na.' Lucy keek nadenkend. 'Dat zal ik heel zorgvuldig moeten doen. Maar wat de rest betreft, als je er eenmaal één op de spoel hebt gedraaid, is het eenvoudig ze allemaal te doen. Ik maak vanavond nog contactafdrukken en dan zien we wel wat we hebben. Van sommige kan ik dan misschien een vergroting maken.'

Simon was onder de indruk. Hij keek bewonderd toe hoe ze de negatieven ordende en zich vaardig en met gemak van de apparatuur bediende.

'Jij bent me er eentje, Lucy. Will zou je gemogen hebben. Ik denk dat hij Alex zijn volledige broederlijke toestemming zou hebben verleend. Een van de opmerkelijke aspecten van Wills karakter was dat hij altijd iets speciaals wist te zeggen over een vrouw – iedere vrouw. Hij zag altijd haar specifieke schoonheid – het ene ware schoonheidskenmerk, als dat was wat ze had – en dat prees hij dan de hemel in. Het was een blijk van zijn gulheid, maar ik denk dat hij over jou niet uitgepraat zou zijn geraakt.'

Ze was geroerd door zijn woorden. Ze trok haar handschoenen uit en gaf hem een kus op zijn voorhoofd. 'Dank je, Simon. Dat betekent heel veel voor me.' Ze knipte de grote lamp uit, nam een vel foto-papier uit de doos en legde er de eerste negatieven op. Hij keek toe hoe ze de belichting uitvoerde, het belichte vel wegstopte op een don-kere plaats en dat proces voor alle negatieven herhaalde.

'Hoe lang ben je nog bezig, denk je? Zal ik even koffie voor je halen?'

'Nog een kwartiertje, gok ik. Nee dank je, geen koffie. Ik moet he-laas strikt cafeïnevrij blijven, ben ik bang.' Ze liep terug naar het ge-deelte bij de wastafel, trok rubberen handschoenen aan en legde de vellen met tangen in de ontwikkelbak.

'Geen koffie. Geen chocola. Geen room. Geen vetten. Geen zout. Niet roken. Oppassen met suiker. Niet te veel drank… Tof. Ik hoop voor je dat… bepaalde andere pleziertjes wel zijn toegestaan?'

Lucy keek naar het opkomende beeld en lachte luid, ongezien blo-zend in het vreemde licht. Ze wist wat hij bedoelde, maar zelfs al voel-de ze zich op haar gemak in Simons gezelschap, het was niet van plan om dergelijke intimiteiten met hem te bespreken. Ze haalde het eer-ste vel uit de ontwikkelaar, spoelde het af en liet het in de fixeer glij-den. 'Ik zal wel heel saai op je overkomen. Andere pleziertjes, pri-ma… maar geloof maar niet dat ik je iets over mijn liefdesleven aan de neus hang.' Ze wierp hem een waarschuwende blik toe, terwijl ze nauwelijks waarneembaar grijnsde toen ze het vel opnieuw afspoelde en te drogen hing.

'Mm, het doet me genoegen dat te horen.' Het lag niet in Simons bedoeling een gevoelig onderwerp aan te snijden, maar hij had via Grace iets meegekregen van de teleurstellingen die Lucy met Alex had ervaren. Hij was er zeker van dat Alex niets had willen overhaasten na haar operatie, maar hij had gemerkt dat ze een tikje veranderd was na haar terugkeer uit Frankrijk en dat ze nu iets heel sensueels uitstraal-de. Fijn voor je, liefje, dacht hij.

Ze draaide zich met een ironisch lachje naar hem toe en deed het grote licht aan. 'Help maar even met opruimen.' Hij hoorde de waarschuwing in haar stem niet verder te vragen.

Ze nam een aantal negatieven en voorzag ze van een etiket, terwijl Simon met een paar klemmetjes klungelde. Toen zag ze opeens iets. Ze pakte het vergrootglas en hield dat boven de contactafdruk.

Er werd geklopt en Simon vroeg of het veilig was de deur te openen. Ze knikte zonder van de afdruk op te kijken. Alex kwam binnen met een mok citroengrasthee. Hij was benieuwd hoe het ermee stond en zag meteen dat Lucy ingespannen naar de afbeeldingen tuurde. Iets daaraan verontrustte hem. Hij liep direct naar haar toe en legde een beschermende hand op haar rug.

'Wat is er?'

'Dit. De auto.' Ze keek van de een naar de ander en toen weer naar de beelden. 'Hier. Ik weet niet waar Will deze foto's heeft genomen, maar dit is de auto waarmee ik in Chartres ben opgepikt. De auto waarmee ik werd ontvoerd.'

'Weet je dat zeker?' Alex keek haar ernstig aan.

'Absoluut.'

Enkele minuten later zat ze weer in de woonkamer en keek ze naar de anderen, die de contactafdrukken bestudeerden om te zien of ze iets herkenden. Alex zat naast haar, zijn ogen op haar gevestigd, maar ze leek kalm en in gedachten verzonken.

Opeens slaakte Simon een kreet. 'Dit moet het zijn.' Hij hield de loep boven de laatste contactafdruk die Lucy had gemaakt van het rolletje dat nog in de camera had gezeten. Daarvan waren slechts tweeëndertig van de veertig foto's belicht geweest. 'Hij heeft een soort teksten gefotografeerd. En het lijkt alsof het er…' hij telde snel, '… weer achttien zijn. Net als voorheen. Het is onmogelijk er iets van te lezen op dit formaat, maar het ziet eruit alsof het allemaal handschriften zijn. En in verschillende schrijfstijlen.'

Alex en Lucy schoten naar voren om te kijken en Alex besefte dat dit was waar ze naar zochten en waar Guy Temple en zijn kameraden zo wanhopig naar op zoek waren. Wat het ook was dat Will had gevonden, hij had elk perkament met een vijfentwintig millimeter lens gefotografeerd. 'Die moeten uit de rozentuin afkomstig zijn,' zei Alex beslist. 'Ik vermoed dat de originelen zich in het pakket zullen bevinden dat hij naar Roland heeft gestuurd. Hij wilde blijkbaar dat ze daar veilig opgeborgen zouden worden.'

'Dus,' zei Simon, 'we moeten deze vergroten en nagaan of we ook de originelen kunnen opsporen. Het is duidelijk dat hij ze gevoelig of gevaarlijk vond.' Simon was niet minder verontrust dan Alex en Lucy en zich evenzeer bewust van het belang. Grace en Henry zaten er verbijsterd bij.

Het was echter die laatste die snel opnieuw begon aan het bestuderen van een andere groep foto's die zijn aandacht hadden getrokken. Hij zei: 'Alex, mag ik het vergrootglas even als jij klaar bent?'

Zijn zoon hoorde de veranderde toon in de stem van zijn vader, gaf hem het vergrootglas en Henry hield het voor een van de afbeeldingen. 'Dit zou de kathedraal van Lucca kunnen zijn. Bevindt zich op een heel markant plein – schitterend. Je moeder en ik zijn er een paar jaar geleden geweest. Maar het gaat om die geparkeerde auto hier. Hij lijkt precies op een andere die ik heb gezien. Een zeer aparte auto in dit land, maar zelfs in Italië een klassieker, zou ik zeggen.' Hij keek Alex gedecideerd aan. 'En wat mij vooral opvalt is dat het hetzelfde voertuig lijkt als die daar, buiten Chartres.' Hij wees op enkele afbeeldingen die Lucy ook had bekeken. 'Dat is toch vreemd, vinden jullie ook niet?'

Lucy keek hem strak aan. 'Heb je die auto gezien, Henry?' Ze wilde niet meer onthullen, maar Henry had inderdaad op de donkerblauwe auto gewezen die ze nog altijd kon ruiken als ze haar ogen sloot: het leer en de naar limoenen geurende man naast haar, de naar sigarettenrook ruikende man aan het stuur. Ze huiverde onwillekeurig.

Henry zette zijn bril af en dacht na. Enkele ogenblikken later veranderde de uitdrukking op zijn gezicht. 'Ja,' zei hij met stelligheid. 'Het is de auto die mij klem had gezet toen ik in Winchester Hospital was. Ik herinner het me nog heel goed. Het was rond middernacht en er stond verder geen enkele auto op de bezoekersparkeerplaats, behalve die auto die direct achter de mijne stond. Het kostte me zeker vijf minuten om weg te komen. Ik had meer dan genoeg tijd hem te bekijken omdat ik er steeds voor moest waken hem niet te raken. Een erg fraaie auto – linkse besturing, buitenlandse nummerplaten. Een donkerblauwe Lancia, meen ik. Ik herinner me dat ik dacht dat de vakantie van een paar onfortuinlijke toeristen door een medisch noodgeval in duigen moest zijn gevallen.'

'Dat was bij het ziekenhuis in de nacht dat Will daar werd binnengebracht?' Alex voelde paniek opwellen maar deed zijn best zijn vader niets te laten merken.

Henry knikte. Lucy keek naar Alex, Simon naar Lucy, en Grace naar Henry. Het op dat moment ongepast aandoende getingel van de tafelklok in Diana's kleine studeerkamer liet weten dat het twaalf uur was. De temperatuur in de kamer daalde. Iedereen begreep het.

Siân wist dat het middernacht moest zijn toen *News on the Hour* zich luidruchtig aan haar opdrong. Ze pakte de afstandsbediening en legde de televisie het zwijgen op. Aan de andere kant van de kamer toonde het antwoordapparaat nog altijd het ene brandende lampje, dus het was niet zo dat ze niet was weggedommeld en een telefoontje had gemist. Ze liep door de grote kamer naar haar compacte keuken, nam een bijna lege fles wijn uit de deur van de koelkast en schonk het restje in een glas. Ze keerde terug naar de woonkamer en keek door het geopende venster naar het donkere plein. Alles was stil.

Het was te laat om nu nog eens te proberen hem te bellen, of niet? De sfeer was uiterst gespannen geweest en er was sprake van een gevoel van wrok tussen haar en Calvin, maar ze zou het aangenaam hebben gevonden – nu er achtenveertig uren waren verstreken – als ze met hem had kunnen praten. Ze liep opnieuw naar de keuken, trok het rolgordijn naar beneden en deed het licht uit. Nog eens op haar schreden terugkerend, strekte ze haar hand uit naar de hoorn van de telefoon. Ze aarzelde en keek op haar horloge. Het was bijna vijf over twaalf. Ja, het was beslist te laat om te bellen – of haar trots benadrukte dat het te laat was. Hij zou toch zeker niet met iemand anders uit zijn? Maar ze zou hem nooit de voldoening gunnen te weten dat ze zich dat afvroeg.

Ze klikte de vloerlamp uit en liep naar haar slaapkamer. Ze zou zichzelf en Calvin bewijzen dat ze nog altijd uitstekend kon slapen.

Buiten op het plein had een paar gele ogen gadegeslagen hoe de verschillende lampen waren gedoofd. Ze hadden haar tengere silhouet door het raam gezien dat had afgestoken tegen een bleker licht dat van de andere kant van het appartement was gekomen. Een mollige hand haalde een mobieltje uit de binnenzak van een chic marineblauw colbert en begon in het donker een tekstbericht in te voeren. Toen, zonder een spoor van vermoeidheid, keerden de ogen terug naar waar ze oorspronkelijk op gericht waren geweest om de ramen wederom nauwlettend in de gaten te houden.

25

Toen hij de sleutel in het slot van de souterraindeur stak, zag Alex het verfijnde spinnenweb dat voor de deuropening was gespannen. De bedauwde draden glinsterden in het zonlicht. Het leek of hij weken was weggeweest in plaats van dagen. Hij raapte de post van de mat, maar wierp er nauwelijks een blik op en liep door naar de slaapkamer om een ander overhemd aan te trekken en een stropdas te kiezen. Hij keek op zijn horloge: kwart over acht. Tegen halfnegen zou hij in het ziekenhuis zijn.

Hij had Lucy laten slapen, die instinctief voor Wills bed had gekozen toen hij Grace en Simon even na twaalven hun slaapplek had gewezen. Hij had haar daar aangetroffen en ze was al ingeslapen. Hij had het een merkwaardig vooruitzicht gevonden te gaan slapen in de kamer die tweeëndertig jaar van zijn broer was geweest, maar hij wilde haar niet alleen laten en naar zijn eigen bed gaan. Dus had hij zich voorzichtig naast haar laten glijden en haar in zijn armen genomen, waarna zijn gedachten zich langzaam aan de sfeer van de ruimte hadden aangepast. Ze hadden nog altijd in dezelfde positie gelegen toen zijn horloge hem wakker had gezoemd. Lucy had zich omgedraaid, hem een zoen gegeven en gezegd dat ze die dag wilde blijven om de foto's af te drukken. Ze had het er al met Henry over gehad. Als hij van zijn werk kwam, zou hij haar naar het station brengen. Ze zou dan morgen in plaats van vandaag naar haar werk gaan. Alex had geen bezwaar gemaakt maar haar een kus gegeven en was even later met Simon en Grace vertrokken.

Hij sprong de wenteltrap naar de keuken op toen zijn mobieltje afging.

'*Ti amo, Alessandro.*'

'Ik ook van jou. Ik bel je later vandaag. Ga maar ontbijten.'

Hij trok een mondhoek op, verbrak de verbinding en nam zijn aktetas van het kookeiland toen een envelop zijn blik ving. Persoonlijk bezorgd en met was verzegeld. Siân had hem daar neergezet opdat hij hem zou zien. Hij bekeek het handschrift en voelde er het gewicht van. Hij haalde diep adem, verbrak voorzichtig de rode bloedvlek en tuurde naar de inhoud. De envelop bevatte een dik stuk papier en een metalen voorwerp dat hij naar buiten schudde. Hij fronste. Het was het gebroken kettinkje van Lucy met het van een pareltje voorziene gouden sleuteltje dat hij haar voor haar verjaardag had gegeven. Had Calvin het terug weten te krijgen? Hij hoopte het, maar twijfelde er niettemin aan.

Hij trok zijn overjas aan, stak de envelop bij zich en toetste een nummer terwijl hij naar de deur liep. Toen hij Kings Road overstak nam Siân op.

'Erg bedankt dat je hier de organisatie voor je rekening hebt genomen. Heb je het overleefd?' Hij onderdrukte zijn ongerustheid zo goed mogelijk.

'Ik heb ervan genoten, Alex. Max is het grootste deel van het weekend met die papieren bezig geweest die jullie vrijdagavond aan het bestuderen waren. Hij heeft er je hele bureau mee bezaaid, ben ik bang. Ik hoop niet dat je het erg vindt. Luister, Alex, ik heb nu geen tijd om te praten. Ik zit achter het stuur en ben op weg naar een fotosessie. Is met Lucy alles oké?

'Dat denk ik wel. Siân, nog even over die envelop in de keuken?'

'Is zaterdag bij je in de brievenbus gegooid. Max en ik waren lunchen in het Rainforest Café en hij lag daar toen we terugkwamen. Is er een probleem?'

'Ik weet het niet. Weet je wie hem heeft bezorgd?'

'Nee, sorry. Wat is het, Alex?'

'Lucy's ketting en dat sleuteltje van Will waar ik voor haar een kopie van had laten maken. Werd vrijdagavond in Frankrijk van haar nek getrokken. Het zegt iets dat het de volgende dag weer hier was.'

Siân voelde dezelfde dreiging. 'Zal ik met Calvin praten?'

'Ja, als je dat wilt doen. Maar ik ben al te laat voor mijn werk. Ik bel je vanavond nog wel. En nogmaals bedankt voor je goede.zorgen dit weekend.'

'Geen probleem, Alex. Groet Lucy van mij.' Haar stem stokte.

Zijn secretaresse begon meteen te gebaren toen hij binnenkwam. Dokter Anwar, die al sinds de vroege uurtjes in de operatiekamer assisteerde, wachtte met smart op zijn komst. Jane Cook had een boodschap voor hem achtergelaten, een van zijn studenten zocht hem en meneer Azziz zou binnen afzienbare tijd uit Harefield terugkeren: zag hij kans rond elven koffie met hem te drinken?

'O, en dokter Franks heeft gevraagd of u morgenavond voor hem kunt invallen: een lezing over T-cellen in Imperial.'

Hij glimlachte. Het was nog geen negen uur. Welkom terug, Alex, dacht hij.

'Geen paniek, Emma. Zeg ja tegen iedereen en ik ga nu naar Zarina Anwar.'

Het zonlicht overspoelde de ontbijttafel. Het was zo aangenaam en de aanwezigheid van Alex en zijn familie zo sterk dat Lucy moeite had haar huidige omstandigheden in verband te brengen met de realiteiten van gisteravond. Niemand had veel gesproken maar iedereen had zich gerealiseerd dat de min of meer onopvallende aanwezigheid van de Lancia op Wills foto's erop duidde dat hij al er al enige tijd door werd gevolgd. En hoewel ze niet wisten of ook hij dat had ontdekt, zou het kunnen verklaren waarom hij de documenten had verstuurd. Henry's huiveringwekkende beschrijving van de auto die zijn vertrek had belemmerd op die pijnlijke zondagochtend bij het ziekenhuis, had Alex aangespoord opnieuw te spreken over Melissa's verhaal van het geluid van een auto bij de brug op het tijdstip van het ongeval. En was er een verband met de inbraak die nacht? Ze waren allemaal naar bed gegaan met rijkelijk stof tot nadenken, zoals Lucy's vrijlating uit diezelfde auto in Chartres. Maar paradoxaal genoeg was ze verrukkelijk weggezonken in een ongestoorde slaap, die slechts was onderbroken door het gedempte geluid van Alex' horloge en zijn ochtendkus. Niets had haar vredigheid kunnen doorbreken. Ze was thuisgekomen.

Een vertoon van normaliteit wist zich ondanks dreigend gevaar te handhaven. Ze herkende Alex' behoefte kalm te blijven en de spanning onder controle te houden. Hij had cornflakes voor haar klaargezet. Maar Henry had het nodig gevonden haar zijn nummer in Winchester te geven. 'Ik moet vanochtend naar de rechtbank, Lucy, maar aarzel niet mijn secretaresse te bellen als je me nodig hebt. En anders zie ik je na vijven. Er gaat elke dertig minuten een trein van Andover. Het zal me spijten je te zien vertrekken. Kom met Pasen samen met Alex en Max hiernaartoe.' Hij kneep in haar hand, gaf haar een setje sleutels en was vertrokken.

Een uur later koos ze de negatieven die ze wilde vergroten en tegen elven begon ze met het maken van de eerste afdrukken. Voor de documenten moest ze de scherpte een paar keer bijstellen, maar Will had briljant werk geleverd en de kwaliteit was uitstekend. Ze hield haar adem in toen de eerste woorden leesbaar werden in het gekleurde licht. De tekst was geschreven in een keurig vrouwelijk handschrift – misschien achttiende-eeuws. Ze las:

Lucy Locket lost her pocket...

En op de volgende:

O. Maar de dochter van de koning loopt het gevaar een steek te laten vallen.
De draad te verliezen.
Overmoedig te worden.

Op weer een andere:

Taurus 4 – De pot met goud aan het einde van de regenboog.

En op een was met een grappige oude typemachine getypt:

Vandaag is de muziek overleden.

Waarom dacht ze dat het in die teksten over haar ging? Zij heette Lucy. Zij had niet haar portemonnee maar haar sleutel verloren. En ze was de met de naald werkende dochter van meneer King en ze had zichzelf vaak gemaand geen steek te laten vallen toen ze in het ziekenhuis aan de sprei had gewerkt, wat ze als symbolisch voor haar levensdraad had opgevat. Maar dit was vast en zeker allemaal toeval. Of toch niet? En de regenboog? Dat was iets waar Alex en zij bij wijze van grap geregeld op zinspeelden. Maar hoe zat het met het laatste raadsel? Te bizar voor woorden. Daarbij ging het beslist om Lucy, maar ze zou het voorleggen aan Alex en Simon en zien of zij enig idee hadden waar het op sloeg. Niemand anders zou de verwijzing kennen, toch? Ze zou niets zeggen: ze zou het hun laten zien en dan de vraag stellen.

De stapel was klaar. Ze besloot thee te zetten voor ze verder zou gaan met de andere vellen. Het was al bijna twaalf uur. Ze zou Alex kunnen bellen, zijn stem kunnen horen.

De ketel op het vuur floot en Lucy schonk het water over het theezakje. Ze liep met haar mobieltje naar de achterdeur om, weg van de dikke muren van het huis, een sterker signaal te krijgen en ze probeerde het nummer opnieuw. Deze keer kreeg ze verbinding. Alex' secretaresse nam korzelig op, ze klonk als Cerberus. Ze hadden elkaar al eerder gesproken over afspraken, maar ze voelde zich een beetje ongemakkelijk nu haar relatie met Alex veranderd was.

'Nee, het spijt me. Het lijkt of hij niet in het gebouw is, juffrouw King. Ik heb net zelf al naar hem gezocht. Hij heeft een drukke dag en komt al overal te laat. Kan ik een boodschap aannemen?'

Lucy had spijt dat ze had gebeld, voelde zich schuldig hem te storen op zijn 'drukke dag'. Het was niet belangrijk, ze zou hem later wel spreken. De telefoon van het huis ging en ze stond in dubio of ze wel of niet moest opnemen.

'Als het een noodgeval is kan ik dokter Lovell geven?'

Lucy probeerde het gesprek beleefd te beëindigen: het was geen noodgeval, ze zou dokter Stafford wel een andere keer bellen. Toen ze de verbinding verbrak, stopte ook het gerinkel van de huistelefoon. Ze voelde zich een ogenblik verslagen en overwoog Alex op zijn mobieltje te bellen. Hij schakelde zijn toestel in het ziekenhuis vaak uit als hij moest opereren of in de buurt was van bewakingsapparatuur, maar ze zou in elk geval een berichtje kunnen inspreken. En de door hem ingesproken boodschap te horen zou al enige troost bieden. Ze probeerde positief te zijn.

'*Buongiorno, Alessandro.* Ik heb je net geprobeerd te bellen, maar je zat niet achter je bureau en je hebt een uitstekende secretaresse van defensie. Spreken we elkaar later nog? Intrigerende beelden op de eerste afdrukken die ik gemaakt heb. Laat me weten hoe het gegaan is als je om één uur bent gebeld. Vergeet het tijdsverschil met Frankrijk niet. O, de vaste telefoon gaat weer over. Ik ga opnemen, misschien ben jij het. *Ciao.*' Ze verbrak snel de verbinding en holde naar de telefoon in de keuken. 'Hallo?'

'Je raadt nooit wat ik net in Wills fotobestanden heb gevonden. Ik had er niet meer naar gekeken sinds ik ze van Alex' computer naar de mijne mailde.'

'Ha, die Simon.' Ze verborg haar teleurstelling. 'Iets belangwekkends?'

Hij had vier foto's ontdekt, die allemaal waren gemaakt met Wills digitale Nikon in Sicilië en Rome, waarop de auto te zien was. Drie daarvan waren nogal vaag, maar eentje was scherp en glashelder. Hij zou proberen zijn contact bij Scotland Yard te bereiken om te vragen of zij de nummerplaat zichtbaar konden maken. 'Ik denk dat er een goede kans bestaat dat Jamie McPherson iets aan de weet komt. Maak je geen zorgen, Lucy, hij is nog jong, maar heel slim en discreet. Laat het maar aan mij over. Ik heb ook nog een aantal foto's gevonden van een mooi meisje dat wel een beetje op jou lijkt, maar ze is langer en heeft veel meer krullen. O, en ik zal straks, als New York wakker is, Roland Brown bellen. Hoe staan de zaken bij jou?'

Lucy gaf hem enkele details die door de vergrotingen waren onthuld, inclusief het toenemende gevoel dat de woordspelletjes in de documenten deels op haar betrekking hadden. Ze hoorde haar mobieltje afgaan, maar Simon was verdiept in de onderzoeksdetails en lastig te onderbreken. Konden ze elkaar voor de avondmaaltijd treffen? Hij was erop gebrand de speurtocht met de nieuwe aanknopingspunten voort te zetten. Lucy maakte gejaagd een einde aan het gesprek en nam haar mobieltje op, om tot de ontdekking te komen dat het slechts haar voicemail was.

'Lucylu, het is kwart voor twaalf. Ik ben even naar een stille ruimte gevlucht om je te bellen. Geen antwoord op de huistelefoon en je mobieltje schakelde over op het aannemen van een bericht, dus ik vermoed dat je nog steeds in de rosse buurt vertoeft. Het is hier een dierentuin vandaag: ik moest de hele ochtend op de poli zijn en heb nog een tijdje bij een operatie geassisteerd, maar in de middagpauze probeer ik het nog eens. Zeg me hoe laat je aankomt, dan haal ik je af van Waterloo. Ik moet nu gaan om even met Amel over jou te praten. Bel mijn rechtstreekse lijn als je weer opduikt. Is misschien veiliger.'

Shit. Ze liet zich gefrustreerd op de eiken bank zakken. Hoe had ze beide telefoontjes kunnen missen? Ze zou hem niet storen tijdens zijn gesprek met Amel en zijn andere taken en hem na de middagpauze bellen. Ze nam haar thee op en trok zich weer in Wills doka terug, peinzend over het raadsel Lucy Locket.

'Je ziet er anders uit.' Amel gaf zijn gast een kop verse koffie en nodigde hem uit ook wat falafel te nemen.

Alex glimlachte mysterieus. 'Ik voel me anders. Ik ben dit weekend op onbekend terrein terechtgekomen. Wat overigens minder cryptisch is dan het nu klinkt.' Hij keek zijn mentor aan. 'Amel, heb jij een mening over cellulair geheugen?'

'Lichaamscellen die informatie bevatten over onze voorkeuren en karaktereigenschappen?' Amel knipoogde naar zijn favoriete beschermeling. 'Interessante gedachtesprong voor jou, Alexander. Heeft het iets te maken met de vraag die je Jane zaterdag hebt gesteld?'

'Heeft ze je dat verteld?'

'Ze maakt zich grote zorgen over hoe het je zal aangrijpen. Zei dat ze dacht dat het misschien "niet bevorderlijk voor zijn hoofd" zou zijn. Ik heb haar gezegd dat ze niet ongerust hoefde te zijn, dat jij er absoluut niet door van streek zou raken. Had ik het mis?'

'Nee. Ik word daar niet op die manier door geraakt. Ik voel alleen dat Lucy… me nu nog dierbaarder is. Maar het gaat me erom hoe ze het kon weten: dat raakt me.'

'Courtney zou er korte metten mee maken. "Volslagen onzin," zou hij zeggen. Maar dat geldt niet voor iedereen. Er zijn theorieën die ons misschien verder kunnen helpen. Heeft Lucy iets gezegd waardoor je belangstelling is gewekt?'

'Een deel is in mijn ogen te herleiden tot de medicijnen: een veranderde smaak voor voedsel, levendige dromen. Maar er zijn een paar dingen die uitermate intrigerend zijn. Will was erg muzikaal. En Lucy vertelde dat ze, na jaren niet te hebben gespeeld, de onweerstaanbare aandrang voelde weer piano te gaan spelen. Ze zei dat ze sinds de operatie klassieke muziek in haar hoofd hoorde. Daar zouden andere psychologische factoren aan ten grondslag kunnen liggen, maar in samenhang met andere punten beschouw ik het toch als vermeldenswaardig. Ze lijkt ook de vrienden van mijn broer te herkennen. Komt op onverwachte momenten heel dicht in de buurt van zijn denkwijze over bepaalde dingen. En merkwaardig genoeg wordt ze sinds de transplantatie steeds linkshandiger, en dat kan ik niet aan haar medicatie toeschrijven.'

'Was Will linkshandig?'

'En enigszins dyslectisch bovendien. Je zou kunnen denken dat ze sinds haar operatie misschien een voorkeur heeft voor haar linkerzijde. Maar er zijn nog andere zaken – ik probeer objectief te blijven. Telkens als ze instinctief of intuïtief reageert, waarbij het dus niet zozeer gaat om de herinnering aan een feit of gebeurtenis, vertonen die intuïties een zekere overeenkomst met die van Will.'

Amel knikte en zei: 'Ik herinner me een gesprek met een briljante neurocardioloog tijdens een conferentie in Nederland een tijdje terug. Hij was geïnteresseerd in de connecties tussen het brein en het hart via het zenuwstelsel. Volgens hem was de relatie tussen die twee organen van dynamische aard, een betrekking van wederzijdse uitwisseling. Het was denkbaar dat die organen elkaars functioneren konden beïnvloeden. Hij stemde in met het beeld van het hart als een brein op zich, opgebouwd uit een netwerk van neuronen, transmitters, proteïnen en ondersteuningscellen die het mogelijk maken enigszins onafhankelijk van het hoofd te opereren – misschien zelfs te voelen en waar te nemen.'

Alex raakte nog geïnteresseerder. 'Informatie wordt dus vertaald in neurologische impulsen, reist van het hart langs diverse banen naar het brein en bereikt het merg in de hersenstam. Die impulsen reguleren vervolgens de bloedvaten en organen. Maar als ze dieper in het brein doordringen, kunnen ze onze percepties en andere cognitieve processen beïnvloeden?'

'Precies. Dat het zenuwstelsel van het hart zelf onafhankelijk van het brein functioneert, is juist bij een transplantatie erg gunstig. Hart en brein communiceren gewoonlijk via de neurieten en die kunnen zich na een transplantatie gedurende enige tijd niet met elkaar verbinden. Het intrinsieke zenuwstelsel van het hart zelf maakt het mogelijk in het nieuwe lichaam te functioneren. Als het dus waar is dat het hart zijn eigen kleine brein heeft, is het heel goed mogelijk dat het iets handhaaft wat door ons als geheugen wordt beschouwd.'

Amel keek Alex aan en dacht even na. 'We hebben nog niets gezegd over de mogelijkheid dat Lucy's geest nog iets toevoegt. We hebben gesproken over de wetenschappelijke basis voor een theorie, maar zouden we ook de mogelijkheid kunnen overwegen dat haar persoonlijkheid extra gevoelig is voor en betrokken is bij die van je broer? Ze voelt zich sterk tot jou aangetrokken, jij stond dicht bij hem. Is ze op een heel subtiele manier gevoeliger voor de nuances in zijn hart, alsof ze toegang heeft tot zoiets als zijn essentie, op een manier die we niet kunnen verklaren?'

'Zoals bij eeneiige tweelingen?'

'Misschien, ja. Het is natuurlijk – anders dan bij de argumentaties in verband met het cellulaire geheugen die langs empirische weg worden getoetst en geanalyseerd – allemaal niet echt wetenschappelijk. Maar fascinerend is het wel, wat vind jij? Mij intrigeert het hele denkbeeld in elk geval. We moeten voorzichtig zijn met het trekken van conclusies of het innemen van een onwrikbaar standpunt. We begaan vaak de fout twee zaken met elkaar te verbinden die niets met elkaar te maken hebben, alleen omdat ons dat goed uitkomt. Maar we dienen wel open te staan voor onderzoek op dat vlak. Naar verloop van tijd zijn er misschien conclusies te trekken op grond van de ervaringen die door intelligente patiënten als Lucy worden opgedaan, door mensen die hun verslagen niet opsmukken. Roer het tijdens je volgende conferentie eens aan, Alex. Je zult merken dat er talloze artsen en onderzoekers zijn die ervaringen met dit vraagstuk hebben. Maar, Alex,' Amel keek hem bezorgd aan, 'er is nog een belangrijke vraag die hier een rol speelt. Zal het op een of andere manier een wig drijven tussen jullie twee?'

'Dat kan ik pas beoordelen als ik meer weet. Ik heb geen reden te twijfelen aan wat ze zegt te voelen en ik ben er zelfs van overtuigd dat ze het zich niet inbeeldt. Een deel ervan is ongelooflijk fascinerend. Ik zal bij toekomstige conferenties eens een balletje opgooien en zien wat ik kan opsteken bij de mensen over wie jij het hebt. Als het alleen de medicijnen zijn, hebben die zeker een erg vermakelijke uitwerking.'

'Mm. Maar dat is niet wat ik bedoelde. Is het een psychologische horde die genomen moet worden? Dat jouw broer de donor is van Lucy? Ik heb er met Jane een uitgebreide lunch onder verwed dat daar geen sprake van zou zijn. Wat niet wegneemt dat het natuurlijk wel wat vreemd is dat een deel van Will in Lucy persisteert, en dat ze daarmee in zekere zin je zus is geworden. En dan de manier waarop ze het hart heeft gekregen. Ze had twee dagen tevoren een ander hart kunnen krijgen. Ze stond als eerste op de lijst. We hadden haar al laten opdraven en je weet dat ik het heen en weer gegooid worden tussen wel of niet voor de patiënten altijd probeer te vermijden. Maar het bleek geen optimaal hart te zijn, niet echt goed genoeg voor zo'n jonge vrouw. Het opmerkelijke was dat de weefselovereenkomst met Wills hart feitelijk volmaakt was.' Amels pieper ging af, maar hij haalde hem zonder zich te haasten tevoorschijn. 'Uiteraard was geen van ons zich van de connectie bewust, Alex – dat weet je.'

'Is het een wonder, Amel?' Alex grijnsde. 'Ja, het is verbazingwekkend zo'n resonerend deel van hem zo dicht in mijn buurt te hebben. Maar het is fantastisch. Het jaagt mij de stuipen niet op het lijf – je weet dat wij ons niet door die dingen laten meeslepen. Voor haar is het natuurlijk nogal drastisch om een deel van zijn gevoeligheden aan de dag te leggen. Ik kan alleen maar hopen dat ze zijn opvattingen niet overneemt! Gelukkig is ze een sterke persoonlijkheid.'

Nu begon Alex' pieper het geluid van die van Amel na te doen en hij stond op om te gaan. 'En ze is uiteraard veel mooier dan Will.'

Alex keek naar de boodschap op het apparaat en was opgelucht dat het slechts om een regulier ziekenhuisnoodgeval ging.

'Dat is me opgevallen.' Amel lachte luid toen Alex de deur opende. Er was niets mis met Alex' geestesgesteldheid en dus had Amel zijn weddenschap gewonnen. 'Het gaat om de varkenshartklep, Alex. Ik moet je verzoeken met mij naar de OK te gaan om de narcose voor je rekening te nemen. We dienen het hoofd te bieden aan een ingewikkelde immuunreactie.'

Alex hield zijn pieper omhoog om aan te geven dat hij al was opgeroepen. Ze haasten zich door de gang en het duurde even voordat Alex opmerkte dat het volgens de klok in de OK al tegen enen liep. Hoe stipt zouden ze zijn? Hij werd heen en weer geslingerd tussen plicht aan de ene kant en bezorgdheid aan de andere. Hij keek Amel over zijn mondkapje aan. 'Red je het tien minuten zonder mij? Er is iets urgents wat ik precies om één uur moet doen.'

Amel knikte. 'Kom zo snel mogelijk terug.' Alex verdween geruisloos door de vouwdeur.

Volgens de klok in de gang was het vier minuten voor een – één minuut vóór volgens het horloge dat Alex uit zijn zak trok. Hij stak gehaast zijn hoofd om de scheidingsmuur van Emma's bureau. 'Nog telefoontjes?'

'Lucy King heeft gebeld, Jane Cook wilde je gisteren even spreken en dokter Anwar vroeg me door te geven: "Fabuleus bedankt." En die mooie studente met haar lange, lange benen en korte, korte rokje heeft haar werkstuk zojuist afgegeven – zei dat ze er "laat" mee was.' Ze keek naar de vraag die zich op zijn lippen vormde. 'Verder niets. Jane heeft drie keer gebeld.'

Alex moest lachen om Emma's telegramstijl, maar kijkend naar zijn mobieltje rende hij richting uitgang. 'Hoe laat belde Lucy?' riep hij.

'Uren geleden.' Ze keek hem koeltjes na. Hij had verdorie wel de tijd genomen, maar nu gebeurde er dan blijkbaar iets. 'Nog vóór twaalven,' riep ze hem na, maar hij was al weg.

Omdat hij even uit ieders buurt wilde zijn, rende hij de tuin in, waar een groep verpleegsters hun middagpauzesigaret rookten. Zijn mobieltje gaf aan dat het signaal sterker was, dat hij twee telefoontjes had gemist en twee berichten had. Hij schakelde het geluid in en wachtte een volle minuut, zijn ogen gericht op de tijd op het schermpje tot het twee minuten over één aangaf en het volgens zijn horloge vijf over was. Hij wist zeker dat de tijd op zijn mobieltje correct was en na nog even in dubio te hebben gestaan speelde hij de voicemail af, zich pantserend tegen de zangerige, zuidelijke stem van Guy.

Ze werden in omgekeerde volgorde afgespeeld, de recentste berichten eerst. Simon had de auto op sommige digitale foto's gezien... Alex wiste het bericht ongeduldig nog voor het voltooid was. Hij zou hem vanavond bellen. Het volgende was een kort en lief berichtje van Lucy dat hem deed glimlachen. Hij zou haar zo bellen. Dat was alles.

Hij keek naar het apparaat. De tijd stond nu op vier minuten over, zijn horloge op ongeveer zeven over. Hij stond er onbeweeglijk bij, overwoog Lucy te bellen, koos ervoor de lijn vrij te houden.

Er verstreken nog eens drie minuten. Hij raakte geërgerd en werd boos dat ze zo met hem speelden. Ze zouden om twee uur bellen en het tijdsverschil negeren. Hij liep terug naar het gebouw. Toen ging het mobieltje over. Hij haalde geluidloos adem.

'Ja? Alex Sta...' maar hij kreeg de tijd niet zijn naam uit te spreken voor hij besefte dat het opnieuw zijn voicemail was. Een boodschap die drie minuten na één uur was ingesproken, meldde de robotstem. Alex' maag leek zich om te keren. 'Dokter Stafford. Dit is het afgesproken tijdstip. Ik hou er niet van te worden gevraagd te wachten. Ik vind u nog. Als u niets voor mij hebt dan is er iets wat ik neem.' Hij hing op.

De stem had als een lichaamloze ziel geklonken. Alex speelde het bericht nog eens af en controleerde opnieuw de tijd. Hij had het bericht op één, hooguit twee minuten na gemist en dat frustreerde hem. Het moest gebeurd zijn toen hij de berichten van Simon en Lucy had afgeluisterd. Hij zocht naarstig naar het nummer van de beller, maar er was niets geregistreerd. Hij koos voor de optie de laatste beller terug te bellen: geen resultaat. 'Anonieme beller.' Zijn gelijkmoedigheid begon hem in de steek te laten. Hij sprak een nieuwe boodschap in waarin hij liet weten niet altijd in staat te zijn de telefoon op werkuren aan te nemen. Ook sprak hij het nummer van zijn toestel in het ziekenhuis in. Zouden ze daar tevreden mee zijn?

Hij bleef staan om Calvin te bellen: hij zou wellicht over een nummer beschikken. Maar Calvins toestel werd niet opgenomen. Hij dacht koortsachtig na en liep terug naar Emma om haar te vragen zijn mobieltje onder haar hoede te nemen zolang hij op de OK was en hem onmiddellijk te roepen zodra een van zijn toestellen door hen zou worden gebeld. Hij twijfelde er niet aan dat ze dat zouden doen. Maar toen diende zich een nog afschrikwekkender gedachte aan en hij begon te rennen.

'Zorg dat je mijn vader aan de telefoon krijgt. Als hij in het gerechtshof is, laat zijn secretaresse hem dan oppiepen. Hij moet me met spoed bellen.' Emma keek hem verbouwereerd na toen hij naar de telefoon in zijn kantoor sprintte. Lucy's mobieltje schakelde meteen over op de voicemail: ze moest in de donkere kamer zijn. Zijn stem klonk kalm; alleen Amel en de vrouw die hij belde zouden horen dat die kalmte gemaakt was. 'Bel me meteen als je dit bericht hoort. En, Lucy, houd de deur op slot.' Hij belde naar de vaste aansluiting, hopend dat ze die zou horen. Niets. Hij liet zijn hoofd hangen. Door het glas zag hij Emma met haar hoofd schudden. Ze stak haar wijsvinger op om te laten weten dat Henry minstens een uur niet beschikbaar zou zijn. Zonder een woord te zeggen stond hij op, nam zijn jas van het haakje aan de deur en wachtte. Hij draaide zich om, gooide de jas op de stoel en bladerde door het adressenbestand op zijn mobiel. Hij vond een nummer en belde het met het toestel op zijn bureau.

'Melissa, goddank. Met Alex Stafford. Zou jij iets voor me kunnen doen?'

Nadat Lucy vier rolletjes had afgedrukt, vond ze haar dubbelgangster: een meisje dat haar heel iets jonger leek dan zijzelf, met een enorme bos krullen die in de straffe wind over de zee wapperden. Ja, op het eerste gezicht leken ze heel erg op elkaar. Lucy had het gevoel naar een geest te kijken. Een van Wills vriendinnetjes? Ze had het gevoel het gezicht te herkennen uit haar dromen, maar dat beeldde ze zich misschien slechts in.

De beste ontdekking volgde echter later. De betekenis was haar niet opgevallen tot ze de foto had vergroot. Aanvankelijk dacht ze dat het gewoon om de tegel met de Ducati-sleutel ging die Will in de rozentuin had achtergelaten. En dat was ook zo, tot ze zag dat de sleutel duidelijk afweek. Door de vergroting besefte ze dat Will de reservesleutel in het midden van een tegel moest hebben geplakt waar al een sleutel had gezeten. Ze vergrootte de foto zo sterk mogelijk zonder dat het beeld vervormd raakte: het leek heel erg op het zilveren sleuteltje, het had dezelfde vorm en grootte. Maar dit exemplaar was van goud. En ze kon een gegraveerd symbool zien en een ingelegde robijn. Waar het zilveren sleuteltje een spiraal had en een pareltje, was het symbool op dit veeleer een hertenbok die in alle opzichten gelijk was aan het exemplaar op de miniatuur die Alex haar had laten zien. En nu ze erover nadacht, herinnerde ze zich dat Alex had gezegd dat ook Will er een had getekend.

Er klonk opeens een kletterend geluid bij het geblindeerde raam en ze hoorde de stem van een jonge vrouw die haar naam riep. Ze borg gauw wat spulletjes weg en holde door de gang naar de achterdeur. Er stond iemand driftig naar haar te zwaaien.

'Lucy? Het spijt me heel erg je zo te laten schrikken. Ik ben Melissa. Ik woon hier in het dorp. Alex heeft me gebeld en gevraagd je uit de donkere kamer te halen. Zou je hem onmiddellijk willen bellen?'

Lucy wenkte haar dat ze binnen kon komen, maar het volgende moment was ze al weg. Haastig belde Lucy met het vaste toestel naar zijn privélijn en er werd meteen opgenomen.

'Is alles goed met je?'

'Prima,' zei Lucy verbouwereerd.

'Ik wil je niet in paniek brengen, maar je moet je verborgen houden en de deur voor niemand openen. Als Henry mijn bericht krijgt, zal hij meteen naar huis komen.'

'Alex, als ik me voor iedereen verborgen had gehouden, had Melissa me niet kunnen vragen je te bellen. Je klinkt net als Simon. Wat is er aan de hand?'

'Ik weet het niet. Misschien niets. Ik had het alarm van mijn horloge op even voor een uur ingesteld opdat ik het telefoontje niet zou vergeten. Vervolgens werd ik voor een noodgeval naar de OK geroepen. Ik kon daar nog net op tijd weg, dacht ik, maar ik miste het telefoontje toen ik mijn andere berichten wiste. Ik had moeten wachten, ik weet het, maar ze waren zelf een fractie te laat. Ik vertrouw ze niet.

Ik weet zeker dat ze mij in de gaten houden, maar misschien denken ze nog steeds dat jij de originele sleutel hebt of iets anders wat zij per se willen hebben. En misschien hebben ze van Calvin gehoord dat je de documenten daarginds hebt opgegraven, bij het huis. Lucy, blijf waar je bent tot je de auto van mijn vader ziet, en zorg dat hij bij je blijft tot je in de trein zit. Ik heb geprobeerd Calvin te bellen en zal dat nu opnieuw doen, maar voor mijn eigen gemoedsrust bel ik over een uur weer naar dit toestel. Godsamme, ik heb Amel alleen achtergelaten in de OK. Bij jou is dus alles in orde?'

Ze had nauwelijks iets kunnen uitbrengen voor hij ophing. Ze voelde zich een beetje gespannen en keek op de klok. Bijna halftwee. Ze zette thee en maakte een ronde door het huis. Alles was zoals het zijn moest. Het rook naar de haard, naar bloemen en gerieflijkheid. Er was niets verontrustends en ze hoopte maar dat Alex wat te ongerust was geweest. Dus trok ze zich terug in Wills rustige wereld en ging verder waar ze was gebleven.

Ze keek weer naar de foto met de tegel. Will had toen de sleutels verwisseld. De reservesleutel van de Ducati was verruild voor die andere. Was die nu in het bezit van Roland Brown? Lucy bekeek de foto's opnieuw in de hoop een aanknopingspunt te vinden en de tijd verstreek. Ze maakte van sommige foto's een tweede afdruk, tot ze zag dat het al na vieren was. Ze voelde zich schuldig en bezorgd om Alex en zou hem bellen.

Lucy Locket lost her pocket… dacht ze terwijl de telefoon overging. Zijn nummer werd doorgeleid. … *Kitty Fisher found it.* Maar waar was Kitty Fisher?

Emma's stem klonk onverwacht verontrust. 'Hallo, Lucy. Hij heeft me gevraagd hem op te sporen als je zou bellen, maar hij heeft het ziekenhuis ongeveer tien minuten geleden in grote haast verlaten. Probeer zijn mobieltje, al weet ik niet of hij zal opnemen. Zijn zoontje schijnt bij een ongeluk betrokken te zijn.'

Lucy stapte uit de taxi en ging op haar tenen staan. De lichten waren aan, de gordijnen open. Ze zag het topje van Alex' hoofd door de hoge ramen van de benedenverdieping. Ze beklom een paar treden en boog zich over de leuning om naar binnen te kijken. Ze zag dat hij met gesloten ogen op de bank zat en zijn hoofd scheef hield. Ze overwoog aan te bellen, maar aarzelde om hem te wekken. Ze haalde de sleutels die Henry haar had gegeven uit haar jaszak. Ze had de voordeur en de deur van het halletje achter zich dichtgedaan en ving een flard Mozart op. Terwijl de kat langs haar enkels streek, zette ze haar tas neer en toen besefte ze pas dat hij bezoek had. De vermoeidheid was van zijn gezicht te lezen toen hij over zijn schouder naar haar glimlachte.

Hij sprak zacht en kalm en dat vatte ze op als een goed teken. 'Ik hoopte al dat je zou komen.'

Ze begon even zacht te spreken als hij. 'Ik heb gebeld, maar je mobieltje stond niet aan, en toen leek het me beter je niet te storen.' Ze liep verder naar de zitkamer en bleef toen geschrokken staan. Alex zat op de bank met zijn slapende zoon, die deels op de bank en deels in zijn armen lag. Lucy's gevoel pendelde heen en weer tussen tederheid en bezorgdheid. Een kleine wond op het voorhoofd van de jongen was gehecht, zijn neus geschaafd, maar verder zag hij er engelachtig en vredig uit.

Ze fluisterde: 'Hemeltjelief, Alex. Is het ernstig?'

'Nee. Het gaat goed. Ik heb hem bij Anna opgehaald om over hem te waken, maar meer vanuit schuldgevoel dan dat hij in gevaar zou verkeren. Hij is doodop, maar zijn pupillen en pols zijn normaal en hij is niet buiten bewustzijn geweest. Ik neem alleen het zekere voor het onzekere.'

Lucy ging op de salontafel zitten en streek zacht een blonde haarlok van Max' slaap. 'Hij lijkt erg op jou. Vertel me wat er is gebeurd. Je voelt je schuldig?' Ze bleef op gedempte toon spreken.

'Hij werd met geweld omgeduwd voor zijn school, Lucy. Toen hij naar Anna rende. Ze zag een breedgeschouderde man die gehaast voor hem langs liep, en het drong eerst niet tot haar door hoe hard Max gevallen was. Geen ongelukje. Zij denkt van wel.'

Nadat ze door Alex was gealarmeerd was er heel wat door haar hoofd gegaan, gedachten die haar niet bevielen, maar ze probeerde haar stem in toom te houden. 'Ben jij er heel zeker van dat het geen ongelukje was?'

'Het gemiste telefoontje.' Alex keek haar doordringend aan. 'Een grote, zware kerel. Daar had jij het ook over. Dat zou wel erg toevallig zijn. Ik ben meteen met hem naar Courtney gegaan. Anna wilde niet kijken toen hij werd gehecht. Daardoor kon Max me zeggen dat de man opzettelijk tegen hem opgelopen was. Dat had hij voor zijn moeder verborgen gehouden. Je weet dat het vanwege het gemiste telefoontje is, en als waarschuwing is het een meesterzet. Ze kennen mijn zwakste plek.'

Lucy keek hem begrijpend aan.

'Ik heb onvoldoende rekening gehouden met Max en Anna,' zei hij, bijna tegen zichzelf. 'Zij hebben niets met die mensen uit te staan, zijn nergens direct bij betrokken. Ik was helemaal op jou gericht, omdat wij in de frontlinie lijken te staan met die documenten. Maar het was geen ongelukje, dat kan ik je verzekeren. Ik ga proberen Anna te overtuigen een paar dagen met Max naar haar ouders in Yorkshire te gaan – weg van hier, tot dat pakket van Will arriveert.' Hij keek beschaamd. 'Van Max een doelwit maken, mist zijn uitwerking niet, Lucy. Wat het ook is, wat ze ook willen, als ik het kan vinden, kunnen ze het van me krijgen. Het is het allemaal niet waard,' zei hij resoluut, met een blik op zijn zoon. Lucy keek peinzend naar de vader en zijn zoontje en ze beet onwillekeurig op haar onderlip.

Alex droeg Max naar zijn bed terwijl zij snel een salade maakte. Toen hij terugkeerde en ze elkaar omarmden, was de lichaamstaal er eerder een van wederzijdse steun dan van verlangen. Toen, met een kleine stembuiging, vroeg hij: 'Heeft mijn vader je Wills sleutels gegeven?'

Ze knikte. 'Heb jij bezwaar? Ik vond het raar ze aan te nemen, maar hij hield voet bij stuk.'

'Het was mijn idee. En ik heb er nog een voor je.' Hij haalde de envelop met de verbroken waszegel uit de binnenzak van zijn jasje en reikte hem haar aan. Hij zette een andere cd op en nadat hij zich weer had omgedraaid zag hij haar geschokt naar de inhoud van de envelop kijken.

'Wanneer is dit bezorgd?'

'Zaterdag.' Ze blies zacht wat lucht tussen haar samengetrokken lippen en Alex haalde zijn wenkbrauwen op. 'Ze willen ons duidelijk maken dat ze ons overal en altijd weten te vinden. Heb jij al iets ontwikkeld wat we die lui kunnen geven?'

Lucy knikte en droeg hun maaltijd naar de tafel terwijl hij een fles uit de koelkast nam en twee glazen pakte. Ze vertelde hem van de tweede sleutel op de tegel op de foto van zijn broer en stelde toen een vraag die haar kwelde. 'Als we behalve die eerste zilveren ook die andere sleutel vinden, en de originele documenten, wil je dat allemaal gewoon aan hen geven en je vindt dus dat we al onze pogingen om de oplossing te vinden moeten staken?'

Alex dacht na. Hij wist wat ze dacht: dat zijn moeder zich enorm veel moeite had getroost om een bergplaats te creëren voor de sleutel en een tweede stapel documenten, en dat generaties vrouwen in haar familie die geheime 'schat' hadden behoed tot hij op enig moment diende te worden onthuld. Maar Will had dat met de dood moeten bekopen en dat was zeker geen deel van het ontwerp.

'Mijn moeder had dit allemaal niet gewild. Will, Max, de dreiging waarvan ik voel dat die mijn geluk met jou overschaduwt. Je kent mijn standpunt, Lucy. Ik erken dat ik op een merkwaardige manier nieuwsgierig naar de hele zaak ben. Wat kan er zo belangrijk voor hen zijn? Maar geen enkel erfstuk, hoe kostbaar ook, kan van meer waarde zijn dan de mensen van wie ik hou. We moeten er verder van afzien. Ik zorg dat ik die lui morgen aan de telefoon krijg en geef ze de foto's die jij hebt ontwikkeld. Hopelijk zullen we daarmee wat tijd krijgen om de rest boven water te krijgen. Er is geen andere manier. Ik wil niets meer met die idioten te maken hebben.'

'Alex…?' Lucy stond op het punt zich op gevaarlijk terrein te begeven en zocht behoedzaam naar de juiste woorden. Ze begreep zijn weerzin, vooral na de gebeurtenissen van vandaag, maar ze was er zelf op een speciale manier bij betrokken en het betekende heel veel voor haar. 'Het is erg pijnlijk erover na te denken, en voor mij om erover te praten. Maar zonder Wills dood zou ik niet in leven zijn geweest, en zou Will niet zijn geworden wat hij niet was. Dit was beslist meer dan een gezelschapsspel voor hen, als je alleen al nagaat wat je moeder heeft gedaan om het allemaal te behoeden.'

Alex luisterde zonder wrevel naar haar, was gevoelig voor de passie waar ze blijk van gaf en die hij niet van Lucy gewend was. Hij wist dat ze sterke emoties had, al onderdrukte ze die dikwijls. Net als hij hield ze de ware diepte ervan zorgvuldig voor anderen verborgen.

Ze besefte dat haar woorden hem hadden geraakt en besloot hem niet de tijd te geven haar tegen te spreken. 'Bovendien,' voegde ze er nog aan toe, 'Bruno gaf zijn vrijheid en zelfs zijn leven op voor dat wat hij belangrijk achtte. Dante had een speciale plek – een soort voorgeborchte – voor mensen die moreel te zwak waren om zich tegen onrechtvaardigheid uit te spreken of er een eigen mening op na te houden, voor mensen zonder ruggengraat. Hij verachtte dergelijke standpuntloze, lauwe lieden: die leefden, vond hij, zonder eerloosheid en zonder eer.'

Alex glimlachte. 'De hemel onwaardig, maar de toegang tot de hel ontzegd, aangezien de verdoemden zich anders superieur zouden gaan voelen?'

Ze beantwoordde zijn glimlach en knikte. 'Geen lafaards in jouw kringen, Alex. Daar kwam men liever voor de eigen mening uit, en jij bent daarop geen uitzondering. Kunnen we hoe dan ook net doen of die lui van Calvin niet bestaan?' Ze keek hem aan, maar het was een vraag die niet echt om een antwoord vroeg. 'Wat zegt hij eigenlijk van deze nieuwste ontwikkeling?' Haar stem klonk verbitterd toen ze dat laatste woord uitsprak.

'Hij is vanavond nergens te vinden. Ook Siân heeft geen idee waar hij uithangt.'

Lucy trok haar wenkbrauwen op voor ze haar vraag stelde. 'Alex, zal ik je mobieltje morgen onder mijn hoede nemen? Ik kan op elk moment opnemen als ze bellen. Ik hoef mij niet om medische noodgevallen te bekommeren. Laat mij de overdracht regelen. Ik heb al kennis met ze gemaakt. Ik ben echt niet bang.'

'Niet?' Hij probeerde te glimlachen en Lucy reageerde met de bedoeling hem wat moed in te blazen. Haar heroïsch kalme Alex was vanavond een man die in zijn ziel was geraakt door de uitval die was gedaan naar iemand van wie hij hield. Dit was een schaduw van Alex.

'Voor tirannen? Nee. Ik ben met een tiran in mijn buurt opgegroeid. Mijn oma was waarschijnlijk de reden waarom mijn moeder vertrok. Zij is angstaanjagender dan welke godsdienstfanaat ook.' Hij schoot bijna in de lach en zij glimlachte. 'Het enige waar ik bang voor ben is mijn geluk van een ander afhankelijk te maken, of mezelf uit te leveren aan de passie.'

Hij liet zijn vingers door haar haar gaan, nam iets over van haar kracht.

'Nog steeds?'

Ze knikte langzaam. Het was pas drie avonden geleden dat ze in Chartres alleen het labyrint had doorlopen, terwijl Alex hier was met Max. De opgekropte gevoelens van een heel leven waren in het weekend waarin ze samen waren losgebroken en hadden voor hen allebei alles grondig veranderd. Nog maar kort geleden was er niets geweest wat betekenis had gehad, maar dat was nu opeens anders. Maandenlang had de aantrekkingskracht tussen hen het haar bijna onmogelijk gemaakt aan iets anders te denken dan aan Alex. Nu moest ze een heel leven overwinnen waarin ze het gewoon was geweest haar sterkste gevoelens verborgen te houden. Maar Alex had haar grootste angsten aangevoeld en stond het niet toe dat ze daarin terug zou zinken. Hij gaf zichzelf volledig aan haar. Hij kuste haar en veranderde daarmee de aard van de spanning.

'Blijf hier…' zei hij.

'Dat kan ik niet.' Ze haalde gejaagd adem en schudde haar hoofd om zichzelf te overtuigen. 'Het is niet gepast. Je moet elk uur bij je zoon kijken of alles in orde is.'

Hij moest haar gelijk geven.

'Maar, morgen?'

Alex knikte maar aarzelde toen. 'Ik moet om zes uur lesgeven.' Hij had nog steeds moeite zijn begeerte te beteugelen. 'Daarna ergens eten?'

Het was geregeld, al kostte het haar de grootste moeite op te staan en te vertrekken. Ze wees op het pakketje op het keukenblad. 'Ik heb twee setjes afdrukken gemaakt. Werp een blik op de nieuwe documenten, als je hoofd ernaar staat. Meer labyrintische raadsels.' Er lag teleurstelling in haar blik. Ze onderkende dat hij er niet ver van verwijderd was zijn belangstelling voor de ontraadseling te verliezen. Had hij gelijk er verder maar van af te zien? Het begon inderdaad erg gevaarlijk te worden.

'Voor je gaat.' Alex pakte haar hand en liep met haar naar het bureau aan de andere kant van de keuken, met het raam dat uitzicht gaf op de achtertuin. 'Moet je eens kijken wat Max met de kopieën heeft gedaan voor ik naar Frankrijk vloog om je te zoeken.'

Lucy zette grote ogen op. De slimme zevenjarige had een nieuw licht op de puzzel geworpen. Hij had het patroon op de achterzijde van de teksten samengevoegd en de beelden daarmee een ordening gegeven die nog door niemand was gezien. En nu was het duidelijk dat de helft van het totaalbeeld ontbrak. De voorstelling leek op een deel van een gezicht in een soort labyrint.

'Het lijkt erop dat er, als we over de originelen zouden beschikken, een pad zou kunnen ontstaan dat direct door de windingen naar het centrum leidt.' Alex toonde haar met zijn vinger het deel van het pad dat Max er met een potlood op had aangegeven: het functioneerde als een echt doolhof.

'We zouden de originelen nodig hebben, zoals je zegt: Will heeft er slechts één kant van gefotografeerd. Maar wat een ontdekking van Max!' Lucy schudde verbluft haar hoofd. 'Wat een pientere jongen. Precies z'n vader...' Ze was onder de indruk en trots op hen allebei. 'Ik heb nooit stilgestaan bij de details van die afbeeldingen op de achterkant. Moet je die boot hier zien. Doet dat jou niet denken aan...?' Ze maakte haar vraag niet af. Ze zag dat ook Alex de praam herkende die ze vanaf het passagiersschip hadden gezien. Ze streek over het spoor dat een deel van de rivier omvatte. 'En dit is iemand die in een labyrint loopt. De rillingen lopen me over de rug, Alex.'

Hij knikte afwezig en ze meende te zien dat hij in zijn hoofd een collage van beelden samenbracht. Ze herformuleerde de vraag die ze eerder had gesteld. 'We zijn al zo'n eind gekomen. Kunnen we dat echt gewoon achterlaten? Jij en ik hebben de perkamenten gevonden nadat die honderden jaren onder de grond lagen. Will vond de twee-de groep. Ik kan mij niet aan de indruk onttrekken dat ze voor ons waren bedoeld en dat ze om een of andere reden ook mij insluiten.' Ze zag zijn weifeling. 'Kijk in elk geval eens naar de vergrotingen. Er zijn enkele fascinerende raadsels die je wiskundige geest zullen amu-seren.' Ze maakte aanstalten om te vertrekken, maar draaide zich toen met een nieuwsgierig gezicht naar hem toe. 'Alex, op welke dag is de muziek overleden?'

Hij keek haar verbaasd aan. 'Het lied?'

Ze knipperde bevestigend met haar ogen en hij dacht hardop voor haar.

'En de gebeurtenis? Het vliegtuigongeluk?'

Ze glimlachte weer naar hem.

'Februari?'

'Mm.' Ze knikte tevreden. 'Veel leesplezier.' Ze streek over zijn lippen en ging ervandoor voor haar vastberadenheid haar zou verlaten.

26

De ochtendzon bescheen het dunne laagje stof op het instrument. Siân opende de klep, snoof de houtgeur op. Gisteravond had ze Will uitgenodigd haar op te zoeken, haar behoefte was zo sterk dat ze er zeker van was dat hij terug zou komen en hier zou zitten. Met opgetrokken benen in een leunstoel wachtte ze en luisterde ze of ze hem hoorde, na te veel wijn: niet voor het eerst. Maar zij was geen Heathcliff en hij geen Cathy. Nog steeds hoorde ze niets. Ze wou dat ze piano kon spelen en de tonen tot leven kon wekken die hij in het instrument had achtergelaten. Ze sloot de klep, strekte haar armen uit over het hout, liet de geur in haar neus dringen en hunkerde naar een toon in de stilte. Waar waren de engelen waarvan werd beweerd dat ze er in tijden van nood waren als je ze riep? Calvin had over hen verteld toen Will was gestorven, en zij had hem geloofd. Maar nu kon ze geen engel bereiken. Zelfs de tranen weigerden te vloeien.

Welke dwarsheid was er verantwoordelijk voor dat ze zich aan zijn spel had gestoord? Ze had gemeend dat hij zich in zijn spel had teruggetrokken om aan haar te ontsnappen. Nu besefte ze dat dit de manier was waarop Will dacht en zijn gevoelens verwoordde – als woorden niet bij machte waren zijn werkelijkheid uit te drukken. Als hij van opdrachten in het buitenland was teruggekeerd, had hij soms dagen achtereen gespeeld zonder een woord te zeggen. Ze had zich buitengesloten gevoeld, al had hun seksuele relatie er nooit onder geleden. In duisternis gehuld en bitterzoete geluiden voortbrengend, had hij haar verwarring gevoeld en haar zwijgend naar het bed gedragen. Ze wist dat er niemand anders was, maar ze had geen toegang tot de plek waar hij verbleef. Ze was gevoelsmatig achteloos met hem omgesprongen, had haar onzekerheden op de spits gedreven tot er een slagveld was ontstaan. Ze was niet in staat geweest de stiltes om te vormen in een taal die ze kon begrijpen.

Nu verscheen zijn dood in een nieuw licht: had ze er deel aan gehad? Uit Alex' woorden gisteravond aan de telefoon was duidelijk geworden dat er een verband bestond tussen Calvins compagnons en de gebeurtenissen die Max en Lucy waren overkomen. En hoewel hij dat niet had gezegd, was uit zijn vragen gebleken dat zij ook voor Wills ongeluk verantwoordelijk waren. Ze was geschokt. Ze wist dat ze niet dom was, maar ze was niet kritisch geweest, en aan dat besef viel niet te ontkomen. Voor het eerst sinds Wills ongeluk voelde ze zich volstrekt alleen, en het gevoel van verlies was nu heviger dan in het begin. Ze raakte van streek als ze dacht aan de meningsverschillen die ze hadden gehad.

De zoemer van de voordeur klonk als een getergde wesp. Calvin. Moest ze hem binnenlaten? Liever zat ze opgesloten met Wills geest. Haar twijfels over de loyaliteit van Calvin maakten haar nu zenuwachtig. Had ze hem te veel verteld? Betekende ze eigenlijk iets voor hem, of zag hij haar slechts als een middel om een bepaald doel te bereiken? Misschien had ze zich indiscreet uitgelaten over Wills leven en zijn familie. Opnieuw klonk de zoemer, nog nadrukkelijker nu. Ze keek uit het raam op Redcliffe Square beneden en leunde nog wat naar voren. De stilte en het zonnige weer hadden iets ongepasts. Voor de deur stond een dubbelgeparkeerde donkergroene Audi waarvan het dak was weggeklapt. Ze liep snel naar het halletje en drukte op de knop om de deur beneden te openen. Ze deed haar deur open en wachtte.

Toen hij boven aan de lange trap verscheen, welde er een gloeiende traan op die door een tweede werd gevolgd. Alex omhelsde haar en sloot de deur.

'De enige persoon…' Ze probeerde aan zijn blik te ontkomen en mompelde onverstaanbare woorden tegen zijn zwarte jasje.

Hij duwde haar kin omhoog. 'Ik wist dat je in moeilijkheden zat. Ik moest Max wegbrengen en het leek me een goed idee even langs te komen.' Hij drukte zijn duimen tegen haar jukbeenderen, keek haar in haar ogen en fronste. 'Waaruit heeft jouw avondmaal van gisteren bestaan? Uit een fles sancerre?' En uit wat nog meer, wilde hij vragen.

Haar mond vertrok. Alex had al eens eerder een crisis van haar mee-gemaakt. 'Siân, luister. Met Max gaat het goed, hij was weer op en top vanochtend. Hij is nu op school en kan pronken met een ontzagwek-kend wondje. Ik geloof dat het slechts een waarschuwing was, geen serieuze aanval. Jij hebt er geen schuld aan. Het ligt niet in je aard ie-mand van valse bedoelingen te verdenken. Ik moet Calvin echter zien te bereiken. Ik hoop dat hij wat licht op de zaak kan werpen. Heb je nog steeds niets van hem gehoord?'

'Niets. Ik heb de studentenhuizen geprobeerd. Hij neemt zijn mo-bieltje niet op en er is ook niemand die de vaste aansluiting beant-woordt. Is iedereen al aan de paasvakantie begonnen?' Ze keek op en zag Alex met zijn hoofd schudden. 'Ik maak me bijna zorgen om hem.'

'Misschien is dat ook wel nodig.' Hij had daar al aan gedacht. Als zij de indruk hadden dat Calvin bedenkingen had gekregen over hun kruistocht, of over het dienen van hun ideologieën, zou hij in een lastige positie kunnen verkeren, afhankelijk van de mate waarin hij van hun bedoelingen op de hoogte was. Maar het was evengoed mo-gelijk dat hij een geslepen tussenpersoon was die Alex, zogenaamd uit bezorgdheid om Lucy, had aangespoord de waardevolle perkamenten van Dee te laten voor wat ze waren, opdat hij ze op de eenvoudigste manier aan zijn schimmige partners kon doorgeven. Alex kon er een-voudigweg geen hoogte van krijgen waar Calvins sympathieën naar uitgingen. Simon hield het voor mogelijk dat hij bedenkingen had gekregen tegen zijn vroegere trawanten en hun theorieën. Maar ook kon hij nog altijd een overtuigd lid zijn van de Opname-kliek. Hij vertelde Siân echter niets van die overdenkingen. 'Je hebt hem zater-dag voor het laatst gesproken en daarna niets meer van hem gehoord?'

Ze schudde haar hoofd, krullen schoten uit hun clips. 'We hebben wel vaker ruzie gehad, waarna hij zich een dagje niet liet zien, maar dit heeft hij nog niet eerder gedaan. En we gaan nu toch zo'n acht of negen maanden met elkaar om. Ik zou zeggen dat het niet bij hem past. Maar ik schijn hem niet te kennen. Misschien beseft hij dat ik er nu echt niet meer tegen kan en is hij er voorgoed vandoor.'

Alex keek haar peinzend aan, niet zeker van haar ware gevoelens voor Calvin. 'Luister, mijn auto staat verkeerd geparkeerd en ik ben al laat voor mijn werk, maar ik maak me zorgen om je. Als je wilt dat ik blijf, kan ik doorgeven dat ik een noodgeval heb. Ook ik leg zo nu en dan doktersvisites af.'

Ze keek hem aan – heldergroene ogen, zonder het hazelnootbruin van zijn broer – en hij kon het niet helpen te glimlachen. Ze hadden een onuitputtelijke kracht waarop ze zich al vaker had moeten verlaten.

'Alex, ik overleef het wel. Ga jij maar naar het ziekenhuis. Ik bel je als ik iets hoor. Maar dank je dat je langs bent gekomen. Ik had je nodig.'

'We spreken er later over. Ik ben vanavond in Imperial en ga daarna met Lucy eten, maar bel me als je me nodig hebt. Drink wat water. Alcohol droogt je uit en deprimeert je, en ik weet niet wat je nog meer hebt gehad…' Hij vreesde dat ze ook nog iets had geslikt of gesnoven en spiedde heimelijk naar bewijzen op de salontafel. Maar ze vermeed het in te gaan op zijn uitnodiging open kaart te spelen en hij vermeed het haar de les te lezen. 'Maak een ontbijtje voor jezelf en ga daarna naar bed. Dat ben je gisteravond vergeten.' Hij omhelsde haar, maakte aanstalten te gaan, maar draaide zich toen om. 'We willen je morgenavond mee uit eten nemen. Kun je dan?'

'Natuurlijk. Tenzij ik iets van Calvin hoor.'

'Hoe dan ook. Ik neem Lucy mee en we gaan naar een bijzonder restaurant. Zij wil je graag weer zien en ik moet met hem praten. Als je tegen die tijd nog niets van hem hebt gehoord, overleggen we wat we moeten doen. Ik bel je voor die tijd nog, maar we zijn morgenavond rond zeven uur hier.'

Hij stond erop. Een uur nadat Will afgelopen mei bij hem op de stoep had gestaan, na zijn verhouding met Siân te hebben verbroken, had Alex Siân opgezocht. Ze kon labiel zijn als ze alleen was en ze was volkomen wanhopig geweest, al had hij dat Will nooit verteld. Vandaag had ze er zo mogelijk nog slechter uitgezien dan die avond. Hij had een hoop smoesjes moeten verzinnen, maar hij moest haar in het oog houden. Ze voelde zich bedrogen en had op een zorgelijke manier aan het eind van haar Latijn geleken.

'De licentiehouder geniet een diplomatieke status. Dat is alles wat Jamie Mac me kon zeggen. Zijn handen zijn gebonden. We kunnen de auto niet nadrukkelijk met een misdaad in verband brengen, dus kunnen we er niets mee tot onomstotelijk vaststaat dat hij ergens bij betrokken is. Maar de auto is voorzien van Romeinse nummerplaten en heeft een diplomatieke status in Frankrijk, dat is alles wat we weten.' Simons frustratie bereikte het kookpunt. Hij wroette door de papieren op Lucy's bureau, onderzocht de afdrukken die ze had gemaakt van de foto's op Wills digitale camera en smeet die naast zich opdat zij ze kon inspecteren.

'En mijn ontvoering telt niet?'

'Je hebt geen aanklacht ingediend en de bestaande rapporten blijken momenteel nergens te vinden. Verdacht gunstig.'

'We hebben gehoor gegeven aan hun dictaat de politie erbuiten te laten. Alex nam het zekere voor het onzekere. Ze zijn dus in feite onaantastbaar?'

'Lulkoek! Niemand is onaantastbaar. Ik moet het gewoon op een andere manier proberen, dat is alles.'

Lucy staakte het redigeerwerk dat ze had willen voltooien. Het was lang geleden dat haar schermbeveiliging het ernstig vertraagde script voor haar verhaal had verborgen. Het had geen zin tegen de afleidingen te vechten. Ze was verdwaald in de herinnering aan Alex' naar laurier geurende vingers, aan Diana's rozen en aan de vage nabijheid van een man die naar limoenen rook. Ze was er niet echt met haar hoofd bij, zei ze tegen haar onverwachte bezoeker, die onmiddellijk van de bank bij de receptie was opgesprongen toen hij haar in het oog had gekregen. Hij was te ongeduldig geweest om eerst te bellen, moest haar meteen spreken, en eerlijk gezegd was ze blij met de onderbreking.

'Door wie denk jij dat ze eigenlijk worden gefinancierd, Simon?' Ze was zachter gaan spreken.

'Het college? Ik denk wat jij denkt, zou ik zeggen. Veel van hun vroegere studenten bekleden politieke functies. Ik ben bezig dat nader te onderzoeken. En wat is verdomme de positie van Calvin in dit alles? Hij bekokstooft meer ontsnappingen dan Houdini.'

Lucy's telefoon ging en ze schrok. Ze was gespitst geweest op het geluid van haar mobieltje, niet op die van de vaste aansluiting. Ze keek beschaamd naar Simon toen ze de hoorn opnam, maar het 'goedemorgen' aan de andere kant van de lijn maakte haar blij.

'Ja, inderdaad. Is alles in orde?'

'Met Max gaat het prima, maar Siân bezwijkt onder de druk. Ik moet haar in de gaten houden. Ze heeft nog iets anders genomen dan wijn gisteravond, maar ik durfde haar daar vanochtend niet verder over aan de tand te voelen. Ze voelt zich voor een deel van alle ellende verantwoordelijk, en ze zou dat niet moeten zijn. Bij jou nog nieuws?'

'Arme Siân. Nee, Alex, een kloosterlijke stilte tot nu toe, afgezien van Simon althans! Hij is mijn kantoor binnengevallen en stelt alles in het werk om mijn gezonde dieet en calvinistische arbeidsethos te saboteren.'

'Ach, doe toch niet zo flauw en neem een gebakje!' riep Simon om Alex op stang te jagen, maar die moest er alleen maar om lachen.

'Ik denk dat ik je wel kan vertrouwen. Ik bel omdat me opeens iets duidelijk is geworden. Die getallenvierkanten. Er is er een in de eerste documenten die we in handen kregen, weet je nog, en een tweede dat onder de tegel was verborgen. Ik weet zeker dat het al tot je is doorgedrongen dat het allebei magische 'vierendertig'-vierkanten zijn. De oudste staat bekend als de tafel van Jupiter. Ik geloof dat hij wordt gebruikt in Dees engelenmagie, met name de woorden eromheen, alle namen voor God of de engelen die wellicht relevant waren voor een magische cirkel. Ik heb de nachtelijke uren besteed aan het uitkammen van Wills esoterische boeken toen ik voor Max opbleef. Het schijnt dat Jupiter en Venus de planetaire invloeden waren die werden gezien als een tegengif tegen een teveel aan saturnale melancholie, en Saturnus spoorde de geest van de geleerde aan de magie te bestuderen en in praktijk te brengen. De tafel van Jupiter roept naar het schijnt de aanwezigheid op van God. De renaissancehistoricus Frances Yates vermoedt dat dit de reden is waarom Dürer hem aan zijn gravure van Melencolia heeft toegevoegd, waarop volgens haar een ingewijde is uitgebeeld die zich in de nacht bezighoudt met alchemie en engelenkennis en die afziet van alle andere lichamelijke geneugten. De tafel van Jupiter zorgt voor psychisch evenwicht en voorkomt dat de magiër in moeilijkheden raakt – Jupiter is zijn bescherming.

Nou, de ster op de tegel houdt ook verband met het getal vierendertig. In de klassieke Oudheid schijnt het als de magische constante te zijn beschouwd – verbonden met God en behorend tot de gulden snede. Het is een getal in de rij van Fibonacci. Ik vroeg me af hoeveel verbanden er met dit getal zijn in de teksten bij de raadsels.'

Lucy was verbluft en ze gebaarde Simon dat hij stil moest zijn. 'Denk je dat het getal de sleutel is?'

'Dat denk ik. Dante koos dat getal speciaal voor het aantal boeken van zijn *Inferno*. Trouwens, de woorden onder de stertegel zijn de laatste woorden van *Inferno*. Kun je me volgen, Lucy? Het zijn de laatste woorden van Canto Vierendertig. Naar verluidt symboliseert het getal de as van de wereld, en de macht van de verwerkelijking van de mens: het maakt van de mens een god, zo je wilt. Dus ja, ik denk dat het mogelijk een sleutel is. Kijk naar het raadsel over het email en het schilderen van miniaturen. Er is daar een verband. En die ene over "het kleine meisje in de staat van de wervelwind" en het gewaad van de Madonna. Er is een verbinding met het getal. En als je het niet kunt vinden,' lachte Alex plagend, 'kun je mij vanavond mee uit eten vragen om het antwoord te horen – nu je toch weer werkt en geld verdient. En trouwens: het laatste werd getypt op de karakteristieke oude Olivetti van mijn oma. Ik herkende het meteen.'

'"Curieus, zei Alice."' Lucy besloot een beetje te vissen. 'Het klinkt alsof je de foto's goed hebt bekeken. Houdt dat in dat je de zaak toch niet helemaal opzij hebt geschoven?'

'"Curieus, zei *Dorothy*" trouwens – in dit geval. Ik weet zeker dat je is opgevallen hoeveel "koningsdochters" er worden genoemd. Het heeft mijn belangstelling geprikkeld, ja. Ik moet haast maken. Bel me als je iets hoort. Ik heb Emma opdracht gegeven me op te roepen.'

Lucy doorzocht de stapel foto's en haalde er de twee uit die Alex had genoemd. Ze legde ze voor Simon neer. 'Vestig hier je aandacht op. Alex zegt dat het getal vierendertig hier ergens te vinden is en dat zijn oma deze zelf heeft geschreven of gekopieerd. Het schijnt haar typemachine te zijn. Mijn trots zal gekrenkt zijn als we het verband niet kunnen vinden.'

Simon sloeg het restje koffie achterover en boog zich toen met haar over het vel.

'Het is vooral dat deel over de wervelwind en het meisje en het gewaad van de Madonna. Heeft het iets te maken met het leven van een van de heiligen?' Lucy zocht in haar katholieke opvoeding naar wat ze zich kon herinneren van de levens van de vroegste martelaren. 'Misschien heeft er een Opname-relevante gebeurtenis plaatsgevonden in vierendertig na Christus?'

Simon las hardop: '"De geschiedenis van de staat is op de vlag geschreven – en het begint allemaal in de zijde van dezelfde tint als het gewaad van de Madonna."'

'Nou, een staat klinkt in mijn oren veel moderner. Er zijn een tiental mogelijkheden, maar de meest voor de hand liggende zijn de Verenigde Staten. Wat is de kleur van het gewaad van de Madonna?'

Lucy was geïnspireerd. 'Vreemd genoeg hebben ze in Chartres het gewaad dat de Madonna zou hebben gedragen toen ze Christus baarde. Ik heb het gezien – een bijzondere kostbaarheid. Het is wit, maar in de kunstgeschiedenis wordt Maria doorgaans afgebeeld in een blauw gewaad dat de hemel representeert, waarvan zij de koningin is. En haar eigenlijke gewaad of habijt is misschien rood: dus kies maar uit.'

'Zo helder als modder, Lucy. Je hebt me zojuist opgescheept met rood, wit en blauw. Dat zijn genoeg vlaggen voor een topconferentie. Hoe zit het met die "wervelwind" in het volgende deel? Dat is een tornado, toch?'

Ze lazen gezamenlijk: '"Het kleine meisje op het pad van de wervelwind keek omhoog naar de aanzwellende storm – er tierde een echte storm. Zonder het weer zou het verhaal nooit van de grond zijn gekomen. De geur van de bloeiende sinaasappel is als een wandeling door een zonnebloemenveld – waarvan er één is geplukt en een prominente plaats heeft gekregen. Het metselwerk komt overeen, maar de schoenen niet."'

'Laten we dan een zonnebloem in het centrum plaatsen.' Lucy typte het woord in een zoekmachine op haar computer en Simon las de eerste gegevens. 'Begint in juli te bloeien… Elf soorten zonnebloemen gevonden in… Kansas. Dat is interessant. Het is de bloem van de staat, staat hier. Toegekend 1903.'

'De kleur van een zonnebloem is geel, waarmee het metselwerk geel zal zijn.' Lucy koos een andere invalshoek en pakte haar mobieltje, terwijl Simon zich haar stoel toe-eigende en een nieuwe zoekopdracht invoerde. 'Maar de schoenen zijn van een andere kleur...' Ze liet zich meevoeren door een andere gedachtestroom toen de verbinding tot stand kwam.

'Verbazingwekkend. Je hebt zelf je telefoon opgenomen. Er is nog niet gebeld. Luister: in welk jaar werd je oma geboren?'

'Lucy! Ik kan je de geboortedatum van mijn zoon vertellen, en de jouwe, en die van mijn moeder. Maar ik weet niet of het konijn mijn oma uit de hoed kan toveren.'

'Doe een poging.' Ze was in een sprankelende bui en zou zich niet laten afschepen.

Alex begon hardop te rekenen. 'Mijn moeder werd in 1942 geboren. Eerste meisje... daarvoor jongens... de oorlog kwam ertussen... Ik denk dat mijn oma toen achtendertig of negenendertig was. Ik gok dus zo rond...'

'1903?'

'Zou kunnen kloppen. Maar hoezo?'

'Wacht tot dat etentje dat je me hebt beloofd. Later.' Ze verbrak de verbinding. 'Je hebt het gehoord, Simon. Het is een weg van gele stenen, oké? En de schoenen waren robijnrode slippers. Dorothy en *The Wizard of Oz*. Maar wat betreft het gewaad van de Madonna of het getal vierendertig, heb ik geen idee. Alex' oma was ouder toen ze zijn moeder kreeg.'

'Aha.' Simon draaide het scherm in haar richting om te laten zien wat hij had gevonden. Kansas had een zonnebloem op de vlag, tegen een zijdeblauwe achtergrond – de kleur van het gewaad van de Madonna. 'Hoeveel sterren heeft hij, Lucy?'

'Moet ik ze tellen?' Ze lachte, volgde zijn vinger door de tekst en las hardop: 'Vierendertig sterren in het sterrenbeeld.'

Simon vervolgde: 'Het is de vierendertigste staat die aan de Unie werd toegevoegd, lijkt het. En, zoals je vlot had gezien, het thuis van *The Wizard of Oz*.' Hij keek haar aan met de zelfvoldane blik van de kat die de hond uit zijn favoriete stoel heeft verdreven. 'Het begint erop te lijken dat Alex vanavond betaalt, liefje. Zorg dat hij je meeneemt naar het restaurant van Gordon Ramsay.'

Ze richtten zich op de resterende tekst. '"De dame die haar zegje over hen deed, versloeg haar zus in een spetterende finale, maar het werd geschreven door een man en het is lastig te achterhalen hoeveel hij begreep. Was het nergens als thuis, of was dat alleen wat het meisje moest zingen, met bloemen omkranst?'

'Film en boek. Glinda was de goede heks, ik vermoed dat haar zus de gemene was. En Dorothy ging terug naar tante Em en zei dat er "geen plek als thuis" was. Maar de rest is nogal raadselachtig, Simon.'

'Vreemd. Ik zat te denken dat dat deel me deed denken aan de gezusters Williams, in spetterende finales – en dat hun lot was geschreven door hun vader. Maar de jouwe is plausibeler, vooral in het licht van de rest, met Kansas.' Hij weigerde op te geven, onderzocht de tekst terwijl Lucy's geest afdwaalde.

Glinda certainly had the good advice, but of
course, it was the Wizard's domain. There is a
parallel

The Mariner tells
how the ship
sailed southward
with a good wind
and fair weather,
till it reached the
Line.

Glinda had zeker het goede advies, maar
uiteraard was het het domein van de Tovenaar.
Er is een overeenkomst

De zeeman vertelt
hoe het schip
zuidwaarts zeilde
met gunstige wind
en goed weer,
tot het de lijn bereikte.

'Dat is een fragment van Coleridge, Lucy. Uit *The Ancient Mariner*.'
Simon zocht een verband tot hij werd getroffen door de gespannen uitdrukking op het gezicht van zijn metgezellin. 'Heb je een geest gezien?'

'Simon, hoe kunnen ze dat hebben geweten? Dit moet jaren geleden geschreven zijn. Het is Calvin: weet je nog waar hij studeerde?'

Haar gezicht was doodsbleek en als uit één mond zeiden ze: 'Kansas!'

Maar het woord werd gesmoord door een ander geluid: Alex' mobieltje.

Lucy haalde diep adem en nam kalm op. 'Met Lucy King.'

Haar stem klonk zelfverzekerd.

'Ach, wat een aangename verrassing. U bent een dag of twee aan onze radar ontsnapt.' Het was de stem van de man die haar vrijdagavond onvrijwillig gezelschap had gehouden en ze was gespitst op de informatie die hij zich – misschien uit domheid – mogelijk zou laten ontvallen.

'Heel onverstandig van u om dokter Stafford tegen u in het harnas te jagen. Dat was een lompe geste gisteren. Ik had u ingeschat als iemand die subtieler zou zijn.' Lucy had de Amerikaanse Fransman getaxeerd als een man met een groot ego en ze wilde dat domein nu samen met hem verkennen.

'Mijn medewerker, met wie u het genoegen hebt mogen smaken kennis te maken, kan zo nu en dan wat onbehouwen zijn in het uitvoeren van bevelen. U doet er overigens verstandig aan dat goed in uw oren te knopen.'

'Ik had u echter ingeschat als iemand die zijn mensen veel strakker in de hand zou hebben.' Ze wierp een blik op Simon en zag dat hij onder de indruk was, en dat moedigde haar aan. 'Nou, laten we de zaak verder regelen. Denk echter niet dat u ook maar iets kunt doen zonder dokter Stafford. U weet dat hij onvoorwaardelijk deel uitmaakt van deze queeste. Hij is met de hele saga verweven en u kunt hem niet operatief verwijderen. Als u scherpzinnig genoeg bent geweest om enig raadsel op te lossen, weet u dat het beter voor u is om met hem samen te werken en hem niet geheel en al te verliezen.'

'Daar valt iets voor te zeggen, juffrouw King. Maar onderschat ons niet. Wij hebben lange armen.'

'Wel, laten we eens kijken of ze lang genoeg zijn om uw eigen rug te krabben. Zullen we nu bepalen hoe we te werk gaan?'

Simon grijnsde. Haar tegenstander had een waardige opponent gevonden.

Hij kon het zout in de scherpe, heldere lucht proeven. Het panorama dat zich voor hem uitstrekte had aan de onderzijde een reep opeengepakte narcissen die in bloei kwamen, een dun lint zand daarboven en een bredere strook van witte spikkels voorziene blauwtonen. Vanaf de veranda die uitzicht bood op de tuin was er bovendien de weidse aanblik van de zee, en het was hier dat Faith Petersen de koffiepot neerzette met daarover een gewatteerde hoes om de inhoud langer warm te houden. Ze kon de gelegenheid om op zo'n mooie dag buiten met haar zoon te lunchen onmogelijk onbenut voorbij laten gaan. Ze ging op de rotanstoel zitten en trok een plaid over haar benen.

'Houdt dat in dat je met Pasen, over een paar weken, niet thuis kunt komen?'

Hij concentreerde zich even op de uitbarsting van kleuren in de verte, veroorzaakt door een spinnaker met bolle zeilen. 'Ik beloof je dat ik het zal proberen, maar ik heb verplichtingen in Londen en ik weet niet hoe die zullen uitvallen. Ik ben nog altijd volop met mijn onderzoek bezig.'

'Ik hoopte dat je dat meisje, Siân, mee zou nemen om kennis te maken. Ze klinkt heel lief. En het is intussen al een aardig tijdje gaande. Hebben jullie serieuze plannen samen?' Ze spoorde haar zoon aan tot een bekentenis terwijl ze eigenlijk wel wist dat ze daar niet op hoefde te rekenen. Hij was begin dertig en zag er goed uit, een aantrekkelijke partij. Toch vertoonde hij niet de geringste neiging zich te settelen en hij bemoeide zich uitsluitend met zichzelf. Een van haar vriendinnen had zelfs aan zijn seksuele geaardheid getwijfeld, en nu was dat voor haarzelf ook een vraagstuk geworden. Hij had nooit iets gezegd of gedaan om opheldering te verschaffen en hij was erg gesloten.

'We zullen zien.' Hij veranderde van onderwerp. 'Moeder, is het ooit bij je opgekomen dat jij de volgende had moeten zijn die de sleutel had moeten krijgen, nadat Diana Stafford dochterloos was gestorven? Heb je die mogelijkheid met haar besproken?'

Faith had geweten dat hem iets op het hart lag, maar ze had tijdens de lunch geduldig afgewacht tot hij ermee voor de draad zou komen. Het was niets voor hem onverwacht binnen te vallen zoals hij nu gedaan had en ze had gevoeld dat er een bedoeling achter zat. 'Het is grappig, vind je niet? Het is een mysterie dat ervoor zorgt dat we er allemaal meer van willen weten. Maar om eerlijk te zijn, Calvin, het heeft nooit in de lijn der verwachtingen gelegen dat de sleutel bij ons terecht zou komen.' Ze keek hem met een nieuwsgierige blik aan. 'Heb je het kleine mythische object echt gezien? Ik heb me altijd afgevraagd of het mooi en kostbaar zou zijn.'

'Het is maar heel gewoontjes, voor zover ik weet. Al heb ik het nooit in handen gehad. Maar toch vind ik,' de draad van zijn eerdere vraag weer oppakkend, 'dat jij – of oma – de naaste vrouwelijke familieleden zijn en dat er dus heus wel iets voor te zeggen valt dat het op een van jullie had moeten overgaan?'

'Nee, nee! Diana had broers en een van die broers heeft een dochter. Zij had in aanmerking kunnen komen. Maar er spelen nog andere overwegingen mee, moet je weten.'

'Ja, maar als de sleutel via de vrouwelijke lijn had moeten worden doorgegeven, had het volgende meisje de dochter van Diana moeten zijn. En anders zou hij via een van haar zoons aan een volgende generatie moeten worden doorgegeven? En wat ik ook niet begrijp heeft te maken met het onroerend goed in Engeland, waar oma is opgegroeid. Waarom is dat nooit onder de zussen verdeeld?'

'Voel je je tekortgedaan? Je hebt toch bepaald niets te klagen. Je grootvader heeft ons allen van een comfortabel inkomen voorzien door de landhuizen hier op Nantucket Island.'

'Laten we gewoon zeggen dat ik geïntrigeerd ben. Ik heb je verteld dat ze de verzameling Dee-perkamenten hebben gevonden onder een boom bij het huis van de familie. Ik wil de nalatenschap beter begrijpen. En die gedachte dat er een vloek mee verbonden zou zijn. Kun je me dat uitleggen?'

'Het spreken over de sleutel en de legataris is van oudsher een besloten onderwerp geweest – behalve voor de direct betrokkenen. Ik veronderstel dat Diana er zelfs haar zoons niet veel over heeft verteld – de onzekerheid over wie het zou moeten krijgen, zou haar hebben verward. Dit is wat ik weet. De familielegende zegt dat de sleutel, een geschreven document en het landhuis, en nog een of twee dingen die ik me niet meer herinner, als een geheel overgaan op het eerste meisje. Het is het exacte tegendeel van de Engelse passie voor het mannelijke eerstgeboorterecht. Een enkele keer is het naar een kleindochter gegaan, ik meen in de omstandigheid dat een moeder eerder stierf dan haar moeder. Maar als de erfenis eenmaal was gegeven, kon dat niet meer ongedaan worden gemaakt – het was dus min of meer gangbaar af te wachten. Andere zussen en broers werden kleine sommen geld gegeven of kregen de kans zich uit te laten kopen. Maar tot voor kort was het huis in Hampshire niet al te waardevol. Pas veel later zijn de prijzen van onroerend goed fors gestegen. Ik vraag me af hoe ze het onder haar twee jongens heeft willen verdelen. Maar ik denk dat ze wist dat ze de laatste in de lijn was en dat er iets zou gebeuren.'

'Wat bedoel je, "de laatste in de lijn", en dat het niet "ongedaan" kon worden gemaakt?' Calvin schonk haar kopje opnieuw vol zonder zijn ogen van haar af te houden.

'Mijn moeder zei altijd dat de sleutel tot de schat vanaf het eerste begin in pand werd gegeven. Er is een mondelinge geschiedenis mee verbonden: een en ander dient in de juiste handen te komen. Als de verkeerde persoon het probeert in te pikken, leidt dat tot verdriet. Dat is ermee verbonden, als een vloek. En eenmaal gegeven mag het niet meer teruggenomen worden. De laatste wilsbeschikking dient op grond van ampele overwegingen te worden bepaald.'

'Je bedoelt zoals bij de Ark des was Verbonds? Ook daarvan werd gezegd dat die de mensen ziek zou maken die hem zouden stelen.'

Faith lachte vrijuit. 'Zoiets ja. Als je er geloof aan hecht. En ik weet dat er zoveel tijd mee gemoeid is, zoveel generaties – ik weet niet eens hoeveel. Maar laat je er niet door van de wijs brengen, Calvin. Het is uitsluitend een zegen voor de ene persoon voor wie het bestemd is. Voor iedere ander is het een last.'

Nu veranderde zij van onderwerp. 'Maar wat veel belangrijker is, hoe lang blijf je? Je hebt me niet eens verteld wat je precies komt doen. Hebben we voldoende tijd voor het maken van een strandwandeling?'

'Zeker. Ik zou vannacht graag hier blijven, maar ik heb morgen een belangrijke vergadering in Boston en daarna heb ik een reservering voor de nachtelijke vlucht. Ik wilde eigenlijk woensdag terug zijn, maar dat zal dus donderdag worden.'

Faith vond dat hij er gespannen uitzag, maar ze had, zoals gewoonlijk, geen idee wat er werkelijk in hem omging. Ze zei echter op luchtige toon: 'Erg jammer dat we zo weinig tijd hebben. Je moet met Pasen terugkomen met je vriendin.'

27

Lucy was in de ban van de zonnebloemen op het bureau. Ze gaven haar iets om naar te kijken terwijl ze nerveus wachtte, en ze vroeg zich af of Alex ze misschien voor de grap voor Emma had gekocht. Toen hij reagerend op zijn pieper de hoek om kwam, hield ze haar lach in toen hij haar in het oog kreeg. Zijn donkere linnen pak werd opgefleurd door een lichtgrijs overhemd en zijden das. Hij bleef staan en zag het ook: ze waren Whistlers *Symphony in Grey.*

'Hallo! Je hebt een pak aan! Zo heb ik je nog nooit gezien.' Hij wierp een stapeltje mappen naast de bloemen en zijn levendige ogen keken waarderend naar zijn onverwachte bezoekster. Ze straalde een zelfverzekerde evenwichtigheid uit in haar koperkleurige satijnen jasje en broek en laarzen met hakken. Haar vrijetijdskleding bestond voornamelijk uit pasteltinten, vrouwelijk en ongedwongen. Maar deze formelere, professionele Lucy was nieuw en raadselachtig voor hem.

'Kunnen we even ergens praten?' Ze accepteerde het compliment dat zijn ogen haar schonken, maar ze voelde zich niet op haar gemak in het bijzijn van Alex' secretaresse. Hij gebaarde naar zijn kantoor met een jongensachtigheid die nieuw voor haar was en ze namen keurig aan zijn bureau plaats omdat hun door het vele glas geen privacy werd geboden.

'Je hebt iets van ze gehoord.'

'Alle voorbereidingen zijn getroffen. Kun je zorgen dat Calvin deze afdrukken krijgt?' Ze gaf hem een envelop. 'Hij moet voor koerier spelen en ze hebben mij een week de tijd gegeven om de originelen te vinden. Ik heb om meer tijd gevraagd, maar een week was het maximum. Met een beetje geluk zijn de documenten bij Roland, en wat hij verder nog heeft opgestuurd – de andere sleutel, hoop ik. Ik kan er kopieën van maken.'

Dat Lucy dit allemaal zelf op zich leek te hebben genomen was Alex niet ontgaan en hij slaakte een diepe zucht. 'Calvin is nog steeds niet opgedoken. Het bevalt me niks van hem als verbindingspersoon afhankelijk te zijn. Heb je gezegd wanneer hij de boel zou kunnen afleveren?'

'Ik ben niet al te specifiek geweest, maar ik denk dat ik de indruk heb gewekt dat het tamelijk snel zou kunnen. Zij zullen er toch zeker van op de hoogte zijn waar hij zich bevindt? Hij werd als contactpersoon voorgesteld.'

'Wellicht.' Alex was er niet helemaal gerust op maar liet het zo. 'Ik zal dan maar contact opnemen met Roland.'

'Dat heeft Simon al gedaan. Ze hebben elkaar blijkbaar al een paar keer in New York getroffen.' Behoedzaam pakte ze Alex' hand, bang te worden gezien door de wereld buiten zijn kantoor. De ethische aspecten van hun verhouding waren haar niet duidelijk, al was hij technisch gezien niet langer haar arts. 'Ik kan vanavond niet koken. Ik vlieg over een paar uur naar JFK.'

'O, Lucy…' Alex keek haar opeens verontrust aan. Hij begon een meer samenhangend bezwaar te formuleren. 'Ik weet dat het je theoretisch intussen vrijstaat om te reizen, maar langdurige vluchten zijn niet echt raadzaam, tenzij het een vakantie betreft. Reizen met veel spanningen dienen vermeden te worden. Ik ga wel.'

Ze drukte zacht een vinger op zijn lippen om hem te laten zwijgen. 'Ik heb met meer spanningen te kampen als ik hier blijf. En jij komt met je overvolle rooster helemaal niet in aanmerking. Je kunt me niet eens vergezellen, wat heel prettig geweest zou zijn. Je weet dat Courtney me al permissie heeft gegeven naar Frankrijk te reizen en zelfs naar huis als ik mijn vader zou willen zien. De operatie is zes maanden geleden en mijn echo's en bloeddruk zijn prima.'

'We worden op het ogenblik door dwaasheid overspoeld, Lucy. Ik zou liever zien dat je niet te ver van me verwijderd was zolang de hele kwestie zo verward is. En het angstzweet breekt me uit als ik eraan denk dat je, terwijl je nog herstellende bent van een transplantatie, alleen reist.'

Ze schudde langzaam haar hoofd. 'Sorry, maar die vlieger gaat niet op. Ik zal letterlijk citeren wat je voor de kerst hebt gezegd: "We moeten je ontraden de eerste paar maanden na je transplantatie naar het buitenland te reizen" – die paar maanden zijn nu wel voorbij, denk je ook niet? "En als je klaar bent om te gaan is het belangrijk een land te kiezen waar de maatstaven voor hygiëne hoog zijn en waar het voedsel koosjer is." Nou, Alex, ik denk dat de Verenigde Staten wel geschikt zijn, of niet?'

Hij zag er moe en gefrustreerd uit, en ze had hem de mond gesnoerd. Ze bood hem geen ruimte voor verdere tegenwerpingen: 'Ik moet gaan, Alex. Het is iets wat ik moet doen. Voor Will. En voor mezelf. Vertrouw me. Ik zal snel en gericht te werk gaan en ben uiterlijk vrijdag terug. Ik ben al een grote meid.'

Hij kuste haar vingers en drukte toen haar handen tegen zijn borst. 'Ik zal me zorgen maken. Je hebt volgende week een groot medisch onderzoek en ik vind het vreselijk je onder deze omstandigheden niet dicht in mijn buurt te hebben.'

'Zorg dan dat je me daar bij je draagt.' Ze beantwoordde de druk van de hand die haar handen gevangen hielden. 'Probeer je geen zorgen te maken. Simon gaat mee en zal me als een broer beschermen. Ik denk dat hij nu ook in het drama is opgenomen. We hebben je zonnebloemraadsel opgelost: de vierendertigste staat.'

'En zonnebloemen hebben meestal vierendertig bloemblaadjes, net als madeliefjes. En ze draaien mee met de zon.' Hij kuste haar, dacht niet meer aan eventuele toeschouwers. 'Ik ben er niet blij mee.' Hij probeerde streng te kijken, maar een deel van haar aantrekkingskracht was juist dat ze zich nooit zou onderwerpen aan de wil van een ander. Ook als Courtney geen toestemming zou hebben gegeven, was ze vast en zeker toch gegaan.

Lucy grijnsde naar hem alsof ze zijn gedachten kon lezen en ze was niet ontevreden over haar macht. 'Je went wel aan me.'

'Aan je onmogelijk sterke wil, bedoel je.' En ze schoten allebei in de lach.

'Je zorgt dat je steeds dicht in de buurt van Simon blijft?' Ze knikte, gespeeld verlegen. 'Hoe laat vertrekt jullie vlucht?

'Halfelf. We moeten er twee uur van tevoren zijn. Simon wacht in de auto om me naar huis te brengen en ik kan gaan pakken.' Ze deed een stap naar achteren, niet wetend hoe ze afscheid moest nemen, en haalde vervolgens zijn mobieltje uit haar zak. 'O, dat zou ik bijna vergeten. Kunnen jij of Henry Roland een fax sturen om toestemming te geven dat wij het pakket meenemen?'

Alex knikte, maar wilde haar niet loslaten. Zijn armen omvatten haar middel en hij zei heel beslist: 'Zeg tegen Simon dat hij om halfzeven bij jou is, dan pik ik jullie in Battersea op. Ik kom onmiddellijk na het college, zonder zoals gewoonlijk eerst nog iets te drinken. We zullen keurig op tijd zijn.'

Ze plofte buiten adem in de comfortabele stoel, maar haar reisgenoot wilde nog niet gaan zitten.

'Kom, Simon. We hebben het vliegtuig al bijna opgehouden.' Lucy had er een hekel aan ergens op het nippertje aan te komen. Hoewel ze ruimschoots op tijd op de luchthaven waren, had Simon lang getreuzeld met het kopen van kranten en belangstelling geveinsd voor enkele belastingvrije producten. 'Als je niet ophoudt met dat tersluikse gedoe zal ik nóg een nieuw hart nodig hebben.'

'Sorry.' Hij vouwde zijn jas op, legde hem in het vak boven hun hoofden en ging eindelijk zitten. De foto's van de documenten stak hij in het netje onder het inklaptafeltje. 'Het ziet er gunstig uit. Ik begin mijn eigen schaduw al te wantrouwen. Maar je vindt het niet erg dat we betere plaatsen hebben?' Hij was plotseling uit de rij voor de incheckbalie gestapt en had een aanzienlijke hoeveelheid airmiles laten afschrijven in ruil voor twee businessclassplaatsen.

'Zolang het Grace geen weekje samen met jou op de Griekse eilanden heeft gekost.' Hem uitnodigend zich nader te verklaren keek ze hem aan, maar ze begreep al dat het een list van hem was zich op het laatste moment van een andere plek te verzekeren voor het geval ze in de gaten werden gehouden, en hij wist dat zij dat wist. Hij wierp haar op zijn beurt een ironische blik toe.

Hij hield Wills iBook dichtgeklapt op schoot – een afscheidscadeau van Alex, vergezeld van uitvoerige, met de hand geschreven medicatie-instructies voor Lucy en het nummer van een collega die ze in New York moesten bellen als Lucy zelfs maar zou niezen. 'Het leek mij wel een goed plan de tijd te gebruiken om alle aanwijzingen vanuit Alex' nieuwe gezichtspunt na te lopen. Ik ben daar nu wel voor in de stemming, vooral na jouw verbale schaakpartij met de kandidaten voor de tenhemelopneming.' Hij nam het glas champagne aan dat werd aangeboden. 'We hebben in de lucht geen toegang tot naslagwerken of internet, maar er zijn misschien enkele aanwijzingen die we kunnen natrekken?'

'Ik vroeg me af of jij misschien op de hoogte was van het koosnaampje dat Will voor Siân gebruikte. En dat van haar voor hem?'

'Dat is wel een heel onverwachte insteek.' Simon wierp haar een zonderlinge blik toe. 'Ik zou er geen weten. Houdt het verband met de raadsels?'

'Misschien. Alex wist er ook geen, behalve dat ze zich tijdens zondagse lunches soms "Willie" had laten ontvallen. Hij vertelde dat Will daar niet erg verguld mee was geweest. Als ze alleen waren was het misschien iets anders, maar niet als zijn ouders erbij waren. Maar ik weet zeker dat ze een koosnaampje voor elkaar hadden.'

'Als je gelijk hebt – en ik herinner me "Willie", nu je het zegt, en de obscene blik die ermee gepaard ging! – moet het iets suggestiefs zijn, met een vernuftige draai, Will kennende. Maar laat me weten waar je heen wilt, als je dat tenminste met me wilt delen!'

Lucy lachte geheimzinnig. 'In de tussentijd zou je er eens over na kunnen denken hoe het van belang kan zijn dat een zonnebloem met de zon meedraait. Is er iets wat meedraait met de maan? En wat bedoelden ze vandaag aan de telefoon met "stro met goud verweven"?' Lucy had daar de hele middag over gepeinsd.

'Hm. Hier is het raadsel.' Hij opende de Apple. 'Ik wil dat je eens kijkt naar deze aantekeningen van Will. Ze zijn van zijn laatste dag in Frankrijk en hij heeft ze vanuit een internetcafé in Chartres gemaild. Willekeurige overdenkingen, misschien.' Simon zocht het e-mailbericht op dat slechts een korte alinea bevatte. Het was op vrijdag 19 september vroeg in de middag verstuurd.

Lucy las met gedempte stem: '"Sta open voor de aanwezigheid van de roos – een complexe bloem, vol symbolische en paradoxale betekenissen. De bloem staat symbool voor wat geheim en onuitgesproken is, maar kent ook het onderbewuste van de mens. De roos is het innerlijke richtsnoer voor ingewijden, alchemisten en ordeleden."'

De woorden hadden een krachtige uitwerking op haar, alsof ze ze deels begreep vanwege haar eigen ervaring in het labyrint. Ze kon het niet onder woorden brengen voor Simon, dus leunde ze voor het opstijgen achterover. Grace had beloofd Alex bij te praten over de geschiedenis van Chartres. En hij, zijn eigen bezwaren het zwijgen opleggend, had besloten zich niet geheel en al naar hun tegenstanders te schikken. Hij spande zich in zijn kennis van het Latijn af te stoffen en de teksten vanuit een wiskundig perspectief te bestuderen. Lucy had een bereidwillige en geniale handlanger in hem. Wills troepen, dacht ze. Binnen de week die we hebben, zullen we het hele mysterie hebben opgelost. Ze keek naar de screensaver van de Apple: een vrouw die een parel boven een door twee handen vastgehouden kelk laat bengelen. Wie was zij?

'Maak je om haar geen zorgen, Alex. Je hebt er geen idee van hoe vastbesloten ze is – een vrouw met een hernieuwde doelgerichtheid.' Grace kwam met een fles wijn uit de keuken, die ze samen met een kurkentrekker aanreikte. Ze schepte wat rijst op twee borden en zette het kerriegerecht op een onderzetter.

'Ben ik zo doorzichtig?' Hij lachte beschroomd. 'Ik weet het. Ze heeft alles doorstaan wat we van haar hebben gevraagd. New York zal haar niet afschrikken. Maar ze heeft nog altijd een strijd te leveren. De kleinste kleinigheid kan haar fataal worden – koorts, een akelig virus, zelfs voedsel dat niet helemaal in de haak is. Ze heeft nog altijd geen noemenswaardig immuunsysteem, Grace. De medicijnen leggen vrijwel alles stil. Uiteindelijk hopen we ze tot een absoluut minimum te kunnen terugbrengen, maar we moeten bedacht blijven op elke grotere temperatuurschommeling. Infectie of afstoting. Vind het juiste evenwicht en het gaat haar goed, vind het niet en we zijn haar kwijt.' Hij keek naar Grace, die verrast leek hem hardop te horen denken. 'Natuurlijk moeten we dat afzetten tegen het feit dat het bijna griezelig goed met haar gaat. Het is net of mijn hoofd en mijn hart er volstrekt anders tegenaan kijken.' Hij schonk haar een raadselachtige glimlach. 'Ik laat me niet snel van mijn stuk brengen, maar me zorgen maken over haar is een gewoonte voor me geworden. Een goede gewoonte.'

Grace was aangenaam getroffen door zijn woorden. 'Het is geruststellend te horen dat je zo menselijk bent. Ik heb via Lucy een beeld van je gekregen als van iemand die alles aankan zonder met zijn ogen te knipperen, die zelfs op een vulkanische ondergrond een koel pad vindt.' Ze had het als een compliment bedoeld, maar hij keek haar onzeker aan.

'Kom ik zo over?' Hij aarzelde even en lachte toen naar haar. 'Ik werd gevoelsarm toen mijn huwelijk op de klippen liep, Grace. Ik zag het niet aankomen. Mijn fout. Die arme Anna zag me nauwelijks, en als ik er dan al was, was ik volkomen uitgeput. Ze redigeerde boeken, een deeltijdbaan die ze thuis kon doen in combinatie met de zorg voor een peuter en zonder de aanwezigheid van een andere volwassene, want ik werkte meer dan dertien uur per dag. Ik begon kort voor Max' geboorte aan mijn specialistenopleiding en was verantwoordelijk voor de spoedopnamen. En het was ongelooflijk moeilijk een geschikte stageplaats te vinden. Vervolgens door naar immunologie, nog meer specialistische training en huiswerk – vijf jaar lang, gevolgd door moeilijke pathologie-examens. Ik weet dat Anna zich in de steek gelaten heeft gevoeld. Zelfs nu nog maak ik enorm veel uren, maar in die tijd was het gekkenwerk. Ik denk dat ze me egoïstisch vond en door de geneeskunde geobsedeerd, en vermoedelijk had ze gelijk. Toen ze me er uiteindelijk mee confronteerde, kon ik haar geen ongelijk geven. Maar het heeft lang geduurd voor ik een andere innige relatie zelfs maar kon overwegen.'

Grace rolde sceptisch met haar ogen en hij lachte.

'Oké, ik ben geen kluizenaar geweest, maar serieuze verhoudingen heb ik vermeden en ik ben hard blijven werken. Er moest altijd iets gedaan worden en er was altijd wel iemand die het nog veel moeilijker had dan ik. Als Max niet bij mij was, draaide ik vrijwillig weekenddiensten. De transplantatiegeneeskunde is een praktische studie filosofie. Je persoonlijke problemen verbleken in het licht van je patiënten, die vechten om nog één dag of één week, in de hoop dat er een orgaan beschikbaar zal komen. Het doet egocentrisch aan je in je eigen emotionele crises te wentelen als je ze vergelijkt met dergelijke werkelijkheden op leven en dood, en dus stop je ze weg. Dat probeer je althans. Maar Will liet zich geen rad voor ogen draaien.' Hij keek Grace recht aan, die zwijgend naar hem luisterde zonder druk op hem uit te oefenen, en hij beantwoordde haar onuitgesproken vraag: 'Ja, ik mis hem heel erg. Zijn bestaan doortrok heel subtiel het mijne.'

Ze legde een hand op zijn schouder, begreep zijn terughoudendheid tegenover Lucy. Welke ethische problemen er ook geweest mochten zijn, hij had ook gerouwd – iets waarvoor ze onvoldoende oog hadden gehad. 'Simon ook. Soms wordt hij er na een paar biertjes helemaal door meegesleept. Will schijnt een enorme uitwerking op mensen te hebben gehad.'

Alex knikte. 'Doe mij wat van die kerrie en vertel me alles over Chartres!'

Ze begreep dat hij zich niet verder uit wilde spreken en dus ging ze zonder een pauze in te lassen op zijn verzoek in. 'Er is meer dan Chartres, maar laten we daar beginnen. Die avond bij je vader heeft mij, net als Lucy en Simon, helemaal gegrepen. Ik heb uren besteed aan het uitpluizen van de geschiedenis van de kathedraal, de geschiedenis die in de officiële gidsen nauwelijks wordt aangeroerd. Ik meende dat jouw moeder haar redenen moest hebben gehad. Zoals je weet controleert een goede historica haar bronnen altijd grondig en harde bewijzen voor de vroege betekenis van de plek – dus zeg maar vóór 500 na Christus – zijn er niet; dit is allemaal hypothetisch. Maar vroege literaire bronnen melden dat de plek was gewijd aan de Carnutes, een Gallische stam. Een druïdegrot opgedragen aan een voorchristelijke maagd van wie werd geloofd dat ze een zoon zou baren, een gebeurtenis die rechtstreeks van de cultus van Isis en Ishtar is afgeleid. Dit waren waarschijnlijk dezelfde druïden waar Julius Caesar over schreef, met zijn beroemde vermelding van een *"Virgini Patriae"* in die regio. Dat kan er de reden van zijn dat het christelijke verhaal door de Galliërs werd overgenomen. Een dolmen in de ondergrondse grot is zelfs nog ouder dan de druïden.'

'Waar moeten we dan aan denken?'

'Ongeveer tweeduizend voor Christus.' Grace stond op om Lucy's gids van de kathedraal te pakken, voorzien van diverse stukjes papier die tussen de pagina's uitstaken. Ze hield het boek voor Alex open bij een foto van een beeld van een Madonna met kind. 'Dit nog bestaande beeld van Maria met Jezus was gebaseerd op een ander beeld, dat in de zestiende eeuw werd vernietigd. Volgens sommige verslagen stamde het uit de twaalfde eeuw, maar een ouder object zou precies het beeld kunnen zijn dat de druïden vereerden, een zwarte Madonna – waarschijnlijk van ebbenhout. Er is op dat vlak in Frankrijk nog veel te vinden.'

Alex bekeek de foto nauwkeurig. 'Dus de christelijke kerk bouwde voort op een bestaande, machtige vrouwelijke iconografie?'

'Ja. We ontberen bepaalde historische feiten van vóór de druïden, maar we weten dat Chartres' oriëntatie op een curieuze manier over-eenstemt met Stonehenge en de midzomerse zonsopgang vrijwel vol-maakt volgt. Dat wijkt af van de oostelijke oriëntatie van alle christe-lijke kerken. Naar het schijnt is dat aspect uniek voor Chartres. Er zijn twee verschillende aslijnen in de kathedraal, net als bij Stone-henge. De zogeheten hielsteen en paalgaten markeren de langste dag in de zonnekalender, en de afstand ervan tot de maankalender. Het is een wiskundige vergelijking die de pythagorische komma...'

Alex onderbrak haar geestdriftig: 'Ja, de verschuiving tussen de cycli van zon en maan. En als de architectuur de twee assen van de hemel omvat, moet het getal vierendertig op een bepaalde sleutelpo-sitie van het gebouw significant zijn, aangezien het wordt beschouwd als de "*axis mundi*" – de as van de wereld.'

Grace keek hem van opzij aan. 'Daar weet ik niks van, Alex, maar in Chartres is de "komma" duidelijk ingebouwd. Het gebouw helt lichtelijk over. Dat kun je zien als je van de grote westelijke poort naar het oosten kijkt.' Ze bladerde naar een plattegrond in de gids. 'Het is hier niet goed te zien, maar de langere en kortere assen zijn verdraaid en er loopt een zichtbare afwijking door de dwarsbeuk. Die is opzet-telijk. Elke andere dimensionering is exact.'

'Een mengeling van mannelijke en vrouwelijke tijd?'

'Vernuftig, vind je niet? De twee torenspitsen van de westelijke zijde wijken onderling af in stijl en hoogte, wat vreemd is tot je inziet dat de ene de windwijzer van de zon draagt en de andere...'

'... van de maan,' vulde Alex aan. Hij legde zijn vork neer. 'Dat moet mijn moeder boeiend hebben gevonden. Ze beschouwde zich-zelf als de maan. Het gebouw werd ontworpen om de symbiose van mannelijke en vrouwelijke energieën tot uitdrukking te brengen.'

'Dat is een interessante zienswijze. Een vereniging van de manne-lijke en vrouwelijke pulsen. Het is wel beschreven als een "vibrato-effect". En om het belang van het licht te onderstrepen, is er een klein gat gemaakt in het treffend genoemde venster van Sint-Apollinaire dat op eenentwintig juni een zonnestraal op een nagel in een plaveisteen richt.'

'Net als bij Stonehenge!'

Ze knikte. 'Maar daar is natuurlijk geen foto van en het fenomeen wordt zelfs niet genoemd in een officiële gids als deze. Het zou de lagen van verering door de eeuwen en geloofsovertuigingen heen benadrukken – misschien zoals het labyrint?'

Alex had een stuk naanbrood afgescheurd, maar was te zeer in gedachten verzonken om te eten. 'Ik heb vandaag met Amel geluncht, Grace – Lucy's chirurg.' Ze liet met een knikje weten dat ze de naam al eens had gehoord. 'Hij is een *homo universalis* – spreekt zeven talen en is een kunstliefhebber – geeft artsen een goede naam, een ware ambassadeur voor de menselijkheid. We spraken over Chartres en hij vertelde me over de soefi's. Zegt je dat iets?'

'Dat is toch een esoterische stroming in de islam?'

Alex knikte en zette Amels opvatting uiteen dat sommige kruisvaarders die na de succesvolle eerste kruistocht waren achtergebleven, gefascineerd waren geraakt door de architectuur en de ideeën van de islam en de spiritualiteit van de soefi's. De christenen waren ingewijd in een deel van de wijsheid en de esoterische kennis van de joodse en islamitische bevolking in Jeruzalem die ze niet hadden afgeslacht, maar in het bijzonder waren het de schoonheid en de ideeën achter de Al-Aqsamoskee op de Haram-as-Sjarief die een onuitwisbare indruk achterlieten. Dit was de Tempelberg waar Mohammed naar verluidt zijn mystieke nachtelijke reis naar de hemel begon. De schoonheid en spiritualiteit van de moskee lijkt de uit hout opgetrokken Heilige Grafkerk van Constantijn verre te hebben overtroffen. De soefi's leerden hun dat de spitsboog de energie en de geest hemelwaarts verheft, terwijl de Romeinse boog de machten naar de aarde richtte.

'En de soefi's beschouwden Christus als een van de zeven wijzen van de islam?'

Alex vulde hun glazen bij. 'Zoals alle moslims. Maar Amel legde uit dat zij een pluralisme aanhingen, waar ook de belangstelling van Dee en Bruno naar uitging. De soefi's erkenden dat elke religie afspiegelingen omvatte van één universele waarheid. Zij waren tolerant, geestelijk zeer onderlegd en stonden onbevangen ten opzichte van de Thora en de christelijke leringen. Veel van de gecodeerde architectuur in grootse gotische bouwwerken – zoals Chartres en de Sint-Dionysius in Parijs – is mogelijk via de tempeliers te herleiden tot de mystieke leringen van de soefi's. Voor hen was het getal negen heilig – en er waren negen tempelridders. Gedurende negen jaar werden er geen andere aan toegevoegd.'

'Ik heb iets gelezen over de bogen. Ik kijk er even mijn aantekeningen op na.' Grace dook in haar werkmap en liet Alex enkele pagina's zien met haar eigen tekeningen. 'De associaties van de druïden en de Kelten zijn ook met het getal negen verbonden, de drievuldige godin. Toen de kathedraal na een brand aan het eind van de twaalfde eeuw werd herbouwd, werden er deuren toegevoegd om er negen te krijgen, en negen bogen – de islamitische bogen waar jij het over had. Kan bijna geen toeval zijn.'

Ze bestudeerden de plattegrond die ze had getekend en Alex' vinger wipte op toen hij op het gegeven stuitte dat de stenen van het labyrint allemaal een lengte van vierendertig centimeter hadden. 'Een zonderling detail. Centimeters kwamen immers pas met Napoleon. Maar het getallenpatroon wijst op interreligieuze pluraliteit,' zei hij. 'Dat is toch inspirerend, vind je niet?'

Haar gezicht verraadde dat ze diep nadacht. 'Niet voor alle mensen, Alex. Het zou de absoluutheid van hun religie aan het wankelen kunnen brengen. Maar waar brengt ons dit in verband met Dee en zijn vrienden? En waarom was het voor je moeder van belang?'

Alex haalde zijn portefeuille tevoorschijn en vouwde een klein velletje papier open. 'Dit heb ik gisteravond overgenomen uit een van Wills naslagwerken. Ik herkende het onmiddellijk van onze oude familiebijbel, waarin het door iemand werd getekend, en het fascineerde mij als jongen al. Nu weet ik dat het het embleem van Dee is en "monade" of "een" wordt genoemd.'

Grace keek er een tijdje naar voor Alex verderging.

'Hij heeft het ontworpen. Het combineert de astrologische symbolen – en de tekens die we gebruiken voor mannelijk en vrouwelijk – om een kruis te formeren, gelijk aan de Egyptische ankh. Hij meende te ver te zijn gegaan met het te publiceren, vanwege de grote kracht ervan. Intrigerend genoeg wordt het symbool van de maan aan de top geplaatst met de zon daar direct onder.'

Grace klapte opeens in haar handen en lachte luid. 'Precies zoals het moet zijn! Zijn bazin was me nogal een dame, en alle mannen waren onder haar!'

Alex schoot ook in de lach. 'Ja, helemaal mee eens, en ik denk dat dat belangrijk is. Dee ontwierp iets voor alle religieuze overtuigingen. En het terugkerende thema van de roos kan verband houden met het roosvenster in Chartres.

'En toen Giordano Bruno in Parijs lange tijd doorbracht met de koning, Hendrik IV, die destijds veel hoopgevends beloofde voor de religieuze tolerantie, bracht hij misschien een bezoek aan Chartres en had weet van die zuivere zonnewendelichtstraal. Die zou hem hebben aangetrokken. Het is allemaal een labyrint van speculatie.'

'Laten we dus nader ingaan op Bruno, de zon en de roos, vóór onze Ariadne uit New York terugkeert. Maar ondertussen nog een laatste aanwijzing voor jou. Ik heb mijn vader gevraagd naar de Hebreeuwse letters die op elke pagina van de oudste documenten staan.'

'Ik heb ze gezien, Grace, maar ik krijg er geen vinger achter. Herkent hij er iets in?'

'Ik heb ze vandaag pas naar hem gefaxt, hoewel Lucy ze al weken geleden voor me kopieerde – maar ik was toen niet echt geïnteresseerd. Hij heeft niet veel tijd gehad, maar om je toch iets te geven om over na te denken: hij meent dat elk woord een kabbalistische betekenis heeft, zoiets als een toverwoord.'

'Zoals "abacadabra"?' Alex' grapje wist zijn oprechte interesse niet helemaal te verbergen.

Grace was ontspannen en genoot van de wijn en het gezelschap van Alex. Ze schaterde. 'Dat is Arabisch, sufferd. Maar hij zal ze vertalen en ons de betekenissen geven. Hij zei iets over "gematria".'

'Dat is heel scherpzinnig, Grace. Hij heeft zeker gelijk. "Gematria" kent aan alle letters een getal toe: en ik kan me voorstellen wat de uitkomst van sommige woorden zal zijn. Maar wat zal het allemaal te betekenen hebben?'

28

Het was bijna halfeen en het tijdstip van hun lunchafspraak naderde toen Simon en Lucy in Manhattan door 34th Street renden, ondanks het eindeloze lint van in slagorde opgestelde gele taxi's. Ze glipten het kantoorgebouw van Roland Brown binnen en zochten haastig de borden af om te zien op welke verdieping ze moesten zijn. Ze sprongen in de lift, die hen met een aardig vaartje omhoogvoerde. Lucy was al vanaf het inchecken in haar kamer gisteravond gespannen en overgevoelig geweest. Het tijdsverschil weerhield haar ervan Alex te bellen, maar nu schonk ze Simon een warme glimlach. Over ongeveer een uur zou alles voorbij zijn en hadden ze hun missie hopelijk voltooid. En ondanks hun spiedende blikken door lange hotelgangen en overal op straat, was er geen enkel verontrustend teken van iets of iemand geweest.

De lift bereikte de bovenste verdieping, de deuren zoefden opzij en hun monden vielen open. Voor hen stond een man van de beveiliging en achter hem zagen ze het geelzwarte afzetlint dat erop duidde dat er een misdrijf had plaatsvonden. Verdere details werden echter aan het oog onttrokken door de zware glazen deuren van Rolands kantoor op de zeventiende verdieping. Het leek alsof er enkele verhuizers in het niets waren opgelost, terwijl de verhuizing nog in volle gang was geweest. Overal lagen wanordelijke hopen ordners, boeken en andere spullen.

Niet ver van de lift stond een keurige vrouw van een jaar of veertig te praten met een geüniformeerde politieman en een man in burger, en achter in de kantoorruimte zagen ze mannen in witte overalls die als spoken in de weer leken.

'Kan ik u helpen?' vroeg de vrouw een tikje bits terwijl ze naderbij kwam. Ze richtte zich tot Lucy.

'Goedemorgen, ik ben Lucy King en dit is Simon Whelan. We zijn speciaal uit Londen gekomen. We hebben een afspraak met meneer Brown.' Lucy's woorden waren nogal afgemeten. Het was duidelijk dat meneer Brown niet 'thuis' zou komen.

'O! Dat is waar ook, dat heeft hij gezegd. Het spijt me, ik ben Pearl Garrett, een van Rolands compagnons.' Ze schudden elkaar vluchtig de hand voor ze vervolgde: 'Hij is dringend weggeroepen naar Boston en het was mijn bedoeling een boodschap achter te laten bij jullie hotel, maar zoals jullie zien...' Ze nodigde hen met haar ogen uit de chaos zelf in ogenschouw te nemen. 'Ik heb mijn handen vol gehad sinds de politie me vanochtend om zeven uur belde. Hij belt je, Lucy – dat is wat hij me vroeg aan je door te geven. Vanavond rond zes uur. Hij heeft het nummer en stelt voor dat jullie morgenvroeg naar zijn appartement komen. Waar het aangenamer zal zijn dan hier.' Er klonk ergernis in haar stem.

'Mevrouw Garrett. Het spijt me, maar kunt u weer naar ons komen?' De man in burger maakte haar attent op het gesticuleren van een van de spokende mannen.

'Jullie zullen me moeten excuseren. Zoals jullie zien hebben we een klein probleem. We bewaren hier een groot aantal uiterst gevoelige foto's in onze dossierkasten, waarvan we evenwel geen volledige back-up op schijf hebben. De oudere trekken soms de paranoïde aandacht van geïnteresseerde partijen in de politiek en de amusementswereld. Kasten vol vuile was, zou je kunnen zeggen. We weten nog steeds niet wat er wordt vermist.' Ze drukte op de liftknop en glimlachte toen de deuren vrijwel onmiddellijk openschoven. 'Maak er maar een leuke, toeristische dag van. Deze stad is een soort Disneyland voor volwassenen, vinden jullie niet?' En ze liep weg zonder een antwoord af te wachten.

'Toeval? Of moeten we ons zorgen maken?' Simons stem was volkomen van zijn gebruikelijke geestigheid ontdaan toen de lift de begane grond bereikte.

Lucy wist niet hoe ze moest antwoorden. Een zee van gezichten kwam haar uit tegengestelde richting tegemoet, maar zelfs in de massa's die in deze geweldige stad voor hun middagpauze uit de gebouwen stroomden, en ondanks de gebeurtenissen van de afgelopen twintig minuten kwam ze niet verder dan de gedachte Alex te bellen. Gedurende een onbehaaglijk uur vóór hun bezoek aan Rolands kantoor had ze het benauwende gevoel gehad dat hij in gevaar verkeerde. Ze moest denken aan de hoofdwond van Max. Hun privéleven stond onder grote druk en ze werd natuurlijk door de huidige situatie gekweld, en bovendien voelde ze zich uitgeput door de rusteloze nacht in New York. Maar er was nog iets wat haar niet lekker zat, al kon ze niet bepalen wat dat was.

Simon drong door de drommen mensen en legde een vriendelijke hand op haar arm.

'Zullen wij dan ook maar ergens gaan lunchen?'

Ze knikte, dankbaar voor de mogelijkheid even op adem te komen. De frustraties van de ochtend dreigden haar te overweldigen en ze gaf nu toe aan haar vermoeidheid. Hoe bizar dat het door een inbraak die de vorige avond had plaatsgehad nu in het gebouw wemelde van de politiemensen. En dat Wills agent hun afspraak had afgezegd. Zijn compagnon had alleen gezegd dat hij die dag naar Boston was gevlogen. Was dat niet vreemd? Na de grote inspanningen om er te komen – de jachtige trip van haar werk naar het ziekenhuis, en van Battersea naar Heathrow, het merkwaardig verontrustende afscheid van Alex, de slapeloze nacht en nu deze geannuleerde afspraak – voelde Lucy zich bedrukt en niet op haar gemak.

Ze stapten binnen bij de Tick Tock Diner en terwijl Lucy naar de damestoiletten verdween, bestelde Simon voor haar een sandwich en een sterke koffie. Tegen haar gewoonte in had ze om gewone koffie gevraagd, omdat ze wel een oppepper kon gebruiken. Toen ze bij hem aan het tafeltje schoof en naar het beleg op haar sandwich keek, kreeg ze een aanval van misselijkheid en wist ze dat ze geen hap door haar keel zou kunnen krijgen. Hij zag haar reactie, legde zijn vork neer en boog zich naar haar toe en gaf haar een kneepje in haar arm.

'Ik had iets anders moeten bestellen, hè? Had ik de vegetarische burger moeten nemen?' Simon had geprobeerd Alex' aanwijzingen te volgen: zoutarm, vers voedsel, niets wat mogelijk opgewarmd zou zijn, en hij besefte dat de keuze die hij had gemaakt erg matig was. 'De uitdrukking op je gezicht zegt dat een goede dierenarts het hart van dat lam mogelijk weer aan de praat kan krijgen!'

Ze slaagde erin een geschokt lachje te produceren. 'Het spijt me, Simon. Het gaat niet om het eten. Ik weet niet wat er mis is. Ik wil hier zijn met jou en ik wil Roland ontmoeten. Ik ben zelfs blij met de kans mijn onafhankelijkheid te kunnen herbevestigen – even weg te zijn van Alex. Maar ik voel me op een vreemde manier verscheurd, alsof ik een deel van mezelf heb achtergelaten. Dat zit me niet lekker.'

'Ontspan je, liefje. Je bent ontredderd, net als ik. En we hebben niet eens het excuus iets te hevig te zijn doorgezakt. Mijn brein heeft de halve nacht raadsels liggen oplossen. Het leek wel een botsing tussen Bilbo Balings en Oedipus! Ik heb zelfs geprobeerd de numerologie van bepaalde woorden te achterhalen. Ik moet knettergek aan het worden zijn.' Hij keek naar haar opvallende gezicht, zag dat het erg bleek was en herinnerde zich onmiddellijk Alex' stille commando erop te letten dat Lucy regelmatig iets zou eten en haar pillen op tijd zou nemen. 'En als we eraan toegeven, laten we ons allebei uit het veld slaan door dat gedoe bij Roland. De omstandigheden lijken zonderling, maar we moeten proberen ons niet te laten meeslepen en tot morgen wachten voor we in paniek raken. Maar, Lucy, probeer je in godsnaam ook een beetje in mij te verplaatsen en eet alsjeblieft iets, anders zit ik bij terugkomst opgescheept met de blikken van verachting van je vriendje. Ik verkies de grootste woedeaanval van Will boven het in toom gehouden ongenoegen van Alex.'

Lucy at de salade op haar bord en slikte haar medicijnen. 'Ik heb eens nagedacht, Simon. Alex is vierendertig, het magische getal van de tafel van Jupiter. De aanwijzingen "loyaal" en "waarachtig" te zijn wijzen op de knoop die het Stafford-embleem is. Als ik de documenten overzie, begin ik te denken dat ze ons verhaal vertellen.'

'En we hebben dit gesprek in Thirty-Fourth Street, wat griezelig is. Waar doel je op, Luce?'

'Je vertelde me dat je op een avond met Alex achter Wills computer zat en dat toen dat Sator-vierkant verscheen waar we in het vliegtuig naar hebben gekeken?' Simon knikte. 'Er lijkt op sommige vellen een soort patroon van het verhaal van Venus en Adonis te zitten, denk je niet? De knappe jongeman die door Venus wordt nagezeten?'

'Ga door.'

'Zijn dat Will en Siân? Zij wil hem wanhopig vasthouden, maar hij vertrekt voor een wilde jacht – en nu komt het merkwaardige – hij raakt op de brug gewond aan zijn dij, net als Adonis. Alex vertelde dat het een zware verwonding was, maar dat hij daar niet aan overleed. Maar het is toch merkwaardig, zeg nou zelf. Toen Venus haar gewonde geliefde ging zoeken, prikten de witte rozen in haar voeten en haar bloed kleurde ze van pure liefde rood. Je herinnert je Wills witte rozen. Hoewel we niet hebben kunnen achterhalen waarom hij ze stuurde.'

Simon werd geïntrigeerd door de samenhang van de denkbeelden. 'Vreemde sprongen, Lucy. Maar Philip Sidney stierf ook aan een wond aan zijn dij – gaf zijn scheenplaten aan een soldaat die ze kon gebruiken. En wellicht nog meer dan zijn scheenplaten, aangezien hij een kogel van een musket in zijn dij had die tot gangreen leidde. Het duurde dagen voor hij stierf.'

'Je vertelt dat om aan te geven dat die kwesties geen verband houden met elkaar, maar Sidney was een leerling van John Dee.' Lucy liet het na te vertellen hoe sterk Sidney had geleken op de man die ze die nacht op de praam op de Theems had gezien. Ze had alle portretten van hem in het museum bekeken – een man van wie vele beelden bestonden, die daarmee getuigenis aflegden van de cultstatus die hij na zijn dood verwierf – en de overeenkomst was onmiskenbaar geweest. Een edelman, dichter, criticus, even markant als Byron. Waarachtig de Byron van zijn tijd. Maar hoe kon ze ooit tegen iemand die er niet bij was geweest over die vreemde avond voor Allerheiligen beginnen? Geen mens die goed bij zijn hoofd was zou er enige waarde aan hechten, meende ze. Alex en Amel zouden misschien anders oordelen. Zij hadden ook iets gezien. 'De woorden op een van de vellen zijn van Sidney, Simon,' ging ze verder. 'Iets anders merkwaardigs is dat mijn naam "licht" betekent. Ken je de regels nog over de "Vrouw van licht" die haar reis in de kaarsenmaand begon? "Lucy" is een dame van licht, en mijn verjaardag is in februari, de maand van Maria-Lichtmis. Ik ben op drie februari geboren en mijn vader zei altijd nogal onheilspellend: "De muziek is op die dag gestorven, Lucy." Dat is de verwijzing die ik je in het vliegtuig in een van de teksten heb laten zien.'

Simon vond dat verpletterend triest en vroeg zich af wat dat over haar verleden zei. 'Ja, ik herinner het me nu – de dag van het vliegtuigongeluk, met Buddy Holly en Big Bopper en nog iemand – in de jaren vijftig, meen ik?'

Lucy knikte. Ze las in zijn blik wat hij zich afvroeg, maar ze wilde er niet met hem over praten. Ze vertelde haastig verder. 'Op Alex komen we nog. Sommige aanwijzingen gaan in de richting van Alexander de Grote, en de Stafford-knoop, en rozen. En er is er nog een waar ik het nog niet over heb gehad. Een van de eerste teksten, in de oudste stapel, gaat over de Styx, die door het rijk van de dood stroomt. Dat was mijn eerste echte afspraakje met Alex, op de avond voor Allerheiligen. De boottocht kreeg de naam "De geesten van de doden uit het verleden", en ik was verkleed als Ariadne.'

'Daarom ben je zo geïnteresseerd in koosnaampjes! We moeten alle teksten analyseren tot we weten op welk punt je in het verhaal bent aangekomen. Dan weten we hoe het afloopt. En laten we ondertussen, nu we in Thirty-Fourth Street zijn, inderdaad de toerist uithangen en het Empire State Building bekijken. Dat moet op een of andere manier relevant zijn.'

Een paar minuten over zeven 's avonds draaide Alex Redcliffe Square op en hij keek naar het raam van Siâns appartement. Hij haalde opgelucht adem toen hij licht zag branden en ging op zoek naar een vrije parkeerplaats. Misschien had ze even iets moeten halen. Ze had de telefoon niet opgenomen toen hij daarnet had gebeld en hij was bezorgd dat ze hun afspraak niet was nagekomen. Hij stapte uit, drukte op het knopje van de sleutel en de lichten knipperden.

Terwijl hij naar Siâns huis liep, bekeek hij St Luke's Church eens wat nauwkeuriger, met zijn omvangrijke toren die het omringende groen domineerde. Sinds het gesprek gisteravond met Grace over de architectuur van Chartres, had hij meer oog gekregen voor de neogotische vorm, die echter in het nog altijd winterse maartlicht een afschrikwekkend meedogenloze indruk maakte. De naderende zomer zou voor een welkome mentale verandering zorgen.

Hij zag Siâns blauwe Fiat Uno op de bewonersparkeerplaats voor de ingang van het gebouw staan. Ze kan niet ver weg zijn, dacht hij, denkend aan de emotionele gesteldheid waarin ze gisterenmorgen had verkeerd. Hij drukte op de bel, maar er volgde geen reactie. Hij deed een paar stappen naar achteren en keek omhoog. Er brandde licht, dat stond vast. Hij liep terug en belde nog eens. Niets. Zijn horloge vertelde hem dat hij maar een paar minuten te laat was. Zat ze misschien in bad? Hij koos opnieuw haar nummer op zijn gsm. In gesprek. Hij wachtte even en dacht na. Ze zou gemakkelijk op de knop van de deur kunnen drukken om hem binnen te laten terwijl ze telefoneerde. Tenzij ze met Calvin in gesprek was en daar niet bij gestoord wilde worden. Hij werd opeens ongerust. Misschien had ze iets doms gedaan. Snel drukte hij op een andere bel. Een intercomstem vroeg wie hij was.

'Dag. Ik ben dokter Alex Stafford. Ik kom voor Siân, appartement vijf. Het licht brandt, maar ze reageert niet op de deurbel. Kunt u de deur voor me openen? Ze wist dat ik langs zou komen en ik vraag me af of ze misschien onwel is geworden.'

'Welk appartement zei u?' controleerde de stem.

'Van Siân Powell, appartement vijf. Ik ben een broer van Will Stafford.'

'O ja, de dokter. Bovenste verdieping, is het niet?'

Alex veranderde van standbeen, werd opeens ongeduldig en luisterde of hij de deur hoorde opengaan. Toen die opening zag hij de lange, slecht verlichte steile trap aan het einde in duisternis oplossen. Hij sprong er met grote stappen op af. Op de overloop van de derde verdieping hield hij vanwege zijn jachtige ademhaling zijn pas wat in en het drong tot hem door dat hij moe was. Hij was nogal laat bij Grace vertrokken en had daarna geen vol uur geslapen, hopend dat Lucy zou bellen – tevergeefs, was gebleken. En een noodoproep had ervoor gezorgd dat hij vanochtend al om zes uur in het ziekenhuis was geweest, wat inhield dat hij er zojuist een twaalfurige werkdag op had zitten. Hij keek omhoog naar Siâns voordeur, die op een kier leek te staan. Eigenaardig, dacht hij en hij liep verder naar boven. Zijn ogen wenden aan het schaarse licht en bevestigden dat de deur inderdaad iets openstond. Het zou kunnen zijn dat ze met een drankje naar het dakterras was gegaan en de deur voor hem had opengelaten. Hij beklom de laatste treden en drukte op de lichtknop, maar er ging geen lamp aan. Echt iets voor Will om ergens in de nok te gaan wonen van een gebouw zonder lift.

Op de schemerige overloop leek er iets niet helemaal in orde. Hij naderde de deur en zag een lange witte streep van net gebarsten hout die zich aftekende tegen de beige glansverf van de deurpost. De deurketting hing aan zijn half uitgerukte schroeven aan de binnenzijde van de deurstijl. Wat was hier in godsnaam gebeurd? Hij luisterde ingespannen of hij iets hoorde. Doodse stilte. Behoedzaam duwde hij de deur verder open en keek de gang en een stukje van de woonkamer in. Zijn blik gleed over de geordende chaos. Schappen waren van hun boeken en prullen ontdaan, die nu opgestapeld in de gang lagen. Door de deuropening zag hij de voortzetting van dezelfde wanorde. Laden waren uitgetrokken, boeken opengeslagen, waarvan er sommige op hun kop lagen. De klep van de piano stond open. Het appartement was professioneel en systematisch doorzocht. Toen zag hij iets bewegen, achter in de gang, weg van het licht.

Ze zat ineengedoken tegen de muur, haar knieën tot haar borst opgetrokken, in foetushouding. Ze hield haar armen om zich heen geslagen en drukte iets stevig tegen haar borst. De hoorn van de telefoon die boven haar tegen de muur hing, wipte naast haar aan de gedraaide kabel op en neer. Hij zocht zich een weg door de bende en knielde naast haar neer. Ze draaide haar gezicht naar hem toe en hij zag dat er een dun straaltje bloed uit haar neus sijpelde. Zelfs in het geringe licht zag hij de grote blauwe plek die zich rond de snee bij haar jukbeen vormde. Haar blauwe ogen staarden hem aan.

'Jij bent het,' zei ze met een dun stemmetje. 'Ik dacht dat hij weer terug was.' Ze sloeg haar armen om zijn nek, drukte zich tegen hem aan en begon hevig te beven.

'Kalm maar,' zei hij zacht. Hij deed zijn hoofd iets naar achteren en keek naar haar. Zo te zien geen hersenschudding. Haar pupillen leken normaal, haar hartslag was iets te snel. 'Wat is er gebeurd, Siân?' Gezien de staat van het appartement sloot hij uit dat ze was verkracht. Hij haalde zijn mobieltje voor de dag en begon een nummer in te toetsen, maar zij weerhield hem daarvan, schudde haar hoofd en probeerde op te staan.

'Ik wilde de politie bellen, Alex, maar hij smeet me tegen de muur en zei dat hij terug zou komen als ik iemand zou bellen. Ik dacht echt dat hij me zou vermoorden. Maar hij heeft me alleen geslagen met de rug van zijn hand.' Ze wreef over haar neus en keek naar het bloed aan haar vingers en ze kromp ineen toen ze haar wang aanraakte. 'Hij zei dat ik niks te vrezen had als ik me maar niet bewoog.' Ze kwam weer omhoog en deze keer lukte het haar helemaal op te staan.

Er schoot een spervuur aan vragen door zijn hoofd, aangevoerd door de vraag wie 'hij' was, maar zijn werk had hem geleerd de dingen niet te overhaasten en haar eerst te kalmeren. Hij zag opeens dat hetgeen ze tegen zich aan gedrukt had gehouden, de overblijfselen waren van Wills leren motorjack dat hij op de dag van zijn dood had gedragen. Het was in het ziekenhuis door het personeel van de eerstehulpdienst bij de naden opengesneden om hem er zo efficiënt mogelijk van te bevrijden. Op de vloer voor Siân lagen de overige kleren die Will die dag had aangehad – het T-shirt, de kapotte spijkerbroek, ja, zelfs zijn ondergoed. De rest van zijn leren motorkleding had hij voor de laatste fase van zijn rit naar huis al ingepakt. Hij had lichtere kleding gedragen, waaronder zijn geliefde Ducati-jack, dat hij eerder voor het comfort dan ter bescherming had gekozen. De plastic tas van het ziekenhuis waarin alles had gezeten, was in de slaapkamer op zijn kop gezet.

Siân raadde Alex' gedachten en keek hem schuldbewust aan. 'Henry heeft mij de tas van het ziekenhuis gegeven toen de lijkschouwer hem had vrijgegeven. Ik had alleen om het jack gevraagd: het was, een jaar voor het ongeluk, mijn laatste verjaardagscadeau aan hem en hij was er zo gek mee. Het is een klassiek jack dat in een beperkt aantal werd geproduceerd – weet je dat nog? Ik moest het speciaal in Amerika bestellen.' Alex knikte. 'Ik denk dat Henry die spullen liever kwijt dan rijk was, en dat gold in feite ook voor mij, dus heb ik ze in een kast weggestopt en er verder niet meer aan gedacht tot hij alles overhoophaalde.'

Hij luisterde naar haar verklaring en legde zijn arm om haar heen om haar mee te voeren naar de woonkamer. Hij liet haar steun vinden tegen de zijkant van een fauteuil terwijl hij de zitting vrijmaakte van een stapel boeken. Hij hielp haar te gaan zitten. 'Leun maar achterover, Siân. Ik wil even controleren of er geen echte schade is aangericht.' Hij haalde een lang, dun zaklampje voor de dag en scheen ermee in haar ogen. Ze schrok terug voor het felle licht en die reactie stemde hem tevreden. Hij knipte haar leeslamp aan, draaide haar gezicht naar het licht en onderzocht het kraakbeen van haar neus en de snee in haar wang. 'Hier moet een hechtpleister op, maar je zult er waarschijnlijk geen litteken aan overhouden. Hij droeg een ring?' Ze knikte. 'Met welk deel van je lichaam raakte je de muur?'

Siân wees op haar linkerschouder en met een van pijn vertrokken gezicht wreef ze zacht over haar bovenarm.

'Doet het heel veel pijn?'

'Het doet zeer, maar ik geloof niet dat er iets gebroken is.'

Alex controleerde of ze er nog kracht mee kon zetten door haar te vragen weerstand te bieden aan zijn hand, en dat lukte haar. 'Nee, dat geloof ik ook niet. Vertel me eens wat er precies is gebeurd.'

'Ik ging even wijn halen. Toen ik weer terug was, belde jij aan. Ik hoorde de deurbel, dacht dat jij gewoon iets te vroeg was en drukte op de knop om de deur beneden te openen. Toen hij aanklopte heb ik niet eerst door het spionnetje gekeken – het licht in de gang is kapot – maar ik had de deur wel op de ketting. Ik deed de deur open en meteen gooide hij er zijn hele gewicht tegenaan. De ketting werd gewoon van de deur gerukt. Hij drong zich naar binnen, sloeg me en zei dat ik me niet moest verroeren. Toen deed hij dit…' Ze keek om zich heen naar de rotzooi en begon toen pas voor het eerst te huilen. 'Als ik de politie zou bellen, zou hij terugkomen om me ik weet niet wat aan te doen.'

Alex bewoog zacht haar hoofd van links naar rechts en stelde vast dat er geen wervels waren beschadigd. Ze had het jack nog altijd niet losgelaten. 'Hoe lang was hij hier, Siân? Hoe zag hij eruit? Was hij groot en breed?'

'Ik weet het niet, Alex. Twintig minuten? Nee, waarschijnlijk langer. Hij was breed en sterk maar niet bepaald lang. Hij droeg een dure jas – MaxMara, denk ik. En bruine leren handschoenen, waarvan hij er eerst een uittrok voor hij me sloeg, om hem vervolgens weer aan te trekken. Zijn schoenen waren duur en pasten bij de handschoenen.' Alex glimlachte. Siân had met haar kennersblik oog voor details. 'Hij vroeg me waar mijn vriend was, dreigde me nog eens te slaan als ik geen antwoord gaf. Hij zocht iets wat hij volgens mij niet heeft gevonden. Bedoelde hij Will?'

'Ik denk eerder aan Calvin.' Alex' brein werkte op volle toeren. Hij keek de flat rond en pakte Siâns jas op van de grond. 'Ik had hem vandaag eigenlijk iets moeten geven, maar ik kon hem nergens vinden. Heeft hij zich nog steeds niet gemeld?' Ze schudde haar hoofd. 'Kom. Een vriend van mij woont in Casualty, op de weg naar Chelsea en Westminster. We laten je daar verzorgen en daarna ga je met mij mee naar huis. Morgen ruimen we hier de boel op als alles is geïnspecteerd. Het is welletjes geweest.'

Lucy keek naar beneden, maar de hoogte joeg haar geen schrik aan. Haar lange, zijdeachtige lokken wapperden in de wind en de frisse lucht had haar weer kleur gegeven. Ze zag er duizend keer beter uit en grijnsde naar haar metgezel. 'Jij wist ervan, hè? Dat dit de clou was in de tekst over de "zonderlinge aapachtige energie" en de films en de art-decofoyer.'

'Ik was er niet zeker van tot we hier aankwamen. Het *King Kong*-raadsel was simpel en de naald wees omhoog naar de top van de appelboom – de Big Apple, natuurlijk. Maar ik was tot nu toe niet zeker van de drie vierkante kilometer marmer. Het heeft allemaal te maken met Thirty-Fourth Street. Waarom is dat verrekte getal zo belangrijk?'

Lucy merkte dat haar mobieltje ging, het geluid was door de wind bijna onhoorbaar. Te vroeg voor Alex, dacht ze. Hij zou met Siân gaan eten en het was pas negen uur in Engeland.

'Met Sandy. Waar hang jij uit?' Zijn stem leek rijker dan ooit te midden van de Amerikaanse accenten waardoor ze werd omringd. Verrast slaakte ze een gilletje. Wat zei die bijnaam haar?

'Op het Empire State Building, Thirty-Fourth Street. En omdat je ons altijd een stap voor bent, weet je dat het een van onze mysteries is.' Op serieuzere toon vroeg ze: 'Is alles in orde, Alex? Ik maakte me zorgen om je, maar je ging uit eten en ik wilde niet storen. Er is toch niks met Max?'

Alex schudde zijn hoofd, nauwelijks meer verrast door haar intuïties. 'Nee, niet met Max, Lucy. Maar met Siân. Ze heeft een ongenode gast in haar appartement gehad. Het is me niet gelukt het pakketje aan onze tussenpersoon te geven, want die is nog steeds spoorloos. Ik heb net met zijn moeder gesproken en zij vertelde dat hij een paar dagen in Nantucket was geweest, hoewel hij nu niet bij haar was. Hij vliegt vanavond weg uit Boston…'

'Boston?' onderbrak ze hem.

'Het doet erg overhaast aan, vind ik. Ik heb geen idee wat hij van plan is, maar ik wil er nu niet te veel over zeggen. Siân is vanavond bij me. Ze is wat overstuur en een beetje beurs, en haar appartement is niet veilig. Ik ben even naar beneden gegaan om het bad voor haar te vullen. Ik moet Simon spreken over zijn contactpersoon bij New Scotland Yard.'

Lucy was te geschokt om verder aan te dringen en gaf de telefoon door. Simon begon onmiddellijk met krachttermen te smijten en iedereen op het uitzichtplatform keek naar hem om te zien wat er aan de hand was.

'De enige reden waarom we ons aan hun aanwijzing hebben gehouden de politie erbuiten te laten, was hun belofte dat ook zij niemand schade zouden berokkenen. Daar hebben ze zich duidelijk niet aan gehouden.' Alex klonk eerder vermoeid dan kwaad, dacht Simon, maar het was lastig te bepalen wat er precies in de toon van zijn stem lag. 'Ze hebben de regels gebroken die ze zelf hadden opgesteld en dus is het tijd dat wij de zaken op onze manier gaan aanpakken.'

'Iedereen wordt door die mafketels als een middel gezien, Alex. Als je Calvin te pakken krijgt, beloof me dan dat je die kloothommel vastbindt tot ik weer terug ben.'

Simon trok zijn PDA uit zijn jaszak en de twee mannen wisselden een grote hoeveelheid gedetailleerde informatie uit. Simon schudde boos met zijn hoofd. Lucy luisterde. Terwijl er nummers werden doorgegeven, notities gemaakt en Simon zijn meningen verwoordde, wentelde er een ijskoude steen in haar maag rond. Uit de reacties aan deze kant bleek dat Alex duidelijk minder bereid was overal commentaar op te leveren. Uiteindelijk gaf Simon de telefoon terug aan Lucy.

Ze drukte hem tegen haar oor om de wind tegen te houden. 'Ik hou ook van jou,' hoorde ze hem met aan zekerheid grenzende waarschijnlijkheid zeggen, maar zij had helemaal niets gezegd. Toen, op een toon die krachtiger was dan die van Simon en verrassend bemoedigend, beëindigde hij het gesprek met woorden die haar sprakeloos maakten. 'Bereken de numerologie van John Dees naam. De uitkomst zal vierendertig zijn. En, Lucy, weet je dat jouw verjaardag op de vierendertigste dag van het jaar valt?'

29

Alex had bij de voordeur de ochtendkrant opgepakt, trok het gordijn van de woonkamer open en las in het licht de datum: donderdag 25 maart. Het trof Alex dat Siân in die lange negen maanden nog altijd niet de moeite had genomen Wills abonnement op te zeggen. Ze was nog niet echt over de klap heen, dacht hij.

Hij legde de krant op de eettafel en bezag de volstrekte chaos die Siâns appartement in zijn greep hield. Het leek of er niets was ontsnapt aan een grondig onderzoek, al was het in een verbluffend korte tijd uitgevoerd. Hij begreep hoe ontwijd Siân zich moest voelen. Hij had de conciërge laten komen en die was nu bezig het houtwerk bij de voordeur te repareren. Voor dertig pond in het handje was hij ook bereid geweest iemand te zoeken die, zodra Alex en de politie daar klaar waren, de boel zou opruimen en de boeken en prulletjes weer op de schappen terug zou zetten. Hoofdinspecteur McPherson, Simons connectie, had enkele politiemensen in burger gestuurd die in de gang en de slaapkamer al druk in de weer waren met het zoeken naar vingerafdrukken en het geringste spoortje DNA-materiaal. De woorden die ze onderling wisselden klonken Alex niet erg hoopgevend in de oren.

Hij keek in het heldere ochtendlicht de woonvertrekken rond, waar het weliswaar een enorme rommel was, maar toch was er vrijwel niets beschadigd. Over enkele uren zou alles weer op orde zijn en Siân zou na de lunch naar haar huis terug kunnen keren, als ze dat nog steeds echt wilde. Alex had er de voorkeur aan gegeven dat ze in elk geval in zijn appartement bleef tot hij de zaken had geregeld. Hij moest om acht uur op zijn werk zijn, maar er waren nog een hoop details waar hij zich om moest bekommeren voordat hij er maar aan kon denken haar hier alleen terug te laten komen. Hij keek op zijn horloge en vroeg zich af waar James McPherson bleef. Juist op dat moment kondigde de conciërge aan dat er iemand de trap op was gekomen en Alex liep naar de voordeur om zichzelf voor te stellen. Wat hij zag verraste hem echter volkomen.

De lange, knappe man die met open mond en rondspiedende ogen als aan de grond genageld in de deuropening stond, zag lijkbleek. Alex zag dat Calvin de onvervalste symptomen vertoonde van iemand die gechoqueerd was. Hij was op geen enkele manier voorbereid geweest op wat hij te zien kreeg en was volkomen van slag. Voor Alex maakte die spontane eerste reactie een hoop duidelijk over de man en hij was er nu nagenoeg zeker van dat zijn neef niet rechtstreeks bij de gebeurtenissen van de vorige avond betrokken was geweest.

'O God. Waar is ze, Alex?' Hij zette een weekendtas van bescheiden omvang op de grond en wierp een korte, verbouwereerde blik op de twee mannen die aan de andere kant van de gang met kwastjes naar vingerafdrukken zochten.

'Ze is in veiligheid.' Alex zag dat er weer een beetje kleur op Calvins gezicht terugkeerde, hoewel zijn ogen nog steeds bijna uit hun kassen rolden. Alex sprak kalm en hield zijn toon neutraal. Hij was niet zeker van de rol die Calvin speelde en wilde hem een mogelijke aanklacht absoluut niet besparen, zelfs niet als hij er slechts indirect bij betrokken was. 'Er is gisteravond ingebroken toen Siân hier was. Ze is aangevallen en gewond geraakt…' Calvin wilde iets zeggen, maar Alex stak zijn hand op. 'Maar het is niet al te ernstig, kan ik gelukkig zeggen. Het is vast en zeker iemand geweest die jij kent. Zoals je ziet zocht hij iets, maar we geloven niet dat hij heeft gevonden wat hij zocht. Hij zei dat haar iets te wachten stond als ze de politie zou waarschuwen. Hij heeft haar vol in haar gezicht geslagen. Ze kon geen antwoord geven op de vraag waar haar vriend was.'

'O, lieve God,' zei Calvin bijna onhoorbaar. Hij liet zich op de leuning van de bank zakken. Alex begreep dat hij niet meer had kunnen blijven staan. 'Zochten ze mij?'

Alex lette nauwgezet op zijn reacties. Op iets vriendelijker toon zei hij: 'Ik ben er tamelijk zeker van dat er werd gezocht naar een tweede reeks documenten, die Will in Frankrijk vond. Hij heeft ze op de post gedaan, maar niet zonder er eerst foto's van te maken. Ze hebben met Lucy afgesproken dat jij de tussenpersoon zou zijn en dat jij de foto's in ontvangst zou nemen voor je... entourage, maar je verdween zonder een woord te zeggen en liet na aan ons door te geven wanneer je terug zou zijn.'

'Ja. Word maar boos op mij, Alex. Je hebt het volste recht. Ik heb een gigantische vergissing begaan. Maar komt het weer goed met Siân?' Calvins geschoktheid leek zich, alleen al bij het idee dat haar iets overkomen zou zijn, in echte woede om te zetten.

'Ja, Calvin. Het gaat goed met haar.'

Alex stelde Calvins veranderde houding snel vast en verkleinde de ruimte tussen hen. Hij zag dat Calvin grote behoefte had aan enige steun en hij trok daarom een eetkamerstoel bij en ging dicht in zijn buurt zitten. Op rustige, redelijke toon deed hij verslag van de gebeurtenissen van de afgelopen achtenveertig uur, inclusief de episode met Max. Hij koos zijn manier van spreken zorgvuldig en probeerde zo openhartig mogelijk te zijn. Zijn ingetogen relaas van alle verschrikkingen, met name die waar zijn eigen zoon bij betrokken was, maakte dat Calvin zich ronduit ziek leek te voelen en vol ongeloof zijn hoofd schudde. Hij luisterde naar Alex zonder hem te onderbreken.

'Uiteraard heb ik haar, in het licht van wat er met Will gebeurd is, mee naar mijn huis genomen. Ze lag in Max' kamer te slapen toen ik vertrok.'

Calvin keek Alex in de ogen en schudde opnieuw zijn hoofd. Hij leek hardop te denken: 'Ik moet Guy zien te vinden, of Fitzalan Walters, de echte macht die op de troon zetelt. Ja, Alex, ik geef het toe, ik heb inderdaad belangen bij het gebeurde, maar niet voor mezelf. Er zijn nog andere mensen die zich grote zorgen maken...' Hij keek naar Alex, wiens gezichtsuitdrukking hem verrassend genoeg sterkte, hem het gevoel gaf er niet helemaal alleen voor te staan. 'Ik wou dat ik het je allemaal kon vertellen.'

Alex glimlachte naar hem en hield zijn hoofd een beetje schuin. 'Maar dat kun je niet. En toch heb ik de indruk dat je dat net al hebt gedaan.'

Calvin keek naar de man naast hem met een uitdrukking die heel dicht bij opluchting lag.

'Maar waarom Boston?' vroeg Alex zonder omhaal.

'De mensen die mijn studies in Europa betaalden moeten… op de hoogte worden gehouden. Over cruciale ontwikkelingen.'

'Om ze te beteugelen voor ze uit de hand lopen?'

Calvin knikte en keek zenuwachtig naar zijn handen. Met een hoofdbeweging naar de gang gaf hij aan er niet verder over te kunnen of te willen praten als er anderen in de buurt waren. 'Maar de dingen groeiden me boven het hoofd en dus regelde ik met een van hen een afspraak in Boston. Alex,' fluisterde Calvin, 'dat is alles wat ik kan zeggen, behalve dan dat ik erg op Siân gesteld ben en dat ik geen van jullie ooit iets zou laten overkomen. Ik denk dat Wills dood mogelijk vermeden had kunnen worden als ik iets eerder bij de les was geweest.'

De spanning tussen de twee mannen was bijna tastbaar, maar Alex was tot een belangrijke slotsom gekomen. Hij wilde zich juist uitspreken, toen een man met Schotse tongval zijn naam uitsprak.

'Dokter Stafford?' Er stond een jongeman op de drempel waar Calvin een kwartiertje eerder had gestaan. 'Ik ben inspecteur McPherson. Of antiterrorisme-James, zo u wilt!' voegde hij er minder formeel aan toe. Zijn warme, grappige stem was een welkome onderbreking van de hevige emoties die Alex en Calvin in elkaar hadden losgemaakt en beide mannen glimlachten naar de nieuwkomer. Alex strekte zijn hand uit. 'Wij hebben elkaar gisteravond aan de telefoon gesproken en ik zie dat ik op het juiste adres ben aangekomen. Dit zal de meneer Calvin Petersen zijn over wie u het tijdens ons gesprek had.'

De drie mannen stonden nu tegenover elkaar en James McPherson keek hen aan. 'Laten we snel ter zake komen, want we worden wellicht allemaal elders verwacht. En, dokter Stafford, u herinnert zich dat ik hier in feite helemaal niet ben. Evenmin als u, meneer Petersen. Dus, als ik tussen deze puinhopen een mok kan vinden, is er dan kans op warme koffie?'

Alex lachte en de twee anderen volgden hem naar de kleine keuken.

Lucy en Simon leunden een tikje ongemakkelijk achterover toen hun taxi de in bloei staande bomen en het winkelcentrum achter zich liet. Simon had spijt van de extra pannenkoek bij zijn ontbijt toen de slee met de onmogelijk zachte vering zich deinend een weg zocht van hun hotel in het centrum naar het einde van Jane Street bij de Hudson. Op de hoek van Jane Street en West Street, aan de rand van Greenwich Village, stapten ze uit.

Lucy's verwachtingen werden overtroffen toen het gebouw waar ze naar zochten een enorm en lelijk stenen pakhuis bleek te zijn dat ooit dienstbaar was aan de inmiddels in onbruik geraakte dokken langs de Hudson. Ze drukte met een ongemakkelijk gevoel op de bel van een gehavende metalen dienstdeur naast een poort van golfplaat. Een stem zei: 'Hallo.' En nadat ze haar naam had gezegd, ging de stem op dezelfde levendige toon verder: 'Fijn dat u kon komen! Als u het gebouw binnengaat, loopt u naar de lift in het midden van de hal en drukt u op de knop van de bovenste verdieping. Ik stuur de lift naar beneden en wacht boven op u.'

Ze keek Simon met grote ogen aan en hij gaf haar een guitig knipoogje. Na een 'klik' duwde hij de deur open en voor hen lag, schemerig verlicht door een tiental kale peertjes, een lege ruimte zo groot als een voetbalveld. Het vreemde bouquet van een in onbruik geraakt gebouw en vochtig papier vermengde zich met de geur van de rivier. Zoals de stem had aangekondigd bevond zich een open goederenlift in het centrum van de verlaten hal. Het roestige ijzeren staketsel uit de jaren twintig van de vorige eeuw verdween in een gat in het plafond hoog boven hen en de twee liepen er geïmponeerd door de kolossale ruimte naartoe terwijl de kooi knerpend naar beneden kwam.

'Denk je dat dat ding veilig is?' vroeg Lucy toen het gevaarte op de vloer dreunde en het ijzeren hek letterlijk werd opengesmeten. Hij antwoordde niet maar stapte het metalen interieur binnen en trok haar glimlachend achter zich aan. 'Jij bent hier al eerder geweest, ellendeling! Je had me er wel even op kunnen voorbereiden,' lachte Lucy.

'Wacht maar tot we boven zijn,' zei Simon terwijl hij de deur zorgvuldig sloot. 'Uitzicht in drie richtingen. Vooral het vergezicht over de rivier is ongelooflijk. Will en ik hebben hier een paar wilde feesten meegemaakt als we op doorreis waren van de ene naar de andere opdracht. Roland nodigde ons soms uit als hij behoefte aan gezelschap had. Hij is echt anders dan anderen.'

De lift kwam in beweging en Simon beantwoordde Lucy's vragende blik met een jongensachtige grijns en enkele intrigerende details. 'Hij komt uit het verre westen – Montana, als ik me niet vergis – en hij beantwoordt volkomen aan het beeld dat ik heb van een man die uit de bergen komt. Hij geeft niks om uiterlijkheden en heeft een hele reeks huwelijken achter de rug. Tegenwoordig heeft hij meer weg van een monnik, maar ik weet dat hij nog altijd een zwak voor vrouwen heeft. Ik heb geen idee hoe oud hij is – hij is in tien jaar geen spat veranderd.'

Lucy dacht dat Simon een onmogelijk personage schetste waaraan geen mens zou kunnen beantwoorden: John Wayne, grapte ze voor zichzelf, met een balsturig vrouwenbeeld. Ze glimlachte bij het idee en luisterde naar wat Simon zo smeuïg te vertellen had over een man op wie hij duidelijk gesteld was.

'Wat hij verder nog mag zijn,' ging Simon verder, ondanks het geknars van de machinerie die hortend en stotend haar bestemming naderde, 'hij kent iedereen en heeft dus een fortuin gemaakt voor zichzelf en voor de mensen die hij in de loop van de tijd vertegenwoordigde. Hij heeft dit gebouw gekocht toen er nog niemand op het idee was gekomen dat je in een dergelijk pand zou kunnen wonen.'

Het lawaai van de lift en Simons opmerkingen eindigden tegelijkertijd, en een man met een breed voorhoofd en intelligente grijze ogen opende het hek. Hij stak Lucy enthousiast zijn hand toe. 'Roland Brown.' Hij schudde haar warm de hand. 'Mijn oprechte excuses voor gisteren. Ik zat vast in Boston.' Hij draaide zich naar Simon en sloeg zijn armen om hem heen. 'Het spijt me van Will. Kom verder en vertel me alles wat jullie weten.'

Lucy werd getroffen door zijn verschijning. Hij moest bijna twee meter lang zijn en had een glanzende paardenstaart, maar hij bewoog zich met de gratie van een balletdanser toen hij hun voorging door een zware deur die naar het woongedeelte leidde. Lucy zag nu wat een appartementverdieping in New York kon zijn: een woonkamer met de omvang van een halve woonwijk, met aan drie kanten rijen ramen die uitkeken op de rivier, op de George Washington Bridge en op de geamputeerde ruimte waar ooit de twee torens van het World Trade Center stonden. Ze dronk de overweldigende aanblik in, zag de gepolijste houten vloer, de zwart-witte Italiaanse meubels en de open keuken, die twee keer zo groot was als die van Alex. Tegen de ene muur stonden boekenkasten en overal waar ze keek, op de eettafel, tegen de muur, op de vloer, zag ze foto's met en zonder lijst.

'Sorry, ik heb niet opgeruimd,' zei de aangename stem. Lucy hield direct van zijn nasale toon en zijn zachte intonatie. 'Ik ben pas laat teruggekomen. De schoonmaker komt vrijdag. Simon, er zit verse koffie in de kan en de melk staat in de koelkast. Schenk jij even in dan haal ik het pakket. Het ligt in de kluis.' Roland wilde de daad bij het woord voegen, maar zag toen de verblufte uitdrukking op Lucy's gezicht. 'Vroeger waren dit de kantoren van het pakhuis beneden. Wil je misschien meelopen om even te kijken?'

Hij leidde haar door een deur en door een kleine hal met aan het einde twee zware kluisdeuren uit de jaren negentig van de negentiende eeuw, met grote koperen handgrepen en met over de volledige breedte de in gouden letters gegraveerde naam van de maker: STEINER AND SONS. Lucy meende een andere wereld te betreden toen hij de hendels omlaag duwde en de stalen deuren naar zich toe trok. Er bleek zich een kleine kamer vol schappen achter te bevinden.

'Hij is nooit afgesloten.' Hij keek haar recht aan en leek iets te besluiten. 'De sleutel bleek onvindbaar toen ik het gebouw kocht, maar hij is prachtig, vind je niet?'

Lucy keek een ogenblik naar hem en ze werd door gevoelens overmand. Hij was een vreemde, maar ze wilde hem omhelzen. 'Je mocht hem heel graag, hè?'

'Will?' Hij knikte geëmotioneerd.

'Hoe was hij?' vroeg ze terwijl ze hem aandachtig opnam. 'Zelfs nu kan ik dat Alex niet vragen.'

Roland begreep het en lachte naar haar. 'Dat is moeilijk te zeggen. Hij verschilde van de meeste mensen met wie we werken. Er kwam een idee in zijn hoofd op en dat joeg hij vervolgens na. Geen opdracht, maar gewoon iets wat hij wilde doen. En daarna maakte hij een hoop stampij als er niemand was die het resultaat wilde kopen.' Hij liet een bulderende lach horen. 'En dan – misschien een jaar later – vroeg iemand aan Pearl of we iets over iemand of iets hadden. En uiteraard ging het dan om dat wat Will destijds al had gedaan. Een volledig verhaal in foto's, soms ook met een paar woorden. Mensen en details die iedereen plotseling nodig had, maar waar op dat moment niemand in de buurt kon komen. De tijd en de markt vooruit, dat was hij. Ja, ik mocht hem graag.'

Roland pakte een groot pak van een schap en gaf het aan Lucy. 'Ik denk dat dit voor jou is?' Hij keek haar aan met een blik die Lucy veelbetekenend leek – toch was er, behalve Alex en de mensen die rechtstreeks bij haar transplantatie betrokken waren geweest, niemand die haar geheim kende. Roland had iets bijzonders, zoals Simon al had laten doorschemeren, en dat prikkelde en beangstigde haar. Ze wilde het hem bijna vertellen, maar hij schudde op een vreemde manier met zijn hoofd. 'Als je Alex goed kent, ken je Will. Laten we teruggaan naar Simon.' Lucy verzonk in gepeins en ze verlieten de kleine ruimte.

Er stonden drie mokken koffie op de tafel, waar Simon drie stoelen omheen had geschoven. Roland haalde een mes uit de keuken en gaf het aan Lucy. Ze begon het plakband los te snijden terwijl hij en Simon met elkaar spraken, maar Lucy ging helemaal op in haar gedachten en handelingen en was niet in staat hun conversatie te volgen. Haar handen beefden toen ze de zegels doorsneed en het bruine pakpapier en de noppenfolie begon weg te trekken. Ze snoof de geur van rozen op.

25 maart 1609, Mortlake

Het is bijna ochtend, merkt Kate Dee als er een bediende binnenkomt om het vuur in de haard op te stoken. Maar ze schudt zacht met haar hoofd en zendt hem met een handgebaar heen. Haar vader lijkt zich behaaglijk genoeg te voelen in de beklede stoel: hij ligt vredig te soezen na de afgelopen drie nachten nauwelijks te hebben geslapen. Hij had resoluut geweigerd zich in zijn slaapkamer terug te trekken aangezien hij, wist ze, het gevoel had nooit meer wakker te zullen worden als hij aan de slaap zou toegeven. Het is warm genoeg in de gelambriseerde kamer en ze wil hem liever nog wat laten rusten.

Ze buigt haar hoofd weg van het licht van de kaars om te voorkomen dat er een schaduw over haar werk valt. Haar vingers voelen verdoofd aan door het urenlange borduren, al is de naald nog altijd scherp: door zo snel mogelijk door te werken, hoopt ze hem haar ontwerp voor een beurs te kunnen laten zien. Zij noch haar broer Arthur wil erover spreken, maar beiden weten dat hij niet lang meer onder hen zal zijn. En evenals Arthur ziet ook Kate dat het een zegen zal zijn. De wonderbaarlijke, kinderlijke, geleerde man is al in de tachtig, maar hij begint ernstig verstrooid te raken en ontsteekt geregeld in toorn vanwege de kleine, huishoudelijke spulletjes die hij naar zijn zeggen is kwijtgeraakt – zijn waardevolle, vergulde zoutvaatje is zoek en zijn apostellepels zijn nergens te vinden. Ze heeft het hart niet hem te zeggen dat Arthur ze heeft moeten verkopen om de rekeningen voor hun eerste levensbehoeften te kunnen voldoen.

Snel richt ze zich weer op haar werk en met grote snelheid schiet de naald in en uit het linnen, waarbij ze de daarop getekende lijn nauwkeurig met stippelsteekjes volgt om een schaduw onder de rozen aan te geven. Ze wil hem dit deel laten zien als het af is. Ze heeft de voorstelling overgenomen van de uitgesneden en geverfde rozen in rood en wit die boven haar hoofd met elkaar vervlochten zijn in deze favoriete kamer van hem. Hij heeft haar gezegd dat ze uitsluitend aan de rode rozen moet werken; dat de tijd voor de witte nog komen zou. En ze moet een plek vinden voor de bleekgrijze zijderups die tegelijkertijd de schaduw symboliseert van onze sterfelijkheid als van de overstijgende fase die we kunnen nastreven – 'in de fraaie steek, Kate, die meesteres Goodwin je heeft geleerd' – heeft hij haar gezegd. En dus heeft ze ingestemd en de rups groeit onder haar vaardige handen, een beeldraadsel voor de kostbare zijde van onze ziel, en de engel van Saturnus die met zijn donkere gelaat over de alchemisten waakt. 'En de donkere dame,' fluistert ze.

Er glijdt een boek op de vloer als hij wakker wordt, en zij strijkt naast hem neer als een bij op een bloem. 'Rust nog wat, vader.' Ze herschikt een klein kussen en trekt de sprei voor hem recht, waarbij ze opmerkt dat zijn dierbare gezicht de kleur van perkament heeft. Zijn ogen kijken naar haar, denkt ze, maar zonder iets te zien. Ze is blij als hij ze weer sluit. Een lijn bij zijn mond probeert een glimlach, bedoeld om haar enige geruststelling te bieden. Ze ruist terug naar haar stoel in het licht en neemt het raamwerk weer op.

'De woorden zullen als de getallen zijn, Kate.' Ze begint en prikt in haar vinger als ze hem tot haar verrassing hoort spreken met zijn ogen gesloten. 'Je terugreis zal je terugvoeren op je schreden door het labyrint.'

'Ja, vader.' Ze glimlacht, maar houdt haar ogen op haar werk gericht. Hij zou tot zijn laatste uur praten. 'U hebt het me verteld. De getallen moeten weer terug worden geteld, van het einde van de Jupiter-tafel. En het eerste getal zal dertien zijn, de dag van uw geboorte.'

'Zo is het precies, Kate. En het door jou gekozen woord zal het dertiende zijn in de regel, ofschoon het slechts "en" is. En je dochter – met Gods wil zul je een dochter krijgen – moet regels kiezen die haar het geëigende woord geven op de achtste plaats, en haar dochter op de twaalfde.'

'Of, als ik het niet zal zijn, vader – want u weet dat het voor mij in dit leven misschien te laat is om nog te huwen – zal de taak overgaan op mijn nicht, uw kleindochter Margarita. Zij zal de regels voor mij kiezen om op de achtste plaats "Adonis" te vormen, zoals u vraagt.' Ze kijkt op van haar werk, niet in staat het lot te verwijten van haar te hebben geëist haar vader te verzorgen, zoals haar moeder in deze laatste jaren had gewenst. Nu ze de zesentwintig is gepasseerd, weet ze dat er voor haar nog maar weinig hoop op een huwelijk is.

'Mijn Katherine. Zie je niet wat er naast je is?' De stem klinkt verrassend krachtig, teder en opgewekt. 'Meester Sanders heeft de afgelopen drie jaar van je gehouden, en hij is een eerlijke en welwillende jongeman. Vecht niet tegen wat goed voor je is, Kate.' Hij wendt zich af en slaapt weer in.

Het gesprekje tussen Roland en Simon stokte plotseling terwijl ze naar Lucy keken, die een deel van het papier en golfkarton wegklapte. Lucy haalde een schitterend borduurwerk uit een stuk zijdepapier dat zelf weer met plasticfolie omwikkeld was geweest. Het was een envelopvormige tasje – een soort beurs. Het basismateriaal was zwaar linnen en het was aan de hoeken met kwastjes versierd. De oppervlakken waren rijk geborduurd met gekleurde zijde, voornamelijk rood, goud en roomwit. De knoop in het midden werd gevormd door een grote, traanvormige parel. Toen ze het object omhooghield onthulde het licht de details.

Aan de achterkant, in kleurig katoen, keek ze onderzoekend naar een voorstelling van de intussen vertrouwde moerbeiboom, verstrengeld met een zonderling geometrisch symbool van een met een zon verbonden maan. Dit was uitgewerkt met pastelkleurig zijdedraad, waarvan Lucy meende dat het waarschijnlijk stopsteken en petits points waren. Maar aan de voorzijde met de knoop, uitgevoerd met zijdedraad dat Lucy 'opgewerkt' zou noemen, bevonden zich twee eenvoudige rode rozen in een van de hoeken, een rood en gouden kader dat haar deed denken aan een antiek folio-ontwerp, en een weergave van het labyrint van Chartres die, hoewel vlak, aan de bovenzijde van het tasje overliep in een open, stralende leegte. Toen ze nog nauwkeuriger keek zag ze een stukje van een met goudinkt opgebracht handschrift, hier en daar verbleekt, dat zich over die zijde uitstrekte. Het leek gezeefdrukt of anderszins op het linnen met bladgoud of inkt te zijn aangebracht, en sommige woorden in de regels leken meer reliëf te hebben gekregen. Ze zag 'zoek' en 'slaapt' en 'dame' en mogelijk 'Venus' en 'ontmoeting'. Het ontcijferen zou wat tijd vergen, maar wat haar vooral trof was het effect van volstrekte betovering dat door het hele werk werd opgeroepen. Dit was een liefdeswerk van en voor iemand geweest, en niemand zou een dergelijk object voor lange tijd onder de grond hebben gestopt, ongeacht hoe goed het tegen de elementen zou worden beschermd. Was het een van Diana's laatste daden geweest het hier onder te brengen?

Ook de twee mannen waren gebiologeerd en het duurde minuten voor Roland weer iets uitbracht: 'De rups, of de vlinder, in de bovenhoek is een verwijzing naar een gereïncarneerde of ontwaakte ziel. Maar wat is dat?'

Het was Lucy aanvankelijk niet opgevallen, maar ze knikte naar hem. De klep leek te zijn gerepareerd en oneindig vaak opnieuw geborduurd, opgelapt en nog eens bewerkt door vergeten vingers – maar desondanks was de hand van de oorspronkelijke maakster meer dan duidelijk. Ja, het was voor haar, dacht ze. Het had al die tijd alleen op haar gewacht. Dat inzicht was overweldigend voor Lucy. Het maakte dat ze zich met Alex verbonden voelde op een manier die verterend, vervoerend en meteen verontrustend was. Ze was een zelfstandige persoonlijkheid en was dat altijd geweest. Nooit had iemand haar echt geclaimd. Nu behoorde ze aan, of bij, iemand anders.

Bijna in tranen legde Lucy het tasje op de tafel en met vingers die er vertrouwd mee waren opende ze de knoop. Het bevatte de perkamenten waarvan ze had geweten dat ze er zouden zijn, de bovenste vellen exact de kopieën die Will had gemaakt. Maar in het tasje zat ook één witte roos die zijn zachte, ouderwetse welriekendheid in de moderne ruimte om hen heen verspreidde. Evenals zijn pendant in L'Aigle was ook deze volmaakt verwelkt.

Lucy merkte Simons zwijgzaamheid op, maar Roland leunde voorover en liet vol ontzag een vinger over het borduurwerk gaan. 'Een van de merkwaardigste dingen die ik ooit heb gezien. Als ik in God zou geloven, zou ik zeggen dat het zijn werk was. Maar dat doe ik niet, dus vertellen jullie mij maar eens waar dit in vredesnaam vandaan komt. En wat het is.'

'Wij hopen,' bracht Simon eindelijk uit, 'dat dit antwoord zal geven op een groot aantal ingewikkelde vragen.'

'En hoe kon jij ooit weten, Roland,' vroeg Lucy, terwijl ze hem met betraande ogen aankeek, 'dat het uit een waarachtige Hof van Eden afkomstig is?'

30

Met de wilde appel en magnolia in bloei in de kleine voortuin, was dit met afstand het mooiste huis in de rij. Een elegante blondine kwam naar buiten, gaf hem een vluchtige zoen op zijn wang, en Alex ging naar binnen met een orchidee. Lucy keek toe vanuit zijn auto, voelde een lichte golf van paniek, haar gedachten even onsamenhangend als haar hartritme. Dit was zijn verleden en haar eerste voorproefje van hoe een toekomst eruit kon zien.

Doodsbang afhankelijk te worden van de ongekende gevoelens die ze met Alex beleefde, was ze hem na haar terugkeer uit New York uit de weg gegaan. Ze had slechts twee nachten met hem doorgebracht, maar zich zo afwerend opgesteld dat er van lichamelijk contact niets was gekomen. Ze had tijd nodig de dingen te laten bezinken en zichzelf terug te vinden, dus had ze zich volop gestort op het vele achterstallige werk in de montagekamer. Toen kwam de mijlpaal van haar vierentwintiguurstest in Harefield afgelopen vrijdag, zes maanden na de transplantatie. Hij had zijn dienst geruild voor een weekenddag om haar te kunnen brengen. Hij had gewacht terwijl zij met de draden en monitoren verbonden was geweest en hij was gedurende die akelige beproeving de hele tijd bij haar gebleven. Ze was gespannen en ze had naar en kribbig tegen hem gedaan; maar hij kende haar, wist wat ze doormaakte en maakte er geen probleem van. Soms was het geduld dat hij met haar had ronduit ergerlijk. Wilde ze hem boos maken?

Toen Alex haar een tikje beduusd na de tests naar Battersea had teruggebracht, was Grace laaiend geworden. 'Je kunt het niet maken met de gevoelens van anderen te spelen, Lucy. Jij bent niet de enige die ooit is gekwetst. Wordt het niet eens tijd dat je het gewonde kind achter je laat en je als een volwassen vrouw gaat gedragen?'

Dat had gestoken. Zo had haar beste vriendin nooit eerder tegen haar gesproken. En godallemachtig, ja! Ze had de steek gevoeld, wist dat ze gelijk had. Wie begreep beter dan zij hoe goed Alex zijn eigen gevoelens als een volleerd acteur verborgen wist te houden? Was het niet zijn gewoonte zijn eigen pijn weg te stoppen in het belang van iemand die in zijn ogen van zijn kracht afhankelijk was? Het was altijd zijn menselijkheid waardoor hij zich in de eerste plaats liet leiden. Grace had haar er terecht van beschuldigd zelfzuchtig in haar eigen misère te zwelgen. Ze zag in dat ze de patronen van haar verleden herhaalde, zich in eindeloze bochten naar zichzelf terug wrong. Maar wat kon haar uit die cirkelgang leiden? Niettemin, of misschien juist daarom, ontliep ze Alex in de dagen voor de paasvakantie, begroef ze zich in haar werk in de wetenschap dat hij hetzelfde zou doen. Ze had in de twee weken na haar terugkeer geen blik meer geworpen op het Dee-materiaal.

Na enkele ogenblikken – te snel om zich erop voor te bereiden – verscheen hij weer in de deuropening met zijn zoon en een weekendtas. Lucy zag dat Anna de deur op een kier deed en haar ex-man naar de auto volgde. Lucy zoog haar longen vol. Alex' stem klonk stuitend kalm toen hij hen aan elkaar voorstelde en de spullen in de kofferbak pakte. Ze zeiden 'hallo' en Anna had het vrolijk over hun geluk met het mooie voorjaarsweer voor het paasweekend. Lucy deed haar zonnebril af, had handen geschud en had het zelfs gepresteerd te glimlachen, haar paniek met bovenmenselijke inspanning in toom houdend. Alex liet Max weten dat hij zijn splinternieuwe, supermoderne skateboard te danken had aan Lucy, die het bij Bloomingdale's in New York had gekocht, en de jongen had haar stralend van dankbaarheid aangekeken. Na te hebben beloofd dat hij Henry haar lieve groeten zou overbrengen, klom Max achter in de auto, opgetogen dat het dak open was. Hij gaf Lucy een cd en ze reden weg. Anna zwaaide hen na. Het was voorbij, het was bespottelijk eenvoudig geweest. Alex gaf haar een samenzweerderig kneepje in haar arm en haar ontglipte een traan, die achter haar zonnebril ongezien bleef.

Toen ze aankwamen in Longparish – Lucy en Max hadden de hele weg uit volle borst tegen de wind in gezongen – omhelsde ze Henry met zoveel gevoel dat ze wist dat ze de verontschuldiging die de zoon gold aan zijn vader had overgedragen. Alex' glimlach maakte duidelijk dat hij haar terughoudendheid en onzekerheden beter had begrepen dan zij. Zichzelf afzonderend in de keuken, bakte ze lekkernijen waarvan ze zelf gezien haar strikte dieet absoluut niet mocht snoepen, maar Max was in de wolken. Een groot deel van de vroege middag op Goede Vrijdag bracht ze door met lezen in de warme, beschutte tuin, samen met Henry, terwijl Max en zijn vader gingen skateboarden.

Voor ze vertrokken had Alex haar een grote envelop gegeven en daaruit haalde ze nu een prachtige illustratie op A4-formaat van een kristallen bol met bergen in zijn kern, het geheel omvat door de takken van een grote boom, als een doorzichtige globe. Het onderschrift betitelde de bol als de *Axis Mundi*, iets waar ze hem voor haar vertrek naar New York naar had gevraagd. Ze had zijn verwijzing ernaar niet begrepen, maar nu werd ze geheel door het beeld in beslag genomen. Het was het centrum van de wereld, de plaats waar de hemel en de aarde elkaar naar verluidt troffen. Op een tweede, kleiner vel zag ze zijn eigen pentekening van het symbool van de geneeskunde, de caduceus of staf van Mercurius, met de notitie in zijn eigen karakteristieke handschrift dat de staf de aslijn voorstelde en de slangen het kanaal waardoor de genezer de as van deze wereld overtrok om de kennis vanuit de hogere wereld mee terug te nemen. Het getal vierendertig was er middels diverse attributen mee verbonden. Alex legde in zijn notitie kort uit waarom Dante het had gekozen om zijn *Inferno* te voltooien, precies omdat het die grensdoorgang representeerde, het midden van de aarde, de aanraking met de hel – en vervolgens het zich aandienende punt voor spirituele verwerkelijking: 'terug naar de sterren'. Het centrum in en weer uit, dacht Lucy, terwijl Henry enkele struiken snoeide: de weg naar Jeruzalem. Het labyrint.

Later die middag nam Henry Alex mee naar zijn bibliotheek, en hoewel ze haar op geen enkele manier buitensloten, had ze toch het gevoel dat ze graag even onder elkaar wilden zijn. Zelf ging ze op zoek naar Max om met hem wat tijd door te brengen en alles te leren van de Sims op zijn computer. Ze luisterde naar de jongen, die vertelde over zijn lieve oma – die hem een beetje Frans had geleerd – en zijn oom, die hij zo ontzettend miste. Ze was nog altijd in die bijzondere, vertrouwelijke wereld met hem toen Alex en Henry kwamen kijken hoe het hun verging. Geen van de twee wilde van het eigen plekje aan het bureau verdreven worden, dus, omdat Simon en Grace morgen zouden komen, en Siân zondagochtend, gingen de twee oudste Staffords naar boven om een en ander in gereedheid te brengen.

Het idee Siân uit te nodigen was tamelijk plotseling van Alex gekomen. Calvin was opnieuw volkomen onverwacht vertrokken – nota bene naar Jeruzalem – waarmee hij het plan had gewijzigd waar hij opeens mee gekomen was om Siân mee naar Nantucket te nemen om kennis te maken met zijn familie. Heel onbevredigend, had Lucy gedacht. Siân wist niet wat ze ervan moest denken. Dat Alex het idee dat Siân met Calvin mee zou gaan had gesteund, had Lucy verrast, maar het leek nog vreemder dat hij zo gelaten reageerde op de plotselinge wijziging van de plannen. Dat had haar hogelijk verbaasd. Had het misschien te maken met de huidige wapenstilstand? Sinds zij en Simon uit New York waren teruggekeerd, en sinds Calvin Wills documenten bij zijn college had afgeleverd, waren de vijandigheden gestaakt. Ze hadden wederom de originele documenten gekregen, maar niet voordat Lucy en Alex er voor hun eigen onderzoek dubbelzijdige kopieën van hadden gemaakt. Het kostbare geborduurde tasje had ze niet afgegeven – zelfs niet aan Alex: het bleef in haar bezit. Verder hadden ze niets meer van hun tegenstanders gehoord en als Alex zich er al aan ergerde dat zij iets hadden wat hun niet toebehoorde, liet hij dat niet merken. Hoe dan ook, Lucy vertrouwde Calvin voor geen cent en ze was opgelucht dat Siân, na haar moeder in Wales te hebben bezocht, zich bij hen zou voegen. Ze zou zich van Calvin moeten losmaken, dacht Lucy, en ze had het moeilijk met Alex' gelatenheid. Ze had geleerd zijn oordeel in nagenoeg alle situaties op waarde te schatten, maar kon het niet helpen het gevoel te hebben dat hij zich blind hield voor iets in Calvin, misschien vanwege hun verwantschap. Begrijpen kon ze dat echter met geen mogelijkheid.

Aan het einde van de inspannende dag was Max door zijn energie heen en hij ging uit eigen beweging klokslag negen uur naar zijn zolderkamer, de andere drie aan hun conversaties overlatend. Alex had een zalm gepocheerd en met een hollandaisesaus met dragon geserveerd, en het was niet voor het eerst dat Lucy zich afvroeg waarom hij zich toch altijd voor zijn culinaire prestaties verontschuldigde.

'Met wie vergelijk jij jezelf, Alex? Je hebt me nog nooit een slechte maaltijd voorgezet. Je bent een uitstekende kok en je handen geuren als een kruidentuin.'

Ze gaf hem een vluchtige kus en het drong met een schok tot haar door dat dit vanaf hun vertrek de eerste aardige woorden waren geweest die ze tegen hem had gesproken. Ze moest met hem praten. Henry had dat door en trok zich met een goed boek in de bibliotheek terug. Ze hadden de boel opgeruimd en de afwas gedaan voordat een van de twee de stilte met meer dan een eenlettergrepig woord kon verbreken. Uiteindelijk had ze haar armen rond zijn heupen gelegd en hem diep in zijn ogen gekeken. Het was een vakantiedag en hij had zich niet geschoren. Ze hield van dat gezicht en liet haar hand over zijn lichte stoppels gaan – die hoorden bij haar Alex, gaven aan dat ook hij de teugels kon laten vieren. Ze ontspande wat maar had nog altijd het gevoel met de mond vol tanden te staan. Hij doorbrak de zwijgzaamheid.

'Je was geweldig vandaag. Max vond het heerlijk bij je te zijn.'

'Waarom heb je me niet verteld dat hij zo lief was, dat het zo makkelijk zou gaan?'

Alex lachte. 'Je hebt het me niet gevraagd. Maar laat je geen rad voor ogen draaien, hij is geen engel. Maar ik denk dat we nogal hebben gemazzeld.'

'Ik ben onmogelijk geweest, Alex.'

'Onmogelijk,' stemde hij ironisch in. 'Heel erg terughoudend.'

'Volkomen teruggetrokken.' Ze probeerde om zichzelf te lachen.

'Je hebt me gewaarschuwd...' Hij zag aan haar berustende glimlach dat ze genoeg had van haar zelfbeklag. Ze leek achtervolgd te worden door de onvermijdelijkheid van een psychologische val uit het paradijs, vastbesloten elk pleziertje op te offeren dat zou kunnen uitmonden in een hechte relatie, alleen om de opschudding en de spanningen te vermijden van de emotionele toestand waarvan ze wist dat ook die onvermijdelijk zouden zijn. Haar bezorgdheid deed hem pijn en hij boog zich naar haar toe. 'Lucy, kun je zeggen wat je wilt? Kan ik helpen?'

Ze dacht even na en zei toen zonder omwegen: 'Wil je me naar bed brengen en me beminnen?'

Deze keer voerde hij haar mee naar zijn eigen kamer. In Frankrijk hadden haar verlangen en de frustraties van een langdurig uitstel haar vrees overstemd en waren haar reacties op hem even natuurlijk geweest als ademhalen. Maar in de tussenliggende weken was er tijd geweest voor reflectie. En zelfs nu, terwijl ze op haar zinnen wilde vertrouwen, keek ze van een afstandje naar zichzelf. Ze zag hoe Alex haar teder van haar kleding ontdeed, haar liefkoosde zonder bezitterig te zijn, maar ze werd niettemin verstikt door de impuls haar gevoelens te onderdrukken. Ze begreep dat hun geluk op het spel stond en wilde niets liever dan dat ze zich kon laten gaan.

Alex las de gedachten die haar ogen verduisterden, het bruin in staalgrijs leken te veranderen. Hij lag naast haar op zijn rug met een arm onder het smalste deel van haar middel. Met zijn andere hand streelde hij over haar buik, zijn warme adem tegen haar slaap.

'Welk woord of welke kleur beschrijft je gevoelens als ik je hier aanraak?' Zijn vingers vonden haar borsten en het stugge litteken-weefsel ertussen.

Ze glimlachte en draaide haar gezicht naar hem toe. 'Nabijheid.'

'Mm. En hier? Op je buik?'

'Warm. Intiem.' Ze rekte zich uit als een kat in de zon.

Hij richtte zich iets op om de fraaie vormen van haar lichaam verder te verkennen – haar heupen en buik, de golving van haar middel, haar tengere hals, haar tepels, de curve tussen onderrug en billen. Hij wisselde de druk die hij uitoefende telkens af en gebruikte zijn tong, zijn vingertoppen, de licht schurende huid van zijn gezicht, soms een duim. Hij haastte zich niet en Lucy kreeg alle tijd zich op de erotische sensaties te concentreren en erop te reageren. Het was meer een spel van aangename uitwisseling dan van jachtig gehijg. Hij richtte zich nog iets verder op, kuste haar lippen en legde een vlakke hand tegen de binnenkant van haar dij, trok haar been zacht op en streelde haar. Ze hield haar adem in en strekte haar armen uit boven haar hoofd. 'Violet en indigo, en speldenprikgaatjes sterrenlicht na een hevig noodweer.'

'Dat is niet toegestaan. Dat is meer dan één woord. Je mag maar één woord gebruiken. Concentreer je…' Zijn vingers liefkoosden haar glanzende weekheid en drongen moeiteloos in haar. Ze hapte naar adem. Hij hoorde zijn naam. 'Welk woord is dit?' Ze voelde de kracht van zijn lichaam, zijn weldadige stem.

'Subliem… Alex, ik wil jou…'

Hij drong in haar, langzaam bewegend. 'En nu?'

'Elysium.' Lucy's ademhaling werd oncontroleerbaar toen de hartstocht bezit van haar nam, en toen zijn kus het geluid uit haar mond deed verstommen, meende ze dat haar hart zou barsten. Zijn mond was nu vlak bij haar oor en vroeg fluisterend naar het woord. 'Ik weet er geen,' riep ze uit en ze trok hem dieper in haar lichaam. En met zijn zachte bewegingen, zijn mond op de hare, werd haar ademhaling snel en onregelmatig. Nooit eerder was een kus van een geliefde zo veeleisend en vasthoudend en temperamentvol geweest.

'Lucy, wat is het woord nu?' Maar een deinende golf belette haar het spreken en hij wist dat ze de toppen van de passie naderde. Dit vertrouwen van Lucy was alles voor hem. Ze hadden elkaar hervonden.

'Bevrijding, Alex. *Epopteia.*' Het was niet meer dan een zucht. Ze had geen adem voor woorden: kon nog net lucht in haar longen krijgen. Hun lichamen waren zo ineengestrengeld dat ze wel het beven voelden maar niet konden zeggen wie er beefde. Ze hield zijn ogen gevangen, zijn lichaam en hun beweging en ademhaling werden een eenstemmig lied. 'Kleuren die zelfs de regenboog niet kent,' fluisterde ze.

Hij lachte en kuste haar, hun zinnen te zeer kolkend voor meer. 'Dan begrijp je het. Je bent hemels mooi. Een ware godin.' Hij eindigde elk zinnetje met een kus.

En ze begreep het. Ze was ergens waar ze nooit eerder was. Ze werd bemind.

Ze trokken een deken over hun lichamen en losten op in elkaar.

Hoewel het nog slechts de tweede week van april was, wist de zonneschijn van zaterdag zich te bestendigen. 's Middags deed iedereen zich in de tuin te goed aan de lekkernijen die Lucy op Goede Vrijdag had bereid. Simon en Grace tilden het geheel met een fles uitstekende champagne naar een nog hoger epicuristisch niveau. Max was in zijn nopjes omdat hij die zonovergoten ochtend met Lucy en zijn vader een fietstocht had gemaakt. De kleine jongen had verbaasd moeten vaststellen dat Lucy bijna fitter was dan hij en zijn vader, al had dat die laatste niet verrast. En Lucy was er erg voldaan over dat de vele kilometers die ze sinds haar operatie op de hometrainer had afgelegd hun vruchten afwierpen. Ze plaagde Alex dat ze van plan was zich samen met hem en Courtney in te schrijven voor de volgende Londense marathon.

Max was aan het spelen met een vriendje uit het dorp en Simon vond dat hij nu lang genoeg geduld had geoefend. Hij had naar verklaringen gevist over Calvin na te hebben gehoord van Siâns beproeving, en hij wilde zijn vragen uit de wereld helpen voor zij morgen zou arriveren.

'Ik ben er ook nieuwsgierig naar, Alex. Hoe kun jij er zo kalm onder blijven?' Lucy wist dat Alex eerst alle aspecten zorgvuldig afwoog vóór hij met veroordelingen kwam, terwijl Simon eerst handelde en pas daarna de gevolgen overzag. Maar ze trok zich het leed dat Siân was berokkend persoonlijk aan. Ze nam Siân volkomen instinctief in bescherming en dat maakte haar razend op Calvin.

Alex had zijn vader de vorige dag van de mishandeling op de hoogte gesteld en nu liet Henry zich ontvallen: 'Het ziet er niet best uit, Alex.'

Zijn zoon knikte. 'Ik weet het. Maar ik ben de volgende ochtend in haar appartement geweest, met jouw vriend van de politie, Simon, en zijn team van de technische recherche. Calvin kwam er direct vanaf het vliegveld ook naartoe. Zo midden in de turbulentie te belanden had een verwoestend effect op hem. Hij had er part noch deel aan en had wellicht het eigenlijke slachtoffer moeten zijn. Maar hij houdt van Siân, ongeacht of hij zich dat voor die tijd wel of niet realiseerde.

Toen hij haar bij mij thuis zag, kon hij geen woord uitbrengen. Hij betoonde zich oprecht bezorgd en was erg zorgzaam. Ik ben nooit een fan van hem geweest, maar daarmee verraste hij me toch echt.'

'Zo meteen ga je hem nog snoezig noemen, Alex!' Er kwam stoom uit Simons oren en geërgerd kletterde hij zijn bord op tafel. 'Ik heb zin om Wills rol in deze zaak op me te nemen en zijn gebit eens anders te schikken, ondanks de genegenheid die hij dus voor Siân schijnt te voelen. Misschien wil zij hem graag geloven, maar jij bent daar te slim voor. Je kent de weerzinwekkende kringen waarin hij vertoeft! Ik wou dat ze vonden wat ze zochten en tot de ontdekking kwamen dat er echt een duivelse vloek mee verbonden is. Mijn favoriete Bijbelverhaal gaat over de Ark des Verbonds, die in de handen van de Filistijnen valt. Zij daalden allemaal met aambeien neer! Kijk, dat komt aardig in de buurt.'

Grace verslikte zich in haar champagne en Alex barstte in lachen uit. 'Een meedogenloze straf in een tijd waarin er nog geen zalfje tegen bestond! Maar serieus, Simon, ik begrijp je houding tegenover Calvin, maar ik denk dat we hem het voordeel van de twijfel moeten gunnen. Vooralsnog. We hebben een lang gesprek met elkaar gehad. Hij heeft de zaak met de documenten zo snel hij kon geregeld, en sinds die tijd heb ik niets meer van die dolende kliek gehoord of gezien...'

'Ze hadden helemaal het recht niet die papieren in handen krijgen,' onderbrak Simon hem driftig.

'... en ik hoop dat we nu een medestander in hem hebben.' Alex maakte zijn zin heel beslist af en keek zijn vriend zonder enige weifeling aan. 'Stel een beetje vertrouwen in me, Simon. Calvin mag in mijn ogen filosofisch op een dwaalspoor zijn geraakt – zijn geloofsovertuiging is mij volstrekt vreemd – maar hij is in de kern een spiritueel mens, en dat kan ik hem toch moeilijk verwijten. Zijn weg is de mijne niet, maar hij is iemand die nadenkt en een geweten heeft.'

'En jij gelooft dat hij van Siân houdt? Ik ben er niet zo zeker van of hij wel een echte vrouwenman is.' Lucy was gespannen, had het gevoel dat Alex misschien iets achterhield.

'Gek genoeg is mij dat ook door het hoofd gegaan, Lucy. Maar ik geloof wel dat hij verliefd op haar is. En dat arme meisje heeft een soort afsluiting nodig om het verleden te kunnen afsluiten en verder te gaan met haar leven. Ze heeft er genoeg onder geleden. Laten we haar zoveel mogelijk steunen.' Alex wisselde een blik met Henry. Zijn vader knikte.

Grace had van haar champagne genipt en geluisterd, maar nu kwam ze met een aantal vragen. 'Alex, als hij om haar geeft, waarom verdween hij dan in het niets zonder haar iets te zeggen? Was hij bang? En waarom heeft hij haar zo gruwelijk teleurgesteld met die trip naar Amerika? Ze keek er zo naar uit.'

'Daar kan ik je geen antwoord op geven, Grace. Ik ben het met je eens dat de geannuleerde reis als een klap in het gezicht is. Maar professor Walters is met een bepaalde reden met zijn groep in Jeruzalem – een reden waar wij met enige afkeer naar kunnen gissen – en ik vertrouw erop dat Calvin weet wat hij doet als hij zich daarginds bij hen aansluit.' Alex schonk het laatste restje dat nog in de fles zat in de glazen van de gasten en veranderde abrupt van onderwerp. 'Nu dan, waar zijn jullie speurneuzen met het "Dee-dossier"? Als we de wedstrijd om de hoofdprijs met hen willen aangaan, wordt het tijd dat we weten waar we staan.'

Alex had iets achtergehouden, Lucy was er zeker van. Maar het was duidelijk dat hij verder niets meer zou zeggen. Terwijl ze dat overdacht besefte ze iets te hebben gemist van wat Henry vertelde en ze probeerde de draad op te pikken.

'… een onderhoudend diner met John, een vriend van het decanaat Winchester, en hij had enkele interessante gedachten over die christelijke zionisten van Simon.'

'Godallemachtig, Henry!' riep Simon. 'Wil je die lui alsjeblieft niet met mijn naam in verband brengen.'

Henry stak een hand op. 'Mijn verontschuldigingen, Simon. Naar het schijnt zijn ze weerzinwekkend. John kon me alles over hen vertellen en zou zich volledig bij jouw kijk aansluiten. Het volstaat te melden dat hij niets opheeft met hun ideeën, die zij op het Oude Testament baseren. Ze houden zich dus veel meer bezig met de profetieën dan met de persoon Jezus. Volgens hem leiden hun leringen, als er geen paal en perk aan wordt gesteld, tot een algehele oorlog in het Midden-Oosten – een bloedbad. Ze maken schaamteloos misbruik van de gespannen en bezorgde houding die het Westen ten opzichte van de islam aanneemt. Je moet maar hopen dat ze door de geheime diensten in de gaten worden gehouden. Dat Opname-beleid waar jij het over had, Simon, betekent dat ze lak hebben aan de rest van de mensheid – het "sluit je bij ons aan of sterf"-principe. En John is bang dat bepaalde elementen van de evangelische beweging – met name in de Verenigde Staten en alarmerend dicht in de buurt van het Witte Huis – hun apocalyptische, maar nauwelijks christelijk te noemen theologie willen exporteren door er actief strijders voor te rekruteren. Laten we hopen dat je neef daar niet in verstrikt is geraakt, Alex! Maar nu zou ik wel iets meer willen horen over de door jou en Simon opgehaalde documenten, Lucy. Was het lastig ze in handen te krijgen?'

'Het was heel vreemd, Henry. Onze achterdocht sloeg helemaal op tilt toen we van Alex hoorden dat Calvin op hetzelfde moment in Boston was als Roland. Maar dat bleek stom toeval te zijn. De spullen van Will bleken zich al die tijd in Rolands privéonderkomen te bevinden. Hij had gewoon niet behulpzamer kunnen zijn.' Lucy dacht opnieuw aan hun ontroerende ontmoeting, de emoties die hij bij haar had losgemaakt, en ze glimlachte naar Alex om een reden die alleen zij kende.

'Het raakte hem diep toen hij van Wills dood hoorde,' zei Simon. 'Hij had er aanvankelijk geen idee van, heeft lang gedacht dat hij voor een jaar in Mexico of Zuid-Amerika zou zitten. Hij schrijft je nog.'

Henry knikte bedroefd naar hem. Het was pijnlijk maar meteen ook een steun voor hem bij iets betrokken te zijn wat hem weer dichter in de buurt bracht van zijn vrouw en zoon. 'Maar hij beschikte niet over de sleutel waar jullie naar op zoek waren?'

'Ik ben bang van niet,' antwoordde Simon. 'Hij wist er volstrekt niets van. Hij had alleen het pakket en een briefje van Will het tot nader order te bewaren. Hij had ook een witte roos in het pakket gestopt, waarvan Lucy gelooft dat hij uit Diana's tuin afkomstig is.'

Alex had nagedacht over Henry's nieuwe belangstelling voor de zoektocht, maar hij keek nu naar Lucy. 'Een witte roos? Het symbool voor de geheimen van de vrouw. Volgens mij is de "roos" even belangrijk als het getal vierendertig.'

'En dat geldt ook voor de sleutels, denk ik,' zei Grace geestdriftig. 'Simon en ik hebben de vellen bestudeerd toen jij aan je documentaire werkte, Lucy,' ze keek naar haar vriendin, 'en we denken dat de eerste pagina over Petrus gaat – "de rots" – die de sleutels van de hemel in bezit heeft. De ene was van goud en de andere van zilver. En "Martha", twee pagina's verderop, was de zus van Maria Magdalena, en volgens het verhaal ging zij naar Frankrijk. Sleutels waren ook haar symbool.'

Alex opende de map met fotokopieën en een wit boek op de theetafel. 'De sleutels van de hemel zijn van goud en zilver? Dan moet ons paar daar een afspiegeling van zijn.' Hij noteerde de ideeën en legde de kopieën recht. 'Dat maakt het van essentieel belang de tweede sleutel te vinden, Lucy, die met de robijn. Misschien is dat wat met de sleutel wordt ontsloten een toegangspunt tot de hemel, en we hebben nog altijd de zilveren sleutel nodig.' Alex liet zijn champagne grotendeels onaangeroerd en dacht na.

'En die hebben we nog steeds,' zei ze hem. 'Zij hebben er niet meer aan gedacht en ik heb hen er niet op attent gemaakt!'

Alex voelde zich wat ongemakkelijk toen hij daaraan werd herinnerd, maar hij knikte en bladerde weer door de papieren. 'Kennelijk bevindt het "symbool van onze eenheid" zich in Frankrijk, net als Martha? In Chartres, misschien.'

'Of de knopentuin in L'Aigle?' zei Henry. 'Een knoop representeert huwelijk of loyaliteit.'

'Heeft de lijfspreuk van de familie hier iets mee te maken?' Alex keek zijn vader vragend aan.

'"Loyaal en oprecht", Alex. Wat niet gold voor Henry Stafford, hertog van Buckingham, die tijdens de Rozenoorlog vaker van partij dan van paard wisselde. Maar zijn neef Humphrey was onze voorouder – die altijd trouw bleef aan York. Dat kostte hem onder Henry Tudor zijn leven. Jij herinnerde mij gisteravond aan de Stafford-ambassadeur in Frankrijk, Lucy – die Giordano Bruno kende. Ik moest er vanochtend in de bibliotheek onze kleine familiegeschiedenis op naslaan, maar inderdaad, hij was onze voorouder, Edward. John Calvin was peetvader van een van zijn zoons.'

'Je ziet wel, Henry,' zei Lucy zacht, 'dat de Staffords net zo deel uitmaken van het verhaal als de Dees.' Ze glimlachte naar hem en voelde dat Diana dat ook moest hebben gedacht.

'Maar,' ging hij met een warme blik naar haar verder, 'een knoop met Cupido, of met Venus en Mars, representeert de liefdesknoop – "oorlog beteugeld door liefde", heeft je moeder me geleerd, Alex. Je weet dat ze na St Martin's haar diploma esthetica heeft gehaald aan de

Sorbonne – waar ik haar leerde kennen toen ik een klus deed voor de NAVO op het bureau van de militaire politie,' legde Henry de anderen uit.

Alex dacht na. Hij herinnerde zich de geschiedenis van zijn ouders – en het vechten van de familie aan de witte-rooszijde bij de Slag bij Bosworth. Had dat iets te betekenen? 'Het wapen van de Staffords heeft een knoop en een zwaan?'

'En het Sint-Joriskruis. Maar denk aan de gordiaanse knoop. Je weet wel, die manchetknopen in de vorm van een knoop die je moeder je gaf toen je afstudeerde.'

Alex dacht eraan dat, hoewel zij de sleutel bij haar dood aan Will had gegeven, hij het zelf was die vanaf zijn geboorte in haar familie-mysterie was opgenomen. Hij keek zwijgend naar zijn vader, nam een hapje van een plakje cake en pakte de vellen papier op. 'Siâns witte rozen. Will was een volgeling van het huis York – een ridder "loyaal en oprecht". Een dood spoor? Of een lijn die het waard is nader uit te zoeken? Lucy?'

Lucy keek naar Alex, verdiept in haar eigen gedachten. Ze keek naar de rozen op het theeservies van Diana, waarvan ze een kopje in haar hand hield. 'Ik begin die witte rozen te begrijpen. Zonnebloemen volgen de zon, maar witte rozen komen in het maanlicht tot leven. Er staat iets anders te gebeuren, denk ik, als de nacht de echte dag is, en een vrouw weer macht heeft – zoals koningin Elizabeth in de tijd van John Dee. Misschien nu, nu de tweede Elizabeth koningin is.'

Lucy had iets gezegd wat iedereen raakte, maar ze ging snel verder. 'En ik dacht net aan de tweede tekst, aan "trouwe Henry" – de te vaak gehuwde Hendrik VIII.' Ze lachte. 'Uit mijn onderzoek naar Elizabeth kwam naar voren dat haar moeder, Henry's tweede vrouw, een "man-netjeshert" om haar nek droeg en men dacht dat ze in staat was de vorm ervan in een haas te kunnen veranderen. De regel "meisjes zijn mei zolang ze meisjes zijn" komt uit Shakespeares *As You Like It*. En Anne Boleyn werd in mei geëxecuteerd, gekleed in een grijze japon. Denk je dat het raadsel daarnaar verwijst? "Een dame van licht" was St. Lucy, en ik ben in februari geboren, de tijd van Maria-Lichtmis.'

'Maar de papieren kwamen ook "aan het licht" op je verjaardag, de derde februari, hier in de tuin – een andere reis begon op de vierendertigste dag van het jaar.' Alex schonk thee in haar kopje en liet de anderen toen even achter om de theepot opnieuw te vullen. Toen hij enkele ogenblikken later terugkwam met verse thee en een oude, vergeelde map, scheen het hem toe dat Lucy was betoverd.

'Wat jij zei, Alex. Zo had ik het nog niet bekeken.' Ze keek hem enigszins verward aan toen hij weer ging zitten. 'Prinses Elizabeth, Dees beschermvrouwe, was Annes kind. Zij en ik zijn bij wijze van spreken allebei "koningsdochters". Mijn Siciliaanse oma en Engelse opa ontmoetten elkaar tijdens de bevrijding. Door hem heb ik Engeland als vaderland en mijn Engelse achternaam.'

Alex' ogen lachten. Lucy vertelde zelden iets over haar familie, en zulke ontboezemingen waren een openbaring voor hem. 'Misschien gaat het hele verhaal tegelijkertijd over hen en over ons. Zij en jij? Maar ik wil nog iets anders inbrengen. Annes zus, Maria Boleyn, had naar alle waarschijnlijkheid een zoon en een dochter van Hendrik VIII – hoewel hun achternaam Carey was. Maria's zoon was Henry – genoemd naar zijn ware vader, de koning – en hij was Elizabeths Lord Chamberlain, de zo belangrijke mecenas van Shakespeares toneelgezelschap.'

'Natuurlijk. De Lord Chamberlain's Men,' zei Henry.

'En Henry Carey was zowel Elizabeths broer als haar neef. Maar Maria Boleyns dochter – de dochter van Shakespeares mecenas – kreeg het landhuis en de grondgebieden van Longparish. Die hadden tot de Ontbinding aan Wherwell Abbey toebehoord. Dus dit huis – dat al generaties lang in onze familie is en oorspronkelijk een kapel was – bevond zich op grond die van haar was. Zij was de onwettige dochter van de koning.' Alex opende nu de kleine map die hij uit het huis had gehaald en haalde er voorzichtig enkele papieren uit.

Simon zat nog altijd met het glas in zijn handen. 'Dat suggereert dat er een relatie bestaat tussen jouw familie, Dees nazaten – of zelfs Dee zelf – en een groep die mogelijk met Shakespeare verbonden was via Lord Chamberlain, Alex.'

'Ik denk het wel, Simon. Eenvoudig gesteld was deze grond in het bezit van de zus van Shakespeares beschermheer, en ik gok erop dat zij dit huis – en de grond waarop het is gebouwd – aan een van mijn voorouders heeft geschonken. Maar waarom…?'

'Vergeet niet dat een kapel in het katholieke Engeland als een heilige plaats gold.' Grace keek onderzoekend naar het oudste deel van het gebouw. 'Een kapel gewijd aan het overgaan van een ziel – een plek waar de ziel veilig was.'

'Klopt,' zei Alex en hij zag dat Lucy voor zich uit staarde. 'Maar er is meer.'

Hij vouwde behoedzaam een haveloos document open dat uit diverse vellen perkament bestond. 'Dit heeft Henry me gisteren gegeven,' legde Alex uit. 'Het behoort met de eigendomsakte bij het huis. Je kunt de naam hier bovenaan nog net lezen.' Hij wees op een regel van het document die met een ouderwets handschrift was geschreven, moeilijk leesbaar voor mensen van deze tijd. Grace was heel snel uit haar stoel opgestaan.

'"Geschonken door ondergetekende",' ze boog zich voorover om te helpen, en las hardop: '"in het vierendertigste jaar van het bewind van Elizabeth, bij de gratie Gods van Engeland, Frankrijk en Ierland, koningin"…' ze volgde Alex' vinger toen die enkele woorden oversloeg, '"aan meesteres Lanyer."' Grace keek opeens heel verbaasd. 'Het vierendertigste jaar van Elizabeths bewind moet 1592 of 1593 zijn geweest, Alex. Zij besteeg eind 1558 de troon.'

Alex nam geïnteresseerd kennis van Grace' opmerking. 'Een van de beste kandidaten voor Shakespeares "duistere dame" van de sonnetten,' zei hij een ogenblik later, 'was de minnares van Henry Carey, Emilia Lannier, geboren Bassano. Ze was een muzikante en haar familie was afkomstig uit Venetië, een vrouw van uitzonderlijke, exotische schoonheid, die later een episch gedicht publiceerde waarin ze Eva van alle blaam zuiverde. Jij zou haar gemogen hebben, Lucy,' zei Alex geestdriftig. 'Ze kan Shakespeare een krachtig feministisch gezichtspunt hebben verschaft als hij dat nodig had – als zij inderdaad een gewillig oor bij hem vond en hij bij haar seksuele gunsten, zoals sommige historici beweren.'

'Hoe heb je dat allemaal samengebracht, Alex?' vroeg Lucy bijna verbijsterd.

'Gisteren besefte ik pas dat een van de boeken die na de inbraak waren verdwenen een vroeg en waardevol exemplaar van het door haar gepubliceerde gedicht was. Dit huis kan met haar verbonden zijn geweest – misschien een legaat van Henry Carey via zijn zus, die alle grond bezat? De eigendomsakte lijkt dat te ondersteunen, hoewel er na die periode enkele frustrerende lacunes zijn.'

'Alex, ik dacht dat jij een wetenschapper was.' Grace was, vermoeid door de opwinding, weer in haar stoel geploft en sneed juist een stuk citroencake voor zichzelf en Henry af toen haar gevoel voor humor weer opborrelde. 'Je bent niet slecht in geschiedenis, om van de letterkunde nog maar te zwijgen.'

Hij lachte een tikje beschaamd. 'Niet echt, Grace. Ik was de wetenschapper in een kunstenaarsgezin. Ik moest in elk geval proberen een beetje bij te blijven. Zodra we stil konden zitten, nam mijn moeder Will en mij mee naar talloze uitvoeringen van Shakespeare. Mijn kennis van Winnie-the-Pooh en Alice hield waarschijnlijk niet over, maar ik kan het zonder programmaboekje stellen als ik naar Globe Theatre ga. En trouwens,' voegde hij toe, 'net als jullie loop ik al sinds enkele weken met mijn hoofd in de wolken!'

'Laat hem maar kletsen, Grace,' plaagde Lucy, die er opeens aan dacht dat er veel van John Dee in deze betoverachterkleinzoon stak. 'Alex weet net zoveel van literatuur als ik. Terwijl ik niks weet van stamcellen.'

Alex' vader had met gesloten ogen in het voor de tijd van het jaar ongebruikelijk warme zonnetje gezeten, maar nu glimlachte hij mysterieus naar haar. 'Het is mijn ervaring, Lucy, dat mannen van de wetenschap vaak meer van de kunsten weten dan wij humaniorastudenten van onze eigen disciplines weten. Maar zet hem niet op een voetstuk. Alex houdt niet van hoogten.'

Lucy begreep niet goed wat hij bedoelde. Had Anna hem te hoog gepositioneerd, waardoor het onvermijdelijk was dat hij zou vallen?

Henry sprak verder. 'Al die interpretaties zouden waar kunnen zijn. Koningin Elizabeth, Lucy en Katherine Carey – en hoe boeiend als Shakespeares "donkere dame" met het huis verbonden is. Je moeder zou dat geweldig hebben gevonden, Alex, en ze zou het geweten hebben.' Het speet Henry enorm dat hij de fascinatie voor haar familie niet eerder op waarde had weten te schatten. 'Wat heeft "mei" met het raadsel te maken?'

'De tijd zal het wellicht leren, denk ik,' zei Alex. Hij keek ernstig de peinzende kring rond. 'Simon, jij bent ongebruikelijk stil voor jouw doen.'

Simon was inderdaad zeldzaam zwijgzaam geweest, maar nu antwoordde hij Alex vol levendigheid. 'Ja, ik was zo ondergedompeld in al die nieuwe informatie dat ik het bijna zou vergeten. Grace en ik hebben een verband gevonden tussen jouw magische getal in de tekst die begint: *"Over one arm the lusty courser's rein."* Het is de vierendertigste regel van Shakespeares *Venus en Adonis*. Lucy vestigde de aandacht op verwijzingen naar die geliefden in diverse teksten.' Simon zweeg even om de betreffende pagina hardop voor te lezen. 'Maar dit is het merkwaardige. Het schilderij *Venus en Adonis* in de National Gallery – Grace heeft er een afbeelding van meegenomen – is gecatalogiseerd als NG34. Het was het vierendertigste schilderij dat in de vroege negentiende eeuw door de Gallery werd verworven. Het staat voor de afnemende liefde tussen Filips en Maria Tudor, en Maria was ook de dochter van Hendrik VIII. Venus smeekte Adonis niet te jagen – wat volgens mij inhield dat zij niet wilde dat Filips aan het zwerven ging.'

'Naar haar zus, Elizabeth!' Grace had een ansichtkaart van het schilderij uit het mandje naast zich gepakt. Simon nam de ansicht over en gaf hem aan Lucy en Alex, die hem op hun beurt aan Henry gaven.

'De regelnummers konden uiteraard gewoon worden geteld,' zei hij, 'maar hoe konden ze aan het eind van de zestiende of begin zeventiende eeuw weten dat het schilderij tweehonderd jaar later NG34 zou worden?'

Vier verbijsterde gezichten en Alex kon een sceptisch lachje niet onderdrukken. 'Je zou er nog goed aan kunnen toevoegen dat het Spanje van Filips tegenwoordig landnummer vierendertig heeft als je er iemand wilt bellen!' Het was een absurd toeval, maar het was desondanks fantastisch. Op een bepaald niveau leidde het tot uiteenlopende existentialistische vragen. Werd de kunst tot in het overdrevene door het leven gekopieerd?

Lucy ging nog even voort op het denkbeeld. 'Ik vind het geweldig! Maar voeg het toe aan de tekst die eraan voorafgaat. *"Where did I leave the sweet lady sleeping?"* Ik heb echt een zwak gekregen voor

Ariadne, de slapende dame die op Naxos werd achtergelaten door Theseus. Titiaan schildert haar terwijl ze Theseus ziet vertrekken, maar ook reikt naar Dionysus of Bacchus. Zijn Ariadne hoeft niet te sterven, maar krijgt van de vriendelijkste van de drie schikgodinnen een nieuw hart – respijt. Ze wordt tot godin verheven omdat ze een man uit het labyrint redt. Het schilderij is een van de meest bewonderde van de National Gallery en zou die tekst kunnen oplossen, heb ik het gevoel.'

Alex bladerde door de stapel papieren en vond wat hij zocht, vestigde er de aandacht op door er met zijn pen op te tikken en legde het opzij met die waarover ze hadden gesproken. 'En hoe zit het met deze, over de Styx? Die omvat ook een verwijzing naar Venus en Adonis, maar de avond van onze boottocht hernoemden wij de Theems tot Styx, Lucy, en we moesten de veerman betalen en Magere Hein passeren.' Alex draaide zich ter verklaring naar zijn vader. 'Voor de Halloween-avond van het ziekenhuis.'

'Alex,' zei Lucy, 'de "hemelse godin van het licht" en de man die "werkelijk overgaat tot de gezegende eilanden van de ziel"…' Iedereen wachtte tot ze zich nader zou verklaren, maar ze kon niet onder woorden brengen wat ze wilde zeggen. Het was te vreemd om te delen. Ze herinnerde zich het bonken van haar hart toen ze het vreemde vaartuig had gezien. Ze begreep opeens dat het veertig dagen en nachten na haar operatie was geweest, en na Wills dood. Zoals Christus in de woestijn, of Mozes in de Sinaï, of de Egyptische periode van zuivering van de mummie, het was de tijd die de ziel in het voorgeborchte moest doorbrengen. Bleef zijn hart bij haar, en vertrok zijn ziel naar het Elysium? Ze zei alleen: 'Het hele document is onze kroniek.'

En Alex' reactie verbaasde haar. Hij glimlachte teder. 'Ja. Dat is het.'

Lucy vond de hele ervaring nogal heftig, het kwam allemaal zo dicht op de huid. Ze had wat ruimte nodig en terwijl Grace Alex nog meer vragen stelde over de vrouw die de grond bezat, zocht ze zelf haar toevlucht in de keuken, zogenaamd om verse thee en een pot koffie te zetten, maar het duizelde haar. Terwijl de ketel op het vuur stond, stapte ze Diana's kleine studeervertrek naast de woonkamer binnen zonder het gevoel te krijgen een indringster te zijn. Daar, op haar bureau, terug op de prominente plek, bevond zich het minuscule portret van de zestiende-eeuwse dame met haar prachtige lijfje, met de bomen en insecten en hertenbokken. Lucy nam het op en bekeek de donkere schone, zich afvragend wie ze was en wat haar verhaal zou toevoegen als ze het zouden kennen.

De ketel zong nog niet, dus liep ze naar de andere kamer en ging achter Alex' laptop zitten, waar zij en Max elkaar de vorige dag beter hadden leren kennen. Ze voerde 'Emilia Lannier, 1592' in en er verschenen enkele alternatieve spellingen, maar haar ogen sprongen naar de gegevensfragmenten die haar meteen iets leken te zeggen. Ze haastte zich terug naar de keuken en verbrandde bijna haar hand bij het schenken van het kokende water en vloog vervolgens opgewonden de tuin in.

'Lucina was de vroedvrouw van Adonis,' zei Henry tegen Grace, zijn bril op het puntje van zijn neus om de door haar aangewezen pagina te lezen, 'en ze bevrijdde hem van zijn afzondering in de heilige mirreboom – precies zoals Prospero Ariel uit de naaldboom bevrijdt.'

Maar iedereen keek nu naar Lucy terwijl ze de beide potten op de tafel zette.

'Wat is er?' vroeg Simon haar.

'Ik denk,' zei ze met een twinkeling in haar ogen, 'dat het portret dat je werd afgenomen en teruggegeven het portret is van Lord Chamberlains mooie maîtresse Emilia.'

Alex had pas onlangs gehoord hoe het schilderij weer in hun handen was gekomen, en op wiens aandringen, maar hij had hun er niets over gezegd. Hij ging weer in zijn stoel zitten, sloeg zijn armen over elkaar en zei verbaasd: 'Ga verder.'

'Donkere dame of niet, ze was in 1592 bezwangerd door Lord Chamberlain en werd haastig uitgehuwelijkt aan een musicus genaamd "Lannier" – hoewel ze haar zoon Henry noemde, naar zijn echte vader. Zou dat geen uitgelezen moment zijn geweest haar een afgelegen stukje grond te geven dat veelzeggend genoeg niet aan hem maar aan zijn zus toebehoorde?'

'Dat is het vierendertigste jaar van Elizabeths regeerperiode,' knikte Alex. 'Maar hoe is het daarna in onze handen gekomen?'

'Misschien is er een connectie tussen haar en Shakespeare of Dee, of met een van Dees kinderen,' zei Simon.

'Ze wist alles,' stelde Lucy. 'En misschien is het "legaat" in dat document waar je naar keek van geestelijke aard – en omvatte het het portret. Ze was met Dees kring verbonden, denk ik.'

Dit spoorde Alex aan het gesprek te brengen op iets wat hem intrigeerde en iets minder persoonlijk was. 'Dat is precies de tekst, Lucy, waarin de aanwijzing te vinden is die ik jou en Simon telefonisch heb gemeld,' zei Alex. 'De tekst gaat over het maanelement, over de miniaturen en emailleren.' Hij gaf het vel papier aan haar. 'Het maanelement is Vrouw, in één opzicht, maar het raadsel betreft het element selenium. Dat wordt gebruikt voor het maken van verkeerslichten en emailleersel omdat het een zachte, lichtgevende kwaliteit heeft. En het is momenteel heel belangrijk in de geneeskunst omdat het een belangrijke rol speelt in het voorkomen van bepaalde soorten kanker, en het is cruciaal voor een gezond immuunsysteem. Er zal nog langdurig onderzoek moeten worden gedaan, maar men staat op het punt tests te doen die moeten uitwijzen of het patiënten met HIV kan helpen. Het vreemde is,' zei hij fronsend, 'dat het het vierendertigste element is in het periodieke systeem, dat in Dees tijd niet eens bestond.'

'Misschien heeft een engel Dee daarover ingelicht?' Lucy keek hem met opgetrokken wenkbrauwen aan.

Alex lachte. 'Dat roept wel een vraag op, hè? Wie heeft die papieren geschreven? Was het Dee? En moeten we aannemen dat de tweede reeks allemaal latere toevoegingen zijn? Misschien van de ene generatie vrouwen na de andere in mijn moeders familie, omdat het zeker is dat de laatste van haar hand is. Er zijn er zeventien, plus het eenvoudige getallenvierkant van de tegel. Precies zoals er ook zeventien in de eerste reeks zitten, plus de tafel van Jupiter.'

'Opgeteld komen we dan uit op een klinkend aantal,' zei Simon.

'Betekent het dat de tijd nu "rijp" is, zoals Lear zou zeggen? Na vierhonderd jaar naderen we op dit moment het antwoord,' suggereerde Alex.

'En zeventien vrouwen en hun partners – aangenomen dat je gelijk hebt dat er van elke generatie één tekst is, Alex – betekent dat vierendertig mensen jou en Will voortbrachten.' Lucy wilde niet meer zeggen dan dat, maar ze voelde zich zwaar in haar hoofd, onderging een gevoel van wildheid in haar hart – een niet onplezierig bonzen. De omstandigheden, dacht ze, moeten precies kloppen, en dat doen ze. Wills dood, haar leven: zij was zijn redding en wederopstanding, figuurlijk gesproken, en hij de hare. Het bood een betekenis onder de voor de hand liggende in de teksten waar alleen zij en Alex gevoelig voor konden zijn. Maar er moest ook iets actueels mee corresponderen, een reden waarom die documenten en ideeën doordrongen tot het huidige bewustzijn. Ze was er zeker van dat het te maken had met 'hemelvaarders', wat betekende dat zij er onvermijdelijk bij betrokken waren.

'Dit is Bab El Rameh, Calvin,' zei Fitzalan Walters tegen hem toen ze naar de gouden steen van het bouwwerk uit de Oudheid keken. De middagzon riep de schitterendste kleurenrijkdom wakker en wierp een roze en goudkleurige glans over de Romeinse bogen, die opgevuld waren met gladdere blokken steen.

'Het staat ook bekend als de genadepoort, als ik me niet vergis, waarvan de oude joodse traditie zegt dat de Messias de stad hier zal binnengaan.' Hoewel hij al twee dagen op heilige plaatsen en antiquiteiten was getrakteerd, werd Calvin echt gegrepen door de symmetrie en de schoonheid. De poort, gewijd aan drie godsdiensten, was in de loop van de eeuwen getuige geweest van allerlei gebeurtenissen die deel uitmaakten van de ontvouwing van het menselijk drama. Zijn overhemd was veel te dik voor deze plek en het zweet liep kriebelend over zijn rug op deze smoorhete aprildag. Maar de lucht was een fractie koeler nu, en de stad, waarin het in deze paasweek wemelde van de pelgrims, bood een betrekkelijke rust op dit uur waarin de gelovigen de vele synagogen en kerken rond de stad bezochten. Calvin werd diep geroerd door deze plaats die zoveel geschiedenis en schoonheid, maar ook verdriet en strijd omvatte.

'Maar de gouden poort is precies waar Jezus zijn laatste intocht in Jeruzalem maakte. En de volgende gebeurtenis in Gods profetische plan zal het opnemen van de heiligen zijn, Calvin, in de aanwezigheid van de Heer. En als de teksten van Dees engelen het bij het rechte eind hebben, zal het hier zijn, morgen, op paaszondag.' FW had die bijzondere vurigheid in zijn stem die hij bewaarde voor de belangrijke plaatsen en de nog belangrijkere gelegenheden. En het viel Calvin op dat zijn metgezel, met zijn panamahoed en keurige jasje, volstrekt geen last leek te hebben van zweet of van de hitte.

Guy had een stukje bij hen vandaan gestaan om hun wat ruimte te geven voor de ervaring, maar nu deed hij een stap naar hen toe en zei 'Amen' op de beweringen van de professor. 'Omdat dit zijn alfa en omega is, FW, precies hier in Jeruzalem. Hier is hij gestorven en hier zal hij naar ons terugkeren.'

'En alle tekenen wijzen op een aprildag,' zei FW ernstig. 'Mijn hart springt op bij het idee. Zullen we morgen de komst beleven van het witte paard en het opensplijten van de hemel? Jezus die komt om zijn bruid te halen: ons gelovigen die opnieuw geboren zijn?'

Calvin zette zijn zonnebril weer op en liet zijn blik nog eens over het bouwwerk gaan, zijn ogen afhoudend van het intense licht, maar ook van de mannen die bij hem waren. 'Ook in de Koran is dit de ge-nadepoort, is het niet?' vroeg hij. 'Waar de rechtvaardigen op de dag des oordeels doorheen zullen gaan?'

Maar FW was ergens anders met zijn hoofd. 'Hij is gehuld in een gewaad dat in bloed is gedrenkt en zijn naam is het woord van God,' parafraseerde hij bewogen de tekst van het door hem zo geliefde Openbaringen. Calvin huiverde in de zon.

De middag slonk weg terwijl ze zich door de stapel oude raadsels werkten en oplossingen opperden en onduidelijkheden overdachten. 'Er is hier vast wel een volledige uitgave van Shakespeare, toch?' vroeg Lucy.

Alex ging het huis binnen om hem te halen.

'En een atlas,' riep Simon hem na. Alex zette er de pas in.

Hij nam de tijd om even bij de jongens te kijken en zocht wat trui-en en vesten bij elkaar, maar hij was op tijd terug om Lucy zijn vader een interessante vraag te horen stellen.

'Hoe was dat met Dido, Henry? Wat aanschouwde ze met welbe-hagen?'

'Toen koningin Dido door Aeneas in de steek werd gelaten en zich-zelf op een brandstapel wierp, kreeg Juno medelijden met haar en zond Iris met een regenboog om Dido's ziel te bevrijden door een lok van haar haar te knippen. Het was de regenboog die ze met genoegen zag. De gedachte dat de ziel van iemand het lichaam kon verlaten zolang er een object was om zich aan vast te klampen, was gangbaar in de klassieke tijd. En de regenboog was de brug naar hogere wijsheid en de poort naar het paradijs.'

'Newton was verzonken in een iconisch symbool.' Alex keek Lucy in haar ogen toen hij haar in een gebreid vest hielp dat haar veel te groot was. Ze hadden dat symbool van hogere wijsheid samen voor het eerst gezien en hij begon zich af te vragen of er ook een ziel huisde in het object dat zij uit de grond onder de boom had opgegraven.

Ze waren allemaal in hun eigen overpeinzingen verzonken toen Lucy, die zich met de uitgave van Shakespeare had beziggehouden, opgewonden opkeek. 'Regels uit zijn vierendertigste sonnet – de laatste strofe – zijn in diverse teksten terug te vinden. "*Ah! But those tears are Pearl which thy love sheeds*".' Ze sprak tegen een kring geconcentreerde gezichten.

Ook Simon was in de atlas op goud gestuit toen hij de vierendertigste lengte- en breedtegraad afzocht. Er was hem plotseling iets duidelijk geworden en hij legde uit dat de Ancient Mariner, zuidelijk varend 'in de richting van de lijn', Lucy en hem tijdens hun vliegtrip eerst aan Sydney had laten denken. 'Maar Botany Bay is een latere naam voor Stingray Bay, en het ligt op vierendertig graden zuiderbreedte. Lucy's geboorteplaats.'

Net als de anderen was ook Lucy nauwelijks meer verbaasd. Maar er werd een probleem door opgeworpen dat ze nu onder woorden bracht. 'Wijst dat op een plaats buiten Engeland, denk je, waar de zogeheten pot met goud te vinden is? Zou Dee dit – wat het ook is – op een van zijn reizen in het buitenland kunnen hebben ondergebracht?'

'Je hebt gelijk, Lucy. We hebben hier nog het een en ander uit te zoeken,' zei Alex. 'Maar het getal vierendertig onderstreept elk woord, elke tekst. Als we het nog niet in alle teksten hebben gevonden, is dat vermoedelijk onze fout. We hebben Venus en Adonis, en Ariadne. De maand mei zou significant kunnen zijn en in alle raadsels duiken rozen op. Het eerste vel – gekopieerd en doorgegeven aan elke generatie – heeft "William Shakespeare" als oplossing. En "roos" is, denk ik, bedoeld als een bijna-homofoon voor het Latijnse "ros" of "dauw", een voornaam ingrediënt in de alchemie. In Wills naslagwerken vond ik de woorden onder Dees "monas"-symbool: "God schenkt je de dauw van de hemel en de overdaad van de aarde." Dee hechtte grote waarde aan de alchemie.'

'Maar, Alex,' zei Henry, terwijl hij het vel opzijlegde dat hij had zitten lezen, 'ik denk dat rozen in de eerste plaats verwijzen naar de vrouwelijke schoonheid en kracht. De hele vorm verwijst naar de vrouwelijke allure en het seksueel-regeneratieve vermogen. Ik stel mij voor dat zij wat betreft de vrouw iets hoopvols en positiefs bedoelen. De boeken die ik deze week onder handen had herinnerden mij eraan dat koningin Elizabeth – eveneens een Maagd – bekend was in Dees kring en bij haar geletterde hovelingen als Astraea, de godin van het recht uit de gouden tijd. Destijds waren de goden en de hemel zelf op aarde. Misschien – het is nogal wat om te hopen – verwachtte Dee dat er weldra, onder een troonopvolger van Elizabeth, een nieuwe gouden tijd zou aanbreken.'

Hij keek zijn zoon aan en Alex had het gevoel dat dit van grote betekenis was, maar de discussie werd onderbroken door de beltoon van zijn mobieltje. Hij ging het huis binnen om het gesprek aan te nemen. Toen hij terugkwam zag hij er bezorgd uit.

Zonder te weten hoe ze het wist, meende Lucy dat Calvin de beller was geweest en dat Alex erover zou zwijgen. Was dat alleen omdat geen van hen hem mocht?

Het was bijna zes uur en het begon kil te worden, dus zette Alex de kopjes en bordjes op een blad en liet hij de jongens weten dat het tijd was om afscheid te nemen. Grace en Simon trokken iets warms aan en wandelden verder de tuin in. Henry zat nog in Shakespeare te lezen en Lucy nam een ander pad door de tuin, verzonken in de gedachten van een godin. Ze wandelde naar de moerbeiboom, die nog geheel en al van knoppen verstoken was, en ze werd ergens naartoe getrokken. Ze knielde neer, dacht na en zag met haar geestesoog een in een handschoen gestoken hand van een dame die iets omvatte wat bewoog – een vogel, misschien? Het beeld verontrustte haar maar riep geen walging bij haar op. Ze liep terug over het pad en plukte wat bloemen. Ze plukte geurige narcissen voor de kamer die ze met Alex deelde en die de herinnering aan de dagen na haar transplantatie opriepen. Toen ging ze op zoek naar wat vroege anemonen voor Siâns kamer. Ze was bezig ze te plukken toen de plotselinge ingeving die ze kreeg zich een weg naar buiten baande.

'Alex, ik begrijp het!'

De woorden hadden zoveel overtuigingskracht dat iedereen naar haar toe kwam.

'Het is niet de vierendertigste lengte- of breedtegraad: althans, dat geloof ik niet. Maar er is een rol voor de tijd weggelegd. Alex realiseerde zich dat mijn verjaardag de vierendertigste dag van het jaar is. Dus begon ik te denken dat de vierendertigste graad van de dierenriem vier graden van Stier zou zijn – het teken dat verbonden is met april en mei, en de Minotaurus.'

'En het labyrint,' zei Alex.

Lucy vervolgde: 'Het zou rond drieëntwintig of vierentwintig april vallen – afhankelijk van de exacte graad in een bepaald jaar. Er is een tekst die vraagt wat mannen zijn als ze een vrouw het hof maken. Ze zijn april – en december als ze trouwen – in *As You Like It.* Bedenk nu dat de drieëntwintigste St. Jorisdag zou zijn – en dat was oorspronkelijk een heidens feest, de dag van de Groene Man. En in een soort raadseltaal zou "groen" de tweede voornaam van Iris kunnen zijn, als de middelste kleur van de regenboog.'

Alle ogen waren op Lucy gericht en allen spanden zich in haar ontdekking te doorzien.

'Henry, het Sint-Joriskruis is toch te vinden op het Staffordwapen?' Hij bevestigde dat en ze vroeg: 'Wiens "alfa" en "omega" was Sint-Jorisdag?' Lucy daagde de anderen uit.

Alex hield zijn hoofd scheef. Lucy keek met haar grote bruine ogen hypnotiserend de kring rond en hij genoot van hun vurigheid. 'William Shakespeare natuurlijk! Dat is inspirerend, Lucy. En dat is precies de tekst in mijn moeders handschrift: "Taurus vier, de pot met goud aan het einde van de regenboog." Het moet een Sabijns symbool zijn, Shakespeares persoonlijke Sabijnse symbool voor de graad van zijn jaardag.'

'Sabijns symbool, Alex?' Grace begreep er niets van.

'Ontworpen door Marc Edmund Jones in de jaren twintig van de vorige eeuw, Grace. Elk van de driehonderdzestig graden van de dierenriem vormt de inspiratie voor een frase of een beeld, een intuïtieve benadering van dat deel van het individuele teken, en mijn moeder had er een versie van.'

Iedereen was diep in gepeins, tot Henry uiteindelijk de vraag die hen allen bezighield stelde. 'Dus, waar moet je zijn en wat zal er gebeuren op drieëntwintig april?'

Maar het was bijna twee uur later toen Max – die zich had gedrukt voor het dekken van de tafel – met een hoog, opgewonden stemmetje Lucy en zijn vader riep. Op Alex' laptop had hij de gescande foto's van de achterkanten van alle documenten in een collage samengepuzzeld door de lijnen van het doolhof op elkaar te laten aansluiten. Op het scherm was een volledig labyrint verschenen. En er was geen twijfel aan dat ze in het midden van dat labyrint door een gezicht werden aangekeken.

'Wel,' zei Alex grijnzend, 'ik denk dat de man uit Stratford ons iets probeert te zeggen.'

31

Het sluitingsuur van de pub was al ingegaan en de klok van de kathedraal sloeg de helft van een verscholen uur. In het weinige licht waren in de late aprilmist nog net de twee mannelijke gestalten te onderscheiden die uit de steeg aan de achterkant van de abdijkerk van Engelands eerste martelaar kwamen in St Albans. Een van hen droeg een reistas en als spoken staken ze de straat over die bekendstaat als Holywell Hill. De ander haalde een bos sleutels uit zijn jaszak en opende de deur van een pottenbakkerij. Er was verder niemand op straat en ongezien gingen ze het pand binnen. Ze schakelden het alarm uit en maakten geen licht.

In het halfduister was te zien dat de ruimte gemeubileerd was met ronde tafels – allemaal met stoelen eromheen en met potjes verf en kwasten erop die door de pottenbakkers werden gebruikt om borden en andere objecten te versieren alvorens ze in de oven te bakken. De deur en de ramen aan de voorzijde van de winkel waren vervangen – misschien in de afgelopen honderd jaar. Ze lieten een zekere hoeveelheid geelachtig licht door en iedere voorbijganger zou in potentie naar binnen kunnen kijken.

Links van de voordeur stond een toonbank met een kassa, en tegenover de deur, aan de andere kant van de ruimte, bevond zich een deur die uitkwam op een gang, die mogelijk naar andere vertrekken leidde. Voorts stonden er tegen die muur drie ongelakte vurenhouten kasten met schappen vol ongeglazuurd aardewerk, in afwachting van kunstzinnige inspiratie. En achter die kasten was over de hele lengte de fraaie, onbeschadigde achttiende-eeuwse lambrisering die, toen er voor een ogenblik een zaklamp werd aangeknipt, een zachte honingkleur onthulde. Het was die lambrisering die, meer dan al het andere, de belangstelling van de indringers trok.

De twee mannen richtten hun volledige aandacht op die muur. Geruisloos en doeltreffend werkend maakten ze snel de schappen leeg door de inhoud keurig opgestapeld op de tafels te zetten. De straatverlichting wierp een griezelige gloed op hun werk en maakte vreemde schaduwen op de panelen. Toen de schappen leeg waren, trokken ze voorzichtig de kasten naar voren, waarbij ze als scherm dienden om de bewegingen erachter aan het oog te onttrekken.

Ze trokken hun jassen uit en hingen die zo voor de achterkant van de kasten dat ze ook door hun bewegende schaduwen niet meer zouden worden verraden. De zaklamp ging weer aan en er werd een opgerolde hoes met gereedschap uit de reistas gehaald, alsmede een tweede, kleinere zaklamp en een rubberen hamer. Zwijgend trokken beide mannen handschoenen aan, terwijl de grootste van de twee ingespannen de straat in tuurde.

De ander concentreerde zich nu op de lambrisering. Hij haalde een lang, smal mes uit de hoes en hij tastte de lambrisering over de volle lengte af met zijn handen, het mes en de dunne lichtstraal uit de zaklamp. Hij aarzelde, liet het mes vervolgens tussen twee panelen door glijden tot hij er iets hards mee raakte. Hij trok het mes een fractie terug tot hij het obstakel voorbij was en duwde het daarna weer terug om de smalle spleet verder te volgen tot hij weer op een obstakel stuitte.

In de duisternis floot hij zacht naar zijn metgezel, die zich op enige afstand bevond. Vervolgens hield hij zich bezig met het paneel boven het paneel dat hij zojuist had onderzocht. Hij herhaalde het proces. Ook deze keer raakte het mes iets hards, maar in plaats van het mes iets terug te trekken, oefende hij er kracht op uit. Plotseling gleed het mes een stuk naar binnen en er klonk een harde klap. Het onderste paneel was van de muur losgekomen en stond nu op de vloer. Hij deed onmiddellijk de lamp uit en bleef onbeweeglijk staan. De man bij het raam dook op de grond en ze hielden zich stil en wachtten of er een reactie zou volgen uit de slaapkamer boven hen of van de straat. Ze haalden onrustig adem en er naderde een auto, die vaart minderde. Ze hoorden iemand spreken en zagen vervolgens de koplampen van een andere auto die in de straat keerde. De spanning bij de twee mannen nam nog toe. Ze wachtten, hoorden nog meer stemmen en het dichtslaan van een autoportier. De auto reed weg de heuvel op. Na vijf minuten bewegingloos te hebben gewacht, scheen de man bij de lambrisering met de zaklamp achter de opening die door het losgekomen paneel was ontstaan. De rommelige aanblik van een oude stenen muur was zichtbaar geworden en hij zoog hoorbaar zijn longen vol. Hij reikte echter vastberaden naar zijn gereedschap, pakte de rubberen hamer, een beitel en een stuk plastic, dat hij zorgvuldig op de vloer uitspreidde. Zo stil mogelijk begon hij aan het verwijderen van een deel van de stenen muur. Hij stopte even om te controleren of er iemand door was gealarmeerd. Zijn partner stak zijn duim omhoog om hem te laten weten dat alles in orde leek.

Het oude cement liet zich verrassend snel verwijderen en hij wrikte de stenen los. Hij legde ze zo geruisloos mogelijk op het plastic. Door de opening die hij had gemaakt zag hij zoiets als een schitterend geconstrueerde bergplaats die in de dikke muur achter de stenen was uitgespaard. De ruimte zou deel hebben kunnen uitmaken van een open haard of van een priestercel uit vervlogen eeuwen. Na nog eens met behulp van de zaklamp in de ruimte te hebben getuurd, wenkte hij zijn handlanger. Tussen de bergen stof en de spinnenwebben zagen ze twee oude kisten – de grootste was vierkant en stevig met touw dichtgebonden en de kleinere had een gebogen, goudkleurig deksel met een geschilderd opschrift.

Snel verwijderden de mannen de overige stenen en ze trokken de kisten in de open ruimte achter de kasten. Ze schonken hun aandacht meteen aan de kleinste van de twee. Een ruk aan het deksel maakte duidelijk dat de kist stevig op slot zat, maar aan weerszijden bleken zich bewerkte sleutelgaten te bevinden. Een van de handschoenen veegde wat stof weg om de geschilderde woorden zichtbaar te maken. De mannen keken elkaar aan, aarzelden en duwden de kist behoedzaam opzij om zich nu op de grotere te concentreren. De knoop in het touw zat erg strak en na een vergeefse poging hem los te krijgen, kreeg de langste van de twee mannen het mes aangereikt. Hij wachtte heel even en sneed het touw toen moeiteloos door.

In de kist bevond zich een groot perkament, dat werd bedekt door ingewikkelde, technische tekeningen en notities. Daaronder bevond zich een verzameling nogal primitieve wetenschappelijke instrumenten: een aantal doffe koperen buizen, enkele klemmen, spiegels en een prisma dat in het licht van de zaklamp van helder kristal bleek te zijn. Afzonderlijk in stukken stof gewikkeld bevond zich een uitzonderlijk gedetailleerde reeks lijnen en vormen die geëtst of getekend waren op stukken glas.

De indringers haalden de objecten uit de kist en legden die voorzichtig op de vloer om ze beter te bekijken. Uiteindelijk sprak een van de mannen: '*Non angli, sed angeli,*' en hij liet een zachte lach horen. Beide mannen knikten, rolden het papier voorzichtig op, omwikkelden het glas en legden alles weer terug in de kist. Een van de mannen blies door een stukje riet of een dun pijpje om de kleinere kist weer een laagje stof te geven. Ze plaatsten alleen die kist terug in de bergplaats en hielden de tweede dicht bij zich.

Wat volgde was bijna een vol uur van vrijwel geruisloos uitgevoerd reparatiewerk. Toen het stof was gaan liggen, sprong een van de mannen op een tafel en hij prutste een tijdje met een schroevendraaier in de buurt van de plafondlamp. De andere man hield zich achter de toonbank bezig met de wandlamp boven de schappen die aan de muur waren bevestigd. Tien minuten later stapten ze naar buiten met de grote kist tussen hen in. Een van hen keek nog eens controlerend rond, maar er was geen enkel spoor meer van hun aanwezigheid te zien.

De weg was verlaten. De vracht voorzichtig tussen hen in balancerend, schakelden ze het alarm weer in alvorens de deur af te sluiten en in de duisternis op te lossen.

Het carillon had Sint-Jorisdag overdadig en gedurende een vol kwartier ingeluid. Lucy, die zich bijna niet verstaanbaar had kunnen maken door de complexe veelheid van neerdalend geluid, had Alex opeens in zijn hand geknepen en met haar hoofd naar de rivier gewezen. Een van de twee gestalten die hun kant op kwamen had een zelfverzekerde, paraderende manier van lopen, de sensuele elegantie van een model op een catwalk. Lucy grijnsde.

Een uur na haar aankomst op paaszondag – de andere aanwezigen zochten naar eieren – had Lucy Siân aangetroffen in Wills slaapka-mer. Ze zat tegen het hoofdeinde van zijn bed geleund. Het jack – in tweeën gescheurd – lag op het bed. Siân plukte eraan.

'Ik heb nooit gelegenheid gehad afscheid te nemen,' zei ze tegen Lucy. 'Hij vertrok op een avond zo woedend dat we ons vaarwel uit-stelden tot we niet meer zo boos op elkaar zouden zijn. Maar toen kregen we nooit meer de kans onze afscheidswoorden uit te spreken.'

Lucy had nagedacht over een reactie maar had de stilte laten spre-ken om Siân ruimte te geven en haar toen eenvoudig omhelsd. Na tranen en overdenkingen had Lucy vriendelijk gevraagd: 'Zal ik het jack voor je herstellen, Siân? Ik denk dat ik de helften wel weer met kleine steekjes aan elkaar kan krijgen zodat je het weer kunt dragen.' Ze begreep – op een manier die Alex zou hebben verbluft en Simon waarschijnlijk tot razernij zou hebben gedreven – dat het jack voor Siân kon dienen als een afscheidssymbool, een curieus *memento mori*. Siân had zich eraan vastgeklampt.

Later die dag, toen Alex Max en de anderen langs de bezienswaar-digheden van Winchester voerde, was Lucy met Henry en Siân ach-tergebleven. Met vaardige vingers was ze bezig het jack te herstellen. De spullen die ze ervoor nodig had, had ze vrijwel onmiddellijk in Diana's werkkamer gevonden. De kalmerende bezigheid riep de da-gen van wachten en borduren in het ziekenhuis weer in herinnering. Ze was zich bewust van de uitzonderlijke verandering in haar voor-spoed. Het contrast met Siân bedrukte haar. Maar toen nam Henry het woord en kon Lucy luisteren naar de woorden die Siân met stom-heid sloegen.

'We hebben besproken wat het beste moment zou zijn om het je te vertellen, Siân. Alex heeft me verzekerd dat dit een geschikt moment is en ik vertrouw maar op zijn oordeel.' Hij onderbrak zichzelf om haar te verzekeren dat hij haar niet voorbereidde op nog meer slechte tijding. 'Ik weet niet of je ervan op de hoogte bent – misschien is dat zo – dat Will, vanwege al die onveilige plaatsen waar hij zich zo vaak ophield, een levensverzekering had afgesloten.'

Siân legde niet-begrijpend haar tijdschrift opzij en luisterde aan-dachtig. Henry probeerde te glimlachen en vervolgde: 'Ik kom maar meteen tot de kern. Ik ben Wills executeur-testamentair en na de definitieve uitspraak van de lijkschouwer ongeveer een maand geleden is nu vastgesteld dat hij op geen enkele manier aansprakelijk is voor zijn eigen dood. Intussen heb ik een brief ontvangen waaruit blijkt dat de helft van het bedrag dat wordt uitgekeerd door de verzekering, die hij overigens korte tijd daarvoor had verlengd, aan jou ten goede komt. Met andere woorden: je kunt een aanzienlijke erfenis tegemoetzien. Ik ontvang de cheque binnen een maand. Het lag in mijn bedoeling het je dan uit te leggen en je het geld te overhandigen, maar Alex vond dat je nu wel wat goed nieuws zou kunnen gebruiken en daarom laat ik het je nu weten.'

Volkomen verbouwereerd probeerde ze zijn woorden te bevatten. 'Maar, Henry, we waren uit elkaar. Het moet een vergissing zijn.'

'Nee, dat is het niet. Hij heeft het allemaal in juni geregeld, toen hij al weg was uit de flat die jullie deelden. Max is de andere begunstigde. Ik denk dat hij wilde dat je gelukkig en onafhankelijk zou zijn, ook zonder hem. Hij gaf klaarblijkelijk erg veel om je, Siân. Ik weet niet om hoeveel geld het precies gaat, maar het is als startkapitaal vast en zeker toereikend voor een prettig appartement. Om eerlijk te zijn vind ik het erg fijn voor je. En dat geldt ook voor Alex.'

Het uitzonderlijke bericht, de wetenschap dat Will genoeg om haar had gegeven om hieraan te denken, maakte dat Siân opnieuw in tranen was. Lucy sprong op en omhelsde de twee met het jack en de naald nog in haar handen, waardoor ze zichzelf in haar vinger prikte. Instinctief tastte ze in de voering naar een stukje stof om het bloeden te stelpen, maar terwijl ze dat deed raakten haar vingers iets kleins en hards dat in de voering van het jack terecht was gekomen. Ze wist bijna zeker dat dat 'iets' van goud was, en van een ingelegde robijn zou zijn voorzien. Ze glimlachte voor ze keek.

En zo kon het gebeuren dat op deze ochtend in april, tussen de op deze feestdag door de stad zwervende toeristen en theaterbezoekers, een prachtige jonge vrouw in een klassiek Ducati-jack het wuiven van Lucy beantwoordde. Toen het paar Lucy en Alex voor de kerk van Stratford bereikte, straalde Siân hartelijkheid en rust uit, en, in Wills jack, een sexappeal waar Alex even van moest slikken. En Lucy zag voor het eerst hoe knap Calvin er vandaag uitzag in zijn lichte overhemd en met zijn blonde, fraai geknipte haar. Hij was veel minder gespannen dan tijdens hun eerste ontmoeting, en hoewel hij haar type niet was, begreep ze toch dat Siân zich tot hem aangetrokken voelde.

'Goedemorgen, Kitty Fisher.' Ze begroette haar met een omhelzing.

Siân schaterde en beantwoordde de omhelzing. 'Leuk je te zien, Lucy Locket.'

Hun lichamelijke nabijheid maakte dat Alex van het scherpe contrast in hun persoonlijke stijl kon genieten. Hij waardeerde de gratie van Siân, in haar strakke spijkerbroek en leren jack, en hij adoreerde Lucy in haar grijze zijden jasje en linnen broek. Hij grijnsde naar de twee en een gaap onderdrukkend, liep hij naast Calvin en achter de meisjes naar de ingang van de Holy Trinity Church van Stratford.

Het was vrijdag 23 april en hoewel de belangrijkste viering van Sint-Jorisdag pas morgen was, de zaterdag die het dichtst bij de eigenlijke datum lag, was de bloemenhulde waarmee de kerk de nieuwsgierigen en eerbiedigen begroette al overdadig. Alex kocht voor Lucy een permissiebriefje om te fotograferen en Lucy liep door het middenpad om een foto te maken. De rozige lens van Wills Leica gaf een zachtheid aan de beelden die Lucy fantastisch vond. Ze richtte het toestel op Alex in de apsis en zag Calvin teder Siâns hand pakken en met haar naar het altaar lopen. Op de eerste rij van de kerkbanken zag ze een lezende man in een duur pak. Zelfs van een afstandje zag ze dat hij glom van het zweet. Hij boezemde haar angst in en ze voelde zich gespannen, maar ze kon haar ogen maar met moeite van hem losmaken. Toen ze Alex weer in het vizier kreeg, ontspande ze. Hij tuurde door het ijzeren hekwerk waarachter zich het graf van Shakespeare bevond. Ze liep met Alex naar de grafsteen, die met een ijzeren stang was afgezet, maar ook onder bloemen bedolven was, en dat ergerde haar. Ze liep naar een steward in de zijbeuk en liet hem haar permissiebriefje zien. De man liep onmiddellijk met haar mee, verwijderde eerbiedig de bloemenhulde, waarna zij de grafsteen kon fotograferen. Alex schudde vol ongeloof zijn hoofd. Haar manier van doen spoorde mensen vaak aan zich naar haar wensen te schikken. Hij las:

GOOD FREND FOR JESVS SAKE FORBEARE
TO DIG THE DVST ENCLOASED HEARE
BLEST BE Y MAN Y SPARES THES STONES
AND CVRST BE HE Y MOVES MY BONES. *

Tellen was een gewoonte geworden: de vierendertigste letter was 'G' – dat zei verder niets, tenzij je 'gamma' beschouwde als een verwijzing naar Chartres in Frankrijk. Hij bespotte zichzelf om dat idee tot Lucy tegen hem aan leunde en fluisterde: 'De eerste vierendertig letters vormen: "*Good frend for Jesus sake forbeare to digg.*" Wat voor mij bevestigt dat we niet op deze plek moeten zijn – dat hier vandaag niets uitzonderlijks te gebeuren staat. Wat denk jij?' Ze wachtte niet op een antwoord, maar keek naar de buste van de toneelschrijver die hen vanaf de muur aankeek. Hoe dacht hij over hen die hierbeneden een mysterie overpeinsden dat mogelijk helemaal door hem was uitgedacht? Een Elizabethaanse heer, ganzenveer in zijn hand. Ze voelde zich in verwarring gebracht. Ze zag een bijbel op een standaard en maakte Alex er met een knikje attent op. Het boek lag open bij de Psalmen. Nummer zesenveertig. Hij vernauwde zijn ogen tot smalle spleetjes.

Ze keek opeens naar hem. 'Alex, ik realiseer het me net pas. "*Will, I am*". Het thema van het kerndocument. Tel de waarden van de letters numerologisch bij elkaar op. Vijf plus negen plus drie plus drie. "I" is negen, en dan één en vier aan het einde.' Ze schudde haar hoofd toen het haar begon te dagen, en Alex kon de uitkomst onmiddellijk raden.

Na nog een kwartier nadenken over alternatieve 'openingen' en 'einden', liep ze naar de deur, nog altijd onzeker over wat Sint-Jorisdag hun zou onthullen – als er al iets werd onthuld. Ze liep door de deuropening en bleef in het portaal wachten.

Calvin bereikte zijn neef op het middenpad en raakte zijn arm aan. Alleen Alex zag dat hij hem met zijn ogen attent maakte op de eerste

---

* Goede vriend, laat in de naam van Jezus na / Het stof op te graven dat hier besloten ligt / Gezegend zij hij die deze stenen spaart / Vervloekt zij hij die mijn beenderen verplaatst.

rij kerkbanken. Hij nam de man die daar zat aandachtig op. Ze wachtten op Siân, die van het altaar naar hen toe kwam, en gezamenlijk liepen ze naar Lucy. Toen ze in het verblindende zonlicht kwamen, zagen ze heel dicht bij haar twee mannen, van wie er één onderzoekend de bewerkte deurklopper bekeek.

'Dokter Stafford.' Het bekende Kentucky-accent. Even verstrakte Alex. 'Guy Temple. We hebben elkaar aan de telefoon gesproken.' Siân zag dat Lucy door de zwaarste van de twee mannen aan haar oog werd onttrokken en raakte haar wang aan. De andere man sprak verder. *'Je suis très contente de faire votre connaissance.'*

'Dat geldt dan voor een van ons.' Alex was ervan overtuigd dat een van de mannen in elk geval een rol had gespeeld bij het ongeluk van zijn broer en Lucy's ogen bevestigden dat de onberispelijk geklede, grote en sterke man die haar bewegingsvrijheid beperkte, achter haar ontvoering in Frankrijk had gezeten.

'Ik geloof dat de dames bij andere gelegenheden het genoegen van Angelo's gezelschap al hebben mogen smaken,' ging Guy verder met een cynisch, dreigend lachje.

'Kunnen wij verder nog iets voor u doen, meneer Temple?' Alex slaagde er ternauwernood in zijn stem enigszins normaal te laten klinken. Hij was niet vertrouwd met de kolkende woede die hij voelde. Uit zijn ooghoek zag hij dat Calvin zijn armen om Siâns middel hield. Ze wisten allemaal hoe ze moesten reageren. Alex was blij dat Simon die ochtend ergens anders naartoe was gegaan, aangezien hij zijn woede waarschijnlijk niet had kunnen beheersen.

'Ik ben er gewoon nieuwsgierig naar,' antwoordde Temple, 'of u hebt gevonden waar wij allemaal naar op zoek zijn.' Hij en zijn handlanger maakten het hun onmogelijk de trap te bereiken.

'Als u naar een graf op zoek bent, zit u op het juiste spoor.' Alex wilde Lucy's hand pakken, maar ze was net buiten zijn bereik. 'Al weet ik zeker dat u geen engelen wachten.'

Guy liet zich niet van zijn stuk brengen door Alex' sarcasme. Hij had een opdracht uit te voeren en wilde laten zien over het vermogen te beschikken zijn doel met zo min mogelijk omhaal te bereiken. Ze hadden er nog steeds geen duidelijk idee van wat er vandaag zou gebeuren, maar hij was vastbesloten dat niet aan de grote klok te hangen.

'Alle gekheid op een stokje, dokter, u weet waarom we hier zijn. Ik twijfel er niet aan dat u ons verwachtte. Zodra we hebben wat we willen, zult u geen last meer van ons hebben. Nooit meer.' Angelo begon Lucy met haar rug tegen de deur te drukken. 'U begrijpt dat we u of juffrouw King nodig hebben. Wij denken dat zij de sleutel is, de sleutel wellicht in bezit heeft. Wij willen het lot niet tarten door de sloten te forceren.'

De doctrine van de Opname was niets zonder de vrome toewijding aan de boodschap ervan, en in elk opzicht een uiting van bijgeloof, besefte Alex bitter. Hij begreep dat zij echt verwachtten in hun wolken te worden opgenomen om de Heer te ontmoeten, vandaag nog.

Lucy bewoog zich opzij om aan haar bewaker te ontsnappen, en ze daagde Temple uit: 'Hebt u enig idee waar dat slot te vinden is?'

'Dat mag u mij vertellen, dame van het licht. U bent de Ariadne die ons uit het labyrint zal leiden. Als u zich erbij neerlegt dat onze belangstelling zowel onvermijdelijk als legitiem is, en dat het in uw belang is ons te helpen, zal Angelo u onvoorwaardelijk terugbezorgen bij uw beschermengel hier.'

Lucy wierp hem een woedende blik toe. Hoe kon hij hun belangen 'legitiem' noemen? Hij zag wat ze dacht en gaf antwoord op haar onuitgesproken vraag.

'O, ja, juffrouw King: ook wij hebben onze tijd afgewacht. Wij wisten alles over Dees belangstelling voor de Apocalyps. En wij wisten dat die tijd en deze tijd zorgvuldig werden bepaald – dat er een optimaal moment voor is om aan het licht te treden. Alle bepalingen zijn van interpretaties afhankelijk, maar Dee werd bijgestaan door engelen. Het weinige dat we van Calvin hebben gehoord, bevestigde slechts wat we al wisten.'

Tot op dat moment was Calvin heen en weer geslingerd tussen inactiviteit en onderdrukte agressie, maar nu begon hij te spreken om de toenemende spanning en vijandigheid te temperen die uit de lichaamstaal van Angelo vielen op te maken. Calvin besefte dat hij het ongeleide projectiel van de groep was en Alex was tot diezelfde conclusie gekomen.

'Ik denk dat FW wil dat we kalm tot een oplossing komen, Guy,' zei hij op kalmerende toon. Hij richtte zich indirect ook tot de kleerkast Angelo.

Lucy schrok toen ze Calvin de naam van Temple op de Franse manier hoorde uitspreken, wat op een hechtere band tussen de mannen leek te wijzen dan ze had vermoed. Ze keek de koortsachtig nadenkende Alex vragend aan. Nu ze oog in oog stonden met Angelo, die wellicht zowel Lucy's ontvoerder als Siâns aanvaller was geweest – en hoogstwaarschijnlijk ook die van Max, wiens beschrijving van de man heel goed op hem van toepassing kon zijn – leken plotseling alle overwegingen die ze hadden besteed aan het vraagstuk hoe ze moesten reageren als de Opnamekandidaten zich hier in Stratford zouden laten zien betekenisloos. Hij had er met Calvin over gesproken, die ervan overtuigd was dat ze geweld zouden vermijden indien ze kregen wat ze zochten. Maar Alex, die Angelo nu voor het eerst in levenden lijve zag, herkende meedogenloze verdorvenheid in hem. Hij was zonder enige twijfel onbetrouwbaar en had beslist Wills ongeval veroorzaakt. Temple had hem niet in de hand, besloot hij, en alles moest worden herzien. Hij moest hun plannen omgooien en liet daar geen gras over groeien. Lucy mocht niet van de groep worden gescheiden.

Het kostte Calvin geen moeite Alex' overwegingen te doorzien. Hij nam Temple bij de arm en duwde hem weg van het kerkportaal in de richting van het gazon, waarmee hij de anderen gelegenheid gaf hem te volgen, zij het dat ze nog altijd in hun bewegingsvrijheid werden belemmerd door de omvangrijke Angelo. De verandering van positie maakte dat Alex een andere, langere man opmerkte, eveneens keurig gekleed en wachtend op het pad beneden. Hoewel hij zweeg als het graf, hield hij hen nauwlettend in het oog.

'U zult dokter Stafford ervan moeten overtuigen dat Lucy bij u in veilige handen is, anders zult u het zonder zijn verdere medewerking moeten stellen, terwijl u die, gelet op de raadsels, nodig zult hebben.' Lucy kon uit Calvins stem niet opmaken hoe hij echt over Guy Temple dacht. 'Mij lijkt,' zei hij, 'dat Angelo het probleem is.' Calvin leek hem bijna in vertrouwen te nemen terwijl ze samen over het verlaten gazon drentelden.

'Calvin,' zei Temple, die stil bleef staan, 'ik heb de indruk dat zij niet weten waar ze op deze belangrijke dag opuit zijn, al denkt FW daar anders over. Maar hij zat er al vaker naast.' Temples reactie leerde Calvin – en Alex, die hen bijna had ingehaald – dat hij op een dood spoor zat en niet goed wist hoe hij verder moest. 'En bovendien,' voegde Temple er nog aan toe, terwijl hij een vinger ophief om de man aan het einde van het pad gerust te stellen, 'ben ik er zeker van dat dokter Stafford er niet mee zal instemmen dat wij Lucy meenemen – met of zonder Angelo – zelfs niet als zij wel bereid is mee te gaan.'

Alex had voldoende van het gesprek meegekregen en bood nu zonder aarzeling aan zelf met Temple en zijn trawanten mee te gaan. 'Maar Siân en Lucy moeten dan onmiddellijk kunnen gaan en staan waar ze willen. Onvoorwaardelijk,' voegde hij nog toe op een toon die verdere discussie uitsloot.

Maar Temple wilde daar niets van weten. 'Het moge duidelijk zijn dat zij ons de zekerheid biedt dat er geen spelletjes zullen worden gespeeld.'

De impasse leek onoverbrugbaar; de leden van het groepje keken elkaar besluiteloos aan. Angelo stond veel dichter bij Lucy dan Alex lief was en hij probeerde te voorzien wat er zou gebeuren als ze gewoon weg zouden lopen. Maar nog afgezien van zijn bezorgdheid om Max en Anna, wist hij dat hier definitief een eind aan moest komen. Die mensen zouden hen steeds weer weten te vinden, met name omdat ze meenden over een goddelijke vrijbrief te beschikken en er in hun ogen een grootse gebeurtenis ophanden was.

Lucy had de uitdrukkingen van Alex subtiel zien veranderen. Voor de anderen zou zijn ongerustheid onzichtbaar zijn, maar zij voelde wat er in hem omging en kwam snel tot een besluit. Ze stelde een nieuwe oplossing voor: zij zou meegaan als Alex, Siân en Calvin mochten vertrekken.

'Geen sprake van,' zei Alex, alsof Temple en Angelo er niet bij waren. 'Die mannen hebben jou in Frankrijk ontvoerd, ingebroken in mijn ouderlijk huis en Max en Siân aangevallen in Londen. God weet wat ze met Will hebben uitgespookt, maar ik weet zeker dat de politie ze met alle plezier achter slot en grendel zal zetten. Ze hebben elke belofte die ze mij deden geschonden. En nu zou ik ze opeens toch vertrouwen?'

'Alex, ze zitten niet achter mij aan. Dat weet jij ook,' zei Lucy. 'Zij zijn naar iets op zoek, en dat geldt misschien ook voor ons. Alleen het vinden van dat iets zal een einde aan de hele zaak maken.' Ze keek hem vastberaden aan en er verscheen een lach op haar gezicht. Toen richtte ze zich tot Temple. 'U hebt zojuist toegegeven dat ik uw Ariadne ben. U hebt uit de aanwijzingen opgemaakt dat u mij nodig hebt.' Ze daagde hem uit. 'Ik weet nu tamelijk zeker waar het uiteindelijke antwoord te vinden zal zijn.' Ze had het voorlaatste woord met extra nadruk. 'Stratford is een doodlopende weg gebleken, maar ik ben nog altijd degene die over de middelen beschikt om het laatste slot te openen.' Voorzichtig trok ze de rijkelijk bewerkte gouden sleutel met de robijn onder haar shirt vandaan en iedereen keek er gebiologeerd naar. Calvins mond viel open. En er brandden vragen in Alex' ogen, ogen die voor iedereen behalve voor Lucy ondoorgrondelijk waren.

'Reden temeer om niet alleen met ze mee te gaan,' zei Alex beslist. 'Wat het ook is waar we naar zoeken, het is gedurende eeuwen verborgen gehouden om de wijsheid of de kennis die ermee verbonden is tegen mensen zoals zij te beschermen.'

'Daar slaat u de plank mis, dokter Stafford,' zei Temple. 'Het scenario van het Einde der Tijden is onontkoombaar. Het staat geschreven en het staat vast. U en ik kunnen niets doen om het te voorkomen.'

'En dat is precies de reden waarom ik niet wil dat Lucy met jullie meegaat.' Alex klonk resoluut. 'We zouden naar manieren moeten zoeken om de wereld beter te maken dan hij is en niet uit moeten zijn op de vernietiging van de samenleving door jullie profetieën die de potentie hebben zichzelf te vervullen. Een ideologie of filosofie die het waard is er kennis van te nemen, leert ons hoe we een geslaagd leven kunnen leiden, niet hoe we moeten sterven met in het achterhoofd een of andere verzekering dat we zullen worden gered. Hoop is het geloof dat ons drijft – ongeacht of die hoop God geldt, de wetenschap of allebei. Maar elke groep die slechts de onvermijdelijkheid van een "Armageddon" verdedigt, heeft afstand gedaan van de planeet, en van elke hoop. Jullie slepen ons allen naar een hopeloze plek, waar geen enkel recht of liefhebbende God zijn mensen naartoe zou willen voeren.'

'Zoals u wilt, dokter Stafford,' zei Temple mat. Hij wendde zijn ogen van Alex af en weigerde hem nog aan te kijken.

Alex wist dat het zinloos was. Hij wilde niets liever dan dat iedereen zelf nadacht, maar Temple was erop uit gelovigen te kwellen met angst. Niets zou hem uit zijn baan gooien. Hoe viel iemand die zich zo had ingegraven ervan te overtuigen dat er voor angst en geweld geen plaats was in een debat dat in essentie over geloof ging?

Lucy stapte kalm naar voren en ging bij Alex in de zon staan. Ze glimlachte naar hem, pakte hem bij beide handen vast en er trok een geheim door hen heen. 'Je hebt je gedachten precies zo ontvouwd als je vader zou hebben gedaan, en ik ben het met jullie eens. Ik weet niet of ik moet lachen of huilen, Alex, en je zou voor elke redelijke jury als een geniaal pleitbezorger gelden. Maar ik ga met hen mee omdat, ondanks alles wat je hebt gezegd...' Ze keek hem recht in zijn ogen. '*Lucy Locket lost her pocket. Then Kitty Fisher found it.*'

Alex had overtuigend gesproken, recht uit zijn hart en voor allen verstaanbaar, om haar op andere gedachten te brengen en niet met hen mee te gaan. Het was indrukwekkend geweest. Maar zij was even onvermurwbaar als altijd.

Ze kusten elkaar. 'Alex, jij bent de enige persoon die ik ken die begrijpt dat echte kracht geen gecontroleerde angst is, maar heel vaak gecontroleerde inactiviteit. Wees nu sterk en geef mij het vertrouwen in jouw plaats actief te worden.'

Hij was tot zwijgen gebracht en omhelsde haar.

'En maak je geen zorgen,' zei ze. 'Je weet dat er in mij een engel huist.'

Ze draaide zich om en volgde Temple naar de weg. Terwijl ze dat deed glipte er een andere schaduw uit de kerk die zich haastte naar een donkergrijze Lancia Thesis die een eindje verderop geparkeerd stond – een auto die geen van hen was opgevallen. Lucy keek nog even om en maakte oogcontact met Alex. Toen waren zij en haar zonderlinge 'bondgenoten' verdwenen.

Om halfacht beantwoordde Simon zijn mobieltje en de vraag die hem werd gesteld. 'Grace en ik zijn uitgehongerd. We gaan ons te buiten aan patat met vis in een pub genaamd The Herne's Oak in Old Windsor. Passend, vind je niet? Herne is een van de incarnaties van Groene Joris.'

'Jullie eten lekkerder dan wij,' zei Alex, terwijl hij naar de drie ingespannen gezichten keek die over Calvins laptop gebogen zaten. Niemand had nog een boterham gepakt. Niemand had trek, Alex al helemaal niet. 'Heb je nog iets ontdekt?'

'Ja en nee. Niets concreets om opgewonden over te doen, Alex. Mortlake is, zoals Lucy al dacht, complete tijdverspilling gebleken. Dat is niet het correcte alfa en omega. Dus zijn we direct doorgegaan naar de bekendste kapel van Sint-Joris hier in Windsor. We zijn de hele dag gevolgd door een paar uiterst duistere ogen – die ons ook hier in de pub nog steeds in de gaten houden – maar jij trok toch de meeste belangstelling. Schatkisten zijn hier zeker niet te vinden. Wel een heleboel uit hout gesneden engelen. Maar,' zei Simon met nadruk, 'we hebben toch een onverwachte buit gevonden. Luister.' Hij haalde een stenoblok uit zijn jaszak en keek snel om zich heen of hij door niemand werd afgeluisterd. Toen het knikje van Grace bevestigde dat hun spion net binnen gehoorsafstand was, begon Simon een kort, vreemd verhaal.

Het was precies 15.40 uur geweest toen de ceremoniële aard van de dag was weggeëbd. Grace had Simon half in paniek in zijn hand geknepen. Volkomen in de ban van de bewerkte zetels in de kapel van Sint-Joris hadden ze opeens voetstappen gehoord. Grace was zich rot geschrokken toen ze door een in een gewaad gehulde gestalte werden genaderd, die zijn ogen op hen gericht had gehouden. Toen hij zo dicht bij hen was dat Grace de poriën in zijn huid kon zien, was er een lach op zijn gezicht gekomen en had de koster zich voorgesteld. Waarom ze zo geïnteresseerd waren in de emblemen en vaandels van de oude koorstoelen, vroeg hij zich af. Grace vertelde dat ze een passie had voor geschiedenis en heraldiek, waar hij verrukt over was, en er volgde een woordenstroom. Hij stak niet onder stoelen of banken een alchemist en een Rozenkruiser te zijn en leidde hen rond door het prachtige gebouw. Hij legde uit dat witte rozen in de alchemie en voor de Rozenkruisers symbool stonden voor het vrouwelijke. De vaak over het hoofd geziene boodschap van de witte roos van York, had hij hun trots verteld, was dat zij via de vrouwelijke lijn afstamden van Edward III; de rode Lancaster was mannelijk. Grace was erg enthousiast en in antwoord op haar vragen hoorden ze dat de witte roos de onbezoedelde hoop was van een zuiver hart en het correcte inzicht contra de zelfzuchtige begeerte.

'Het zou ieders spirituele doel moeten zijn,' zei hij.

'Ik heb aantekeningen gemaakt, Alex.' Simon sprak zacht in de hoorn. 'Allen die zijn ingewijd in deze oude wijsheid streven ernaar "open te staan voor de gratie van de roos". Dat is iets wat Will schreef, weet je nog? De roos wordt gewoonlijk geassocieerd met romantische liefde, maar die geheimzinnige boodschapper vertelde ons vandaag dat hij – paradoxaal genoeg – zuiverheid en passie symboliseert, aards verlangen en hemelse volmaaktheid, maagdelijkheid en vruchtbaarheid, leven en dood. Het was alsof hij gestuurd was om ons te vertellen dat de roos zelf de godinnen Isis en Venus verbindt met het bloed van Osiris, Adonis en Christus. De mannelijke rode roos, indien verbonden met de witte – zoals de Tudor-roos – wordt de basis van de magie en de metamorfose van de ziel. Hij noemde het "het middel waarmee we het goddelijke in onszelf distilleren".'

Alex onderbrak hem: 'Dat is de metafoor voor die hele zoektocht van Dee, Simon. De boodschap van de roos is gemeenschappelijk aan alle spirituele en zelfs esthetische filosofieën. Als we de contrasterende kenmerken die erdoor worden gerepresenteerd kunnen verzoenen, worden we als goden – het hoogste wat we kunnen nastreven. Eenvoudig gezegd representeren de witte en rode rozen een hemels huwelijk – de beste uitdrukking van "mannelijk" en "vrouwelijk" op aarde.'

Simon wist niet of hij Alex helemaal kon volgen, maar hij knikte, controleerde zijn aantekeningen en ging verder. 'De witte roos staat specifiek voor zuiverheid, onschuld, aanvaarding, onvoorwaardelijke liefde. Het betreft de vrouwelijke en soms noodzakelijk passieve energie en wordt gekozen voor de inwijding van alle nieuwe leden in de Oude Wijsheid. Het wilde zwijn dat Adonis doodt is de winter die de zomer doodt – en dat is de kern van de opvatting van de Rozenkruisers. Als Adonis, de Zon, door het wilde zwijn wordt gedood, herinneren de bloemen die uit zijn bloed opschieten aan de opstanding – wat ook heel erotisch en vrouwelijk is, zoals Henry zei. En weet je wie de grondlegger was van de Rozenkruisers, Alex?'

Het was onnodig te antwoorden. 'Dat is een fraai staaltje onverwacht onderzoek, Simon. Wat een bovennatuurlijke afgezant. En zo merkwaardig getimed. Jouw verslag geeft me het gevoel dat hij jullie verwachtte. Zijn verschijnen was zeker geen toeval.' Maar wie stuurde hem, vroeg Alex zich af. Waren er andere mensen die iets van deze dag af wisten? 'Hoe zit het met Sint-Joris?'

'De broederschap der Rozenkruisers werd in het begin van de zeventiende eeuw in Duitsland geformeerd, direct na Dees missie naar Praag in de jaren tachtig van de zestiende eeuw, die door koningin Elizabeth en Leicester werd gestimuleerd. Dee verspreidde persoonlijk de Elizabethaanse beweging van wetenschappelijke, mystieke en poëtische ideeën. De naam "rozenkruis" was afgeleid van het Sint-Joriskruis en de Orde van de Kousenband, de Engelse ridderlijkheid – de kousenband was het prestigieuze middeleeuwse ereblijk in Europa, en is dat nog altijd.' Vol ongeduld, wat tamelijk ongebruikelijk voor haar was, pakte Grace opeens de hoorn uit Simons hand om even kort met Alex te praten en hem te laten weten dat de gebeurtenissen van die middag een enorme indruk op haar hadden gemaakt.

'Alex, over de roos: die werd door Dee gekozen – zoals anderen voor hem deden – omdat de roos het symbool is dat ons samenbindt als een volledige broederschap van de mensheid. En als we de boodschap ervan kunnen begrijpen, en we combineren de dauw, zoals jij zei – de goddelijke adem – met de geest van de roos, dan leidt dat tot een magische expressie die de menselijke ziel in goud transmuteert, waar een genezende werking van uitgaat. Dat is de theorie, en ik vind het een heerlijke gedachte.'

Alex had intens naar haar geluisterd, zonder te oordelen maar met respect voor de achterliggende denkbeelden. 'Dank je, Grace. Dat is fraai uitgedrukt.'

'O, en nog iets, Alex,' zei Simon toen hij de hoorn weer terug had. 'Denk terug aan Wills niet verzonden e-mail aan jou. Onze alchemistische koster zei me dat ingewijden in de alchemie en de vrijmetselarij, en de Rozenkruisers – in navolging van Bruno en Dee – zich op het licht als de goddelijke bron concentreren. Ze wonen zogenoemde "lichtbijeenkomsten" bij, waarbij ingewijden uit heden en verleden zich verbinden, aan gene zijde van de tijd, om "het licht en de wijsheid van de roos" te delen. Zie je de betekenis van door een roosvenster binnenstromend licht in een grote kerk als Chartres? Daar zat Will met zijn hoofd. Ik vraag me af of het hem ooit gelukt is die verbinding met anderen te leggen – aan gene zijde van tijd en ruimte? Hoe dan ook, hoe staan de zaken bij jou?'

Alex was helemaal gebiologeerd door die golf uitzonderlijke informatie en wachtte even voor hij Simons voorlaatste vraag beantwoordde. 'Simon, ik heb de indruk dat hem dat is gelukt. Maar ik kan niet verklaren waarom ik dat denk.' Hij herinnerde zich Lucy's woorden over het licht, de geur van rozen in Chartres, en hij wist dat ze iets heel ongewoons had ervaren – dat ze mogelijk met zijn broer deelde. Dat maakte dat hij zich heel bevoorrecht voelde dicht bij haar te zijn en ook minder bezorgd om haar was. 'Ze hebben toegehapt,' vatte hij zijn verslag van de gebeurtenissen van die dag samen. 'Lucy is bij hen. Ik kon haar bijna niet laten gaan toen het erop aankwam. Ze is nu al uren in hun gezelschap.'

'Maak je geen zorgen, Alex. Lucy is uniek. Zij is een van Shakespeares creaturen – een heuse heldin in mannenkleren, zoals Viola of Rosalind. Ze zal hun te slim af zijn.'

Alex bedacht dat Simon meer gelijk had dan hij besefte, maar zijn opmerkingen deden hem goed. 'Ik weet het. Ik moet nu gaan. Ik zie je hier later. Ga na of je nog steeds wordt gevolgd. Die duistere ogen behoren toe aan een intolerante Israëli die ik in Frankrijk tegen het lijf liep – Ben Dovid is zijn naam. Hij hoort bij Temple en Walters omdat hij uit is op zijn eigen tempel in Jeruzalem. Calvin heeft hem met Pasen van nabij leren kennen. Hij is erg gebrand op het idee de moskeeën op de Tempelberg op te blazen. Terg hem niet.'

Alex wist dat Simon zich af zou vragen waarom Calvin die informatie had doorgegeven, maar hij zei er niets over en Alex hing op. Hij toetste onmiddellijk een ander nummer in.

Geflankeerd door Angelo met zijn gele ogen en de grotere, grijze Fransman die Lucy in Frankrijk had rondgereden – die beiden op enige afstand stonden – zat de keurig geklede professor Fitzalan Walters als een voorzitter aan de eettafel in zijn hotelsuite. Overdreven beleefd schonk hij een half glas wijn voor zijn gaste in. 'Ik weet dat het u niet is toegestaan te drinken; alcohol onderdrukt uw medicatie. Maar een slokje zal u geen kwaad doen. Deze witte bourgogne past uitstekend bij de zeeduivel.'

Lucy's houding was een oefening in zelfvertrouwen geweest, een poging zelfbeheersing en onafhankelijkheid uit te stralen, maar ontmoedigd door deze volgende blijk van hoeveel hij van haar wist, werd ze weer op de proef gesteld. De vragen die hij haar eerder had gesteld over hoe oud ze was geweest toen haar moeder Sydney had verlaten, hadden haar doen duizelen, maar ze had geprobeerd haar verontrusting te verbergen. De beltoon van haar mobieltje, dat op de tafel naast haar lag, liet zich horen.

'Ik weet zeker dat het Alex is. Hij zal zich zorgen om me maken. Ik kan maar het beste opnemen.' Haar disgenoot stemde zonder moeilijk te doen in. Het was angstaanjagend hoe waardig en welgemanierd hij zich gedroeg.

'Het gaat mij goed, Alex. En voor je het vraagt, ja, ik zit te eten. Ik heb zelfs een uitstekend diner. Vergeet zelf ook niet te eten. Ik weet zeker dat ik je kan bellen zodra de zaken hier achter de rug zijn.' Lucy deed haar best de emoties die zijn stem bij haar losmaakten verborgen te houden. Ze wilde geen zwakheid tonen. Ze beëindigde het gesprek en sloeg tartend haar ogen op. Ze merkte op dat de blik van haar disgenoot gefixeerd was op de sleutel met de robijn die onder haar jasje te zien was.

'Hoe fortuinlijk voor u, juffrouw King, dat uw geneesheer zich zo persoonlijk om u bekommert. Kan hem dat niet op disciplinaire maatregelen komen te staan? Ik verkeerde in de veronderstelling dat het voor een arts acceptabel was een patiënt te verliezen, maar niet er het bed mee te delen.' Lucy kon niet bepalen of die opmerking wees op een afkeer voor seksuele relaties of op een verholen neiging tot voyeurisme. Ze liet zich er echter niet door uit het veld slaan en negeerde zijn impertinentie. Hij veranderde van aanpak. 'Waarom zouden we wachten tot na elven vanavond?' Juist doordat hij zacht sprak klonken zijn woorden dreigend. De beklede deur van het hotel in tudorstijl ging open en Guy Temple voegde zich weer bij hen, maar hij mengde zich niet in het gesprek.

'Ten eerste,' antwoordde ze hem, 'zal het eenvoudiger zijn als White Hart gesloten is, omdat er anders te veel nieuwsgierige getuigen kunnen zijn. Ten tweede ben ik van mening dat de timing absoluut nauwkeurig moet zijn. Als mijn berekeningen kloppen, zal het tegen middernacht exact vier graden van de Stier zijn. Er is beschikt dat er iets gebeurt.'

'Ik begrijp het. Het uur waarin Hamlet de geest zag. Poëtisch. En u weet zeker dat het gebouw waar u ons naartoe wilt brengen het juiste gebouw is?'

'Dat moet wel. Mortlake was Dees einde, maar niet zijn begin: hij werd in de omgeving van de Tower van Londen geboren. En hoewel Stratford Shakespeares begin en eind was, kan hij dat voor zijn dood niet hebben geweten. Op grond van de aanwijzingen ben ik er zeker van dat hij de auteur is van de raadsels – waarschijnlijk voor John Dee. Dus moet het de herberg zijn. Het is de enige plek die nog over is waar alle aanwijzingen samenkomen. De witte hertenbok, Shakespeare, de roos, Venus en Adonis. Het lijkt de door hen gekozen ontmoetingsplek voor esoterische conversaties.'

Ze hadden met hun drieën het grootste deel van de middag doorgebracht in Walters' suite in het Alevston Manor in Stratford en over de teksten gesproken. Lucy had de originelen nog eens nauwkeurig bekeken en opnieuw het genoegen gesmaakt ze aan te raken. Ze genoot ervan dat haar ontvoerders het labyrintpatroon op de achterzijde over het hoofd hadden gezien, en dus het gezicht niet hadden opgemerkt dat zo duidelijk was als de lijnen op elkaar aansloten. Alleen een slimme zevenjarige had daar onmiddellijk de relevantie van ingezien, en ze besloot hen er niet op dat moment van op de hoogte te stellen. Ze waren echter in het bezit van Diana's opmerkelijke familiebijbel uit de zeventiende eeuw – een object dat Lucy alleen door het vast te houden kracht had gegeven. Het maakte haar onpasselijk dat hij was geroofd en dat de dieven kennis hadden kunnen nemen van een omvangrijke hoeveelheid verklarende aantekeningen die Alex en zij hadden moeten ontberen. Maar hij had ook geheimen voor de dieven verborgen gehouden. Het was haar opgevallen dat diverse woorden die op het omslag van de documenten waren geborduurd, hier nog eens waren geschreven: in Spreuken waren alle onderwerpen over wijsheid, parels en robijnen gemarkeerd en de versregels die elk perkament afsloten waren op de halve titelpagina van de bijbel overgenomen en omgaven de tot Lucy's verbeelding sprekende mysterieuze tafel van Jupiter. Duidde dat erop dat er op een of andere manier moest worden gerekend met die woorden, zoals bij de psalm die Alex had ontcijferd? Ze had de indruk dat er na bestudering een heldere boodschap uit naar voren zou komen.

Daar kwam nog bij dat er achterin, aan de binnenzijde van het omslag, met de hand een kleine reproductie van het zogeheten 'regenboogportret' van koningin Elizabeth was geschilderd, met in de marge verwijzingen naar 'Astraea', de godin van het recht, waar Henry op had gewezen. Ook waren er kanttekeningen uit Spreuken over parels, robijnen en wijsheid – altijd 'zij' genoemd. Het begon Lucy te dagen dat koningin Elizabeth, getooid met parels en robijnen, als de belichaming van de wijsheid was weergegeven, alle negatieve aspecten afzwakkend die met een heerseres waren verbonden. Misschien was Dee een van haar protagonisten geweest. En, besefte Lucy, er moest voor het huidige tijdsgewricht iets belangwekkends door Dee zijn verwacht, onder de heerschappij van een andere wijze en machtige vrouw, precies zoals Henry had aangegeven. Helaas dienden zich daardoor vele nieuwe raadsels aan en daarover dacht ze rustig na terwijl ze haar thee dronk. Ze sprak er echter met geen woord over tegen haar huidige gezelschap.

De bijbel had hen naar Stratford gevoerd, Shakespeares 'alfa' en 'omega'. Nu moest ze hen zien te overtuigen waar de 'pot met goud' – beschreven in de laatste tekst; geschreven door Diana zelf? – te vinden zou zijn. Het was precies een week geleden, legde ze uit, dat ze op internet had gezocht naar de achtergrond van Shakespeares gedicht en een vermelding had gevonden die volgens haar van grote betekenis moest zijn. Ze vroeg de professor de relevante gegevens op zijn dure laptop in te voeren en samen keken ze naar het scherm terwijl de beelden werden geladen: een magnifiek schilderij uit die tijd van

Shakespeares gepubliceerde werk – het enige dat bestond, een 'nationale schat' volgens een enthousiaste bron. Bijna bij toeval ontdekt toen er voor het repareren van een oude muur een stuk lambrisering was verwijderd, was de verhalende muurschildering pas onlangs, na eeuwen verborgen te zijn geweest, aan het licht gekomen. Welke geheimen omtrent de oorspronkelijke aard van het vertrek waren erdoor verborgen? Welke rituelen hadden erover gewaakt, en waarom was er überhaupt een dergelijk beeld geschilderd op een muur van een bescheiden herberg? Alles wees erop dat het uit 1600 stamde: zo dicht in de buurt van Bruno's dood. Toen Alex en zij de mogelijkheid bespraken dat de schildering met hun zoektocht te maken kon hebben, had hij het mogelijk geacht dat de tombe van Engelands eerste martelaar de Opname van de volgelingen van de professor kon veroorzaken. 'Waarom niet?' had hij met een schouderophalen gezegd. En hoewel ze dat droge commentaar nu voor hen verborgen hield, wist ze de geestdrift te wekken van de twee mannen die op een afstandje naast haar stonden, evenals met haar verwijzing naar de oude White Hart Inn in St Albans, met een ruimte met voorspellingen uit een grijs verleden, en naar een openbaring die aanstaande was.

Dus nu gebruikte Lucy haar eigen mobieltje om het noodzakelijke telefoontje te plegen teneinde voor vanavond de sleutels te regelen voor het ongebruikte deel van het gebouw. 'Het moet vanavond zijn,' hield ze vol.

'En de alfa-en-omegaverwijzing?' vroeg Guy Temple.

'Ik vermoed dat White Hart de plek is waar het idee voor die zoektocht voor het eerst gestalte kreeg, en waar het bijgevolg zal eindigen.' Lucy's overredingskracht was onweerstaanbaar.

'En als uitvloeisel daarvan begint er iets anders als we vinden wat daar begraven is.' Professor Walters leek tevreden en hij en Temple waren het met Lucy eens. 'Dus de Opname zal tegen middernacht beginnen en niet eerder,' peinsde Fitzalan terwijl hij de wijn in zijn glas walste. 'Ze hebben de betekenis van deze speciale datum honderden jaren geleden begrepen: het getal, de verwerkelijking van de mens. Het is het getal dat verbonden is met de eerste steen van de hele wereld, het hart van de tempel in Jeruzalem. Maar Dee moet die informatie over het tijdstip rechtstreeks van de engelen hebben ontvangen, en wij zijn op het juiste moment op de juiste plek – dat zullen we althans zijn. Voor nu kunnen we de tijd nemen voor het diner,' stelde Walters voor, 'en u laat de vis door vruchten volgen. Wat er vóór de inwijding wordt gegeten is heel belangrijk. Zoals het laatste avondmaal. Een passende voorbereiding voor een convocatie van engelen en mensen. Zelfs Prospero gaf Ferdinand mosselen te eten en zeewater te drinken alvorens hem zicht werd geboden op de goden naast zijn toekomstige bruid. En vanavond dienen we op iets zeer uitzonderlijks voorbereid te zijn, juffrouw King.'

Ze begreep dat hij zijn hoofdthema naderde en over ogenschijnlijk onsamenhangende onderwerpen sprak. Misschien waren die er op een manier mee verbonden die zij nog niet begreep. Hij ratelde door: 'Guy mist zijn fruit tegenwoordig nooit meer. Wist u dat ook hij een openhartoperatie heeft ondergaan? Een bypass. Hij heeft zelfs een bijna-doodervaring gehad. Het verbaast me dat hij daar niet met u over heeft gesproken toen jullie in Frankrijk samen waren. Een engel sprak tegen hem. Eén keer slechts.' Lucy bespeurde cynisme. 'Sindsdien is hij een gezonde eter.'

Lucy vond het merkwaardig dat de man over wie werd gesproken totaal niet reageerde. Hij zag er een beetje bezorgd uit, vond ze.

Het was tien over halftwaalf volgens het dashboardklokje van Fitzalan Walters' Lancia – een ruimer model dan de gestroomlijnde, kleinere coupé waarmee ze in Frankrijk was ontvoerd – toen ze de parkeerplaats van het White Hart Hotel op reden. Angelo, die naast haar had gezeten, opende de deur voor Lucy en Temple verhief zich met enige moeite uit de stoel naast de bestuurder. Ze was met stomheid geslagen door de galante poppenkast tot het tot haar doordrong dat zij echt geloofden deel te zullen hebben aan een buitengewone religieuze gebeurtenis.

'Ik kom over tien minuten met Angelo naar de voordeur,' zei Walters tegen hen. Hij liet zich weer in het leer van de stoel zakken en de auto reed weg.

Het eigenaardige paar dat Temple en Lucy vormden begaf zich naar de receptie van het hotel.

'Lucy King. Ik werk voor de televisie. Ik heb enkele uren geleden gebeld. Is er een zekere meneer McBeath aanwezig?' vroeg Lucy aan een meisje dat het niet erg op late hotelgasten begrepen had, ongeacht waar ze werkten. Ze keek nauwelijks op van het hotelregister dat voor haar lag. Kennelijk wist ze geen spat van de Opname, dacht Lucy glimlachend.

'Ross!' riep ze naar boven. En Lucy en haar begeleider wachtten in het povere licht.

32

Sint-Joris, 1608, White Hart Inn, nabij Londen

De kaarsen sputteren en er worden twee grote dienbladen verwijderd van de met rozen bezaaide schragentafel. De glazen worden gevuld en er wordt een toost uitgebracht.

'Ons project nadert zijn hoogtepunt. Laten we drinken op dit laatste uur van het Sint-Jorisfeest: Op Berowne!' Ogenschijnlijk niet gehinderd door de wijn die hij al gedronken heeft, springt de man aan het ene uiteinde van de tafel energiek op, waarbij zijn stoel een eind achteruitschuift. Het thema van de toost wordt door al zijn kameraden van harte onderschreven. Sommige plaatsen aan de tafel zijn leeg en de ruimte is met lallend gelach en rokerig licht gevuld.

'Maar, Will, je vraagt van hem de inspanningen van een echte ingewijde. Hoe zou hij de verstomde zieken tot lachen kunnen bewegen?' Een lange man neemt zijn pijp uit de mond om zijn ceremoniemeester iets te zeggen.

Van het andere eind van de tafel komt een oude man naar voren. Hij is duidelijk het hoofd van het gezelschap. Zijn gezicht is door zorgen getekend, maar hij is geboeid door het gesprek dat zich ontvouwt.

'En welke hoop kan hij verder nog hebben, Will, om de harteloze dwepers van hun koers af te brengen? Degenen die het zwaard van de hemel dragen, dienen even heilig als onverbiddelijk te zijn. In welke geestelijke armoede zijn die mannen terechtgekomen, en wat houden zij in zich verborgen, ondanks de engelen aan hun uiterste zijde?' Hij duwt een kleine kristallen bol van zich weg.

De jongere man gaat weer zitten. 'Beste doctor en Lord Francis, ge weet toch dat er liefde schuilt in de ogen van een dame, die elke macht een toegevoegde macht geeft. Die liefde overtreft de inspanningen van een Hercules. De dichter hoort zijn pen niet op te nemen voordat zijn inkt door de zuchten van de liefde is verzacht... O, hij zal triomferen – want hebben wij het niet zo gewenst? De koning van de rode roos zal de koningin van de witte roos terugwinnen en niets zal dat verijdelen. De wenkbrauwen van zijn dame zijn in zwart gehuld, en aldus zal zij de klassieke schoonheid opnieuw bewijzen. Een waarlijk melancholische engel. Haar donkere hemelse schoonheid en haar wijze aangezicht stimuleren en inspireren zijn hele wezen.'

Een vrouw met ravenzwarte haren, gezeten aan de linkerhand van de oudere man aan het ene einde van de tafel, kijkt op en heft het glas. 'Op Rosa Mundi dan, Will – twee tot één versmolten. Het geheime liefdeshart.' Van het ene tot het andere einde van de lange tafel kijken de aanwezigen elkaar diep in de ogen. De erotische sfeer wordt slechts verstoord door het geluid van voetstappen op de trap achter de open haard, die leidt van de gang naar de ontmoetingsruimte in het hoofdgebouw van de White Hart Inn. De rijkelijk bewerkte deur zwaait open. Alle gezichten draaien die kant op om een onderzoekende blik te werpen op de laatkomers. Alle ogen lijken hun onverschrokken om uitleg te vragen. Dan staat de man die de toost heeft uitgebracht weer kalm op:

'Gij blinde dwaas, Liefde, wat doet ge mijn ogen aan,
Dat zij aanschouwen zonder te zien wat zij zien?'

Een donkerharige schoonheid met donkere ogen en een fris gelaat staat in de deuropening en schrijdt vervolgens de schemerige ruimte binnen. Haar begeleider blijft met open mond als aan de grond genageld staan. Ze is zich ervan bewust dat alle gezichten op haar zijn gericht. De kille stilte wordt alleen doorbroken door het schrille, metalen geluid van de sleutels die plotseling zo luid in haar hand rinkelen. Een vreemde, niet erg aangename geur doordringt de ruimte. Haar zenuwen zijn gespannen en ze kan haar hartslag in haar oren horen. Ze voelt zich een kind dat de volwassenen bij de maaltijd stoort. Ze dwingt zichzelf langzaam adem te halen. Dan beweegt ze zich naar de deuropening die in de tegenoverliggende muur is uitgespaard en waar een gordijn voor hangt. Het vuur knettert: en ze weet dat ze 'in' het moment is.

'Dit is het,' fluistert ze. 'Geen intense verrukking, geen engel – tenzij ik het ben.'

Ze weifelt en kijkt naar de man die tegen haar had gesproken. Zijn gezicht is haar vreemd vertrouwd en hij spreekt opnieuw tegen haar en tegen zijn vrienden.

'Heren en dierbare dames. Er is niets aan te doen als deze "dame van licht" opnieuw bewijst dat de schoonheid zelf zwart is.' Zijn blik gaat van de vrouw met het ravenzwarte haar aan de tafel naar de even zwartharige Lucy.

Lucy vindt de moed hem ferm het hoofd te bieden. 'Door de barsten in de muur, beklagenswaardige zielen, moeten we ons met gefluister tevreden stellen,' zegt ze. Het gezelschap barst in lachen uit – iedereen behalve de oudste man aan het hoofd van de tafel. Zijn ogen zijn rusteloos.

'De dame van het licht, Will?'

'Niemand anders, Zijne Hoogheid: een visioen dat we, door uw en mijn kunst, hebben opgeroepen voor het opvoeren van onze jongste fantasie.'

'Weet dan, dame, dat de roos ons dat geeft wat onsterfelijk is.' Dokter John Dee kijkt naar de mooie, welkome indringster. 'En waarlijk, indien u er de betekenis van doorziet, omhels die dan tot in de kern. Een genezing van alles wat krom is zal het gevolg zijn, zal komen tot het kind van de wijze. Wij allen, stuk voor stuk, zoeken het bezit van de roos in de woestijn, die bloeit in het centrum van het labyrint.'

Geboeid door die woorden en toch niet helemaal bij machte hun betekenis te vatten, kijkt Lucy weg van de man die duidelijk de oudere is, en ze richt haar ogen op de man van de raadselspreuk, de man die ze Will noemen, en die zij Will Shakespeare zou noemen, als ze het lef had. Ze zoekt naar een woord, naar een vraag. Maar hij is haar voor en richt het woord tot Lucy: 'U moet blijven, het einde van uw stuk bepalen. En u moet het onvoorbereid doen, want de woorden zijn in uw personages. Dus voor nu: u die kant op, wij deze.'

De woorden verdringen elkaar in Lucy's hoofd, dreunen in haar oren, maar worden overstemd door het geluid van haar hart. Alle andere geluiden sterven weg. Op de muur achter hen vangt ze een glimp op van de schildering. Ze blijft staan en tuurt in het gedempte licht ingespannen naar de details. De beelden behagen haar, maar dat geldt niet voor de vreemdelingen in het vertrek. Haar ogen nemen het onlangs geschilderde paard dat een roos tussen zijn tanden heeft in zich op.

Ook ziet ze een ridder die neervalt bij de hoeven van het dier. Er is een boom met een gapend gat aan de onderkant van de stam. Haar hoofd voelt gespannen aan, maar haar oren zijn weer leeg. Ze gelooft dat ze droomt, maar ze weet ook zeker dat dat niet zo is. Haar geest schakelt over op het zachte beeld van Wills Leica, en op Alex, die haar herinnert aan het effect van haar medicijnen in combinatie met wijn, zoals op die avond op de Theems. Hoeveel manieren van zien zijn er, dacht ze. En heeft Alex gelijk?

Het gelach is nu galmend, de geluiden bijna ontstellend, het moment kortstondig. Snel opent ze de voordeur aan de straatzijde, tegenover de gang waar zij en Guy Temple zojuist zijn binnengekomen. Als ze zich weer omdraait zijn de andere aanwezigen in het vertrek verdwenen. Het is nooit gebeurd. Een in onbruik geraakte ingang gebruikend om nieuwsgierige blikken te vermijden, treft ze de ruimte aan zoals die ooit was, toen haar naam door hen honderden jaren geleden voor het eerst werd uitgesproken. Het moment zelf, denkt ze, was een palindroom.

Al het licht is nu gedoofd, met uitzondering van het weinige licht dat door de zaklamp wordt geworpen die de manager hun bij de hotelbalie had gegeven om hun weg te kunnen vinden door de oude, zelden gebruikte gang naar de aangrenzende pottenbakkerij die gedurende honderden jaren een van de zaaltjes van de pub was.

Nu merkt Lucy Guy Temple op, misschien angstig en van zijn stuk gebracht door wat zij zojuist hadden gezien, tegen de deurpost leunend en grijs en ziek ogend.

Toen Lucy de voordeur van de winkel had geopend, was de gedrongen gestalte van Fitzalan Walters binnengestapt, zoals gewoonlijk op de voet gevolgd door de breedgeschouderde Lucifer, zoals hij Angelo soms noemde. Hij voelde een vreemde huivering toen hij Lucy zag en de uitdrukking op haar gezicht. De sfeer was geladen en de bedompte lucht van een intense roetgeur doortrokken. Hij keek naar Temple en vroeg met koele stem: 'Heeft er iemand over je graf gewandeld, Guy?' Temple voelde zich te ziek om iets terug te zeggen. Hij bleef tegen de deurpost leunen en scheen met de zaklamp op de muurschildering die nu Lucy's aandacht had.

Lucy voelde zich onbehaaglijk: ze zag dat de details minder levendig leken, minder volledig dan ze een ogenblik geleden waren geweest. Toen zag ze dat de schildering door glas werd beschermd en kleiner leek. Maar haar ogen vertelden Walters niets over de klaarblijkelijke gedaanteverandering. 'De laatste aanwijzing moet hier ergens te vinden zijn,' zei ze geestdriftig. '"I want to change the Wall, and make my Will," luidt de centrale tekst. 'Deze schildering is van Adonis die door het everzwijn is gedood – hij heeft een Elizabethaanse kraag. Misschien geeft de roos tussen de tanden van het witte paard daarboven een aanwijzing, of het hoofdstel hier?'

Walters rommelde zonder resultaat met de lichtknoppen, ontevreden dat het licht te gering was om het werk goed te kunnen bekijken. Een lekkage in de badkamer boven had het noodzakelijk gemaakt de stroom af te sluiten, zei Lucy tegen Walters, die nog steeds de schakelaars probeerde. Hij zag de waterschade rechtsboven in de hoek. Wat een ontheiliging van zo'n waardevol en uniek kunstwerk.

'Dus, juffrouw King, dit is Shakespeares *Venus en Adonis* zoals geschilderd in de tijd waarin het dichtwerk werd gepubliceerd?'

Lucy knikte. 'Het moet een ontmoetingsplaats zijn geweest van een mystieke orde die oorspronkelijk door Dee werd opgericht – de Rozenkruisers in hun kinderschoenen. Shakespeare zal hier met hen zijn samengekomen, en Bacon was eveneens een vooraanstaand lid. Evenals Spenser en John Donne, en Sir Philip Sidney vóór diens vroege dood – allen geletterde Elizabethaanse mannen.' En misschien ook een briljante, geletterde vrouw, dacht ze. Ze liet het licht van haar lamp over de schildering gaan en het gleed over het centrale beeld van een ruiter en paard, de ridder van het rode kruis, Sint-Joris. 'Spenser schrijft over hem in *The Faerie Queen*. Op deze schildering verheft het paard zich boven Adonis, de oosterse "Heer van de zon".' Lucy deed er het zwijgen toe om de schildering nader te bekijken. Ze zag het everzwijn aan de rechterkant, dat de winter symboliseerde en waarvan de destructieve vermogens werden ontkracht toen Adonis weer tot leven kwam in de bloeiende rode bloemen op de voorgrond, ontspringend aan zijn wond. 'Venus' liefde en verdriet veroorzaakt zijn vernieuwing,' zei ze op provocerende toon tegen Walters. 'Er zijn duidelijke parallellen met het christelijke verhaal. Afbeeldingen van haar waarin ze de dode Adonis vasthoudt, vormden in de kunst de inspiratie voor de piëta's.'

Ze daagde hem uit de eenvoudige link te leggen tussen de heidense iconografie en de christelijke mythe, maar hij klampte zich vast aan zijn interpretatie en weigerde parallellen te zien. De professor en Angelo concentreerden zich, maar het viel haar op dat Temple een nogal afwezige indruk maakte en allesbehalve ontspannen naast hen stond.

'Adonis was een kernfiguur voor Dee.' Ze richtte haar zaklamp. 'Deze roos representeert zijn ziel en zijn hart. De Rozenkruisers waren uit op het veranderen van duisternis in licht, winter in zomer – een andere visie op de opstanding.' Lucy's woorden hingen in de lucht en alles leek haar weer iets meer over Will te zeggen.

'Ja, heel anders. Dus, waar waren de Rozenkruisers op uit?' vroeg Walters haar.

'Op religieuze verlichting, deels door magie. Dat leverde hun een wiskundige benadering van de materiële wereld op. De wiskunde maakte hen bekend met de tweede wereld, de hemelse wereld. Maar daarboven is een derde – de opperste hemel, de bovenhemelse wereld. Dat is een hogere wereld dan het Paradijs; die kon alleen worden bereikt door met engelen samen te zweren. Zij stelden zich voor dat als ze dat hogere niveau eenmaal door magie hadden bereikt, ze één zouden zijn met de hiërarchie van de engelen, waar alle religies één zijn. Dee geloofde daarin en hij meende contact te hebben gemaakt met "goede" engelen. Helaas voor hem sprak alleen Edward Kelley met hen, die de boodschappen doorgaf, maar hij was onbetrouwbaar. Maar de beweging die Dee voor ogen stond, omvatte alle religieuze richtingen, protestanten en katholieken, joden en moslims. Op het niveau van de engelen waren allen één.'

Als Lucy hoopte dat die boodschap van gemeenschappelijkheid en hogere spirituele aspiraties voor iedereen bij deze mannen een snaar zou raken, wachtte haar een teleurstelling. Ze keek naar hen. De een greep naar zijn maag alsof hij aan ernstige indigestie leed. De ander, zeker van zijn eigen gelijk, zijn eigen boodschappen, zijn eigen 'engelen', beantwoordde haar blik zonder te knipperen. Ze grijnsde, vastbesloten haar geluk te beproeven.

'De drie werelden zijn fascinerend, vindt u ook niet? In de materiële wereld gebruiken we ons aardse lichaam, en in de hemelse wereld zijn we afhankelijk van onze geest en onbaatzuchtige emoties. Maar alleen in het hoogste paradijs maken we gebruik van ons intellect. Adam en Eva verbleven in een onderparadijs, Eden, maar toen Eva de vrucht van de kennisboom pakte, vroeg ze om toegang tot de hoogste hemel. Het was de vrouw die ons uit onze onwetendheid wilde verheffen om ware kennis te krijgen. En het was en is de onwetende man die nog steeds gelooft dat ware kennis aan de man voorbehouden dient te zijn.'

Walters keek haar geïrriteerd aan. Hij had die onzinnige, feministische, humanistische ketterij al eerder gehoord die stelde dat de mens het vermogen had god te zijn indien hij door kennis verlicht zou zijn. Dat de mens als zodanig goddelijk was. Vrouwen verdienden het naar zijn zeggen te worden geprezen als ze wensten beter opgeleid te worden! Maar vrouwelijke academici hadden het systeem geïnfiltreerd, het evenwicht verstoord, moreel verval veroorzaakt en de permanente chaos thuis veranderde het fundament van de echtelijke verhouding en verminderde hun respect voor mannen. Walters wilde de buit echter snel in handen krijgen en dus besloot hij haar te laten begaan.

'U bent een belezen jonge vrouw, juffrouw King. Ik begrijp waarom Dee en de zijnen zich voelden aangetrokken tot de alchemie, dus tot een zuivere omvorming van de werkelijkheden van een religieus leven – het veranderen van het basismateriaal van de ziel in goud.'

Lucy wist dat hij er nog aan toe had willen toevoegen: 'Hoezeer ze ook op een dwaalspoor zaten.' Ze draaide zich weer naar Venus en Adonis. Het was jammerlijk dat er geen beter licht was om de beelden te bestuderen die rijkelijk van raadselachtige informatie over de hermetische levensbeschouwing van Dee en Shakespeare waren voorzien. Ik wil de muur veranderen… dacht ze. Ze kon de woorden op het papier dat ze door het labyrint van Chartres had gedragen in vurige letters zien.

Ze was zich ervan bewust dat Temple, die dicht bij haar stond, nog steeds angstig was. Vanaf het moment waarop ze getuige waren van het tafereel waar ze onbedoeld op waren gestuit, werd hij door noden belaagd. Hij was een vurig gelovige, dacht ze, maar het stond vast dat hij niet kon verklaren wat er was gebeurd en hij zat er buitengewoon over in mogelijk het slachtoffer te zijn van echte demonen. Ze zou erom hebben gelachen, maar compassie weerhield haar ervan zo harteloos te reageren. Ze was verbijsterd geweest door de geesten in het vertrek, maar hem waren, wist ze, echt de stuipen op het lijf gejaagd. Hij was net begonnen met het zingen van de tekst die zich ook in haar hoofd had aangediend. Was het een poging de geesten gunstig te stemmen, te voorkomen dat ze zouden terugkeren?

'"Ik wil de muur veranderen en mijn Will maken,"' zei hij hardop. '"Me afvragend wat ik ben of wat ik ooit was." Waar is dat wat we zoeken, FW? We zoeken toch een object of een deur, juffrouw King, waarop de sleutel past? Is er in de schildering niet ergens een opening verborgen?'

Lucy's ogen gleden speurend over de muur. Ze probeerde de details samen te brengen waarover ze met Alex had gesproken, de aanwijzingen te vinden die hij moest hebben gevonden. Om de indruk te vermijden dat ze had gerepeteerd, had hij slechts het woord 'lambrisering' laten vallen: bedoelde hij het glas dat de schildering beschermde? Ze gaf Guy Temple met niet-gespeelde onzekerheid antwoord: 'Het is onmogelijk dat we worden aangespoord dit te schenden. Het zal zeker zo zijn dat we "de muur moeten veranderen" om te achterhalen wat er in "de wilsbeschikking" te vinden is.' Bij wilsbeschikking, dacht ze, en 'voor Will'. 'Het moet weer een façade zijn, misschien een parallel met de roos, of Adonis – aangezien hij het herrezen personage is.'

Temple zong maar door, als een van zijn verstand beroofde heilige, terwijl ze naar de andere massieve muren van het vertrek keken. Er schoot een flits van inzicht door Lucy heen. 'Alles wat in brand staat…' 'Elk samengevoegd deel…' Ze sprak geestdriftig: 'In deze muur bevond zich de open haard. Het moet hier zijn – achter dit sierlijke houtwerk. Er moet een opening zijn door welke de bevreesde geliefden het verleden kunnen ontsluieren.'

Walters begreep haar verwijzingen naar de oude tekst, maar vroeg zich alleen af waarom zij meende dat er een open haard in deze muur moest zitten. Aangezien het een binnenmuur betrof met daarboven ruimte voor een schoorsteen, was dat heel goed mogelijk. 'Zullen we dit er dan af halen? De hoeders van uw erfgoed zal de schrik om het hart slaan, maar u zou gelijk kunnen hebben.'

Binnen tien minuten – na de panelen grondig te hebben afgetast –

vonden ze de opening. Walters riep naar Temple: 'Guy, heb je dat zakmes nog aan je sleutelring?'

Temple staakte het mompelende bidden van de vreemde rozenkrans die op de teksten was geïnspireerd. 'Ja. Ja, FW.' Hij reageerde zwakjes, voelde kou in zijn ledematen en zijn borst en vroeg zich af of hij ziek werd, zoals de archeologen die een tombe openden en een virus bevrijdden. De atmosfeer in het vertrek was beklemmend en hij herkende van eerdere ervaringen dat zijn baas de misplaatste staat van opperste verrukking dicht was genaderd. Zelf ontbrak hem de energie om Walters in dat quasiparadijs te volgen en hij vroeg zich onafgebroken af of de demonen en de walgelijke geuren van rook en bier, urine en onappetijtelijk voedsel zouden terugkeren.

'Kom hier. Maak dat deel van de lambrisering los.' Walters wees op een plek in het houtwerk. Temple probeerde nogal onhandig een paneel los te wrikken tot Walters hem de zaklamp gaf en het mes geërgerd van hem overnam. Als een bezetene stak hij het mes tussen de panelen. De spanning stond op hun gezichten te lezen toen een van de panelen plotseling losschoot en er met rommelend gedreun en een stofwolk een hoopje stenen op de vloer viel. Lucy was niet op dat lawaai bedacht geweest en slaakte een gil. Temple had van schrik de zaklamp op de stenen laten vallen.

'Juffrouw King, uw lamp alstublieft. Guy heeft ons in het donker laten zitten.' Walters' sarcasme was ijzig terwijl hij zich in het halfduister vooroverboog. Lucy scheen in de alkoof die de gegraveerde kist bevatte en Walters floot zacht. 'Dat zal volstaan. Een oude oven die jaren geleden is dichtgemetseld. Angelo, haal die kist naar buiten. We staan voor een groots moment. Thomas Brightman heeft ons verteld dat de eerste van de grote schalen van gramschap Elizabeths troonsbestijging in 1558 was. De zevende trompet van de Openbaring klonk in 1588 met de vernietiging van de Armada. Het is gepast dat de zoetste kalmte van daar naar het einde van de wereld nu voortschrijdt door de herontdekking van deze verloren kennis van de grote mannen van haar bewind. Wie weet? Misschien bevat de kist werkelijk de zevende schaal. Dit is waarlijk een apocalyptisch moment.'

Lucy was iets naar achteren gestapt en zag de onheilige kleur in het gezicht van haar belager. Nu diende zich ook een vreemde koortsachtigheid aan bij zijn duidelijk oudere collega. Samen joegen ze haar echt schrik aan en ze hoopte dat het einde van de hele beproeving in zicht was. Er viel op dit moment met geen van de twee een zinnig woord te wisselen. Ze had in de loop van haar onderzoek naar Dee en Bruno gelezen over die zogenaamde 'zeven schalen van de gramschap Gods', en ze wist wie Thomas Brightman was. Hij had de trompetten en schalen van Romeinen en Openbaringen geteld en een datum bepaald voor 'de roeping van de joden een christelijke natie te zijn'. Die datum was in de jaren dertig van de zeventiende eeuw, maar toen de verwerkelijking ervan destijds was uitgebleven, waren de getallen en historische gebeurtenissen verschoven en opnieuw geordend. Lucy dacht dat de eerzame boekhouders intussen op zeker zeventig schalen moesten zitten – en de hemel mocht weten op hoeveel trompetten – maar het leek haar een slecht moment om Walters' rekenkundige begaafdheid ter discussie te stellen.

Angelo betrad voorzichtig de enorme open haard en tilde de kist op een lage schraag. Temple had een paar trage stappen gedaan om getuige te zijn van de grootsheid, maar hij kromp naast de kist ineen en begon weer te zingen. Lucy schrok. Hij zong de woorden van de tafel van Jupiter, waarvan werd beweerd dat hij bescherming bood en de engelen opriep: 'Elohiem, Elohi, Adonai, Sebaot.' Ze keek naar hem in het schemerige licht en zag met ontzetting dat hij asgrauw was. Het was een kleur waarmee ze door haar eigen tijd in het ziekenhuis vertrouwd was, en ze stond op het punt Walters op hem te attenderen, toen ze zag dat hij uitsluitend oog had voor zijn verovering. Op de kist na was hij blind voor alles. Uiteindelijk richtte hij zich met nauwelijks verholen opwinding tot Lucy.

'Maak open.' Het was geen beleefd verzoek. Hij had zijn gladde aanpak laten varen, maar Lucy had dat moment verwacht. Ze tuurde naar het sierlijk bewerkte deksel waarop één rode roos was geschilderd en dat rond de metalen scharnieren van verguld beslag was voorzien. De kist was stoffig, niet heel groot, maar wel stevig en tamelijk mooi. De inscriptie deed haar huiveren toen ze haar op gedragen toon voorlas:

'Open deze kist alleen als u de donkere dame van het licht bent, zus en beminde, en haar Rozenkruisridder loyaal en oprecht. Een plaag zal uw huizen teisteren als het anders is. De woorden van Mercurius zijn wreed, na de zoete liederen van Apollo.'

Lucy zag geen verwijzing naar engelen of trompetten, maar ze voelde de kracht van de ideeën achter de woorden die zo lang geleden waren geschreven. Ze keek naar zijn begerige gezicht. 'Dokter Walters, ik durf het niet aan dit te openen. Het kan zijn dat ik de dame van het licht ben, maar u bent niet de Rozenkruisridder. Alexander zou hier moeten zijn om de gordiaanse knoop metaforisch door te hakken. Omdat ik denk dat er twee sleutels vereist zijn.'

Walters was niet tot dit punt gekomen om zich nu door details te laten afschrikken en hij richtte het mes resoluut op Lucy. 'Luister. Het eerste punt is dat er geen knoop is – geen echte knoop in elk geval. Het tweede punt dat bij de legendarische knoop van Alexander dient te worden bedacht, is dat hij bedrog pleegde. Dat gaan wij ook doen. Laat de draad nu niet glippen en laat het u niet naar uw hoofd stijgen. Er is niet zoiets als een vloek. U weet dat en ik weet dat, ongeacht wat mijn ondergeschikten hier ook mogen geloven. Dit is de eenentwintigste eeuw. Bovendien, bent u niet zowel de dame van het licht als een ridder van de ware knoop? Twee in één?' Er verscheen een cynische grijns op zijn gezicht.

Lucy had het gevoel dat ze een klap in haar gezicht had gekregen. Was dat waar? Ze had de woorden niet in dit volkomen plausibele licht begrepen. Ze was even huiverig voor wat hij zou kunnen bedoelen als voor wat hij daadwerkelijk wist. Hoe kon hij op de hoogte zijn van iets wat ze alleen met Alex had besproken? En hoe moest ze omgaan met de idiote paradox dat hij het enerzijds niet begrepen had op overtuigingen die in de eenentwintigste eeuw 'bespottelijk' waren, terwijl hij anderzijds over schalen en trompetten zwamde? Dat viel onmogelijk te rijmen. Was hij een gelovige, een schizofrene dwaas of gewoon een charlatan die zijn voordeel deed met de onnozelheid van anderen?

Guy Temple was intussen een tint grijzer geworden; er stond zweet op zijn voorhoofd. Lucy snoof de ongezonde, klamme geur op die hij verspreidde. Ze wist dat hij in ernstige moeilijkheden zat en kon het niet helpen bezorgd om hem te zijn. Hij smeekte Fitzalan Walters te wachten. Ze waren er nu zo dichtbij. 'Laat Angelo dokter Stafford halen… Alstublieft… Hij kan niet ver weg zijn. Ik verwacht min om meer dat hij ons naar hier is gevolgd…' Zijn woorden ebden weg toen een kerkklok één keer sloeg. Misschien was het dertig minuten na middernacht.

Maar Walters was niet onder de indruk en negeerde hem. Volledig op zijn heilige graal gefixeerd, trok hij Lucy overeind en weer hief hij het mes naar haar op. Lucy knipte instinctief haar zaklamp uit en dook weg – niet langer een dame van licht – en ze vluchtte de acute duisternis in. Angelo deed een poging haar te grijpen, maar gehuld in bleekgrijze zijde glipte ze weg als een geest. Ook Walters deed een uitval naar haar, waarbij hij een plukje van haar losse haar wist te grijpen, maar beide mannen verstarden van het ene op het andere moment.

Hun hele wezen raakte op overdonderende wijze door de geur van rozen overspoeld: veeleer verstikkend dan zoet. Geen van hen verroerde zich. Vanuit het midden van de ruimte verspreidde zich een geelgroen licht, en er was een etherisch wezen onder hen – een engel met de gelaatstrekken en de lichamelijke gestalte van Lucy. Zwevend boven de oude kist stak ze af tegen het geschilderde paard met zijn hoofdstel van rozen, de gevallen ridder, het gapende gat in de boomstam. Guy Temple greep naar zijn borst en zakte kreunend als een gewond dier op zijn knieën. De uitwerking die de verschijning had was schokkend, adembenemend, onthutsend; hij las er een donderende waarschuwing in.

Met haar hele wezen – ogen en geest – gericht op de engel verstijfde Lucy, zich bewust van haar in haar oren bonkende hart, kijkend naar Fitzalan Walters, die lachend en met geheven armen op de kist sprong, in de armen van de engel. Het werd aardedonker en de geluiden verstomden. Toen klonk er een harde knal die vergezeld ging van een boog van blauw licht, een rookspiraal, en een duidelijk wegvluchten in de volstrekt donkere ruimte. Lucy's keel stootte een geluid uit dat het midden hield tussen gefluister en gegil.

'O! God! Alex!'

33

Geknield achter haar op de grond hield Siân stevig haar armen om haar heen; ze wiegde haar zachtjes, maar Lucy zei niets. Ze had de indruk dat Walters' vingers nog steeds om haar keel zaten, hardnekkig, knijpend, vergezeld door flitsend metaal en een maniakale lach. Niettemin zag ze met eigen ogen op een meter of twee afstand zijn in elkaar gezakte lichaam, dat door Alex werd verzorgd. Haar neusvleugels werden nog belaagd door zijn geur – van zijn kostuum, zijn eau de toilette, zijn adem – en een vreemde lucht van iets scherps, rokerigs. Maar gaandeweg werd ze zich bewust van Alex' stem die tegen haar sprak, zij het zonder de diepte die er eigen aan was, precies zoals ze hem al een tiental keren had gehoord als ze onder narcose werd gebracht. Ze voelde zich geïsoleerd en alleen, maar hij was hier.

Een interactie van desoriënterende krachtige lampen werd nu gevolgd door een meer constante lichtbron en ze keek de kamer rond, die binnen drie tot vier minuten werd bevolkt door geüniformeerde vreemden. Calvin drukte Angelo op de grond terwijl een andere man hem handboeien omdeed. Een vrouw gaf Alex een deken. Die legde hij over Walters heen en op korte afstand van Alex sprak een karakteristieke Schotse stem zacht tegen Guy Temple.

De tijd leek zich samen te ballen toen Lucy luisterde naar de arts die een medisch team op de hoogte stelde: 'Patiënt rechts heeft angina, maar er zijn geen duidelijke tekenen van een hartinfarct. Slachtoffer links heeft een elektrische schok gehad van de lamp aan het plafond. Voor zover ik weet geen bewustzijnsverlies, hoewel hij zojuist nog onsamenhangende kreten slaakte en lachte. Zijn lippen zijn wat blauwig en hij heeft schroeiplekken aan de vingers van zijn rechterhand, een enigszins onregelmatige pols, maar zijn ademhaling is normaal. Ik kan geen directe verwondingen vinden, maar hij heeft wel een smak gemaakt, dus beschadiging van de ruggengraat kan niet worden uitgesloten.' En na nog tien minuten waren ze weg.

Alex' stem, verstoken van diepte: 'Lucy?'

Hij hurkte naast haar neer en nam de plaats van Siân over. Toen haar lieftallige gezicht voor het eerst een glimlach op zijn gezicht had gebracht, bijna een jaar geleden, was haar donkere, zijdeachtige haar kortgeknipt geweest, en haar ogen enorm in het smalle, bleke gezicht. In de tussenliggende maanden was haar haar tot over haar schouders gegroeid, en haar geleidelijk toegenomen gewicht en gezonde kleur hadden haar gezicht nieuw leven ingeblazen en de jukbeenderen nadruk verleend. Hij zag de schaduwen in haar gezicht, de vermoeide, matte ogen, en hij besefte dat hij haar nog nooit zo kwetsbaar had gezien. 'Lucy,' zei hij en hij hield haar vast.

Alex' stem, vol en diep: 'Lucy?'

Er ging bijna geluidloos een deur open. Zacht gekraak van de houten vloer, maar ze negeerde de indringer tot de kamer door zonlicht werd overspoeld. Ze knipperde en sloeg een arm voor haar ogen. Ze voelde de heldere lucht, hoorde dat het raam op een haakje werd gedaan. Vervolgens een schrapend geluid naast haar dat haar intrigeerde en haar dwong haar ogen op te slaan, haar dwong door een witte wolk heen te kijken. Hij zette een theekopje en een volmaakte witte bloem omgeven door paarse knoppen op het tafeltje naast haar: 'Mevrouw Hardy.' Zijn hand op haar gezicht voelde warm aan, zijn stem klonk helemaal niet hol. 'De eerste witte roos van het jaar, uit een oude Engelse tuin. Een week of twee te vroeg, denk ik zo.' Hij kuste haar en verliet de kamer.

Ze dacht kalm na. Ze bevond zich in Alex' kamer in Longparish, was hier rond drie uur vannacht teruggekeerd. Ze had in een droom geleefd, duivelse gezichten gezien, langdurig gereisd in een poging naar hem terug te keren, besefte ze. En nu kon ze het rustig aan doen. Ze keek naar de erotische vorm van de bloem naast haar: een elegant damast, dacht ze, honderd bloemblaadjes rond een vertrouwd groen 'oog', nog niet helemaal geopend. Dat zou het later op de dag wel zijn. De geur was zeer aanwezig, maar stond haar absoluut niet tegen.

Ze nam een slokje van de thee en pakte haar horloge. Het was na tienen. Ze trok een ochtendjas aan en liep naar het open raam. Henry was gras aan het maaien en de tuin pronkte met ontluikende knoppen en vroege bloemen, de eerste neerhangende bloesem van de blauweregen begon de kamer binnen te dringen via het waaiervormige bovenlicht.

Toen ze beneden in de keuken kwam, trof ze Alex in gedachten verzonken aan met een kop koffie in zijn ene en Wills zilveren sleutel in de andere hand. Hij keek naar de kist die nu op de bleke houten tafel stond. 'Is vanmorgen door James McPherson gebracht, samen met mijn moeders bijbel.' Hij sloeg zijn ogen naar haar op. 'Hij is er speciaal helemaal voor naar hier komen rijden.'

'Heeft hij geregeld dat wij de kist kunnen houden? English Heritage claimt het niet?'

'Had hij al geregeld – zolang Suzie van de winkel en de verhuurder van de pub er geen aanspraak op maken.' Alex keek haar vermoeid glimlachend aan en zette zijn kopje neer. 'Iedereen is grootmoedig van mening dat wij er de oorsprong van kunnen vaststellen, maar we mogen dat wat er ook in zit niet verkopen zonder het eerst aan te bieden aan een museum.'

Lucy keek een tijdje zwijgend naar de kist. Hij zag er zo onschuldig uit, maar had toch tot zoveel strijd, moeilijkheden, nieuwsgierigheid en verdriet geleid – hoe onbedoeld ook. Ze zag de smerige afdruk van Fitzalan Walters' schoen in het stof: hij had de geschilderde roos vertrapt en contact gemaakt met het gouden en ijzeren beslag. Misschien was er toch een vloek mee verbonden? Ze draaide zich om en zette de ketel op de kookplaat.

'Zullen we hem openmaken?' vroeg hij zacht.

'Gevoelsmatig is dit niet het geschikte moment. Er is te veel gebeurd vandaag.' Ze liep naar hem toe en legde haar handen op zijn schouders, haar blik nog steeds op de kist. 'Is er al iets bekend over Walters en Guy Temple?'

'O, die schurken gaat het goed,' zei hij met een ironisch lachje. 'McPherson heeft de chauffeur van de auto gearresteerd, maar vooralsnog weigert hij ook maar iets te zeggen. Angelo is op Paddington

Green en hem wordt bijna zeker ontvoering en poging tot doodslag ten laste gelegd. Daarmee zal er enig recht worden gedaan, veronderstel ik. Temple heeft weer een lichte aanval gehad, op de plek waar zijn hart hoort te zitten! Hij wordt in de loop van de dag overgebracht naar het Brompton – waar we hem goed in het oog kunnen houden.'

'En Fitzalan Walters?' Lucy kneep onwillekeurig in Alex' schouders. 'Ik dacht echt dat hij dood was.'

Alex legde een hand op de hare. 'Walters heeft een aardige dreun gehad, maar hij had geluk dat de stop doorsloeg toen hij met het mes de fitting raakte. Het schijnt dat hij een klein sneetje in zijn pols heeft. Maar zijn ECG en echo zien er geruststellend uit. Toen ik vanmorgen met Amel over Temple sprak, hadden we het ook nog even over Walters' elektrische schok, en volgens hem moet zijn zenuwstelsel schade hebben opgelopen waarvan de ernst mogelijk nog zal blijken, maar ik ben daar niet zo zeker van. De duivel schijn je niet te kunnen doden!' Alex probeerde er een grap over te maken. 'Ik denk dat hij het wel overleeft en de strijd weer op zal nemen.'

'En zich op ons allemaal zal wreken,' zei Lucy huiverend. Ze keek Alex aan maar hield haar emoties verborgen. Hij hield de zilveren sleutel nog altijd in zijn hand en nu stelde ze hem de vraag. 'Wil jij de kist wél openen?'

Alex was geroerd door haar vergelijking van Fitzalan Walters en Malvolio – er zat een kern van waarheid in. 'De anderen willen er ook bij zijn. Ze hebben voor een paar uurtjes hun bed opgezocht en komen straks, maar misschien is het beter als er geen hele volksstammen in de buurt zijn als wij in onze keuken het startsein voor de Opname geven.'

'Zal Pandora zich zo hebben gevoeld?'

Ze glimlachte en ze stonden op. Met licht trillende vingers maakte Lucy het kettinkje rond haar nek los en een ogenblik later hield ze het kleine gouden sleuteltje in haar hand. Alex onderzocht de kist nog eens heel nauwkeurig en enigszins plechtig staken ze het zilveren sleuteltje in het zilveren slot aan de ene kant van de kist, en het gouden sleuteltje in het slot aan de andere kant. Alex knikte en ze draaiden tegelijkertijd. Het mechaniek gaf onmiddellijk mee.

Toen Alex het deksel optilde, haalden ze allebei diep adem. Wat de inhoud van de kist ook mocht behelzen, het lag bedekt onder een dikke, dichte laag bleekroze rozenbladeren die een overweldigende geur verspreidden. Het leek alsof de geur van een grote tuin in de volle zomer in de kleine ruimte opgesloten had gezeten. 'De roos,' zei Lucy, 'symboliseert dat wat onsterfelijk is. Heeft Dee me verteld.' Hij keek haar aan en verdere vragen leken overbodig.

Ze staarden een tijdje in de kist zonder zich te bewegen. Beiden zagen dat hoewel de kist tjokvol bloemblaadjes zat, er ook nog een aantal andere objecten in moest zitten. Lucy sloot haar hand voorzichtig om een object dat bovenop in het midden van de kist lag en door een stukje perkament werd omgeven. Alex' ogen moedigden haar aan en langzaam vouwde ze het perkament open, waarbij ze er zorg voor droeg niets te beschadigen. Het beschreven perkament gaf ze aan Alex en in haar open handpalm lag een klein gouden sieraad van eenvoudige schoonheid. Het was enkele centimeters lang, ingelegd met ongeveer twaalf parels en een gelijk aantal robijnen en in het midden een donkere saffier. Het was een vorm die ze allebei herkenden: een maansikkel met daarboven een zon en daar weer boven een kruis; en op een andere manier bekeken, alfa bovenaan, omega onderaan. Het geheel werd omvat door de met elkaar vervlochten symbolen van Venus en Mars, vrouw en man. Het was de monade van John Dee.

Met het bescheiden zinnebeeld – een eerbetoon aan ieders geloof en religie van de Oudheid tot de Moderniteit, en aan de bestendige hoop op de algehele zuster- en broederschap van de mensheid – in haar hand, hield Alex haar de tekst voor die op het stukje perkament stond. 'Het is een citaat, maar ik herken het niet.'

Ze las hardop: '"Indien u twee tot één maakt, en indien u het innerlijke tot het uiterlijke maakt en het uiterlijke tot het innerlijke, en dat wat boven is tot onder; en wanneer u de man en de vrouw tot één maakt, dan zult u het koninkrijk binnengaan."'

Ze keken elkaar aan en begrepen het uitstekend. Ze moesten het overige wegbergen tot ze het op precies zo'n dag konden openen.

Alex kneep Lucy's arm bijna fijn en beiden zwegen lange tijd. Ze wist dat hij met hoofd en hart bij zijn moeder was, en bij Will, en bij haar. Ze wist dat die emoties broos waren, dat hij het niet zou wagen een woord te zeggen, en ze wist dat omdat haar eigen gedachten en gevoelens en zinnen er zo mee verbonden waren. Toen vroeg hij haar eenvoudig: 'Zal het midzomer zijn?'

Haar ogen antwoordden hem eerst, toen volgde de woordelijke bevestiging: 'In Diana's Hof van Eden.'

34

Ze had lang geslapen! Ze had het openen en sluiten van de deur gehoord, het openen van de luiken, wakend in een droom, weigerend het te registreren. Bijna in paniek ging ze zo snel rechtop zitten dat ze zich licht in haar hoofd voelde, maar de vertrouwde vaas naast het minder vertrouwde bed deed haar glimlachen. In schuinschrift met vulpen – het medium waarmee Alex zijn oprechte gevoelens het beste kon uiten – stonden slechts tien woorden geschreven: 'Rosa Mundi: midden in de zomer geplukt voor mijn geliefde.'

Lucy leunde uit het raam van Wills kamer toen er één klopje op de deur voorafging aan de binnenkomst van Max. Ze strekte een arm naar hem uit en voor een ogenblik keken ze samen zonder een woord te zeggen naar het tafereel beneden. Een man en twee vrouwen droegen dozen en kookspullen door de achterdeur de keuken binnen. Ze zag dat Max al keurig gekleed was in een jasje en een broek, en er glansden lichtvlekken in zijn haar. Hij leek op zijn vader en ze omhelsde hem.

'Pappa heeft me gevraagd je te helpen met het overbrengen van jouw spullen naar zijn kamer. Siân zal zo komen en we vertrekken om elf uur naar Chartres. O, en er staat beneden een doos voor je.'

Lucy gaf hem een weekendtas en legde een kledingstuk over zijn arm.

'Dank je, Max. Kun jij dit meenemen? Maar mijn jurk en schoenen laat ik hier in de kamer van oom Will. Het brengt ongeluk als je vader ze ziet, dus kleed ik me hier aan. Siân zal het niet erg vinden me te helpen.'

'Brengt het mij ook ongeluk?' Hij keek naar haar met een charme die uitsteeg boven die van een kind dat net acht was. Met een glimlach en een vinger die zijn lippen verzegelde liet ze hem woordeloos beloven geen enkel detail te onthullen, en verrukt dat hij was ingewijd in een geheim, keek hij samenzweerderig naar de zilveren zijde in de kast. Hij liet zijn duim een paar keer over zijn wijsvinger schuiven en met een klopje op zijn schouder werkte ze hem de kamer uit.

Het was na tien uur Franse tijd toen de stemmen van Simon en de andere gasten door de open deuren doordrongen tot in de tuin. Zij waren al bijna klaar met ontbijten, maar Lucy voelde zich opeens rustig worden en was aangenaam verrast Henry alleen in de keuken aan te treffen.

'Je hoeft je niet te haasten, Lucy. We hebben nog bijna een uur. Kijk eens, die zijn daarnet voor je bezorgd.' Hij wees op een doos met bloemen en ze pakte het bijgevoegde kaartje. De bloemen waren van haar vader en behalve de gebruikelijke gelukwensen probeerden de woorden een compensatie te bieden voor het feit dat hij niet aanwezig zou zijn. Ze liet Henry het kaartje lezen en sloeg haar armen om hem heen.

'Ik heb met hem te doen,' zei hij. 'Niet te ervaren dat jij een leegte in zijn leven achterlaat.'

In het middenpad van de kathedraal van Chartres stond een kleine jongen in de schaduw. Boven hem bevond zich het venster van Sint-Apollinaire en naast hem een rechthoekige steen waarvan de witheid afstak tegen de grijze stenen waardoor hij werd omgeven. Een vergulde pen werd door een lichtstraal geraakt: het was bijna twaalf uur op de dag voor de zonnewende – de dag die voorafgaat aan de langste dag van het jaar.

Zijn vader sprak het selecte groepje om hem heen toe: 'Lieve vrienden. We willen jullie een klein tafereel laten zien uit de zeventiende eeuw – echt een mirakel. Hoe hebben ze het gedaan? Mijn zoon zal het nu demonstreren. "*Non angli, sed angeli.*"'

Een handjevol toeristen bleef staan toen Max het toneel besteeg. 'Over een paar minuten zal er een zonnestraal door een klein gat in het venster daarboven vallen,' hij stak zijn vinger omhoog, 'en de vloer op deze plek raken, zoals dat elke midzomerdag is gebeurd.' Hij gebaarde naar de metalen talon en vervolgde: 'U ziet dat deze holle spiegel zo is geplaatst dat hij het licht door de kristal kan leiden die we daar hebben vastgezet.' Hij hurkte om de objecten met het enthousiasme van een televisiepresentator in de dop te demonstreren en Grace en Lucy wisselden geamuseerde blikken van verstandhouding. Max begon helemaal op dreef te raken.

'De kleine kristal van John Dee zal de straal breken,' zei hij terwijl hij ernaar wees, 'dan zal een deel ervan weerkaatst worden door deze spiegel en de witte kaart doen oplichten die zich hier bevindt. Het andere deel van het licht zal door de andere spiegel daar worden weerkaatst op deze plaat, die honderden jaren geleden mogelijk met de hand is gemaakt door de kunstenaar Albrecht Dürer. Die wordt "drie" genoemd. We moeten een beetje geluk hebben,' lachte Max, 'maar als we goed hebben gemeten zal er hopelijk een beeld van een engel ontstaan dat vóór de kaart midden in de lucht zal zweven.'

Lucy begreep het niet meer helemaal en schoot in de lach – Max' wetenschappelijke inzicht stelde dat van haar bijna in de schaduw. Ze vroeg zich af of Alex de jongen misschien iets te veel in zijn hoofd had willen proppen en ze nam zich voor zo vaak mogelijk taarten met hem te gaan bakken en fietstochten te maken.

'Het instrumentarium dat u hier ziet is onlangs gevonden tussen een verzameling spullen uit de zestiende of zeventiende eeuw. Vandaag zou een laserstraal beter zijn dan zonlicht en het resultaat zou een fotografisch hologram zijn. Maar we willen uitzoeken of een zonnestraal ook tot enig resultaat leidt. Let op! Het kan elk moment gebeuren.'

De stip van licht van de zon bewoog over de vloer in het halfduister van de zijbeuk tot hij de spiegel raakte. Gedurende een vluchtig moment – letterlijk enkele seconden – verscheen tot verrukking van de hele groep het waterige beeld van de engel, zoals het twee maanden geleden, in de nacht van Sint-Joris, voor het eerst werd gezien in de vroegere eetzaal van het White Hart Hotel. Het miste de scherpte die het tijdens zijn eerste incarnatie had gehad toen Alex in het aardedonker lasers en prisma's had gebruikt, maar het effect was fantastisch. 'Lucy als een engel' verscheen en verdween in de zuidelijke dwarsbeuk van de kathedraal van Chartres terwijl de zon de meridiaan passeerde en een reis herhaalde die honderden jaren geleden op deze plek – zonder engel – op dezelfde manier was waargenomen.

Om in deze religieuze omgeving niemand voor het hoofd te stoten, werd het applaus dat het visioen vergezelde ingetogen gehouden. '*Non angli, sed angeli,*' herhaalde Alex.

De onbekende omstanders liepen verder, maar Amel Azziz – die samen met Zarina Anwar de Eurostar had genomen en nog net op tijd was geweest om het fenomeen te aanschouwen – knipoogde naar Max. Het was duidelijk dat de jongen door zijn vader goed op zijn taak was voorbereid, maar hij was desondanks onder de indruk. Nu ging hij op een grappige manier in tegen Grace, die de jongen een baan bij de televisie had aangeboden, met een eigen voorstel: dat hij Max de fijne kneepjes van de hartchirurgie wel wilde leren. Alex lachte om het tweetal.

Een grote man die naast Henry had gestaan, stapte naar voren om Max de hand te schudden. 'Max, Alex! Waarlijk een majestueus visioen! – zoals Ferdinand tegen Prospero zei.' Richard Proctor, Alex' peetvader, had de toestemming voor de demonstratie geregeld met zijn oude vriend, monseigneur Jerome.

Alex lachte. 'Nou, ondanks het feit dat de ruimte niet geheel verduisterd was en de zonnewende pas morgen is, lijken we toch enkele geesten te hebben opgewekt – letterlijk. Prospero zou er zijn goedkeuring aan hebben gegeven, denk ik: "Geesten, die ik door mijn kunst heb geroepen om mijn fantasieën op te voeren."'

'Zouden ze dat echt hebben gekund, Alex? Aan het einde van de zestiende eeuw een hologram fabriceren?'

Alex schudde zijn hoofd. 'Hoe zouden we het moeten weten? We hebben deze objecten in een van de kisten gevonden. Of dat hun intentie was... Maar Dee was een scherpzinnig wiskundige, die de engelen eenvoudig tevoorschijn zou hebben kunnen roepen, en hij experimenteerde met de spiegels die hem door Mercator waren gegeven. Bruno was geïnteresseerd in de zon – nogal navrant, zou ik denken, aangezien hij zonder papier en inkt in de duisternis van zijn inquisitiecel zat. Hij achterhaalde eerder filosofisch dan wetenschappelijk vele geheimen van het zonnestelsel. Beide mannen herontdekten hoe de oude Grieken en Egyptenaren het zonlicht gebruikten om standbeelden te laten spreken. Het is puur giswerk, Richard, maar Dee schiep soortgelijke illusies voor het theater. Volgens mij was dat het wat door het begeleidende diagram werd geïllustreerd. En wij beschikken over de wijsheid achteraf, zogezegd. Maar het is mogelijk. Of het nou ging om een ontwerp of om een toevallige ontdekking, of dat het allemaal te danken was aan de tussenkomst van engelen, is een andere vraag.' Alex lachte.

'En of het ze zelf is gelukt?' Hij drong aan bij zijn peetzoon.

'Valt geen zinnig woord over te zeggen. Ze zouden naar een plek als deze hebben moeten komen om controle te hebben over de lichtbron. Maar de glasgravure is verbluffend. 'Dürers *Melancholia I* betreft de saturnale studie van de magie, en *Melancholia II* zou zijn gravure van de heilige Johannes kunnen zijn, de patroonheilige van de alchemisten. Er is altijd het gerucht geweest over een derde gravure die verloren zou zijn gegaan. Op onze glasplaat staat alleen een Romeinse "III". Maar gesteld dat het van Dürer zou zijn – een passend ontbrekend stukje van de puzzel? In de drie inwijdingsniveaus zou elk middel om een engel op te roepen het hoogste niveau volmaakt illustreren. Dürer was zonder enige twijfel een student van de hermetische filosofie. Het is een Dürer of het is bedrog: u mag het zeggen.'

Lucy voelde zich als een teleurgesteld kind. Om te zorgen dat ze natuurlijk zou reageren had hij haar zo min mogelijk verteld over wat er in het White Hart Hotel te gebeuren stond. Ze had het gevoel dat zijn latere uitleg niet alles had verklaard. En net als bij haar ervaringen op de boot, was ze er ook nu van overtuigd dat er nog iets anders had meegespeeld. 'Alex, is dat echt het hele verhaal van het visioen dat die nacht verscheen?'

Hij knikte.

'Dus jij denkt dat Dee nooit een engel heeft opgeroepen? Dat hij wist dat het om een truc ging?'

'Ik zie dat anders, Lucy. Wanneer een heidense gegadigde het paradijs binnenging, werd hem naar verluidt *"epopteia"* verleend – een schouwing van de goden tijdens de initiatierite. Wat we uit diverse mysteriën weten is dat de kandidaten dat visioen te zien kregen door een magische evocatie die door Dee werd uitgevoerd. Prospero doet hetzelfde voor Miranda en Ferdinand – om hun vereniging te zegenen. Dee zou het een "alchemistisch huwelijk" hebben genoemd.'

'Met andere woorden, het is oplichterij,' viel Lucy hem in de rede.

'Nee, dat geloof ik niet. Voor Dee was wetenschap een weg naar de magie, ze maakte er deel van uit. Kunstmatige mirakels, bereikt met hulp van de wiskunde, bewezen dat de mens wonderen kon scheppen die met de wonderen van God konden wedijveren, bewezen de waarheid van wat Pico had gezegd, namelijk dat iedere mens potentieel hoger stond dan de engelen, en dat staat weer niet ver af van Amels denkbeelden. Gefabriceerde mirakels waren schaduwen van een hemelse werkelijkheid. Zelfs Shakespeare noemde zijn acteurs "schaduwen" – schaduwen van de mensen die ze weergaven. Niet wat je noemt een truc.'

'Maar, Alex, ik denk dat sommige mensen engelen kunnen zien, zoals ik ook denk dat sommige mensen geesten kunnen zien, of God kunnen "ervaren" zonder de behoefte aan een verstandelijk bewijs. Het is geloof – iets wat in de duisternis wordt gevonden – buiten bereik van het licht. Misschien is het zoiets als geraakt worden door muziek. Dat is waar het bij de kathedraal van Chartres om draait. De duisternis is esoterisch, net als het licht, net als Bruno's oneindigheid. Het is iets wat in ons kristalliseert als we onszelf toestaan ons op te stellen voor de subtiliteit ervan.'

Amel had toegeluisterd en legde een hand op Lucy's arm. 'Je hebt gelijk, Lucy. Of beter: zo denk ik er ook over. T.S. Elliot zei dat we ons stil moesten houden en Gods oneindige duisternis op ons moesten laten neerdalen. Het gebrandschilderde glas overgiet ons met delicaat licht, en dergelijke subtiele vibraties zijn inderdaad als muziek. Als je het ziet, hoort, voelt, dan zie, hoor en voel je het: als we ons kunnen openstellen, naderen we ons meest goddelijke niveau.'

'Ik denk dat dat waar is,' stemde Alex in. 'Als het binnen je kennisveld ligt om engelen of geesten of goden te zien, dan zul je ze zien. Als ze geen deel uitmaken van je denken, zul je ze niet zien. Sommige mensen lijken ze te projecteren, ze te verwerkelijken. En anderen lijken gevoelig te zijn voor wat mijn moeder "aardstromen" noemde. Jij bent precies als zij, Lucy, je ervaart ze op een hoorbare, zichtbare, heldere manier. En wie kan uiteindelijk zeggen welke manier van zien waarheid en welke slechts een illusie is?'

Lucy kuste hem. Zij zagen de wereld ieder een beetje anders, en ieder accepteerde de variant van de ander. Ze was zeker van wat ze zag, was sinds haar ziekte intens gevoelig voor de wereld om haar heen. Maar ze voelde zich niet bedreigd, ze had niet de behoefte er anderen mee lastig te vallen, niet de onweerstaanbare drang Alex te overtuigen van haar versie van de gebeurtenissen. Op 23 april, Sint-Jorisdag en de geboortedag van Shakespeare, had de vierendertigste graad van de dierenriem haar toegestaan kennis te nemen van andere werelden, van een visioen dat Temple met haar had gedeeld en dat een wissel op zijn gezondheid had getrokken. Ze kon het Alex allemaal niet verklaren, zoals ze ook de geur van rozen niet goed kon beschrijven die haar had achtervolgd, het licht dat ze vaak zag en dat door sommige mensen een engel zou worden genoemd. Hij had voldoende respect voor haar om haar volledig de ruimte te geven. Hij zou altijd naar haar luisteren, was grootmoedig genoeg om haar zienswijze nooit te verwerpen. Dat maakte hem tot de enige waarachtig sterke man die ze ooit had gekend.

Terwijl Max en zijn grootvader de instrumenten inpakten en hun andere vrienden een ronde maakten door de kathedraal, vergezelde Alex Lucy naar het labyrint dat ze gisteren hadden doorlopen. Naderhand hadden Alex' peetvader en een monseigneur van Chartres hem hun opvattingen gegeven over enkele van zijn fascinerende vragen. Lucca had hetzelfde labyrint op een pilaar, met een Latijnse inscriptie die vertaald luidt: 'Dit is het labyrint dat werd gebouwd door de Kretenzer Daedalus. Niemand heeft er ooit de uitgang van gevonden, behalve Theseus, dankzij de draad van Ariadne.'

De monseigneur had hun verteld dat de relevantie ervan hier in Chartres een metafoor zou kunnen zijn voor de ziel die op de kronkelpaden van het leven worstelt met zijn innerlijke demonen, een strijd die begon bij Adam en Eva, zoals weergegeven in het venster boven hen. De overwinning van Theseus en St. Joris, en Christus in de woestijn, wees op de kans van de ziel het paradijs te herwinnen. En Ariadne met haar draad was de goddelijke genade, het pad naar de verlossing van de mens. Nog altijd een vrouwelijk personage, had Lucy gedacht.

Voor Alex had dat denkbeeld zich verbonden met Lucy die uit haar doolhof tevoorschijn kwam om met haar nieuwe potentieel haar eigen paradijs te vinden. En het had hem ook getoond hoe zij de draad voor hem had vastgehouden om hem uit zijn lange winter te leiden. Ze had hem er gisteren van overtuigd dat het labyrint het vermogen had alchemie voort te brengen. Het kon de ziel genezen, veranderingen van inzicht en gevoel bewerkstelligen – als je er open voor stond. Dat was voor haar zo geweest, en zij geloofde dat het voor Will zo was geweest.

Siâns witte rozen, had ze Alex gezegd, waren een eerbetoon aan een ontluikende vrouwelijke kracht in haar die ze nog niet had ontdekt, alsmede een uiting van Wills onvoorwaardelijke – zij het niet hartstochtelijke – liefde. Siân zou dat beste deel van zichzelf op een dag bereiken: ze maakte er nu een begin mee.

Het labyrint belichaamde het gemeenschappelijke in alle religieuze levensovertuigingen, en hoewel de stoelen vandaag het zicht op het luisterrijke labyrint benamen, had de roosachtige vorm gisteren bij Alex een onverwachte vreugde opgeroepen. Zoekend naar een wiskundig raadsel ergens in dit grote gebouw, had hij zich met zijn geliefde over het kronkelende pad begeven, waarbij hij elke draaiing naar het centrum had geteld. En hij wist precies hoeveel er zouden zijn: vierendertig draaiingen brachten hen samen naar het hart van het labyrint, en vierendertig brachten hen er weer uit. De mysterieuze kerk was gebouwd in de as van zon, maan en wereld. Het was de plek waar ze tijd en ruimte konden doorkruisen om kennis van een andere sfeer te verwerven: als je erin geloofde.

Alex hield een arm om Lucy's middel terwijl ze opkeken naar de kleurige engelen die van het schitterende roosvenster van het laatste oordeel op hen neerkeken. Haar kenmerkende parfum liet hem glimlachen. Ze hoorden plotseling de intussen vertrouwde Amerikaanse stem van Alex' neef, die gevoelvol sprak tegen Henry, Max en Siân, wier hand hij stevig vasthield. Ook zij bewonderden en bespraken het venster.

'Hun ideeën zijn volledig ingegeven door eigenbelang. De opvatting van de Opname vereist een negatieve, chauvinistische en apocalyptische interpretatie van de profetieën van het Oude Testament. Walters en de zijnen marginaliseren de christelijke boodschap van genade en rechtvaardigheid voor de hele mensheid. Maar zoals Simon duidelijk heeft gemaakt, vinden zij tegenwoordig in mijn land bij invloedrijke, hooggeplaatste lieden goedgelovige oren, en bij een president die zijn geloof in dat alles openlijk toegeeft. We moeten een manier zien te vinden om hen te stoppen, hun invloed te isoleren, anders zullen zij niet alleen de toekomst van het christendom vernietigen, maar alle pogingen die op religieuze harmonie in de wereld zijn gericht.'

Onopgemerkt had Simon samen met Grace op enige afstand gestaan. Calvins woorden hadden hem bewust gemaakt van zijn eigen vooroordelen. Hij liep naar hem toe en keek hem aan. Hij zag ogen die nauw verwant waren aan die van Alex en Will, ogen die hem aankeken. Op een manier die van sentimentaliteit verstoken was, greep hij Calvins hand en schudde die krachtig. Toen keek hij weer omhoog naar het roosvenster.

'Maar we moeten niet vergeten,' voegde Henry eraan toe, die had bemerkt dat ze door een vreemdeling werden gadegeslagen, 'dat ze nu weliswaar van hun voetstuk zijn gestoten, maar dat ze er, met die professor die uit het ziekenhuis is ontslagen en die door zijn vrienden in Washington wegens het niet nakomen van gedane beloften de laan uit is gestuurd, nog altijd zijn. Zij die in de Opname geloven zijn vastbesloten ergens een doos van Pandora op te graven. Zij willen een oorlog.'

Lucy hoorde Henry en ze huiverde alsof er iemand over haar graf had gelopen. Ze voelde dat Alex haar stevig vasthield, maar ze vroeg zich af of ze wel uit hun labyrint waren of nog altijd gevangen zaten in een laatste, verborgen lus.

Het was een paar minuten voor twee toen Lucy en Alex met een stoet vrienden en familieleden achter hen aan bij het gemeentehuis arriveerden, en rond vier uur waren ze in L'Aigle. In de volle zon in de tuin zag Simon een geest en hij riep Lucy en Alex. Alleen die laatste schrok niet van de verschijning en hij stelde Lucy voor aan de jonge vrouw wier onvergetelijke gezicht Wills foto's uit Sicilië hadden bezield. *'Mi dispiace, Laura. Non parlo bene l'Italiano, ma, le presento sua sorella, Lucia – Lucy.'*

Geschokt keek Lucy van de man naar de jonge vrouw en weer terug. De bezoekster lachte en verzekerde Alex dat hij de Italiaanse taal niet beroerder sprak dan zijn broer. Er volgde een verklaring van de twee die alle aanwezigen maar toch vooral Lucy verblufte. Na in de archieven van het ziekenhuis te hebben gegraven, had Alex haar vader in Sydney gebeld om hem op de hoogte te stellen van hun plannen in de zomer en hem gevraagd voor zijn dochter aanwezig te zijn. Alex verzekerde haar dat hij de uitnodiging tot zijn grote spijt had moeten afslaan, maar de vriendelijke maar vasthoudende dokter Stafford had hem ten behoeve van Lucy's toekomstige gemoedsrust wel enkele geheimen weten te ontfutselen en een adres losgekregen. In stilte verder zoekend, zonder eventuele valse hoop bij Lucy te wekken, had hij de vroegere Sofia King opgespoord, die nu als Sofia Bassano in San Giuliano Terme in Toscane woonde. Ze had vol emotie gereageerd en een foto van zichzelf en haar dochter Laura gestuurd, van wie ze geloofde dat ze sterk op haar mooie zus Lucy moest lijken. Ze had niet met Laura's vader kunnen trouwen, omdat haar voormalige levenspartner hardnekkig weigerde te scheiden en haar verbood contact met hun kind op te nemen. Die twee factoren hadden de kloof tussen hen nog dieper gemaakt.

Alex was verbijsterd geweest door de foto. Hij herkende een meisje in een boot met lange verwaaide haren en een gezicht dat sterk op dat van Lucy leek. Op een of andere manier had zijn broer haar zus op een zonnige dag aan de kust van Syracuse ontmoet. Dat was alles. Er viel verder niets te zeggen over het mysterie van de ontmoeting zelf.

'Lucy, wat ik je kan verzekeren is dat hoe meer ze probeerde contact met je op te nemen, hoe bozer hij werd, en ze was bang dat hij zijn ergernis op jou zou afreageren.' Dat Laura met een accent sprak was onmiskenbaar, maar ze sprak duidelijk en vloeiend. Lucy begreep dat er veel moed voor nodig moest zijn geweest om hier helemaal alleen naartoe te komen en zwijgend omhelsde ze haar onbekende zus.

De zussen weefden talen samen zonder een zin af te maken – er moest te veel worden uitgewisseld om dat vloeiend te kunnen doen. Met Alex' medeweten maakte Sofia opgewonden plannen om Lucy nog deze maand in Londen op te zoeken. Ze had zich voorbereid op de hereniging waar ze jaren naar had verlangd, maar ze wilde de grootste dag van haar dochter niet van zijn luister beroven met schimmige drama's uit hun verleden.

Uiteindelijk wist Alex Lucy's blik te vangen en hij tikte op zijn horloge. Het was vijf uur geweest. Ze sprong op en kuste hem zonder een woord te zeggen, volkomen door hem overdonderd. Soms was hij een diepe en geheimzinnige ziel, ondanks zijn fraaie overhemd en crèmekleurige kostuum, en de zon die hij altijd leek uit te stralen. Ze had de paradox zo dikwijls opgemerkt. Ze glimlachte en verdween met Grace en Siân naar boven. Een uur later, gehuld in een eenvoudige tot de knieën reikende jurk van oesterkleurige zijde, die Alex zou omschrijven als 'de kleur van maanlicht', haakte ze in de knopentuin, waar de zon bijna verdwenen was, haar arm in de zijne. Haar lijfje was net als dat van het portret in Longparish met een geborduurde moerbeiboom versierd. Haar gevlochten haar was vastgezet met het uitzonderlijke Elizabethaanse sieraad en ze droeg enkele gardenia's uit haar moeders tuin die Laura had meegebracht. Gadegeslagen door Venus en omgeven door honderd geurende rozen werd het huwelijk tussen Lucy King en Alexander Stafford ingezegend door Henry's vriend van het decanaat in Winchester.

'De oorlog onderworpen!' Henry omhelsde zijn zoon en kuste de bruid.

Na de eenvoudige ceremonie verzamelden zich in de om zich heen grijpende schemering iets meer dan dertig gasten in de tuin voor een aperitief. Simon, die Alex' getuige was, speelde het wonderwel klaar zijn gebruikelijke babbelzucht binnen de perken te houden. In plaats daarvan bracht hij met enkele goedgekozen woorden een toost uit op de man die een gekoesterde vriend was geworden en op de buitengewone vrouw naast hem.

'Wij allen zegenen de dag, Alex, waarop er een engel je leven binnenstapte. Geen hologram, maar een echte.' Simon boog voor Lucy en zij schonk hem een spottend lachje dat niettemin vol gratie was. Zijn geheven glas was het signaal voor een samenzang van hun namen: 'Op Lucy en Alex!'

Calvin stapte nerveus naar voren met een vragende blik naar Simon die peilde of een bijdrage van hem was toegestaan. Simon leek vriendelijk te knikken en dus richtte hij zich tot Lucy en Alex.

'Er is hier niemand die ik al heel lang ken, maar ik hoop jullie tweeën in de loop van de tijd beter te leren kennen.' Siân zag er tevreden uit, maar zijn woorden leken ook Lucy en Alex te behagen.

Hij vervolgde: 'Het huwelijk – zo'n moedige stap! Zo'n prachtige verbintenis. Ik denk dat jullie deze woorden uit het apocriefe evangelie van Thomas zullen kunnen waarderen. Ik weet dat je niet gelovig bent, Alex, maar ik denk dat ze toch betekenis voor je zullen hebben.' Hij schraapte zijn keel. '"Indien u twee tot één maakt, en indien u het innerlijke tot het uiterlijke maakt…"'

Alex en Lucy pakten elkaar bij de hand en luisterden naar Calvins stem, die de woorden uitsprak die ze om het sieraad gewikkeld, boven in de kist van John Dee, hadden aangetroffen. Niemand anders had die woorden gezien – geen ander behalve zij. De kist was voor de dag gehaald voor dit uur, deze dag. Het leek onmogelijk dat Calvin er weet van had en precies die woorden had geselecteerd. Of misschien toch niet, dacht Alex.

Toen Calvin de korte tekst had uitgesproken, bracht hij een dronk uit op het 'twee tot één'. Toen het geroezemoes was weggeëbd, wilde ook Amel Azziz iets zeggen, aangespoord door de sfeer en de geur van de tuin in de vroege avond.

'Mag ik hier nog een toost aan toevoegen?' Zijn ogen fonkelden als altijd en hij was niet minder verrukt over de afloop van de gebeurtenissen dan Henry. Alex was hem dierbaar en hij achtte hem Lucy waardig. Zij had een subtiele verandering in hem teweeggebracht en Amel had daar met genoegen kennis van genomen. Zijn eigen glas heffend sprak hij elk woord duidelijk uit: '"In de droogste, witste uitgestrektheid van de oneindige pijnwoestijn, verloor ik mijn verstand en vond ik deze roos." Die woorden zijn van de soefipoëet Rumi, Alex. Ik denk dat ze toepasselijk zijn.'

Hij besloot zijn korte speech: 'Op Alex en zijn roos!' en iedereen sloot zich erbij aan.

'Dank je, Amel.' Lucy omhelsde hem warm.

O! De roos, op de kist, dacht Grace opeens, en ze pinkte een traan weg. Ze keek haar beste vriendin bijna smekend aan. Terwijl de gasten met elkaar begonnen te praten, vroeg zij haar: 'Lucy, wat zit er eigenlijk in de kist? Behalve dat wonderschone sieraad in je haar? Je hebt ons tot vanavond laten wachten. Heb je niet beloofd het geheim met ons te delen?'

'Ik weet het ook niet, Grace. Ik verwacht dat er meer vragen dan

antwoorden zullen zijn – veel belangrijke dingen die ons stof tot nadenken zullen geven. Dat is de echte schat.' Ze lachte naar Alex.
'Maar wat de materiële inhoud betreft denk ik dat het wel bijna tijd
is om er, zoals beloofd, achter te komen.'

Er was een vrouw uit het huis gekomen die enkele woorden met
Henry had gewisseld, waarna hij de gasten uitnodigde in de naar ci-
trusvruchten geurende oranjerie. Simon en Grace namen het voor-
touw en vroegen Lucy en Alex om, zoals de traditie voorschreef, te
wachten tot iedereen binnen zou zijn. Simon en Grace gaven iedere
gast een brandende kaars die ze voor zich op de lange tafel moesten
plaatsen. Gestaag verdween er een rij lichtjes het huis in die werd verdubbeld en nog eens verdubbeld in het glas van de orangerie. Samen
met Laura ging Henry als laatste naar binnen, en de oude kisten – inclusief de kist met het doorgesneden touw die Alex zijn 'engel' had
nagelaten, wierpen hun silhouet tegen de ramen.

Lucy en Alex slenterden met hun glas champagne een eindje door
Diana's knopentuin. De nieuwe mevrouw Stafford zei: 'Dit is onze
midzomernachtdroom, Alex, heel kort voor de zonnewende. Die zal
even na middernacht zijn, in deze tuin van goed boven kwaad, waar
alles onpeilbaar en ondersteboven is.' Ze leunde tegen hem aan en beschreef met haar vinger het spiegelende spoor in de fontein van
Venus. Vanavond bezat Alex meer dan ooit de 'lumineuze kwaliteit',
zoals Lucy die noemde, en er speelde een glimlach rond zijn lippen.

'Ga je vanavond dronken worden, Lucy? Ik heb je nog nooit dronken gezien.'

Ze lachte en schudde verwoed haar hoofd. 'Geen sprake van. Ik wil
me elk moment van deze nacht kunnen herinneren – van de hele
nacht.'

Er was nog iets wat Alex haar al vanaf die middag had willen zeggen. Nu was er gelegenheid en hij hoopte dat het haar levenslustige
stemming niet zou aantasten. 'Lucy, het spijt me zo dat je moeder niet
met Laura is meegekomen. Het is een queeste die ik je graag tot de
voltooiing had willen zien volvoeren – haar te vinden.'

Ach ja! Laura, dacht Lucy, en ze lachte schalks naar hem. Maar ze
vond dit niet het moment voor dergelijke vraagstukken en ze zette
haar glas naast de fontein. Ze nam zijn gezicht tussen haar sterke han-

den en schudde zacht haar hoofd. 'Weet je het dan nog niet, Alex Stafford? Ik heb haar gevonden. Hier.' En ze zag zijn opgeluchte lach, zijn woordeloze 'ja'. Hij begreep het. Diana was die persoon in haar leven geworden, beter dan iemand anders dat ooit zou kunnen.

'Op Diana,' ging ze verder. 'Op de veelheid van overtuigingen en op de vermijding van dogmatische denkbeelden over zaken waarvan we geen zekere kennis kunnen hebben.' Haar glas was bijna leeg, ze nam het zijne, dronk het leeg en lachte. 'Maar zullen mensen dat ooit begrijpen?'

'Kunnen controlerende overheden het zich veroorloven dat ze dat begrijpen?'

Ze leunde weer tegen hem aan. 'Nou, dat is een deel van de nalatenschap, denk ik. Simon en Grace en Calvin, zie ik nu in, en jij en ik en iedereen die is zoals wij, moeten het van de daken schreeuwen dat die mensen een angstaanjagende invloed hebben op de politiek, op het rechtsstelsel en op onze keuzevrijheid. Geen enkele religie heeft een monopolie op onverdraagzaam fundamentalisme. In de Openbaring is Jezus de held met een "zwaard in zijn mond" – en ik hoop dat wij met onze eigen woorden een uiterst krachtig tegenwicht kunnen bieden.'

Lucy raakte het schitterende sieraad in haar haar aan – een huwelijksgeschenk, zoals zij het beschouwde, van John Dee en Prospero. Of het nu wel of niet magisch was, ze omhelsde er met heel haar wezen de betekenis van. Ze had het sinds die ochtend in Longparish steeds bij zich gedragen. Het zei haar zich te verzoenen met alles wat zich als tegenovergesteld aandiende, te omarmen wat 'vreemd' of 'anders' was. Ze had zich ingelaten met de gedachte dat het innerlijk als het uiterlijk moet zijn, de vrouw als de man, en ze had een manier willen vinden om die gedachte tot een verwerkelijkte waarheid te maken. En dat was haar gelukt.

Na lange, stijfkoppige discussies en met uiteindelijk de instemming van Alex, was ze enkele dagen later naar James Lovell gegaan om een wijziging van haar medicatie te vragen. Ze vertrouwde erop dat de middelen die afstoting moesten voorkomen tot een minimum konden worden beperkt, omdat ze het gevoel had volkomen één te zijn met Will. Het was onconventioneel, maar er waren uitstekende redenen om het ten behoeve van haar gezondheid aan te moedigen – vooral als ze bijvoorbeeld graag een kind zou willen. Dus overtuigde ze hem haar te helpen. Geleidelijk waren haar calcineurineremmers verlaagd, om haar in plaats daarvan de nieuwere sirolimus te geven, die minder schadelijk voor de nieren zou zijn en de kans op atherosclerose mogelijk verminderde. Het middel was nog in de testfase en dat zat Alex niet helemaal lekker, maar Lucy was na bijna twee maanden dolenthousiast. Ze was ervan overtuigd dat ze het helemaal zonder medicijnen kon stellen, maar daar wilde Alex niks van weten en dus accepteerde ze haar eerste overwinning als een belangrijke stap. En na verloop van tijd zou ze wel zien wat er verder mogelijk was. Ze zou nooit te maken krijgen met afstoting, geloofde ze. Ze beschouwde Will als een volledig geïntegreerd deel van zichzelf.

'Wat een doolhof, inderdaad. Ik hoop dat Dees vertrouwen in ons allen gerechtvaardigd zal zijn – dat we na vierhonderd jaar daadwerkelijk klaar zijn voor de cryptische boodschappen die hij ons naliet – wat nog het nodige zal vergen. Maar, Alex, hebben we niet geleerd dat zaken die destijds de gemoederen bezighielden, dat nu nog veel meer doen? En is het niet zo dat mannen als Walters de goden wraakzuchtig en afgunstig willen houden om er in hun eigen machtsspelletjes hun voordeel mee te doen?'

'Maar als Liefde spreekt, Lucy, maken de goden "de hemel slaperig met haar harmonie". Als de vergeefse inspanningen van de liefde niet langer vergeefs zijn, zullen we het antwoord misschien vinden.' Alex lachte en pakte haar hand. 'Het is in elk geval zo, Ariadne – en ik verzeker je dat je voor mij een godin bent en geen engel – dat jij ons eruit hebt geleid. Al wachten ons daarginds misschien meer aanwijzingen.' Alex lachte opnieuw, maar nogal ongemakkelijk.

'"Labyrint,"' citeerde ze uit haar hoofd, '"een ingewikkelde structuur met vele gangen waarin je kunt verdwalen. Een netelige toestand."' Ze kuste hem en vroeg toen plagend: 'Maar, Alex, maakt niet uwe doortastendheid mijn cirkel rond?'

Hij hervond zijn kalmte: 'Om te eindigen waar we begonnen?'

Lucy nam zijn hand en leidde hem naar de ontelbare lichtspiegelingen.

Epiloog

Sint-Jorisdag, 1609

'En door middelen als deze, heren – en allermooiste dames – zijn de vergeefse inspanningen uit liefde uiteindelijk niet langer vergeefs.' De verteller maakt een overdreven buiging.

Er wordt geklapt en van de lange tafel stijgt gelach op. Drankjes worden aangevuld in het kaarslicht. 'We weten dat je van die volgepakte woorden houdt, Will. Maar "New-York"?' vraagt een van de mannen. 'En "Tick-Tock"?' zegt een andere. Het hoongelach barst weer los en een man die een pijp rookt, heeft er nog één ding over te zeggen. 'Maar eerlijk waar, "Opnamebereidheid" is een uitstekende grap.'

'Maar, Will, wanneer zal het eindigen? Zal het ooit eindigen?' De donkerharige schoonheid met de donkere ogen, gezeten aan het ene einde van de tafel, staat op om hem een rijkelijk geborduurd stuk stof te geven. Hij wikkelt het zorgvuldig om een rosa gallica, knoopt het dicht met twee haarlokken, een donkere en een blonde, en stopt het pakketje in een soort rekwisietenkist.

'En een rode roos, midden in de zomer geplukt,' zegt hij tegen haar. Zijn stem aarzelt een ogenblik, maar dan richt hij zich weer tot haar met een levendig en vrolijk gezicht. 'Het wil een twaalf-maand en een dag, en dan zal het eindigen. Dat zal, dus. Hoewel in dit geval de ware spanne van die "twaalf-maand" een mysterie is. Een toneelstuk ziet een heel leven in een uur. Negen lentes zijn voorbijgegaan sinds we ons eerste stuk ontwierpen. Het uiteindelijk bereik zal de meting door een man trotseren.'

'En die door een vrouw. Want hoe lang is de draad?' Ze daagt hem uit en wijst op een lege ruimte aan het hoofd van de tafel. 'Wat zal er van zijn hart worden? Zal het floreren waar het is geplant?'

'Bedoel je het hart? Of het witte hart? Of het hart dat het hare is, het

422

zijne was? Of het hart dat het zijne was…' Hij richt zijn hand op dezelfde manier op de lege stoel. '… haar zal zeggen waar het verborgen
werd? Of het hart dat het mijne was en dat jij stal? Of het hart dat het
zijne is en dat hij in de volle zomer vrijelijk schenkt? Het hart dat klopt
in haar borst – of het hart in de borst dat niet langer klopt? Waarlijk, het
ene is een hart met geestigheid en een wil, het andere een hart van Will
met een geestigheid. En alle zijn één.'

Zijn donkerharige gezellin steekt een vermanende vinger naar hem op
en hij vervolgt: 'Nee, vrouwe. Het hart van de dokter verwijlt een tijdje
in duisternis, uitsluitend zoekend naar het licht, onvermoeibaar klop-
pend onder de borsten van Wijsheid. Maar het wordt in de slaap gevoed,
verdwaalt nooit volledig in de raadselwoorden. Het zal nog een keer
hartstochtelijk worden – zijn betekenis helder. De rijpheid is alles.'

Zij brengt hem af van zijn woordenspel met een volgend minachtend
handgebaar en spreekt hem nu fel toe. 'IJverige schenker van inkt, hebt
ge niet al gezegd dat veel mannen genoeg religie hebben om te haten,
maar te weinig om lief te hebben? En zal dat altijd zo zijn? Zal er een
tijd komen waarin de betweters niet langer de huicheltaal van schoolmeesters bezigen, maar hun geest en hart openstellen voor nieuwe ideeën,
hun bekrompen wereld verruimen?' Met een wanhopige blik geeft ze hem
een minuscuul portret.

'Nee, niet dit, meesteres Bassano. Dit moet samen met het Konings-
boek in de familie blijven. Uw lijfje hier bevat de rebus, bevat antwoorden op de raadsels. En ik kan er bijna geen afstand van doen.' Hij legt
het opzij.

'Het is maar een kopie, Will. Je hecht er te veel waarde aan.'

'Mijn kopie,' zegt hij met nadruk, en hij gaat verder met het inpak-
ken van de kist. 'Voeg aan het sieraad, dat hij aan het begin van haar
bewind voor de koningin maakte, en dat zij aan het einde ervan aan
hem teruggaf, slechts mijn ongeschreven stuk toe, de gebroken staf en het
toverkristal dat volgens hem van een andere wereld komt. Hij verzekert
ons dat het door engelen werd gegeven, met een boodschap van genezing
die begrepen zal worden als ze het laatste raadsel oplossen dat hij aan ons
nalaat: als de witte roos bloeit in een huis van die kleur, in een land dat
precies zo'n bloem als embleem kiest.'

Met haar in een handschoen gestoken hand plaatst ze die objecten in

de met rozen gevulde kist en zet die naast de andere, veel steviger dicht-
gesnoerde kist. 'Hier zal zijn engel rusten…'

'Maar om op de uwe terug te komen,' hervat haar kameraad zijn be-
toog. 'Ja, trouwen. Die tijd kan komen. Het staat hier geschreven. De
goede dokter beschikt dat het zal gebeuren…' hij onderbreekt zijn uit-
eenzetting om een perkament te lezen voor hij het haar overreikt, '"wan-
neer Astraea opkomt, oostelijk van het westen van het westen. Ziet, ze zal
trouwen met een Will – en met een grote Will, en die Will met een grote
en rusteloze wil. Deze vogel in de hand is er twee waard, en dus moge de
heldere zon opnieuw verschijnen om de zwakke maan kracht te geven. En
nu gaat ons hemelse paar voort, en terwijl ze dat doen – terwijl de bet-
weters waarlijk in de koudste maand zijn – de januariperiode te Oxford
en bij Rechten – zullen de dwepers een lange winter ervaren, anderen een
lenterite.'"

'Goede schaduw, die te lang is voor een toneelstuk. En als ge ze zonder
woorden laat, hoe moeten ze hun rollen dan leren?' Haar donkere ogen
kijken naar hem, en ze neemt het perkament op dat hij nog maar net
heeft beschreven.

'Niettemin zullen zij het onvoorbereid doen, meesteres Bassano. Hun
personages zijn met wijsheid gesmeed, en zij zullen ze leven.'

In het zwakke licht van de naar hun einde neigende kaarsen leest ze
de weinige woorden hardop.

'Ze is zowel zus als bruid, en kostbaarder dan robijnen. Alle zaken die
ge kunt wensen zijn niet met haar te vergelijken. Haar wegen zijn
aangename wegen, en al haar paden zijn vredig.'

En zij nemen ieder een sleutel, en sluiten de sloten aan beide kanten van
de kist.

Opmerkingen van de auteur

John Dee begroef veel van zijn papieren – waaronder de papieren die verband houden met de zogenaamde engelenseances – in de velden rond zijn huis in Mortlake in het begin van de zestiende eeuw. Hoewel Robert Cotton er een omvangrijke hoeveelheid van heeft opgegraven, is het twijfelachtig dat ze allemaal zijn teruggevonden. Zijn jammerlijk verspreid geraakte boekenverzameling blijft een na te speuren mysterie en zo nu en dan duiken er op de meest onverwachte plaatsen delen uit op.

In december 2004 werd uit het Science Museum in South Kensington de kristallen bol gestolen die aan John Dee toebehoorde. De bol is onlangs teruggevonden, samen met twee portretten uit de Renaissance uit het Victoria and Albert Museum. De zaak is nog niet onder de rechter gekomen en verdere informatie is er vooralsnog niet.

Giordano Bruno is onlangs voorgedragen ter zaligverklaring. Op het Campo de' Fiori in Rome, waar hij op de brandstapel belandde, staat zijn standbeeld.

Het apocalyptische Opname-verzinsel telt wereldwijd miljoenen aanhangers, vooral in de Verenigde Staten. Zelfs de Amerikaanse president schijnt er grote waarde aan te hechten.

'Cellulair geheugen' wordt door gerenommeerde instellingen grondig onderzocht. Tot op heden is er nog geen consensus over bereikt of het een dwaling, een onverklaarbaar fenomeen of een mythe is gebaseerd op onjuiste interpretaties van de 'werking'.

Bibliografie

- 'A Brother of the Fraternity', *Secret Symbols of the Rosicrucians of the 16th and 17th Centuries,* herdrukt door Kessinger Publications (zonder vermelding van uitgavejaar).
- Bayley, Harold, *The Hidden Symbols of the Rosicrucians*, 1903. Herdruk Sure Fire Press, 1988.
- Begg, Ean, *Myth and Today's Consciousness*, Coventure, Londen, 1984.
- Bossy, John, *Giordano Bruno and the Embassy Affair*, Yale, 1991.
- Charpentier, Louis, *Les Mystères de la cathedrale de Chartres*, Parijs, Robert Laffont, 1966.
- Dee, Dr John, *The Hieroglyphic Monad*, Weiser Books, 2000.
- Donne, John, *Selected Poems*, Everyman, 1997.
- García Márquez, Gabriel, *Honderd jaar eenzaamheid*, Meulenhoff, 1972.
- Gibson, Rex (red.), *Shakespeare: The Sonnets*, Cambridge University Press, 1997.
- Hall, James, *Dictionary of Subjects and Symbols in Art*, 1974. Herdruk John Murray, 1985.
- Jones, Marc Edmund, *The Sabian Symbols in Astrology*, 1953. Shambahla, 1978.
- Kaplan, Esther, *With God on their Side: George W. Bush and the Christian Right*, The New Press, 2004, 2005.
- Peterson, J. H. (red.), *John Dee's Five Books of Mystery: Original Sourcebook of Enochian Magic*, Weiser, 2003.
- Rossing, Barbara R., *The Rapture Exposed: The Message of Hope in the Book of Revelations*, Basic Books, 2005.
- Sizer, Stephen, *Christian Zionism*, Inter-Varsity Press, Leicester, Engeland, 2004.

- Strachan, Gordon, *Chartres: Sacred Geometry, Sacred Space*, Floris Books, 2003.
- Still, Colin, *Shakespeare's Mystery Play: a Study of The Tempest*, eerste uitgave Cecil Palmer, Londen, 1921. Herdrukt door Kessinger Publishing (zonder vermelding van uitgavejaar).
- Ungar, Craig. 'The American Rapture.' In: *Vanity Fair Magazine*, december 2005.
- Woolley, Benjamin, *The Queen's Conjuror: The Life and Magic of Dr Dee*, 2001. Herdruk Flamingo, 2002.
- Yates, Frances, *The Rosicrucian Enlightenment*, Routledge, 1972.
- Yates, Frances, *The Occult Philosophy in the Elizabethan Age*, Routledge, 1979.
- Yates, Frances, *Giordano Bruno and the Hermetic Tradition*, 1964. Herdruk University of Chicago Press, 1991.

Dankwoord

Het valt te betwijfelen of ik iedereen die heeft bijgedragen aan de totstandkoming van dit boek recht zal kunnen doen. Velen hebben het manuscript in de loop van de tijd gelezen en er hun opbouwende commentaar op gegeven. Tot de eerste lezers die het verdienen met name te worden genoemd, behoren Janet Opie, Kathryn Toyne en Philip Whelan. Zij hebben het manuscript onder mijn voorwaarden gelezen, van menige passage genoten en scherpzinnig hun vinger op de zwakkere plekken gelegd. Aan Philip dank ik de ingenieuze beschrijving van Lucy als een heldin in mannenkleren – hij haalde die observatie uit de eerste hoofdstukken. Ik dank jullie drieen. Fiona Donaldson kwam ook met vele vernuftige inzichten en was bereid het boek op een positieve manier te lezen: dank ook aan jou – vooral voor je denkbeelden over gereedschappen en instrumenten!

Mijn slimme dochter Samantha was van onschatbare waarde als bron van de nodige modernismen, de kleding van Siân en het op cruciale momenten verdedigen van mijn opvattingen, kortom: omdat ze altijd in mij gelooft. Dochter nummer twee, Zephyrine, bracht me met het oog op Max het een en ander bij over de Sims: dank je, lieverd, vooral voor Magere Hein, die zo verbluffend goed paste! Ik bedank mijn lieve Engelse moeder en vriendin Joan Bridgeman voor het becommentariëren van het manuscript en voor al je wijsheid en begrip. Ik mis het genoegen samen met jou te studeren. Mijn grote dank gaat ook uit naar de schrandere en grootmoedige Carolyn Burdet.

Voor een deel van de veelheid aan details die door het boek geweven zijn maar die onderwerpen omvatten die mijn kennis overstijgen: John Fisher, wiens voortreffelijke website heart-transplant. com.uk mijn steun en toeverlaat was, alsmede Johns geestige antwoorden op mijn (ongebruikelijke!) Lucy-vragen. Dank, John – je bent een verbazingwekkend mens! Russell White, Phil Charter en Brian Adam van het museum van St Albans voor hun hulp aangaande de schildering in de White Hart Inn; de paramedici van Shepton Mallet Ambulance Station; Ducati Motor Bikes; Hampshire Primary Care Trust; de London School of Hygiene and Tropical Medicine; de British Heart Foundation; de politiekorpsen van Somerset, Avon en Wiltshire; Elaine en Steve Mancini van de Cricketers Inn in Longparish (extra dank aan Elaine!); Ross en Jane McBeath van het White Hart Hotel in St Albans; en Suzie Vincent. Dank ook aan Liz Foster. David Billingham in Cheltenham bedank ik in het bijzonder voor het beantwoorden van al mijn vragen over de werkwijze en verantwoordelijkheid van de lijkschouwer, en John Harmshaw voor zijn vele rechtskundige adviezen – je bent een waardige spreekbuis voor Henry Stafford, John. Calvins opvattingen werden aangevoerd door 'Mr Smith', waarvoor mijn grote dank.

Voor het lezen van de kladversies en het signaleren van allerlei fouten dank ik: Jenny de Gex, Valentina Harris, Katie Bayer, Kate Byrne, Anne Williams, John Jarrold en Robin Stokoe. Met het oog op de eerste redactrices gaat mijn dank uit naar Anna South, die mij zo ruimhartig prees voor alles wat goed was en mijn aandacht vestigde op de grootste blunders die ermee gepaard gingen: ik waardeer je kritiek en hulp zeer. Yvonne Holland dank ik voor haar briljante redactiewerk. Claire Peters voor haar grote inspanningen de raadselteksten van de juiste toon te voorzien. Edward Bettison voor het verrukkelijke omslagontwerp, en Ami Smithson. Dank ook aan Joy FitzSimmons en Michael en Julia van Johnson Banks voor hun deel aan de labyrintillustratie. Voor mijn vriendin van North Sydney Girls High School, Susan 'Maysie' Lyons in New York: dank, Sus, voor je aanmoedigingen en je vriendelijke modelleervoorstellen, waarbij je me met je suggesties nooit tegen de haren in streek! Fiona McIntosh van Harper Collins schonk me het vertrouwen dat dit boek alle moeite waard zou zijn: lieve Fiona, heel erg bedankt. Enorm veel dank aan professor Sebastian Lucas van Guy's en St Thomas' Hospital voor het controleren van Alex' cv tot de namen en het gebruik van de diverse medicijnen. Veel onderzoek zou veel eenvoudiger zijn geweest als ik van meet af aan in de gelegenheid was geweest u te raadplegen!

De allerbelangrijkste groep als laatste. Mijn diepe dank aan mijn zus Wendy Charell, die me een zeer uitgebreide leeslijst omtrent de hermetica verschafte. Ik weet dat jouw stem in dit boek doorklinkt en dat ik bij je in het krijt sta. Mijn schoonmoeder en vriendin Dorothy Bromiley Losey Phelan: lieve Dot, dit boek zou bijna aan jou zijn opgedragen, maar Gavriks aanspraken dienden voorrang te krijgen. Dank voor het lezen van het boek, voor je eerlijke commentaar en voor je essentiële borduuradviezen: mijn eigen Diana! Alison Cathie van Quadrille omdat ze tijdens een lunch 'ja' zei tegen de hele onderneming; en aan Jane Morpeth van Headline omdat ze 'ja' zei tegen Anne en Alison! Kan ik jullie allemaal ooit genoeg bedanken? Aan Anne Furniss, mijn redactrice bij Quadrille, die me zo lang geleden op weg hielp met het labyrint van Chartres, in me geloofde en vanaf het begin voor dit boek heeft gevochten – ondanks alle labyrintische wendingen en vertragingen. Mijn fabelachtige nieuwe agenten Andrew Nurnberg en Sarah Nundy van Nurnbergs: met jullie op te trekken is in alle opzichten een voorrecht. Jullie hebben me over de eindstreep gekregen en me scherp gehouden. Dank.

Overdadige complimenten en blijken van dank voor Flora Rees, mijn uitzonderlijke redacteur van Headline, die genadiglijk het hoofd wist te bieden aan mijn geweeklaag over haar ellenlange aantekeningen, maar me wel heeft geleerd een veel betere auteur te worden. Je bent een echte donkere dame, Flora, in elke goede betekenis. En aan mijn man Gavrik Losey, die voor zo'n groot deel van het boek de 'aanstichter' en 'wegwijzer' was. Onbetaald onderzoeker, toneelmeester en in geen enkel opzicht een ingezetene van Dantes voorgeborchte. Zonder jou was het me eenvoudigweg nooit gelukt. Je stond me altijd bij. Dank je! TH x

Dankwoord van de uitgever

De uitgever wil onderzoekster Sarah Hopper bedanken, alsmede de volgende fotografen en instellingen voor hun toestemming hun foto's en illustraties te gebruiken: Antiquarian Images, The Bridgeman Art Library, The British Library, Londen, Collage/City of London, Guildhall Library, Corbis, David Goff Eveleigh, Getty Images, Hatfield House/met toestemming van de markies van Salisbury, Mary Evans Picture Library, National Maritime Museum, The New Yorker Hotel, New York, Sonia Halliday Photographs, V&A Images.